Homo Aestheticus

L'invention du goût à l'âge démocratique

LUC FERRY

Homo Aestheticus

L'invention du goût à l'âge démocratique

GRASSET

Pour Alain Daniel, et Virginie.

AVERTISSEMENT

Cet ouvrage vise à retracer les grands moments conceptuels d'une histoire de l'individualisme démocratique ou de la subjectivité moderne. Pour des raisons sur lesquelles je me suis expliqué dans le premier chapitre, le champ de l'esthétique est celui au sein duquel les sédiments d'une telle histoire sont, aujourd'hui encore, les plus visibles et les plus riches de signification. Il m'a fallu tenir les deux bouts d'une chaîne quelque peu fragile : d'un côté ressaisir les définitions de la subjectivité là où elles avaient été formulées de la façon la plus forte, c'est-à-dire dans la philosophie, sans renoncer pour autant à interpréter certains aspects d'une discipline, l'esthétique, qui est par bonheur inséparable de l'histoire concrète de l'art. Toute la difficulté provient du fait que la philosophie, à la différence des sciences historiques, n'appartient pas à ce qu'il est convenu d'appeler la « culture générale ». Les amateurs d'art, voire les érudits ne sont pas toujours familiers des œuvres de Leibniz, Baumgarten, Kant ou Hegel. Il serait tout à fait vain de croire que cet obstacle est formel ou, comme on l'imagine parfois, lié au « jargon » dont s'entourent ces pensées. Il tient au fond : la réflexion sur la culture n'appartient pas de plain-pied à la culture. Elle suppose une distance toujours malaisée à parcourir et à combler.

Je me suis efforcé d'exposer de façon non technique les thèses de ce travail (chapitre I) ainsi que les principaux passages consacrés à l'élucidation des deux moments clefs de l'esthétique moderne : la querelle inaugurale entre le cœur et la raison (début du chapitre II) et la fin, sans doute provisoire, de cette histoire (chapitre VI). Ces passages peuvent se lire de façon relativement indépendante du reste de l'ouvrage. Seul leur lien avec une histoire systématique du sujet ne peut être perçu hors du détour par la philosophie.

AVANT-PROPOS

Un spectre hante la pensée contemporaine : le spectre du sujet.

Chacun le sait ou le pressent aujourd'hui, hors même des limites de la philosophie professionnelle : cette « mort de l'homme », qui fit grand bruit dans les années 60, mais dont la chronique fut tenue déjà par Nietzsche, soulève des questions auxquelles nulle pensée n'apporte encore de réponse. Dans le sillage de quelques précurseurs, au nombre desquels il faut compter l'auteur de Zarathoustra, la psychanalyse, sans doute la plus grande avancée intellectuelle de ce siècle, a mis brutalement fin à l'idée que nous pouvions nous considérer comme maîtres et possesseurs de nous-mêmes. Le sujet fut, comme on dit, « brisé », et nos états de conscience, concepts ou sentiments, exposés à la détermination infinie de l'inconscient.

En un paradoxe caractéristique de notre culture démocratique, le décret de la mort de l'homme s'est accompagné d'une revendication d'autonomie comme on n'en avait sans doute pas vu encore dans l'histoire de l'humanité. Globalement, dans les sociétés libérales-sociales-démocrates qui sont les nôtres, l'exigence de liberté, entendue comme la faculté de se donner sa propre loi, n'a jamais été, quoi qu'on en dise ici ou là, aussi forte. Ceux-là mêmes qui instruisent le procès du consumérisme planétaire doivent le plus souvent se résoudre à le faire, fût-ce à contrecœur, au nom de l'idéal d'une prise en charge par les hommes de leur propre destin. Pour n'être pas toujours enthousiasmantes, les valeurs de la démocratie républicaine semblent bien constituer, pour longtemps encore, notre seul horizon politique acceptable.

Paradoxe, donc, puisque le sentiment d'une perte irrémédiable de soi, pourtant thématisé par la philosophie contemporaine comme l'effet d'une démystification aussi subversive que salutaire, s'accompagne d'une volonté sans cesse croissante de réappropriation : sur un plan individuel, dans la tentative de se rendre à soi-même un passé perdu; à un niveau collectif, à travers le souci de ne pas succomber aux pièges infinis que le monde marchand ne cesse de nous tendre (en même temps qu'il nous rend les services que l'on sait).

Paradoxe inévitable, pourtant, que l'on pourrait formuler en première approximation de la façon suivante : peut-on être démocrate, croire non seulement dans les vertus du pluralisme, mais aussi en la capacité qu'auraient les hommes de faire, si peu que ce soit, leur propre histoire (ce que suppose, qu'on le veuille ou non, toute critique des simples lois du marché), tout en acceptant la thèse selon laquelle la notion de volonté serait invalidée par la découverte des divers visages de l'inconscient?

Telle est, me semble-t-il, l'équation philosophico-politique de cette fin de siècle – équation à laquelle une réponse en forme de compromis n'offrirait qu'une satisfaction médiocre, au même titre, faut-il le dire et le redire, que toute prétention à un « retour » aux formes de la subjectivité antérieures à l'émergence du « sujet brisé ».

Dans un précédent livre, *la Pensée 68*, nous avions, Alain Renaut et moi-même, entrepris de mettre en question les figures à nos yeux les plus marquantes de l'« antihumanisme contemporain », les moments les plus significatifs de la critique du sujet entendu classiquement comme conscience et comme volonté. Et l'ouvrage étant polémique, c'est par la polémique qu'on lui répondit le plus souvent : suivant le principe selon lequel deux négations valent une affirmation, puisque nous critiquions les critiques de la conscience et de la volonté, c'est que nous voulions revenir à Descartes, réaffirmer, au nom d'un rationalisme dont la platitude n'aurait d'égale que la rusticité, contre Marx, Nietzsche, Freud, Heidegger et leurs disciples français, les bonnes vieilles valeurs néokantiennes de la responsabilité et de la conscience, de la volonté et de la maîtrise de soi. C'était naturellement manquer notre dessein le plus explicite – non pas faire retour vers la tradition de l'humanisme métaphysique, mais fonder, nous y insistions en chaque occasion, un « humanisme non métaphysique » – mais la polémique a ses raisons que la raison ne connaît pas. Après tout, comme disent si bien les enfants : c'est effectivement nous qui avions commencé.

Le temps des polémiques est passé et, je l'espère, la question de l'homme (du sujet) doit pouvoir être reprise avec sérénité. Comme nous le suggérions dans *la Pensée 68*, la critique des idéologies de la mort de l'homme ne saurait se suffire à elle-même, et, pour devenir réellement positif, le projet d'un « humanisme non métaphysique » doit affronter un double réquisit :

– Face aux lectures uniformisantes de la modernité définie comme la succession linéaire et univoque des étapes de la constitution d'un sujet métaphysique, clos sur lui-même et transparent à soi, il faut restituer dans leur pluralité *conflictuelle* les divers moments qui ont en vérité scandé l'histoire des conceptions modernes de la subjectivité.

– Mais, puisqu'on écarte d'emblée l'hypothèse d'un simple « retour à », il faut aussi répondre à la question de savoir quelle représentation de soi peut conserver encore une signification *après* les diverses déconstructions de la subjectivité – question que les déconstructivistes eux-mêmes doivent bien aujourd'hui accepter de faire leur.

Dans un ouvrage récent, *l'Ère de l'individu*, Alain Renaut a entrepris d'étudier ces deux questions selon une approche philosophique de l'histoire de la philosophie. De mon côté, fidèle à une démarche adoptée dans mes premiers travaux, je tentais de les aborder à partir d'une perspective extérieure à l'histoire de la philosophie pure, en l'occurrence, celle de l'esthétique.

Ce choix n'a rien d'arbitraire. Les questions posées par le thème de la mort de l'homme renvoient toutes au statut de l'Auteur, du sujet pensé comme créateur, motif dont l'élaboration constitue l'objet privilégié de la réflexion sur l'art. Surtout : pour des raisons de fond qu'il faut maintenant indiquer, l'esthétique est, par excellence, le champ au sein duquel les problèmes soulevés par la subjectivisation du monde caractéristique des Temps modernes peuvent être observés pour ainsi dire à l'état chimiquement pur.

De Tocqueville à Arendt et Heidegger, de Weber à Strauss et Dumont, les analyses les plus profondes de la modernité ont souligné ce que, *négativement*, l'émergence de l'individualisme signifiait en termes d'érosion de l'univers des traditions : la disparition des ordres et des corps de l'Ancien Régime, le désenchantement du monde, la fin du théologico-politique, le passage de la communauté organique *(Gemeinschaft)* à la société contractualiste *(Gesellschaft)*, du monde clos à l'univers infini, l'obsolescence des grandes cosmologies, des visions objectivistes et hiérarchisées du droit et de la politique, l'oubli de l'Être dans l'avènement de la technique... Et sauf à pécher par ce que Nietzsche eût considéré comme un singulier manque de « sens tragique », on ne saurait contester la force des lectures de la modernité qui, même pour finalement s'y rallier, comme chez Tocqueville, mesurent sans concession le prix de ce que les *Aufklärer* liront tout uniment comme « la marche du Progrès ».

Ces analyses convergent au moins sur un certain diagnostic auquel nous ne saurions rester aveugles ni indifférents : les Temps modernes nous font entrer dans un cercle dont on comprend qu'il puisse, aujourd'hui encore, aujourd'hui plus que jamais, paraître infernal à certains. Car, d'un côté, la dissolution progressive des repères hérités quasi naturellement du passé nous laisse sans réponse face aux vicissitudes les plus simples et les plus profondes de l'existence quotidienne : à l'échelle de l'individu, il est plus aisé de donner une signification à nos réussites qu'à nos échecs, à nos instants « actifs » (au sens de Nietzsche) qu'à la maladie et à la mort, auxquelles, pourtant, les communautés traditionnelles parvenaient à conférer un lieu théorique et pratique. Si l'on devait écrire aujourd'hui, deux siècles après Rousseau, cette philosophie du malheur que lui prête Alexis Philonenko, il faudrait qu'elle réponde à une interrogation dont la platitude pourrait sembler désarmante : faute de pouvoir être située dans la perspective d'une communauté traditionnelle ou dans celle d'une quelconque eschatologie, la finitude humaine nous permet-elle encore de croire que nos projets et nos objectifs, nécessairement *limités*, sont intrinsèquement sensés ou, si l'on préfère cette autre formulation, que le sens lui-même possède encore un sens? L'« innocence du devenir », chère selon Nietzsche aux véritables aristocrates, nous est-elle encore accessible?

D'un autre côté, s'il est vrai que l'effritement des traditions nous introduit dans l'ère de l'interrogation indéfinie, cette dernière, en retour, contribue puissamment à leur érosion : plus les questions surgissent, moins il nous est aisé d'y répondre, démunis que nous sommes de tout critère préétabli; plus ces critères s'estompent, plus nombreux sont les aspects de la vie intellectuelle, mais aussi quotidienne, qui entrent dans le champ du questionnement individuel.

On ne saurait pourtant se borner à constater qu'aujourd'hui, pour nous modernes, le ciel des idées est vide. Encore moins s'agit-il de le déplorer (bien que rien n'interdise non plus cette attitude à laquelle on doit, après tout, de Kierkegaard à Cioran, quelques œuvres non négligea-

bles). Car si nous sommes des laïcs – ce à quoi, au moins
sur le plan public, la fin du théologico-politique contraint,
bon gré mal gré, l'immense majorité des chrétiens eux-
mêmes –, il nous faut bien admettre qu'au cours des
prochaines décennies c'est en nous-mêmes, donc : dans,
par et pour l'humanité, qu'il nous faudra trouver les
réponses aux questions que le progrès des sciences et des
techniques ne manquera pas de nous obliger à poser. La
biologie, comme on sait, l'atteste tout particulièrement.
D'ici peu, le problème crucial de la bioéthique sera celui de
la fixation des limites. Comment, par qui, selon quels
critères nos sociétés démocratiques seront-elles conduites à
fixer des bornes à la liberté individuelle? – qu'on le veuille
ou non, voilà une question qu'on ne pourra bientôt plus
éluder si l'on n'accepte pas, du moins, qu'elle se résolve
par le simple jeu des puissances économiques ou idéologiques.

Il y a donc quelque avantage à comprendre que l'histoire de la modernité n'est pas seulement (même si elle l'est
aussi) l'histoire du *déclin* des traditions, mais qu'elle est
avant tout, *positivement*, celle des multiples visages de la
subjectivité, *c'est-à-dire celle de la constitution du seul socle
à partir duquel il nous faudra désormais*, volens nolens,
*aborder, et peut-être même parfois résoudre, la redoutable
question des limites que l'on doit imposer aux pouvoirs de
l'homme sur l'homme*. Or, dans cette voie, ce n'est plus
l'histoire des cosmologies ou des grandes religions qui peut
nous servir à elle seule de fil conducteur; pas davantage
celle de la philosophie politique moderne, bien que, c'est
l'évidence, l'une comme l'autre doivent rester présentes à
l'esprit comme le négatif d'une autre histoire, celle de
l'esthétique, en laquelle se sont inscrites de façon *positive*,
non seulement les diverses conceptions de la subjectivité
constitutives des Temps modernes, mais aussi leur tension
la plus aiguë, avec la question, refoulée mais toujours
sous-jacente, du rapport de l'individuel au collectif.

I

LA RÉVOLUTION DU GOÛT

Avant de s'intéresser à la philosophie de son temps, le jeune Hegel s'interrogeait sur les conditions dans lesquelles une religion pourrait s'accorder avec les exigences d'un peuple libre. Et le premier réquisit qu'il assignait à une réforme de la théologie était de la débarrasser de sa « positivité », c'est-à-dire de tout ce qui, par son caractère dogmatique et institutionnel, pourrait contribuer à en faire une forme *étrangère* à la communauté, une idéologie *extérieure* à un peuple composé d'individus libres.

A bien des égards, la question de Hegel reste la nôtre. Il suffit de remplacer le mot religion par le mot culture (ce qui, aussi bien historiquement que philosophiquement, pourrait se justifier) pour qu'elle retrouve une pertinence et une actualité étonnantes : en quoi peut consister la culture d'un peuple démocratique, tel est bien en effet le problème central de sociétés dans lesquelles la subjectivisation du monde a pour corollaire inévitable l'effondrement progressif des traditions sous l'exigence incessante qu'elles s'accordent avec la liberté des hommes. Soumise aux impératifs de l'individualisme, la culture contemporaine a dû rejeter l'extériorité et la transcendance à un point tel que *la référence à un ordre du monde semble s'être peu à peu retirée de ses principales productions*.

Ancien, moderne, contemporain :
le retrait du monde

J'ai analysé ailleurs* en quel sens l'individualisme moderne rompait sur le plan juridique et politique avec la représentation antique d'un ordre cosmique, clos, hiérarchisé et finalisé que l'art du politicien ou du juge consisterait à imiter. Prise dans des querelles d'interprétation touchant la signification des mouvements sociaux qui ont marqué les années 60, obscurcie par ses usages médiatiques, la notion d'individualisme semble avoir perdu sa crédibilité « scientifique ». De surcroît, malgré certaines mises au point, ceux qui s'opposent à l'emploi du concept en méconnaissent souvent la signification la plus profonde et le confondent, volontairement ou non, avec une forme d'égoïsme, de même qu'ils assimilent facilement une interprétation qui utilise la notion d'individualisme à une apologie de l'univers libéral.

Il faudrait donc, chaque fois qu'on traite de l'individualisme, rappeler qu'il s'agit avant tout d'un concept descriptif, n'impliquant *a priori* aucun jugement de valeur, qu'il ne se confond pas avec l'égoïsme mais désigne au premier chef un certain rapport antitraditionnel à la loi – rapport qui peut éventuellement prendre la forme de mouvements de contestation collectifs**.

On parle beaucoup aujourd'hui, sinon du « déclin de l'Occident » (à la différence de Heidegger, Spengler reste encore tabou), du moins d'un épuisement de la création contemporaine. Et de fait, quoi qu'on en pense, bien des aspects de la « postmodernité » suscitent un tel sentiment en élevant le refus du nouveau au rang de principe. S'il n'y a aucune raison de supposer que le talent ou même le génie

---

* Dans *Philosophie politique*, I.
** Je ne puis que renvoyer ici à la mise au point que nous avons faite, Renaut et moi, dans *68-86 : Itinéraires de l'individu*.

des individus est aujourd'hui moindre que dans les siècles passés, on a en revanche tout lieu de penser que *leur rapport au monde* connaît un profond bouleversement et que la relation à l'idée d'un univers objectif, les dépassant et les réunissant tout à la fois, est devenue singulièrement problématique.

La thèse que je formulerai pour l'instant à titre de simple esquisse est la suivante : alors que chez les *Anciens*, l'œuvre est conçue comme un microcosme – ce qui autorise à penser qu'il existe hors d'elle, dans le macrocosme, un critère objectif, ou mieux, substantiel, du Beau –, elle ne prend sens chez les *Modernes* que par référence à la subjectivité, pour devenir, chez les *Contemporains*, expression pure et simple de l'individualité : style absolument singulier qui ne se veut plus en quoi que ce soit miroir du monde, mais création d'*un* monde, celui au sein duquel se meut l'artiste, monde dans lequel il nous est sans doute permis d'entrer, mais qui en aucune façon ne s'impose à nous comme un univers *a priori commun*.

Chez Platon lui-même, pourtant à bien des égards le plus « moderne » des Anciens, le Beau ne se définit jamais purement et simplement par le plaisir subjectif qu'il procure. L'idée du Beau est généralement associée à celle de la réalisation d'un ordre où doivent régner « la mesure et la proportion » *(Philèbe)*. C'est en ce sens, par exemple, que Socrate interpelle Gorgias dans le dialogue qui porte le nom du célèbre sophiste : « Tu peux, à ton choix, envisager l'exemple des peintres, celui des architectes, des constructeurs de bateaux, de tous les autres professionnels... : chacun d'eux se propose un certain *ordre* quand il met à sa place chacune des choses qu'il a à placer, et il contraint l'une à être ce qui convient à l'autre, à s'ajuster à elle jusqu'à ce que l'ensemble constitue une œuvre qui réalise un *ordre* et un *arrangement* » (503 e).

L'opinion selon laquelle l'artiste doit rechercher l'harmonie ne disparaît sans doute pas – du moins pas immédiatement – dans l'esthétique *moderne*. En revanche, et là est la véritable rupture avec l'Antiquité, cette harmonie tend à n'être plus pensée comme le reflet d'un ordre extérieur à l'homme : ce n'est plus parce que l'objet est *intrinsèquement* beau qu'il plaît, mais, à la limite, parce qu'il procure un certain type de plaisir qu'on le nomme beau.

Les textes qui jalonnent cette histoire très particulière qui est celle de la naissance de l'esthétique y insistent, comme le font, parmi tant d'autres, ces quelques lignes que j'emprunte à Crousaz et à Montesquieu :

– Crousaz, *Traité du Beau* (1715) : « Quand on demande ce que c'est que le Beau, on ne prétend pas parler d'un objet qui existe hors de nous et séparé de tout autre, comme quand on demande ce que c'est qu'un cheval ou ce que c'est qu'un arbre... »

– Montesquieu, *Essai sur le goût* : « Ce sont les différents plaisirs de notre âme qui forment les objets du goût, comme le Beau. [...] Les Anciens n'avaient pas très bien démêlé ceci. Ils regardaient comme des qualités positives toutes les qualités relatives à notre âme. [...] Les sources du Beau, du Bon, de l'Agréable sont donc dans nous-mêmes; et en chercher la raison, c'est chercher la cause des plaisirs de notre âme. »

La conscience d'une rupture avec l'Antiquité est encore, chez les pères fondateurs de l'esthétique, parfaitement nette. Néanmoins, jusqu'à une date relativement récente – en philosophie, jusqu'à Nietzsche, et, dans l'histoire de l'art, jusqu'à l'épanouissement des avant-gardes –, cette subjectivisation du monde ne signifie pas purement et simplement : disparition du monde, *Weltlosigkeit*. A la différence de ce qui a lieu dans l'époque contemporaine, le problème principal de l'esthétique moderne, du début du XVIIe siècle jusqu'à la fin du XIXe, est encore de concilier la subjectivisation du beau (le fait qu'il n'est plus un « en soi » mais un « pour nous ») avec l'exigence de « critères », donc d'un rapport à l'objectivité ou, si l'on veut, au monde. C'est même cette tension cardinale qui est constitutive de la problématique des premières esthétiques : c'est elle qui les différencie fondamentalement de ce qui les précède autant que de ce qui leur fait suite, et que je désigne pour l'instant, selon l'usage, comme le contemporain. L'esthétique moderne est certes subjectiviste en ce qu'elle fonde le beau sur des facultés humaines, la raison, le sentiment, ou l'imagination. Elle n'en reste pas moins animée par l'idée que l'œuvre d'art est inséparable d'une certaine forme d'objectivité.

Cela est clair, bien sûr, dans le classicisme cartésien, de Boileau à Crousaz, où le mot d'ordre, « imiter la nature », suggère que l'universalité du bon goût s'explique par son rapport à un monde objectif dévoilé dans la raison. Le génie classique n'est pas celui qui invente, mais celui qui *découvre*, le terme étant ici pensé sur le modèle de l'activité scientifique. Mais cela vaut également, si paradoxal que cela puisse paraître, pour le subjectivisme radical des sensualistes. Hume, pour ne citer que lui, restera attaché à l'idée d'objectivité du beau, même s'il « fonde » cette objectivité sur l'hypothèse d'une structure psycho-biologique commune à l'humanité. Et dans la *Critique de la faculté de juger*, que certains considèrent pourtant comme l'apogée du subjectivisme moderne, c'est explicitement dans son rapport à ce que Kant nomme l'« idée de monde » que l'activité esthétique pourra se concrétiser dans la production d'une œuvre. C'est parce qu'il sait inconsciemment, comme par un don naturel, évoquer l'« Idée cosmologique » que le génie est génial – la génialité (le pouvoir créateur imaginatif) étant ainsi toujours en quelque façon bornée par l'exigence d'une conformité à un certain ordre cosmique. Pour parler comme Kant, « le goût rogne les ailes au génie », et le baroque, pourtant supérieur à la régularité classique, possède lui-même des limites qui sont celles, précisément, du monde.

Or c'est, me semble-t-il, cette référence qui aujourd'hui s'estompe : il n'y a plus de monde univoque *évident*, mais une pluralité de mondes particuliers à chaque artiste, il n'y

a plus *un* art, mais une diversité presque infinie de styles
individuels. Le lieu commun selon lequel le beau est affaire
de goût est enfin devenu réalité, ou plus exactement : pour
autant qu'il y ait une différence entre un artiste de talent et
ce que Kant, dans son inimitable jargon, eût nommé un
« bousilleur », cette différence tend aujourd'hui à devenir
purement individuelle; elle ne tient plus à la capacité de
créer un monde qui dépasserait la sphère étroitement
privée des *expériences vécues* du créateur. Elle réside au
contraire dans le culte, plus ou moins élaboré (c'est là que
se niche encore, en dernière instance, la vieille question des
critères), d'une idiosyncrasie.

Pour donner un exemple qui n'a rien d'indifférent : il
existe un monde romantique, je ne suis pas certain qu'il
existe un monde « postmoderne ». Je puis en effet, lorsque
je considère le romantisme, et même si ce *mouvement* est
fort diversifié (sa périodisation fait l'objet de discussions
sans fin, de même que la question des liens qu'entretiennent les différentes traditions nationales auxquelles il peut
renvoyer), distinguer une esthétique romantique, une pensée politique (globalement contre-révolutionnaire), une
théorie de l'histoire, voire une métaphysique, bref, une
« représentation du monde », une *Weltanschauung* commune à des artistes – peintres, poètes, musiciens –, des
écrivains ou des philosophes. Il y a là quelque chose
comme un univers qui dépasse les individus, univers que je
puis aimer ou haïr, mais dont je ne puis nier l'existence
supra-individuelle. De quel mouvement (ne parlons pas
d'« école » : ce terme qui semble récuser l'idée de liberté
individuelle a perdu toute signification dans le domaine de
l'art) pourrions-nous dire aujourd'hui la même chose?

Évitons un malentendu : politiquement suspecte, l'idée
de « décadence » ou de « déclin » est théoriquement peu
convaincante – qu'elle soit formulée de façon « réactionnaire » et animée, comme chez Spengler, mais tout autant
chez des penseurs de l'envergure de Heidegger ou Leo
Strauss, par la nostalgie d'un passé perdu, ou énoncée sur

le mode « révolutionnaire », de plus en plus rare il est vrai, qui fut celui des critiques « de gauche » du consumérisme libéral. Ce qui caractérise l'art contemporain n'est certainement pas le fait que les œuvres y témoigneraient de moins de talent que ne le firent celles du passé. Simplement, la prétention de l'art a peut-être changé : pour nombre d'artistes, il ne s'agit plus aujourd'hui (on y reviendra dans ce qui suit à propos des avant-gardes et de leur crise, qui ouvre à la postmodernité) de découvrir le monde, d'utiliser l'art comme un instrument de connaissance d'une réalité étrangère à soi. Tout à l'inverse, il semble que, dans bien des cas (il faut se garder ici des jugements universels, car il y a des exceptions notoires : l'atmosphère postmoderne qui, précisément, admet tous les genres, répugne aux généralisations), l'œuvre soit définie par l'artiste lui-même comme un prolongement de soi, une sorte de carte de visite particulièrement élaborée.

Schönberg, après Nietzsche, y a consacré ses plus belles pages : l'artiste est un « solitaire » voué, selon la formule maintes fois répétée par Kandinsky, à se détourner du monde pour mieux exprimer sa « pure vie intérieure ». Une œuvre unique ne saurait donc plus suffire à dire l'essentiel : c'est seulement dans l'itinéraire de l'artiste que celui-ci pourra éventuellement se dévoiler, à travers les hésitations et les ruptures de ton et de style qui rythment sa « vie intérieure ». Le retrait du monde est inséparable du culte de l'idiosyncrasie, voire de l'originalité. On mesure combien, pour être dans sa continuité, le contemporain se sépare ici du moderne. Bien qu'ayant l'humanité pour modèle et pour fin, Molière, qui prétendait, comme on sait, « peindre d'après nature », nous entretenait de l'*essence* de l'homme. Le langage contemporain est celui des « expériences vécues ».

A un niveau plus philosophique, il est possible de dater la « fin du monde ». Elle remonte sans aucun doute à la critique nietzschéenne du « préjugé scientifique » selon lequel « notre petite pensée » serait capable de saisir

quelque chose comme un « monde vrai ». Un des aphorismes de *la Volonté de puissance* l'affirme sans ambiguïté :
« Il n'y a pas d'états de fait en soi », mais « seulement des
interprétations », non pas *un* monde, mais une « infinité de
mondes » qui ne sont que les perspectives de l'individu
vivant : « La question " qu'est-ce que c'est " est une façon
de *poser un sens* [...]. Au fond, c'est toujours la question
" qu'est-ce que c'est *pour* moi ". »

Il faudra bien sûr s'interroger sur la signification de ce
« moi » dont parle Nietzsche, et sur les liens qu'il
entretient avec l'individualisme moderne (avec la « métaphysique de la subjectivité »). Il reste que, en faisant
littéralement éclater l'idée d'une réalité objective, Nietzsche
sonne le glas de la culture des Lumières et annonce
l'obsolescence du monde, la *Weltlosigkeit*, qui, de plus en
plus, étend son règne sur la culture. Pour des raisons de
fond, cette dernière tend aujourd'hui à s'orienter dans trois
directions.

Dans le domaine de l'art, nous vivons de façon sans
cesse plus visible, sinon dans un « univers » nietzschéen, le
terme serait précisément impropre, du moins dans une
atmosphère intellectuelle qui ressemble étrangement au
perspectivisme décrit par Nietzsche : les œuvres d'art sont
comme autant de « petits mondes perspectifs » qui ne
représentent plus *le* monde, mais l'état des forces vitales de
leur créateur. Il se peut, bien sûr, que tel artiste prétende
encore, à l'instar des classiques, entretenir un rapport à la
« vérité », voire dévoiler dans son œuvre une relation à
l'être. Reste que, comme on dit, il le fait à *sa* façon, et qu'il
doit coexister avec des myriades d'autres artistes dont les
prétentions peuvent être infiniment différentes. Si la fréquentation des grands musées d'art moderne nous apprend
une chose, c'est bien que les critères font défaut, non pas,
comme on le dit sottement, parce que l'art échapperait par
essence à toute forme de critère – ce qui fut loin d'être
toujours le cas –, mais parce que aujourd'hui, coupé du

monde, il ne peut plus relever que de la pure *intersubjecti-vité.*

Du côté des « sciences exactes », la situation semble s'inverser. Non que ces sciences ne donnent lieu, elles aussi, à discussions et à contestations. Une connaissance, même superficielle, des débats qui animent la recherche contemporaine devrait suffire à nous débarrasser de l'idée naïve selon laquelle le champ scientifique serait par excellence celui du consensus. Le statut tout à fait particulier de l'enseignement des sciences par rapport aux autres discipli-nes n'en est que plus remarquable : alors que l'éducation a en général adopté des principes de plus en plus « libé-raux », sous l'effet notamment de l'extraordinaire développe-pement des « méthodes actives » qui insistent (à juste titre) sur la nécessité d'une participation des élèves dans l'acqui-sition des connaissances, l'apprentissage des sciences reste le seul au cours duquel le relativisme des opinions person-nelles ne peut être ni valorisé ni encouragé. Une large place est certes ménagée à l'activité des élèves, mais à titre purement pédagogique : qu'on le veuille ou non, la solu-tion d'un problème de mathématique ou de physique n'est pas affaire d'opinion individuelle ou majoritaire, et le relativisme qui est de mise dans tous les autres domaines disparaît lorsqu'il s'agit des sciences pour la simple et bonne raison qu'elles représentent le dernier carré de notre rapport à l'objectivité. C'est à leur contact que l'enfant se heurte, parfois pour la première et la dernière fois, à un univers théorique qui offre une résistance à sa subjectivité parce qu'il se manifeste à lui sous forme de normes qu'à son niveau tout au moins on ne saurait contester. Les sciences sont peut-être l'aboutissement de la « métaphysi-que de la subjectivité » : encore faut-il reconnaître, si l'on veut bien ne pas s'en tenir à des clichés, qu'elles mettent en échec les opinions individuelles comme aucune autre sphère de la vie intellectuelle.

C'est enfin l'histoire qui forme le troisième volet de la culture démocratique. Par « histoire », j'entends ici, au

sens large, aussi bien les sciences historiques proprement
dites que les disciplines qui, à l'exemple de la sociologie ou
de la psychanalyse, impliquent un rapport intrinsèque à
l'historicité (histoire du présent dans la sociologie, histoire
de l'individu dans la psychanalyse). Les chiffres de l'édition en témoignent de façon éloquente : hors des œuvres de
fiction, ce sont presque systématiquement les ouvrages de
vulgarisation scientifique et les essais historiques qui
emportent les suffrages du public, cultivé ou non – état de
fait qui s'enracine au plus profond des exigences nouvelles
de l'*homo democraticus*. Grâce à l'appropriation d'un passé
que nous ignorons mais qui nous fait être ce que nous
sommes aujourd'hui et s'avère ainsi constitutif de notre
présent, l'histoire (mais, encore une fois, tout autant la
sociologie ou la psychanalyse) est censée nous rendre à
nous-mêmes. Loin d'être une simple recollection événe-
mentielle, elle tend de plus en plus à devenir une discipline
autoréflexive à travers laquelle nous nous constituons en
individus autonomes. Rien d'étonnant, dès lors, dans le
fait qu'elle apparaisse comme la reine des facultés dans un
univers où les hommes entendent toujours davantage
accroître la sphère de leur conscience de soi. Qu'on s'en
réjouisse ou non, il est probable que la culture historico-
politique a définitivement pris le dessus sur les humanités.
La philosophie elle-même a dû enregistrer ce bouleversement des hiérarchies traditionnelles : de plus en plus, elle se
fait historique, surtout, paradoxalement, lorsqu'elle quitte
le terrain de l'histoire de la philosophie pour devenir, sinon
philosophie de l'histoire, du moins philosophie historienne
(Foucault pourrait servir ici d'exemple type).

Monades microcosmiques dans le domaine de l'art,
objectivité scientifique et histoire : tels sont, je crois, et
sans doute pour longtemps, les trois horizons fondamentaux d'une culture contemporaine dont le trait principal
pourrait bien être cette subjectivisation dont l'esthétique
est le lieu privilégié. Car l'éclatement du monde qui
caractérise l'art postmoderne autant que la recherche de

l'objectivité scientifique et la visée d'une réappropriation de soi par la connaissance historique ne sont que les trois visages d'une même révolution : celle par laquelle l'homme s'installe comme principe et *telos* de l'univers. Or cette révolution est d'abord, on l'a suggéré mais il faut maintenant en esquisser les motifs, révolution du goût.

La naissance du goût

Selon une thèse développée par l'historien Karl Borinski dans son beau livre consacré à l'œuvre de Baltasar Gracián, c'est ce dernier qu'il faudrait créditer d'avoir le premier employé le terme de « goût » en un sens métaphorique[1]. Pour Borinski, cet usage figuré marque une véritable rupture dans l'histoire de la subjectivité : avec le concept de goût, c'est l'humanisme moderne qui ferait son apparition en même temps que l'univers de la Renaissance basculerait irrémédiablement dans le passé.

Il est toujours difficile, voire parfois impossible, de dater en toute certitude la naissance d'un concept et la thèse de Borinski fut, comme on pouvait s'y attendre, critiquée chaque fois qu'on put découvrir chez tel ou tel auteur de l'Antiquité un emploi un tant soit peu élargi du mot *gustus*[2]. Une chose est cependant certaine : c'est bien vers le milieu du XVIIe siècle – d'abord en Italie et en Espagne, puis en France, en Angleterre et, plus tardivement, en Allemagne* – où l'on eut même quelques difficultés à trouver avec le mot *Geschmack* une traduction adéquate – que le terme acquiert une pertinence dans la désignation d'une faculté nouvelle, habilitée à distinguer le beau du laid et à appréhender par *le sentiment (aisthêsis)* immédiat les règles d'une telle séparation – de cette *Krisis* qui allait bientôt devenir l'apanage de la critique d'art. Et c'est bien

---

* L'histoire de la propagation du concept de goût en Europe est esquissée dans l'esthétique de Croce et reprise par Bäumler.

aussi à partir de la représentation d'une telle faculté que nous entrons définitivement dans l'univers de l'« esthétique moderne » (la juxtaposition de ces deux termes étant, au demeurant, presque pléonastique). Le point mérite considération.

On ne cherchera pas ici l'originalité : on admettra comme acquise (avec Hegel, Heidegger et quelques autres) la thèse selon laquelle la modernité se définit par un vaste processus de « subjectivisation » du monde dont le modèle est fourni au niveau philosophique par les trois grands moments de la méthode cartésienne. Sans entrer ici dans le détail de l'interprétation de Descartes, on peut rappeler que la démarche dubitative qu'il adopte dans le *Discours* comme dans les *Méditations* fournit l'archétype de cette subjectivisation de toutes les valeurs qui trouvera son expression politique la plus éloquente avec l'idéologie révolutionnaire de 1789 : dans un *premier temps*, il s'agit de « révoquer en doute » les opinions reçues, tous les préjugés hérités, de sorte qu'il soit fait radicalement *table rase* de la tradition. *Mutatis mutandis*, Descartes opère dans la philosophie une rupture avec l'Antiquité (en particulier avec Aristote) qui n'aura d'équivalent, hors de la philosophie, que dans la coupure avec l'Ancien Régime instaurée par la Révolution. *Deuxième moment* : on recherche un point d'appui pour reconstruire l'édifice de la connaissance scientifique et philosophique qu'on vient de saper à la racine. Et comme c'est *l'individu, le sujet* (peu importe ici la distinction qu'on peut faire entre ces deux termes) qui effectue l'enquête, c'est en fonction de ses propres certitudes qu'elle pourra ou non aboutir. Comme on sait, c'est finalement dans le *cogito* que Descartes trouve le moyen de sortir du doute généralisé. C'est donc, *troisième temps*, sur sa propre subjectivité, sur la certitude absolue qu'a le sujet de se saisir lui-même par sa propre pensée, qu'est édifié le *système* complet de la connaissance (le mot n'est pas encore employé, mais il le sera bientôt par Leibniz).

Table rase, saisie du sujet par lui-même comme seul principe absolument certain, constructivisme radical : tels sont les trois temps qui définissent en son principe l'avènement de la modernité philosophique. Pour aller immédiatement au cœur du problème soulevé par ce bouleversement des manières de penser qu'institue, ou tout au moins thématise, le cartésianisme, il faut percevoir ceci : alors que dans le monde des « Anciens » (et le terme peut s'entendre ici au sens philosophique, comme désignant l'Antiquité, ou au sens politique, comme désignant l'Ancien Régime), c'est l'ordre cosmique de la *Tradition* qui fonde pour les hommes la validité des valeurs et instaure ainsi entre eux un espace possible de *communication*, tout le problème, à partir de Descartes, revient à savoir comment il est possible de fonder *exclusivement à partir de soi* des valeurs qui vaillent aussi pour les autres (l'intervention de Dieu, pour n'être pas encore exclue, est dès lors elle-même médiatisée par la réflexion philosophique du sujet et, en ce sens, dépendante de lui). Bref, tout revient à savoir comment il est possible de fonder dans l'*immanence* radicale des valeurs à la subjectivité leur *transcendance*, pour nous-mêmes comme pour autrui.

La question apparaîtra plus clairement encore si, avant de revenir au champ de l'esthétique afin de voir en quoi elle en est tout simplement constitutive, nous opérons un bref détour par celui de la politique. Les contre-révolutionnaires l'ont perçu davantage encore que les révolutionnaires eux-mêmes : ce qui fait l'essence de la politique moderne, et qui s'exprime de façon particulièrement éclatante dans l'idéologie jacobine, c'est l'avènement de ce qu'on pourrait nommer l'humanisme politique, j'entends par là la prétention (peut-être exorbitante, peu importe ici) à fonder toutes nos valeurs politiques, à commencer par la légitimité du pouvoir, sur l'homme et non plus sur la tradition, qu'elle prenne sa source dans la divinité ou dans la Nature.

Dans le discours préliminaire à son ouvrage sur *la*

Législation primitive, Bonald présente, selon son habitude, la Révolution française comme une « catastrophe ». S'interrogeant sur les causes de ce « désastre sanglant », il écrit ces lignes qui méritent toute notre attention : « Jusqu'à cette époque, les chrétiens avaient professé que *le pouvoir est de Dieu*, toujours respectable, par conséquent, quelle que soit la bonté particulière de l'homme qui l'exerce [...] : pouvoir légitime, non dans ce sens que l'homme qui l'exerce y soit nommé par un ordre visiblement émané de la Divinité, mais parce qu'il est constitué sur les lois naturelles et fondamentales de l'ordre social, dont Dieu est l'auteur. » Mais à partir du xve siècle, annonçant, selon Bonald, Luther et Calvin, « Wiclef, *dans le pouvoir, ne vit que de l'homme*; il soutint que le pouvoir même politique n'est bon que lorsque l'homme qui l'exerce est bon lui-même, et qu'une femmelette en état de grâce a plus de droit à gouverner qu'un prince déréglé. [...] De là suivirent comme des conséquences forcées les doctrines du *pouvoir conventionnel et conditionnel* de T. Hobbes et de Locke, le *Contrat social* de J.-J. Rousseau, la *Souveraineté populaire* de Jurieu, etc. *Le pouvoir ne fut que de l'homme; il dut, pour être légitime, être constitué et s'exercer suivant certaines conditions imposées par les hommes, ou certaines conventions faites entre les hommes, auxquelles il put en cas d'infraction être ramené par la force de l'homme* ».

On ne saurait mieux décrire l'essence de la modernité politique, mettre en relief de façon plus concise le parallélisme qui s'établit à l'aube des Temps modernes entre la pensée pure, incarnée au xviie siècle par la métaphysique cartésienne, et la pensée politique instruite par l'école du droit naturel, puis illustrée par la Révolution.

Le « conventionnalisme » qui fait de l'homme, Bonald a raison, la pierre angulaire de l'édifice social présente, en son principe, la même structure ternaire que le cartésianisme :

1. A la table rase des préjugés hérités du passé que Descartes obtient grâce au doute « hyperbolique » répond

ce que les « jusnaturalistes » nomment « état de nature », véritable degré zéro de la politique par l'invention duquel l'idée d'une transmission du pouvoir (ce que signifie d'abord la notion de tradition) se trouve pour ainsi dire brisée. Essentiellement pré-politique, l'état de nature n'est inventé par les philosophes que dans un souci *critique* qui annonce déjà le geste révolutionnaire : il s'agit avant tout, non d'une reconstruction historique fantasmatique (comme l'ont cru la plupart des sociologues, à commencer par Durkheim), mais bien d'une hypothèse fictive sans laquelle la question de la légitimité du pouvoir, occultée qu'elle est par le règne de la tradition qui la déclare toujours déjà réglée, ne pourrait pas même être posée. A quelle condition un pouvoir politique peut-il être considéré comme légitime? Telle est l'interrogation que seule la présupposition d'une phase de l'humanité antérieure à l'apparition d'une société policée peut permettre de poser dans toute sa radicalité.

2. C'est chez Descartes le recours à l'individu, au *cogito*, qui permet de dépasser le moment du doute et de la table rase. De même chez Hobbes ou chez Rousseau, c'est par l'invention du peuple comme entité capable de s'autodéterminer librement, donc, par l'invention d'un *sujet politique*, que la question de la légitimité du pouvoir pourra être positivement résolue. Aux xviie et xviiie siècles, la philosophie politique prendra dès lors, pour l'essentiel, la forme d'une philosophie du droit. Il y a certes quelques exceptions (on peut songer à Montesquieu), mais il n'est pas excessif de dire qu'elles confirment la règle. La quasi-totalité des grands penseurs politiques de l'âge classique s'attache en effet à élaborer des « doctrines du droit » au centre desquelles sont discutés ces concepts d'*état de nature* et de *contrat social*. Comme la plupart des interprètes l'ont vu, l'affaire principale de ces doctrines est d'en finir avec les représentations *traditionnelles de la légitimité politique*. Au-delà des modalités diverses selon lesquelles ils sont appréhendés ici ou là, les concepts d'état de nature et de

contrat social signifient fondamentalement que, contrairement à ce qui a lieu chez les Anciens, et plus généralement
dans toutes les théories traditionnelles du pouvoir, *l'autorité politique légitime n'est pas celle qui imite un ordre
naturel ou divin, mais celle qui fait fond sur la volonté des
individus, soit, pour employer le terme philosophique qui
convient : sur la subjectivité.* Avec l'idée d'une possible
autodétermination du peuple, c'est ainsi le principe démocratique qui fait irruption dans la philosophie politique.

3. Après l'invention de l'état de nature et celle du peuple
comme sujet de droit, le troisième temps de cette vision
moderne du monde réside dans le projet de reconstruire la
totalité de l'édifice social sur ces atomes que sont les
individus. Que ce soit chez Hobbes, où la crainte de la
mort qui règne sur tous dans l'état de nature conduit
chacun à s'associer avec chacun pour chercher la sécurité,
ou encore chez Rousseau, selon lequel le but de l'association civile n'est pas la recherche du bonheur, mais celle de
la liberté, la société politique apparaît de part en part, du
moins quant à la question de sa légitimité, comme la
réalisation des volontés individuelles. L'idée cartésienne
d'une reconstruction de toutes les valeurs sur ce que le
sujet peut accepter comme tel trouve ici son expression la
plus achevée, son extension la plus grande puisque le
modèle de l'individualisme s'étend sans difficulté apparente
à la sphère du collectif. En éliminant de la Déclaration des
droits de l'homme l'idée que les individus ont des devoirs
envers la société, en affirmant qu'ils n'ont que des droits et
que les devoirs envers autrui ne sont que le symétrique des
droits qu'autrui possède au même titre que soi, les révolutionnaires français boucleront la boucle et donneront la
touche finale à la logique politique née de l'invention de
l'homme.

Comme l'avait déjà souligné Tocqueville avec sa clair-
voyance habituelle, bien que Descartes n'ait pas étendu
lui-même sa démarche radicale hors de la philosophie
pure, bien qu'il ait « déclaré qu'il ne fallait juger par

soi-même que les choses de philosophie et non de politique », c'est bien malgré tout à lui qu'il revient d'avoir aboli « les formules reçues », détruit « l'empire des traditions » et renversé « l'autorité du maître » d'une façon telle que sa méthode devait bien au final, avec l'évolution de l'état social, « sortir des écoles pour pénétrer dans la société et devenir la règle commune de l'intelligence » non simplement française, mais plus généralement « démocratique »[3].

C'est dans ce contexte qu'il faut situer l'émergence de l'esthétique. Contrairement à une opinion reçue, la problématique de l'esthétique n'a rien d'intemporel. Elle est, tout à l'inverse, le signe le plus sûr de l'avènement des Temps modernes. Le terme lui-même apparaît pour la première fois dans le titre d'une œuvre philosophique en 1750. C'est à cette date qu'un disciple de Leibniz et de Wolff, Alexander Gottlieb Baumgarten, rédige en latin les six cents pages de l'*Aesthetica*.

La naissance de l'esthétique comme discipline philosophique est indissolublement liée à la mutation radicale qui intervient dans la représentation du beau lorsque ce dernier est pensé en termes de *goût*, donc, à partir de ce qui en l'homme va apparaître bientôt comme l'essence même de la subjectivité, comme le plus subjectif du sujet. Avec le concept de goût, en effet, le beau est rapporté si intimement à la subjectivité humaine qu'à la limite il se définit par le plaisir qu'il procure, par les *sensations* ou les sentiments qu'il suscite en nous.

L'une des questions centrales de la philosophie de l'art sera bien sûr celle des critères qui permettent d'affirmer ou non qu'une chose est belle. Comment parvenir en cette matière à une réponse « objective » dès lors que la fondation du beau s'opère dans la subjectivité la plus intime, celle du goût? Mais comment, aussi, renoncer à la visée d'une telle objectivité alors que le beau, comme toutes les autres valeurs modernes, prétend pouvoir s'adresser à tous et plaire au plus grand nombre? Problème redoutable par lequel l'esthétique rencontre inévitablement, mais *a priori* et à l'état le plus essentiel, les questions analogues posées à l'individualisme dans le champ de la théorie de la connaissance (comment fonder l'objectivité en partant des représentations du sujet?) aussi bien que dans celui de la politique (comment fonder le collectif sur les volontés particulières?) : *a priori* et à l'état essentiel puisque l'histoire de l'esthétique est par excellence le lieu de la subjectivisation du monde ou, pour mieux dire, de ce *retrait du monde* qui caractérise, au terme d'un long processus, la culture contemporaine.

Les trois problèmes fondamentaux de l'esthétique

Avec la naissance du goût, l'antique philosophie de l'art doit donc céder la place à une théorie de la sensibilité. Cette mutation va elle-même donner lieu à l'apparition de trois questions décisives pour l'intelligence de la culture moderne : celle de *l'irrationalité du beau*, engageant en son fond, à travers la visée d'une autonomie du sensible par rapport à l'intelligible, le nouveau lien de l'homme à Dieu qui va caractériser sans cesse davantage la modernité. C'est ensuite la naissance de la *critique*, dès la querelle des Anciens et des Modernes (donc, bien avant Diderot), qui va induire une remise en cause de la tradition et, par là même, rendre possible l'idée d'une histoire de l'art qui, à son tour, fondera une conception radicalement nouvelle de l'originalité de l'auteur. C'est enfin à travers le motif apparemment classique, en réalité typiquement moderne, des critères du beau que la question de la communication, du *sensus communis*, fera son apparition au sein d'une culture individualiste pour laquelle le problème de la *médiation* entre les hommes est devenu central.

1. *L'irrationalité du beau :*
   l'autonomie du sensible
   comme coupure entre l'homme et Dieu

Le beau selon une tradition platonicienne dont on
perçoit encore l'influence dans le classicisme français (bien
qu'il appartienne déjà de plain-pied, on verra pourquoi,
aux Temps modernes) a longtemps été défini comme une
« présentation sensible » (c'est-à-dire une illustration) du
vrai, comme la transposition, dans l'ordre de la sensibilité
matérielle (visible ou acoustique), d'une vérité morale ou
intellectuelle. Dans ces conditions, bien sûr, la place de
l'art ne peut être que secondaire par rapport à celle de la
philosophie : on voit mal ce que la saisie du vrai médiatisée
par le sensible pourrait avoir de préférable (sauf, et encore,
sur un plan strictement pédagogique) à une connaissance
claire et distincte de la vérité en soi et pour soi.

Au demeurant, que ce soit dans le platonisme, dans la
théologie chrétienne ou dans le cartésianisme, le monde
intelligible est toujours supérieur au monde sensible. Pour
adopter la formulation qui importe ici : le point de vue de
Dieu se caractérise par le fait que, de part en part
intelligible (Dieu est omniscient, tout lui est transparent,
pour autant que ces formules anthropomorphiques aient
même une signification), il n'est pas affecté par cette
marque de l'imperfection et de la finitude humaine qu'est
la sensibilité.

On comprendra dès lors combien le projet de consacrer
à l'étude de la sensibilité une science autonome, l'esthétique, représente une rupture décisive par rapport au point
de vue classique, non seulement de la théologie, mais de
toute la philosophie d'inspiration platonicienne. Il faut en
prendre la mesure : l'objet de l'esthétique, le monde
sensible, *n'a d'existence que pour l'homme*, il est, au sens le
plus rigoureux, le propre de l'homme. La naissance de
l'esthétique, en tant qu'elle implique, à titre de discipline

spécifique, un parti pris sur l'autonomie de son objet, exprime ainsi en concentré le bouleversement qu'inaugure dans tous les domaines le xviiie siècle : elle symbolise, mieux que toute autre mutation, le projet de fournir au point de vue de l'homme une légitimité qu'exige déjà, contre la métaphysique et la religion, le développement de la connaissance finie des sciences positives.

On verra dans ce qui suit comment la conquête de cette autonomie du sensible, en tant qu'invention d'un monde d'où le divin se retire sans cesse davantage au profit de l'humain, s'opère selon trois étapes. Avec l'*Aesthetica* de Baumgarten et la *Phénoménologie* de Johann Heinrich Lambert (1766, première « phénoménologie » d'une longue lignée), c'est déjà le projet de dégager une logique propre aux « phénomènes » sensibles qui prend corps : non seulement le beau apparaît comme le propre de l'homme, mais la sensibilité humaine est présentée comme ayant une structure spécifique que le point de vue de Dieu ne saurait totalement relativiser. Il faudra cependant attendre la *Critique de la raison pure* pour que, la première fois dans l'histoire de la pensée, l'autonomie radicale du sensible par rapport à l'intelligible soit philosophiquement fondée, ouvrant ainsi l'espace théorique de la *Critique de la faculté de juger*. Il appartiendra enfin à Nietzsche de supprimer purement et simplement le monde intelligible qui conservait encore chez Kant le statut d'une Idée nécessaire de la raison. En éliminant ainsi toute référence à Dieu, fût-ce sur le mode d'une simple idée, Nietzsche consacre le monde sensible, le monde proprement humain, dans son statut de seul et unique monde (par ailleurs éclaté en une infinité de perspectives). En liquidant le « monde-vérité » (l'intelligible de Platon, l'au-delà des chrétiens), Nietzsche liquide aussi les prétentions de la métaphysique à réduire le monde sensible à une apparence. Et puisque la vérité devient une fable, le philosophe doit laisser place à l'artiste : *Incipit aesthetica!* Il s'agira bien sûr de savoir dans quelle mesure ces divers moments de la constitution de l'esthétique comme prototype de la culture moderne peuvent être décrits, ainsi qu'on vient de le faire (à la manière, révérence gardée, de Leo Strauss), comme les étapes d'un processus linéaire, ou si, au contraire, ces glissements progressifs de la subjectivité n'offrent pas des résistances et des tensions rebelles à toute description en terme d'irrésistible « déclin ». Il nous faudra surtout examiner quelles conceptions de la subjectivité se trouvent chaque fois engagées dans ces divers moments où le retrait du divin (du monde intelligible, si l'on veut) s'accompagne indissolublement d'un avènement de l'humain, pensé comme sujet.

Ce qui est d'ores et déjà clair, en revanche, c'est le fait qu'au cours de cette évolution par laquelle il s'autonomise, l'objet beau, en tant qu'objet sensible, bascule du côté du non-rationnel. Déclaré radicalement non intelligible, il devient *ipso facto* irrationnel, et de ce point de vue, l'esthétique prend l'allure d'un véritable défi lancé à la logique. Dès lors, comme l'a bien vu Bäumler, la philosophie rationaliste elle-même ne pourra plus longtemps se désintéresser de la question du statut de ce qui est « hors raison ». De Leibniz à Hegel (et même Freud, pourrait-on ajouter), ce sera le problème central de la pensée germanique. Mais à cette irrationalité « objective » du beau correspond naturellement une nouvelle disposition du sujet : ce n'est plus par la raison qu'il pourra appréhender la manifestation du beau, voire les règles qui le définissent (pour autant que l'on admette l'existence de telles règles), mais par une faculté d'un autre ordre. C'est en ce point, on l'a compris, que l'esthétique moderne rencontre encore le concept de goût, entendu ici comme le corrélat subjectif de l'irrationalité de l'objet beau en tant qu'objet sensible. La subjectivité ne se réduit donc plus aux facultés intelligibles, et l'humanité cesse de se séparer de l'animalité par les seules vertus de la raison.

A ce nouveau statut de l'humain correspond le second problème auquel se heurte l'esthétique.

2. *La naissance de la critique :*
l'histoire contre la tradition

Les conditions de possibilité de la critique et de l'histoire de l'art sont en germe dès la querelle des Anciens et des Modernes. Dans la façon dont Boileau lui-même prend parti dans le conflit, le principe de la modernité se trouve subrepticement mobilisé : ce qui fait à ses yeux la supériorité des Anciens n'est déjà plus, comme encore sous la Renaissance*, le fait qu'ils soient anciens et que, en tant que tels, ils incarnent une tradition *en elle-même* respectable et digne d'admiration.

Ce qui donne leur prix aux œuvres de l'Antiquité, c'est déjà leur capacité à se conformer à une norme, donc à un principe qui leur est intrinsèquement supérieur. Si l'on ajoute que, pour les classiques français dont l'esthétique s'inspire du cartésianisme, cette norme est celle de la raison, donc *d'une faculté du sujet*, on aura compris en quoi le monde de la tradition est déjà si ébranlé que la possibilité de la critique et de l'histoire devient réalité : *de la critique*, parce qu'il existe une norme autre que celles de la tradition, donc un critère au nom duquel les œuvres peuvent être jugées (*critère* qui est *de facto* utilisé, en un paradoxe qui leur échappe, par ceux-là mêmes qui croient prendre le parti de la tradition menacée); *de l'histoire*, puisque, dans ces conditions, l'idée d'une évolution, voire d'un progrès dans la présentation des normes idéales n'est plus inconcevable.

Dans ces conditions l'originalité cesse aussi d'être par excellence une non-valeur. Elle commence même à être une des qualités qu'on est en droit d'exiger d'un artiste digne

---

* Sur la Renaissance, et le fait qu'en cette époque « intermédiaire » on s'accorde au moins sur ceci que « jamais l'appréciation purement subjective et individuelle de l'artiste ne pouvait servir de critère pour une juste proportion », il faut toujours se référer à Erwin Panofsky[4].

de ce nom. Par suite, ce dernier n'est plus identique au rhapsode qui ne ferait que traduire en mots, en sons ou en images les valeurs de la communauté : il devient à proprement parler un auteur, c'est-à-dire un individu doué de la capacité d'une création elle-même originale.

C'est bien sûr au début du XVIIIe siècle que ces virtualités de la critique et de l'histoire de l'art, déjà ouvertes par les classiques, prendront véritablement corps. Elles n'en sont pas moins présentes, dès l'origine, dans l'intronisation du sujet en juge de la tradition. Le psychologisme des sensualistes, le « nationalisme » de Dubos, voire de Montesquieu, viendront s'y ajouter pour forger l'idée d'une historicité du goût : le crapaud de Voltaire* trouve non seulement que sa crapaude est l'incarnation de la beauté, mais s'il est italien, français ou allemand, c'est en tant que française, italienne ou allemande qu'elle réalisera l'essence du Beau, le *to Kalon*.

C'est ainsi l'originalité elle-même qui change de signification : le concept comprend en lui, pour ainsi dire de façon analytique, celui de subjectivité (l'originalité de l'œuvre est toujours rapportée à celle de l'artiste comme auteur *individuel*). Mais à cette détermination originaire s'ajoute celle de l'historicité : il ne s'agit plus seulement d'être original face à une structure synchronique, celle d'un salon, par exemple, où il faudrait faire preuve d'esprit, mais l'originalité se mesure désormais à l'aune d'une histoire de l'art au sein de laquelle on doit *innover* pour acquérir droit de cité. La condition n'est pas encore suffisante, comme elle le sera, au terme du parcours, dans certaines avant-gardes de notre XXe siècle, mais elle n'en est pas moins déjà tout à fait nécessaire – comme en témoigne d'ailleurs, sur le plan institutionnel, le culte de la chronologie qui va bientôt présider à l'organisation du musée,

---

* « Demandez à un crapaud ce que c'est que la beauté, le Grand Beau, *to Kalon*, il vous répondra que c'est sa crapaude » (*Dictionnaire philosophique*, article Beau).

lui-même créé sous le signe d'une temporalité liée à la Révolution française.

Le culte du nouveau, de la rupture avec la tradition qui caractérisera les velléités subversives du « modernisme » s'enracine, au plus profond, dans l'émergence de la subjectivité, de sorte que l'art contemporain, en un sens qu'il faudra préciser, appartient encore pour une part à l'orbite de l'esthétique moderne.

3. *Sens commun et communication :*
   peut-on discuter du beau?

Si l'objet beau est conçu, en un paradoxe qu'on ose à peine formuler tant il ressemble à une contradiction logique, comme purement subjectif, s'il est appréhendé seulement par cette faculté insaisissable qu'est le goût, comment pourrait-il jamais y avoir consensus sur la beauté d'une œuvre de l'art ou de la nature? Et pourtant, *nombreux* sont ceux qui aiment les « beaux paysages », les œuvres d'Homère et de Shakespeare, les peintres italiens... Le paradoxe, décidément, n'est pas simple. Il peut à première vue sembler trivial. Il ne l'est pas.

A certains égards, tout se passe comme si l'esthétique commençait là où la philosophie contemporaine semble trouver un point d'achèvement : par la question du relativisme. Sous l'effet des critiques marxienne et nietzschéenne de la métaphysique, sous l'influence, aussi, des sciences sociales, nous nous sommes progressivement habitués à l'idée qu'il n'existait pas de valeurs en soi, intemporelles et éternelles. Nous regardons volontiers toute norme, toute institution intellectuelle, morale ou politique comme le produit d'une histoire dont la reconstruction est censée épuiser le sens. C'est peu dire que nous vivons aujourd'hui une « crise de l'universel ».

Ce relativisme a pourtant mis longtemps à s'imposer dans le domaine de la philosophie. Longtemps (jusque chez Foucault encore), il s'est volontiers présenté comme *subversif* et, par là même, voué à la marginalité. Naïveté réelle ou coquetterie? Il faut bien en tout cas nous rendre à l'évidence : l'historicisme est en vérité omniprésent. Loin d'être une pensée refoulée parce que douée d'un potentiel révolutionnaire trop fort pour être accepté dans nos sociétés libérales, il en constitue le principe le plus solide et le plus manifeste. La prétendue marginalité, chacun peut le constater aujourd'hui, est devenue si centrale qu'elle constitue la nouvelle idéologie dominante : l'idée qu'il puisse exister une vérité « absolue » (ce qui signifie seulement : non relative, on doit le rappeler tant le terme est devenu péjoratif) fait sourire le premier lycéen venu, quand elle ne l'indigne pas. En toute hypothèse, elle heurte sa seule conviction absolue : celle qu'il n'y a pas de vérité absolue.

Encore une fois : ce résultat est le fruit d'une longue histoire et la philosophie moderne ne commence ni avec Nietzsche ni avec Marx, mais bien avec Descartes qui croyait fermement, il est difficile de le contester, en l'intangibilité des vérités éternelles.

Il en va tout autrement de l'esthétique : fondant le beau sur une faculté trop subjective pour qu'on y puisse aisément trouver de l'objectivité, son histoire, au moins jusqu'à la fin du XVIIIe siècle, irait plutôt du relativisme vers la recherche de critères. Dans cette sphère en effet, le geste sceptique s'avère paradoxalement beaucoup moins aisé que dans celle de la philosophie pure, voire de l'éthique ou de la politique, et ce pour une raison bien simple : il s'effondre immédiatement sous le poids de sa propre banalité. Autant la thèse nietzschéenne selon laquelle il n'y a pas de vérité scientifique, ou mieux : selon laquelle la vérité des sciences positives est elle-même le comble de l'illusion, peut susciter l'intérêt en heurtant de front certaines certitudes bien établies, autant l'idée que « le goût est subjectif » manque d'attrait, faute de choquer qui ou quoi que ce soit. Tout à l'inverse, pourrait-on dire, c'est l'opi-

nion selon laquelle il serait possible d'argumenter en
matière de goût, voire de trouver des critères du beau qui
paraît intenable au sens commun.

L'enquête sur les critères du beau (du goût), qui a
caractérisé toute esthétique moderne, n'en apparaît que
plus essentielle : car c'est à son niveau que se pose de la
façon la plus difficile, la plus décisive, le problème central
de la modernité en général : comment fonder l'objectivité
sur la subjectivité, la transcendance sur l'immanence? En
d'autres termes : comment penser le lien (social, bien
entendu, mais pas seulement) dans une société qui prétend
partir des individus pour reconstruire le collectif? Posons
d'emblée la thèse qui sera défendue ici : c'est dans le
domaine de l'esthétique que cette question se lit à l'état
pur, parce que c'est en elle que la tension entre l'individuel
et le collectif, entre le subjectif et l'objectif est la plus forte.
Le beau est tout à la fois ce qui nous réunit le plus
aisément et le plus mystérieusement. Contrairement à tout
ce que l'on pouvait attendre, le consensus est, autour des
grandes œuvres d'art, aussi fort et aussi large que dans
n'importe quel autre domaine. Pour parodier un argument
de Hume, on pourrait dire qu'il y a moins de désaccord sur
la grandeur de Bach ou de Shakespeare que sur la validité
de la physique d'Einstein (pour ne rien dire de celle de
Newton). Et pourtant, nous sommes au cœur même de la
subjectivité la plus intense et la plus avouée.

L'histoire de l'esthétique
comme histoire de la subjectivité

Quoi qu'on en pense, la philosophie « de Descartes à
Nietzsche » (ou, sur un autre registre, plus straussien, « de
Machiavel à Sartre ») ne consiste pas dans le développement linéaire d'une *conception métaphysique de la subjectivité* qui, encore imparfaite à l'origine, au moment du
cogito, trouverait son achèvement ultime dans le concept

technicien de « volonté de puissance ». Entre les différentes conceptions du sujet, chez les cartésiens, les empiristes, dans la philosophie transcendantale de Kant et de Fichte, chez Hegel et Nietzsche finalement, les tensions et les oppositions sont en vérité si profondes qu'il serait tout à fait vain de vouloir les « résoudre » dans une seule équation. Restituer dans sa diversité l'histoire de ces moments de la pensée moderne constitue, encore aujourd'hui, l'une des tâches principales d'une philosophie qui viserait à cerner le statut du sujet *après la mort de l'homme*, après les multiples déconstructions de la subjectivité métaphysique.

Dans cette voie, l'histoire de l'esthétique offre, pour les raisons déjà suggérées, un fil conducteur privilégié. Je n'ai cependant pas recherché l'exhaustivité qui eût été requise dans un ouvrage historique : on ne trouvera pas ici les considérations d'usage sur Shaftesbury et Burke, Goethe et Lessing, Solger et le romantisme allemand, l'esthétique de Benjamin ou celle d'Adorno. J'ai en revanche visé un certain type de systématicité puisqu'il s'agissait de retracer dans leur irréductibilité absolue les divers moments singuliers d'une histoire de la subjectivité moderne. Dans cette enquête, certains auteurs relativement méconnus, Bouhours par exemple, mais aussi et surtout Baumgarten et Lambert, me sont apparus occuper une place indispensable à l'analyse correcte de ces ruptures. Pour des raisons qui ne pourront s'expliciter que dans ce qui suit, j'ai dû retenir cinq grands moments, correspondant chacun à un état décisif de la question du sujet :

1. *Entre le cœur et la raison :*
　　la préhistoire de l'esthétique
　　ou la querelle des « cogito »

Contrairement à une opinion souvent reçue*, on rencontre *dès le XVIIᵉ siècle* une opposition tranchée entre, d'un côté, un certain classicisme qui conçoit l'art par analogie avec la science et lui assigne pour finalité de « peindre d'après nature », donc de représenter la vérité, et, d'un autre, une esthétique de la « délicatesse » ou du « sentiment » qui voit plutôt dans la belle œuvre une expression de ce que les élans de la passion peuvent avoir d'indicible. Au-delà de ces deux conceptions de la beauté – dont le conflit se poursuivra tout au long du XVIIIᵉ siècle –, ce sont aussi deux visions de la subjectivité qui s'affrontent : l'une, issue du cartésianisme, place volontiers l'essence du *cogito* dans la raison, tandis que l'autre, pascalienne ou même sensualiste, situe l'essentiel ailleurs, dans le cœur ou le sentiment. Pourtant, ces deux positions en apparence radicalement antinomiques se combattent sur un terrain commun : celui de l'individualisme. Dans les deux cas, en effet, le sujet est pensé comme une *monade* qui ne peut entrer en communication avec les autres monades que par l'intermédiaire d'un troisième terme. Ces dernières étant, selon le mot de Leibniz, « sans portes ni fenêtres », c'est pour ainsi dire sur un modèle « satellitaire » que repose la théorie du *sensus communis* qui vient répondre à la difficile question des critères du beau : dans cette première époque de l'individualisme, qui culmine avec le rationalisme leibnizien et l'empirisme de Berkeley et Hume, l'intersubjectivité suscitée par l'objet beau (le fait qu'il produise entre les sujets un certain consensus) ne peut être pensée qu'à partir de l'idée d'un Dieu, monade des monades, qui garantit l'accord entre les particuliers.

---

* C'est un point, j'y reviendrai, sur lequel Cassirer s'est égaré.

C'est précisément contre un tel modèle que se constitue la première esthétique, l'*Aesthetica* de Baumgarten. Car l'avènement de cette discipline nouvelle, résolument moderne, suppose un retrait du point de vue divin au profit de celui de l'homme : c'est à ce prix, et à ce prix seulement, que l'autonomie de la sensibilité, donc de la sphère au sein de laquelle seule la beauté trouve son expression propre, pourra être définitivement gagnée.

2. *Le moment kantien :*
   réflexion et intersubjectivité

Encore trop enfermée dans les cadres du rationalisme leibnizien, l'*Aesthetica* ne parviendra pas à fonder pleinement l'autonomie du sensible face à l'intelligible. Malgré tout leur extraordinaire potentiel novateur, les premières esthétiques restent marquées par un certain platonisme : elles ne parviennent jamais, en dernière instance, à conférer à la beauté une place aussi éminente que celle attribuée de droit au vrai et au bien.

L'argument, ici, peut être aisément esquissé même s'il est, comme on aura l'occasion de le constater tout au long de cette histoire de l'esthétique, absolument décisif : si la beauté n'est que l'apparence, la manifestation sensible d'une idée vraie ou d'une évidence morale, il est clair que son véritable prix réside, et ce par essence, ailleurs qu'en elle-même – dans le vrai ou le bien qu'elle *illustre*. Tout au plus peut-elle prétendre au talent *dans la mise en scène* d'un contenu qui ne lui appartient pas en propre, mais se trouve toujours décrit et fondé hors d'elle, dans la philosophie spéculative, la science ou l'éthique. Telle est, au demeurant, la croix de tout classicisme : si le tableau ou le poème valent *avant tout* par la noblesse du sujet qu'ils représentent, si la vérité doit y régner, selon la formule de Boileau, au point qu'elle « y gêne la mesure », l'art n'est-il pas voué dès l'origine à occuper une place subalterne dans le champ de la culture? Tel est aussi, par contrecoup, l'enjeu d'une conquête de l'autonomie de la sensibilité par rapport aux deux versants, théorique et pratique, de l'intelligible. Sans nul doute, c'est l'affirmation d'une telle autonomie qui permettra à Kant de s'affranchir des cadres du classicisme et d'élaborer les principes d'une esthétique au sein de laquelle, pour la première fois sans doute dans l'histoire de la pensée, la beauté acquiert une existence propre et cesse enfin d'être le simple reflet d'une essence qui, hors d'elle, lui fournirait sa signification authentique.

Encore faut-il voir que ce renversement sans précédent du platonisme (du primat de l'intelligible sur le sensible) bouleverse également la donne dans l'histoire de la subjectivité. Il convient ici de garder toujours présente à l'esprit l'idée que le sensible est la marque par excellence de la condition humaine, de la connaissance *finie*. Il est très exactement ce par quoi l'homme, qui a un corps matériel et une intelligence bornée, se distingue de Dieu qui est pur esprit et omniscience. L'affirmation de l'autonomie du sensible ne signifie rien de moins, dans ce contexte, que la séparation radicale, peut-être définitive, de l'humain et du divin. Plus encore : elle implique qu'une sphère existe, celle du proprement humain, qui échappe à toute législation divine et qui, pour autant, n'est pas une simple imperfection, un défaut ou un manque par rapport à la divinité. Elle est un coup fatal porté à l'antique statut du divin, un acte d'orgueil dont il n'est pas exagéré de dire qu'il est, dans l'ordre de l'esprit, comparable à cet autre crime de lèse-divinité qu'est la Révolution dans l'ordre du politique.

La naissance de l'esthétique s'avère être ainsi rigoureusement indissociable d'un certain retrait du divin. Et c'est à la faveur de ce retrait qu'apparaît une nouvelle figure de la subjectivité finie qui a nom, chez Kant, *réflexion*. On verra comment – il n'y a là, on le pressent déjà, nul hasard – c'est dans la théorie du jugement de goût, entendu comme jugement « réfléchissant », ne pouvant émaner que d'un sujet *fini*, c'est-à-dire *sensible* et vivant à distance de Dieu, que cette nouvelle représentation du sujet prendra corps. On examinera aussi comment, avec elle, le spectateur de la beauté cesse lui aussi d'être un individu-miroir, une monade qui ne communique avec les autres monades que par l'intermédiaire du satellite divin. Car le retrait de Dieu confronte l'esthétique à de nouvelles interrogations : il lui faut désormais penser le « sens commun » suscité par l'objet beau, ou, si l'on veut, l'accord des « sensibilités » (du moins, bien sûr, lorsqu'il a lieu), autrement que de façon théologique (monadologique). En d'autres termes, c'est maintenant à une certaine représentation de l'*inter-subjectivité* qu'on doit recourir pour comprendre un tel accord. Nous sommes entrés de plain-pied dans l'univers moderne, dans le monde de la laïcité.

Du côté du créateur, de l'artiste, la mutation est tout aussi décisive; il cesse en effet, dans ces conditions, d'être celui qui, modestement, se borne à *découvrir* et à *exprimer* de façon plaisante les vérités créées par Dieu, mais il devient celui qui *invente*. Le *génie* fait son apparition et l'imagination tend à devenir « la reine des facultés », celle qui rivalise avec le divin dans la production d'œuvres radicalement inédites.

3. *Le moment hégélien : le sujet absolu*
 ou la mort de l'art

C'est à combattre cette brèche ouverte dans le rationalisme classique que s'attache la réinterprétation hégélienne de la théorie du génie. L'esthétique de Hegel est grandiose : nul ne saurait sérieusement le contester. Bien davantage que celle de Kant, elle a su prendre en compte, de façon parfois éblouissante, l'histoire concrète de l'art : l'interprétation d'Antigone ou la mise au jour des significations les plus profondes de la poésie romantique restent, quoi qu'on en pense, des modèles pour une critique philosophique de l'art. Il n'en demeure pas moins que, depuis sa venue à maturité au cours de la période d'Iéna, tout le système tend à réintégrer le point de vue de l'homme comme un simple moment dans le déploiement historique du divin : la « réflexion », en tant qu'essence de la subjectivité finie, doit être « dépassée » dans ce que Hegel nomme la « proposition spéculative ». Par suite, la sensibilité perd l'autonomie qu'elle avait acquise chez Kant, de sorte que l'esthétique redevient, très *classiquement*, l'expression d'une idée dans le champ de la sensibilité. Certes, cette aliénation de l'idée dans une matière sensible extérieure reçoit chez Hegel, à la différence de ce qui avait lieu dans le classicisme des xviie et xviiie siècles, la forme d'une *histoire* de l'art. Il n'est pas sûr pour autant que l'essentiel du classicisme soit dépassé : au fond, l'art reste aux yeux de Hegel une manifestation de la vérité qui, pour être attrayante, n'en est pas moins par définition inférieure à celle qui a lieu au sein de la philosophie. Tel est bien le sens ultime de la fameuse sentence selon laquelle l'art appartiendrait au passé. La réflexion et le génie doivent donc céder le pas au sujet absolu auquel seule la philosophie peut prétendre nous livrer l'accès.

4. *Le moment nietzschéen : le sujet brisé*
   et l'esthétisation de la culture

Si paradoxal que cela puisse paraître, l'esthétique de Nietzsche – peut-être la plus antihégélienne de toutes les philosophies de l'art – renoue à certains égards avec le projet kantien d'accorder au sensible une autonomie par rapport à l'intelligible; et pour des raisons analogues, cette autonomisation du sensible conduit, dans un rapport rigoureusement inverse à celui que l'hégélianisme entretient avec le kantisme, à réaffirmer la légitimité du point de vue de l'homme contre celui du divin. En d'autres termes – qui sont ceux d'une histoire de la subjectivité –, la « mort de

Dieu » signifie celle du sujet absolu en même temps qu'elle désigne l'avènement du « sujet brisé », radicalement ouvert sur l'altérité de l'inconscient, donc incapable à jamais de se refermer sur lui-même dans l'illusion d'une quelconque transparence à soi.

La fameuse thèse selon laquelle « il n'y a pas de faits », mais seulement « des interprétations », dessine parfaitement les contours de ce nouvel âge de l'individualisme qu'inaugure, dans l'espace de la philosophie, la pensée de Nietzsche. D'un côté, la proposition peut s'entendre au sens d'un subjectivisme total, ou, si l'on ose dire, d'un relativisme absolu : il n'y a plus de vérité unique, mais seulement des vérités, des points de vue parfaitement *singuliers*, c'est-à-dire, si l'on se comprend correctement soi-même, plus de vérité du tout au sens que le terme a connu jusque-là dans la tradition philosophique (identité, adéquation). D'un autre côté, pourtant, il semble que l'on échappe aux philosophies du sujet héritées du cartésianisme et de l'empirisme, justement parce qu'il n'y a plus ni de monade close sur elle-même (les points de vue ne peuvent plus être recollectés dans l'unité d'un sujet/ substance comme s'ils en étaient les attributs), ni de monade des monades qui viendrait garantir, comme chez Leibniz, l'accord ou l'harmonie des perspectives multiples au sein d'un *système du monde*. Bref, selon l'heureuse formule de Heidegger : le nietzschéisme est une « monadologie sans Dieu ».

Si la vérité cesse de se définir comme identité (comme non-contradiction des propositions) ou adéquation (du jugement à la chose), c'est peut-être qu'au nom d'une vérité plus profonde que celle de la philosophie le réel est conçu par Nietzsche comme multiplicité, brisure, différence que seul l'art peut saisir adéquatement.

5. La mort des avant-gardes et l'avènement de la postmodernité

C'est à mes yeux ce double mouvement de l'esthétique nietzschéenne – d'un côté l'hyperrelativisme (ou hyperindividualisme) selon lequel il n'y a pas de vérité « en soi » mais seulement une infinité de points de vue irréconciliables, d'un autre côté l'« hyperréalisme » d'un art devant viser une vérité « brisée », plus profonde, plus secrète, plus réelle au fond que celle à laquelle parviennent la métaphysique et la science d'inspiration platonicienne – qui constitue l'équation philosophique sous-jacente, sinon à l'art contemporain tout entier, du moins à ses expressions les plus manifestement liées à l'« avant-gardisme ».

Si Nietzsche n'est sans doute pas, en tout cas pas seulement, comme le croyait Heidegger, le philosophe du « monde de la technique », il est sans nul doute celui de l'avant-garde esthétique en tant qu'elle est indissolublement liée à la figure du sujet brisé. Sur son versant hyperindividualiste, l'avant-garde rencontre l'idéologie révolutionnaire la plus extrême, la plus « subjective » : les valeurs qu'elle glorifie alors sont celles de l'innovation, de l'originalité, de la rupture avec la tradition, bref, des valeurs _néocartésiennes_ de la _tabula rasa_ que Nietzsche, paradoxalement, pousse à leur comble au moment même où il prétend les détruire « avec le marteau ». Mais sur son versant « hyperréaliste » (le terme, bien entendu, n'est pas pris ici en son sens habituel dans l'histoire récente de l'art), l'avant-gardisme s'avère être, à l'opposé de tout baroque, un « hyperclassicisme » : du cubisme au surréalisme, ou au suprématisme, c'est bien aussi la réalité la plus réelle qu'il s'agit de rendre – d'où la fascination des avant-gardes pour ces nouvelles géométries qui laissent pressentir des espaces plastiques encore inexplorés et cependant plus « vrais » que ceux, bien balisés, que fonde la perspective euclidienne. « Plus vrais », c'est-à-dire, comme chez Nietzsche (dont on connaît, là encore, la fascination pour la « nouvelle » biologie) : *différents, multiples, brisés.*

En politique comme en art, les avant-gardes se sont évanouies en cette fin du XXe siècle. Le diagnostic fait d'autant moins de doute qu'il est porté le plus souvent par ceux-là mêmes qui furent les protagonistes de cette étrange histoire des « élites » esthétiques depuis les années 1880. Nous entrons résolument, sinon joyeusement, dans l'ère de la post-avant-garde, ou comme disent les architectes, de la « postmodernité » : l'innovation a cessé d'être la règle d'or et le retour aux traditions perdues, le « revivalisme », acquiert une certaine légitimité. Parallèlement, le réel n'est plus systématiquement défini comme chaos, brisure, différence, disharmonie ou dissonance : la littérature renoue progressivement avec le goût du récit, des personnages « vrais », la peinture n'exclut plus la figuration, le plus souvent proscrite jusqu'à la fin des années 60, et la musique savante abandonne les formes les plus extrêmes du sérialisme des années 50. Les raisons de ce nouveau bouleversement (l'histoire de l'art est faite de paradoxes) sont profondes : elles engagent sans nul doute une nouvelle figure du sujet et de son rapport au monde – à ce monde dont on a suggéré que le retrait pourrait bien être aujourd'hui la caractéristique la plus marquante.

Ainsi, au terme d'une telle histoire de la subjectivité, c'est de nouveau vers la question du statut de la culture dans une société démocratique, dans une société d'individus émancipés du monde de la tradition, que nous serons inévitablement reconduits.

II

ENTRE LE CŒUR ET LA RAISON

> « Des goûts et des couleurs on ne discute pas...
> et pourtant on ne fait que ça! »
>
> F. Nietzsche

Si la réflexion sur le Beau prend la forme d'une *esthétique* lorsque les valeurs sont pensées à partir de la subjectivité, la question reste encore entière de savoir ce qui, au sein de cette subjectivité, doit être tenu pour le principe du jugement de goût. S'agit-il de la *raison*, comme le pensent les cartésiens et avec eux les théoriciens du classicisme français, ou du *sentiment*, de la « délicatesse » du *cœur*, comme l'affirmera de plus en plus nettement au cours du XVIIIe siècle* un courant qui prend ses sources aussi bien chez Pascal que dans l'empirisme anglais? Si l'on opte en faveur de la raison, on concevra le jugement de goût sur le modèle d'un jugement logico-mathématique : son objectivité sera garantie par analogie avec celle des sciences – le risque du classicisme étant la perte de la spécificité du jugement esthétique, la réduction de la beauté à une simple représentation sensible de la *vérité*. Si à l'inverse on met le

---

* Cf. E. Cassirer, *la Philosophie des Lumières*, dernier chapitre. Malgré quelques erreurs historiques (Cassirer se trompe notamment en voyant dans Bouhours un homme du XVIIIe siècle alors qu'il est contemporain de Boileau), la thèse générale de Cassirer sur les différences entre un XVIIe siècle cartésien, rationaliste, déductiviste et un XVIIIe siècle newtonien qui découvre l'*observation* reste globalement juste.

sentiment au principe de l'évaluation esthétique, si le goût est davantage affaire de cœur que de raison, l'autonomie de la sphère esthétique pourra bien être obtenue mais, semble-t-il, au prix d'une subjectivisation si radicale du Beau que la question de l'objectivité des critères se verra disqualifiée au profit d'un relativisme total.

Le conflit qui, de Boileau à Batteux, de Bouhours à Dubos, est au centre des réflexions sur la nature du Beau à l'âge classique constitue la véritable préhistoire de l'esthétique moderne. Les deux questions qu'il pose – celle de l'autonomie de l'esthétique comme discipline nouvelle, différente de la logique, et celle des critères du goût – renvoient au fond à un unique problème : celui de la communicabilité de l'expérience esthétique en tant qu'expérience subjective, purement individuelle et cependant accessible à autrui sur le mode d'un « sens commun », d'un *partage* que rien, semble-t-il, ne vient *a priori* garantir.

Classicisme et délicatesse : les dialogues d'Eudoxe et de Philanthe

Cette querelle a été souvent analysée* et il ne saurait être question ici d'en retracer à nouveau l'histoire. Je voudrais plutôt attirer l'attention sur une œuvre méconnue, mais particulièrement intéressante dans ce contexte, puisqu'elle offre l'originalité de présenter la querelle sous la forme d'un *dialogue* entre deux personnages dont l'un, Eudoxe, incarne le classicisme de Boileau et l'autre, Philanthe, l'esthétique de la délicatesse. Il s'agit du livre de Dominique Bouhours, *Des manières de bien penser dans les ouvrages de l'esprit*. Publié en 1687, ce dialogue qui faisait suite aux *Entretiens d'Ariste et d'Eugène* (1671) devait connaître un immense succès : pour la première fois, sans

---

* Par Cassirer et par Bäumler, bien sûr, mais aussi, excellemment, avant eux, par K. Heinrich von Stein[1].

doute, dans l'histoire de ce qui allait bientôt devenir l'esthétique, l'opposition du classicisme et de la délicatesse était exposée comme l'opposition de deux types-idéaux, voire de deux types d'hommes. Voici en effet comment ce jésuite, professeur d'humanités et de rhétorique à qui Ménage reprochait d'être un précieux ridicule et de trop fréquenter « les dames et les petits maîtres », mais dont Mme de Sévigné disait que « l'esprit lui sortait de tous les côtés », présente ses deux personnages : ce sont « deux hommes de lettres que la science n'a point gâtés et qui n'ont guère moins de politesse que d'érudition. [...] Quoiqu'ils aient fait les mêmes études et qu'ils sachent à peu près les mêmes choses, le caractère de leur esprit est bien différent ». C'est d'emblée la psychologie qui distingue les deux hommes, ou, dirions-nous aujourd'hui, la « sensibilité ». Les goûts d'Eudoxe sont, à l'image de son nom, conformes à l'orthodoxie classique : « Rien ne lui plaît dans les ouvrages ingénieux qui ne soit raisonnable et naturel[2]. » Il admire les Anciens. Quant à Philanthe, « tout ce qui est fleuri, tout ce qui brille le charme. Les Grecs et les Romains ne valent pas à son gré les Espagnols et les Italiens[3] » : il aime le baroque.

On sent dès la préface du dialogue que Bouhours a choisi son camp : il ne s'agira pas, déclare-t-il, « de prescrire des règles, ni de donner des lois qui gênent personne », l'auteur, ajoute-t-il, « dit ce qu'il pense et laisse à chacun la liberté de juger autrement que lui », son ouvrage ne voulant être qu'une « Rhétorique courte et facile qui instruit plus par les exemples que par les préceptes et qui n'a guère d'autres règles que ce bon sens vif et brillant dont il est parlé dans les entretiens d'Ariste et d'Eugène[4] ». C'est donc clairement, à travers le personnage d'Eudoxe, l'*Art poétique* qui est visé tel que Boileau en résume le propos en ces vers justement célèbres :

Rien n'est beau que le vrai, le vrai seul est aimable,
Il doit régner partout, et même dans la fable;

De toute fiction l'adroite fausseté
Ne tend qu'à faire aux yeux briller la vérité.
Sais-tu pourquoi mes vers sont lus dans les provinces
Sont recherchés du peuple et reçus chez les princes?
Ce n'est pas que leurs sons, agréables, nombreux
Soient toujours à l'oreille également heureux
Qu'en plus d'un lieu le sens n'y gêne la mesure
Et qu'un mot quelquefois n'y brave la césure :
Mais c'est qu'en eux le vrai du mesonge vainqueur,
Partout se montre aux yeux et va saisir les cœurs
[...]
Ma pensée au grand jour partout s'offre et s'expose
Et mon vers, bien ou mal, dit toujours quelque
[*chose.*

Ce passage de l'Épître IX renferme les principaux thèmes de l'esthétique classique que Philante, contre Eudoxe, va tenter, sinon de *réfuter*, du moins de révoquer en doute :

1. L'équivalence art/science que suggère la réduction du Beau à la vérité, et, par là même, celle du jugement de goût à un jugement théorique sur la perfection d'une œuvre, sur son adéquation à un « concept », c'est-à-dire à des règles déterminées.

2. Le rejet de la « fiction » et, avec elle, de l'imagination, cette « folle du logis », selon la belle formule de Malebranche, cette faculté bornée que Descartes déclarait déjà, dans une lettre à Mersenne de juillet 1641, incompatible avec la science*.

3. L'idée que l'activité de l'artiste réside non dans l'*invention*, mais dans la *découverte*, comme le rappelle Boileau dans l'importante Préface de 1701 à sa dernière

---

* Spinoza a bien exprimé le mépris cartésien pour l'imagination : « Les idées forgées, fausses [...] ont leur origine dans l'imagination, c'est-à-dire dans certaines sensations fortuites. [...] Que si l'on préfère, on entende ici par imagination tout ce que l'on voudra pourvu que ce soit quelque chose de distinct de l'entendement[5]. »

réédition des *Satires* : « Qu'est-ce qu'une pensée neuve, brillante, extraordinaire? Ce n'est point, comme se le persuadent les ignorants, une pensée que personne n'a jamais eu ni dû avoir; c'est au contraire une pensée qui a dû venir à tout le monde et que quelqu'un s'avise le premier d'exprimer », c'est-à-dire, à proprement parler, de dé-couvrir, de mettre au jour. Car « l'esprit de l'homme est naturellement plein d'un nombre infini d'idées confuses du vrai, que souvent il n'entrevoit qu'à demi, et rien ne lui est plus agréable que lorsqu'on lui offre quelqu'une de ces idées bien éclaircie, et mise dans un beau jour ». Comme celle du savant, la tâche de l'artiste se situe à mi-chemin entre l'*imitation* théorisée dans *la République* de Platon et la *génialité*, la création inconsciente du *nouveau* qui formera le concept central de l'esthétique romantique.

4. Si l'art est découverte, mise au jour d'une vérité encore enfouie dans les replis du cœur humain, l'objet beau, à l'instar de l'objet scientifique, est ce qui dans la nature s'avère pleinement conforme aux lois de la raison. Comme le dira Charles Batteux, l'un des principaux disciples de Boileau au XVIIIe siècle : « Les arts ne créent point leurs règles : elles sont indépendantes de leur caprice et invariablement tracées dans l'exemple de la nature[6]. » Mais il ne s'agit pas d'« imiter » indistinctement tout ce qui est « naturel ». Il faut au contraire dévoiler ce qui dans la nature foisonnante est *essentiel, conforme à la raison*, soit : « la nature, non telle qu'elle est elle-même, mais telle qu'elle peut être et qu'on peut la concevoir par l'esprit » ou, comme le dit encore Batteux[7] le « vrai-semblable » plutôt que le « vrai »*.

---

* Batteux donne en exemple *le Misanthrope* : « Quand Molière voulut peindre la misanthropie, il ne chercha point dans Paris un original dont la pièce fut la copie exacte : il n'eût fait qu'une histoire, un portrait : il n'eût instruit qu'à demi. Mais il recueillit tous les traits d'humeur noire qu'il pouvait avoir remarqués dans les hommes; il y ajouta tout ce que l'effort de son génie put lui fournir dans le même genre; et de tous ces traits

5. Le véritable artiste devra donc rejeter tout ce qui peut évoquer le « baroque » espagnol ou italien. On connaît l'éthymologie du mot, qui apparaît dès la première édition du *Dictionnaire* de l'Académie, en 1694 : « Baroque, adjectif. Se dit seulement des perles qui sont d'une rondeur fort imparfaite. Un collier de perles baroques. » Le sens figuré sera admis par l'édition de ce même dictionnaire en 1740 : « Baroque se dit aussi au figuré pour irrégulier, bizarre, inégal. Un esprit baroque, une expression baroque, une figure baroque. » Le baroque, c'est donc le *difforme*, ce qui, par rapport à ce symbole parfait du principe de raison qu'est le cercle, ne peut apparaître que comme un *excès*, une *inélégance* – au sens où l'on dit qu'une démonstration mathématique qui n'emprunte pas les voies les plus simples et se perd en détours inutiles est inélégante quand même elle parvient au bon résultat. Au regard des exigences du classicisme, le baroque italien apparaît proprement *monstrueux*, selon la formule même de Boileau :

> *La plupart emportés d'une fougue insensée*
> *Toujours loin du droit sens vont chercher leur pensée.*
> *Ils croiraient s'abaisser dans leurs vers monstrueux*
> *S'ils pensaient ce qu'un autre a pu penser comme eux.*
> *Évitons ces excès : laissons à l'Italie*
> *De tous ses faux brillants l'éclatante folie*[9].

6. L'art étant comme la science animé d'une volonté de parousie, de mise en lumière de ce qui, bien que commun à une nature humaine éternelle, parce que rationnelle, reste encore enfoui, il doit fuir toute obscurité dans l'expression : non seulement l'ineffable ne saurait trouver place

---

rapprochés et assortis, il en figura un caractère *unique*, qui ne fut pas la représentation du vrai, mais du Ilai-semblable[8]. »

dans la poésie*, mais les figures de rhétorique doivent être pourchassées sans relâche, lorsqu'elles peuvent conduire à cette « équivoque » que les satires de Boileau stigmatisent en des vers dont chacun peut apprécier la limpidité :

> *Du langage Français bizarre hermaphrodite*
> *De quel genre te faire équivoque maudite?*
> *Ou maudit : car sans peine aux rimeurs hasardeux*
> *L'usage encor, je crois, laisse le choix des deux.*
> *Tu ne me répons rien. Sors d'ici fourbe indigne,*
> *Mâle aussi dangereux que femelle maligne*
> *Qui croit rendre innocents des discours imposteurs;*
> *Tourment des Écrivains, juste effroi des Lecteurs;*
> *Par qui de mots confus sans cesse embarrassée*
> *Ma plume en écrivant cherche en vain ma pensée*[11].

7. Si l'essentiel, enfin, est bien de plaire « au peuple autant qu'au Prince »** et de « saisir les cœurs », encore faut-il préciser que le cœur, ici, n'a rien de pascalien, qu'il se confond plutôt avec l'esprit des cartésiens et que l'agrément suscité par le poème doit provenir davantage du sens qu'il renferme que de la « richesse de ses sonorités ». Lorsque Boileau emprunte le vocabulaire de l'esthétique de la délicatesse, c'est pour en détourner la signification authentique et lui donner immédiatement une connotation rationaliste : « Que si l'on me demande ce que c'est que cet agrément et ce sel, je répondrai que c'est un je-ne-sais-quoi qu'on peut mieux sentir que dire : *A mon avis néanmoins, il*

---

*   *Il est certains esprits dont les sombres pensées*
    Sont d'un nuage épais toujours embarrassées
    Le jour de la raison ne le saurait percer
    Avant donc que d'écrire apprenez à penser.
    Selon que notre idée est plus ou moins obscure
    L'expression la suit, ou moins nette ou plus pure.
    Ce que l'on conçoit bien s'énonce clairement
    Et les mots pour le dire arrivent aisément[10].

** Cf. *Art poétique*, chant I : « N'offrez rien au lecteur que ce qui peut lui plaire. »

consiste à ne jamais présenter au lecteur que des pensées vraies et des expressions justes*. »

Telle est précisément la thèse que Bouhours, à travers les propos de Philanthe, cherche à ébranler point par point. Contre le rationalisme d'Eudoxe, contre son éloge des vertus poétiques de l'idée claire et distincte, Philanthe s'attache à mettre en évidence la part d'*irrationalité* que comporte toute expression artistique de la Beauté. Il est toujours dans les poèmes, du moins s'ils sont bons, « un fond d'obscurité que rien ne saurait éclaircir[13] ». A l'inverse exact de l'enseignement classique, il faut affirmer le caractère *ineffable* du Beau : « Quand vous me demandez ce qu'est une pensée délicate, je ne sais où prendre les termes pour m'expliquer : ce sont des choses qu'il est difficile de voir d'un coup d'œil et qui, à force d'être subtiles, vous échappent lorsque vous pensez les tenir[14]. » Pourtant cet indicible n'est pas illégitime, simple signe d'une faiblesse des capacités expressives de l'artiste; il est au contraire l'essence la plus intime de la « pensée délicate » : « Le sens qu'elle contient n'est pas si visible ni si marqué » que ne le pense Eudoxe, et « le petit mystère est comme l'âme de la délicatesse des pensées, en sorte que celles qui n'ont rien de mystérieux, ni dans le fond ni dans le tour et qui se montrent tout entières à la première vue, ne sont pas délicates proprement, quelque spirituelles qu'elles soient par ailleurs[15] ».

On perçoit ici tout ce qui sépare l'esthétique du sentiment du classicisme : si le principe du jugement de goût n'est pas la raison, si, comme le dit encore Philanthe en

---

* Cf. aussi :

Quelque sujet qu'on traite, ou plaisant ou sublime,
Que toujours le bon sens s'accorde avec la rime :
L'un l'autre vainement ils semblent se haïr;
La rime est une esclave et ne doit qu'obéir.
[...]
Aimez donc la raison : que toujours vos écrits
Empruntent d'elle seule et leur lustre et leur prix[12].

une formule toute pascalienne, « le cœur est plus ingénieux* que l'esprit[16] », c'est l'élément irrationnel et sensible de la subjectivité qu'il s'agit d'exalter. Contre *l'Art
poétique*, l'esthétique de Bouhours réhabilite les procédés
rhétoriques qui permettent de faire droit à l'irrationnel en
l'homme, et en tout premier lieu l'usage des métaphores
équivoques qui sont « comme ces voiles transparents qui
laissent voir ce qu'ils couvrent, ou comme des habits de
masque sous lesquels on reconnaît la personne qui est
déguisée[17] ». Car ce qui plaît dans l'équivocité, c'est
justement qu'en elle il est un « reste » à jamais insaisissable
par l'entendement[18]. Et si « les pensées, à force d'être
vraies, sont quelques fois triviales », il faut pousser à son
terme cette logique du sentiment et faire l'éloge de la
fausseté : n'est-ce pas en effet, et c'est ici encore Boileau
qui est visé, « la fiction, ou quelque chose d'un peu
poétique qui rend les pensées très agréables dans la
prose[19] » ? Ainsi, « une princesse que nous avons connue et
qui avait l'esprit infiniment délicat, disait que le soleil ne
faisait les beaux jours que pour le peuple... La proposition
semble fausse et elle n'a de beauté que par là[20] ». Bref,
Philanthe serait presque tenté de dire : rien n'est beau que
le faux, le faux seul est aimable !

Dans sa *Philosophie des Lumières*, Cassirer a bien vu, au
moins dans le principe, ce qui séparait l'esthétique du XVIIIe
siècle de celle du XVIIe : « La mutation interne qui met fin
au règne de la doctrine classique dans le domaine de
l'esthétique correspond exactement à ce qui s'accomplit
dans la pensée physique par le passage de Descartes à
Newton... Il s'agit de se libérer du despotisme absolu de la
déduction, il s'agit de faire place, à côté d'elle et non
absolument contre elle, aux simples faits, aux *phénomènes* » et par suite d'accorder davantage de place à la
sensibilité[21]. Le diagnostic, globalement juste, est pourtant

---

* On notera au passage qu'avec la notion d'ingéniosité, c'est déjà l'idée
de génialité qui se trouve évoquée.

caricatural. Travaillant de seconde main – pour l'essentiel
à partir du livre de Bäumler sur le *Problème de l'irrationalité* –, Cassirer commet quelques erreurs : il déclare, par
exemple, que l'ouvrage de Bouhours « n'est séparé de *l'Art
poétique* de Boileau que par un siècle ou guère plus », alors
que les deux auteurs sont contemporains (Bouhours est
mort en 1702, Boileau en 1711). A vrai dire, le conflit qui
oppose l'esthétique classique à celle du sentiment prend
tout entier ses racines au xviiᵉ siècle. S'il se poursuit au
xviiiᵉ sous une forme quelque peu différente – et sur ce
point Cassirer a raison : le xviiiᵉ siècle privilégie l'observation sur la déduction –, il n'est pas essentiellement modifié,
comme en témoigne l'ouvrage du disciple de Boileau,
Charles Batteux, *les Beaux-Arts réduits à un même principe*
(1746). Il s'agit certes d'introduire dans la réflexion sur le
Beau l'*observation* de l'expérience concrète plutôt que de se
fier aux seules vertus de la déduction cartésienne : « Imi-
tons les vrais physiciens qui amassent des expériences et
fondent ensuite sur elles un système qui les réduit en
principe[22]. » Le modèle, à n'en pas douter, est bien fourni
par la physique de Newton : de même que celle-ci réduit la
diversité des phénomènes célestes à un principe unique – la
gravitation universelle –, il faut dans la sphère esthétique
chercher à réduire la diversité des règles concrètement en
jeu dans les œuvres d'art à une seule et même règle, car
« toutes les règles sont les branches qui tiennent à une
même tige[23] ». Pourtant, même si la méthode n'est plus
cartésienne, le résultat des recherches de Batteux est
conforme à l'enseignement de Boileau : la règle des règles
reste bien l'imitation de la nature ou, plus exactement,
l'imitation de ce que la raison *dévoile* comme *l'essence* de la
nature. Et si le principe du goût est la raison, il est tout
aussi clair que le véritable génie n'*invente* pas, mais
découvre : « L'esprit humain ne peut créer qu'impropre-
ment : toutes ses productions portent l'empreinte d'un
modèle. [...] Le génie qui travaille pour plaire ne doit donc,
ni ne peut, sortir des bornes de la nature même. Sa

fonction consiste non à imaginer ce qui peut être, mais à trouver ce qui est. Inventer dans les arts n'est point donner l'être à un objet, c'est le reconnaître où il est comme il est[24]. » La seule originalité de l'artiste tient au choix du sujet, à la composition[25], non à ses facultés de *création*; pour l'essentiel, il se borne à présenter dans un matériau sensible – le marbre, les couleurs, les sons, etc. – l'*idée naturelle* qu'il veut exprimer*. La différence avec la thèse classique du XVIIe siècle reste donc plus mince que ne l'affirme Cassirer.

Sur l'autre versant du conflit, le plus grand théoricien de l'esthétique du sentiment au XVIIIe siècle, l'abbé Dubos, s'inscrit sans nul doute dans la continuité de Bouhours : ses *Réflexions critiques sur la poésie et la peinture* de 1719 – dont Voltaire disait qu'elles étaient « le livre le plus utile qu'on ait jamais écrit sur ces matières chez aucune des nations de l'Europe » – se situent résolument du côté d'une critique du classicisme en affirmant la primauté incontestable de l'émotion sur l'intelligence : si le but de l'œuvre d'art est de plaire – ce qu'admettent aussi les classiques –, encore faut-il préciser que « de tous les talents qui donnent de l'empire sur les autres hommes, le talent le plus puissant n'est pas la supériorité d'esprit et de lumières : c'est le

---

* « Mais que pouvait faire ce génie borné dans sa fécondité et dans ses vues qu'il ne pouvait porter plus loin que la nature? [...] Tous ses efforts durent nécessairement se réduire à faire un choix des plus belles parties de la nature pour en donner un tout exquis qui fût plus parfait que la nature elle-même, sans cependant cesser d'être naturel. Voilà le principe sur lequel a dû nécessairement se dresser le plan fondamental des arts et que les grands artistes ont suivi dans tous les siècles. »

Ibid., pp. 13-14 : « Quelle est donc la fonction des arts? C'est de transporter les traits qui sont dans la nature et de les présenter dans des objets à qui ils ne sont point naturels. C'est ainsi que le ciseau du statuaire montre un héros dans un bloc de marbre. Le peintre, par ses couleurs, fait sortir de la toile tous les objets visibles. Le musicien, par ses sons artificiels, fait gronder l'orage tandis que tout est calme, et le poète enfin, par son invention et dans l'harmonie de ses vers, remplit notre esprit d'images feintes et nos cœurs de sentiments factices, souvent plus charmants que s'ils étaient vrais et naturels. »

talent de les émouvoir à son gré[26] ». Les *Réflexions* de
Dubos se présentent alors comme une théorie des *effets* de
l'art sur le cœur humain; elles quittent le terrain du *droit*
pour se situer au niveau du *fait*, de la psychologie et de
l'anthropologie. Voici leur projet tel que le formule l'Introduction : « Un livre qui, pour ainsi dire, déployerait le
cœur humain dans l'instant où il est attendri par un poème
ou touché par un tableau donnerait des vues très étendues
et des lumières justes à nos artisans sur l'effet général de
leurs ouvrages, qu'il semble que la plupart d'entre eux
aient tant de peine à prévoir. »

Il est donc clair qu'il convient également d'accorder plus
d'importance à l'observation qu'à la déduction au niveau
de la réflexion esthétique elle-même – ce que Dubos, pour
manifester sa fidélité à sa propre méthode, se plaît à mettre
en évidence par des exemples tels que celui-ci, particulièrement représentatif de son style d'argumentation : « Mon-
sieur de Leibniz ne se hasarderait jamais à passer en
carrosse par un endroit où son cocher l'assurerait ne
pouvoir point passer sans verser, même étant à jeun,
quoiqu'on démontrât à ce savant homme dans une analyse
géométrique de la pente du chemin et de la hauteur,
comme du poids de la voiture, qu'elle ne devrait pas y
verser. On en croit l'homme préalablement au philosophe
parce que le philosophe se trompe encore plus facilement
que l'homme[27]. » L'empirisme vient certes en appoint à cet
anticartésianisme pascalien qu'on percevait déjà chez Bouhours, mais fondamentalement, l'esthétique du sentiment
ne fait que développer et enrichir l'esthétique de la délicatesse : « S'il est quelque matière où il faille que le
raisonnement se taise devant l'expérience, c'est assurément
dans les questions qu'on peut faire sur les mérites d'un
poème[28]. »

L'essentiel du conflit demeure donc en place au XVIIIe
siècle et il le restera jusqu'à l'émergence des premières
tentatives de synthèse dont la *Critique de la faculté de juger*
se présentera comme l'achèvement ultime au niveau de la

philosophie spéculative. En témoigne le fait que la question centrale de l'antinomie, celle de la discutabilité du goût, est également éludée chez Batteux et chez Dubos : chez le premier au nom d'un rationalisme dogmatique, parce qu' « *il ne peut y avoir en général qu'un seul bon goût qui est celui qui approuve la belle nature : et tous ceux qui ne l'approuvent point ont nécessairement un goût mauvais*[29] »; chez le second, pour le motif rigoureusement inverse : en matière de goût, « la voie de la discussion n'est pas aussi bonne pour connaître le mérite des vers et des tableaux que celle du sentiment ». Selon Dubos, en effet, « le sentiment enseigne bien mieux si l'ouvrage touche et s'il fait sur nous l'impression qu'il doit faire que toutes les dissertations composées par les critiques pour en expliquer le mérite et pour en calculer les imperfections et les défauts. La voie de discussion et d'analyse [...] est bonne à la vérité lorsqu'il s'agit de trouver les causes qui font qu'un ouvrage plaît ou ne plaît pas; mais cette voie ne vaut pas celle du sentiment lorsqu'il s'agit de décider cette question : l'ouvrage plaît-il ou ne plaît-il pas? L'ouvrage est-il bon ou mauvais en général? *C'est la même chose* ».

Si la « voie de la discussion » est rejetée par l'eshtétique du sentiment, c'est donc à un double titre, très explicitement affirmé dans les *Réflexions* : d'une part, toute référence à des concepts ou à des règles ayant disparu – en conséquence d'une critique radicale, sans reste, du rationalisme classique –, il n'est plus de *critère autour duquel la discussion pourrait s'instaurer* : « Si le mérite le plus important des poèmes et des tableaux était d'être conformes à des règles rédigées par écrit, on pourrait dire que la meilleure manière de juger de leur excellence comme du rang qu'ils doivent tenir dans l'estime des hommes serait la voie de discussion et d'analyse. Mais le mérite le plus important des poèmes et des tableaux est de nous plaire » et c'est dès lors au sentiment qu'il faut s'en remettre pour juger. D'un autre côté, c'est aussi parce que Dubos n'envisage pas, comme le fera plus tard Kant, la possibilité

qu'une critique du rationalisme dogmatique n'interdise pas
toute référence à des critères indéterminés – à des « *Idées* »
sinon à des *règles* – qu'il est conduit à comparer l'impossibilité de la discussion esthétique à celle de la discussion
culinaire : « S'aviserait-on jamais, après avoir posé des
principes géométriques sur la saveur et défini les qualités
de chaque ingrédient qui entre dans la composition de ce
mets, de *discuter* la proportion gardée dans leur mélange
pour décider si le ragoût est bon? On n'en fait rien [...] on
goûte le ragoût, et même sans savoir ces règles, on connaît
s'il est bon. Il en est de même en quelque manière des
ouvrages d'esprit et des tableaux faits pour nous plaire en
nous touchant[30]. » La discussion est donc inutile, « fati-
gante pour l'écrivain et dégoûtante pour le lecteur[31] ».

La fin des traditions :
une querelle de l'individualisme moderne

De l'un à l'autre moment du conflit qui oppose l'esthétique du sentiment et le classicisme dogmatique, il n'y a
donc pas seulement opposition mais aussi, comme dans
toute structure véritablement antinomique, *passage* : si les
deux esthétiques conduisent, selon des argumentations
pourtant inverses, à un commun rejet de l'intersubjectivité,
c'est que toutes deux s'enracinent dans une conception
monadique de la subjectivité : car la querelle ne touche
pas, comme celle qui pourrait opposer les Modernes aux
Anciens, à la question de savoir s'il convient ou non de
fonder le beau sur le jugement de l'individu ou sur la
tradition, mais uniquement à la notion d'individualité à
laquelle on doit, ici ou là, se référer. Sans doute, au regard
de l'esthétique du sentiment, la Raison des classiques
apparaît-elle comme une *autorité dogmatique*, comme ce
qui, dans le sujet, est le moins subjectif. Et pourtant ne
nous y trompons pas : l'esthétique de Boileau elle-même
est bien *moderne* en ce qu'elle ne met nullement en doute

l'idée d'une fondation du Beau sur la subjectivité, la Raison étant connue comme une faculté du sujet.

Certes, dans la querelle des Anciens et des Modernes, Boileau prend le parti des Anciens; encore faut-il comprendre la nature exacte de son engagement : si les Anciens l'emportent à ses yeux sur les Modernes, ce n'est pas parce qu'ils sont anciens, comme on l'admettait jusqu'à la Renaissance conformément à un cadre de pensée traditionnel qui situait les archétypes dans le passé[32]; *mais c'est qu'ils incarnent un idéal défini par référence* à la Raison comprise comme l'une des facultés du *cogito*. Les Anciens ne sont plus dès lors des *archétypes* mais des *illustrations*, de simples *exemples* d'un modèle qui réside dans le sujet et qui, se tenant au-dessus d'eux, permet à la *critique* de s'exercer. L'émergence de la critique, indissolublement liée à celle de l'esthétique, met fin à la représentation *antique, objective* du beau. Même si l'imitation reste un concept central de l'*Art poétique*, nous avons vu qu'elle doit être comprise comme une activité de découverte comparable à celle de la science. La subjectivisation du goût se retrouve donc au niveau de la *création* artistique puisque l'individu possède une certaine marge de manœuvre, une possibilité de se *distinguer* d'autrui dans la capacité à mettre au jour les lois de la nature ou à les exprimer. Cette part de liberté se manifeste déjà chez les classiques – les moins modernes des modernes – par l'exigence d'*originalité*, comme en témoigne encore ce portrait que Boileau trace de lui-même en toute simplicité :

> *Au joug de la raison asservissant la rime*
> *Et même en imitant toujours original*
> *J'ai su dans mes écrits, docte, enjoué, sublime*
> *Rassembler en moi Perse, Horace et Juvénal.*

Si nous nous plaçons du point de vue d'une pensée traditionnelle, non subjectiviste, de l'art, il est donc clair qu'il y a bien davantage accord qu'opposition entre l'esthétique classique et celle du sentiment : cette dernière, en déplaçant le principe du jugement de goût de la raison vers le sentiment, ne fait au fond qu'accomplir ce mouvement de subjectivisation du Beau qu'inauguraient déjà les classiques dans le sillage du cartésianisme – ce pour quoi l'esthétique du sentiment mérite seule, à proprement parler, d'être nommée *esthétique*; ce pour quoi aussi elle approfondira la question centrale de l'originalité en critiquant l'imitation et en dénonçant la pratique du plagiat auquel Dubos, de façon tout à fait significative, consacre une section entière des *Réflexions* : un artisan, demande Dubos, « ne peut-il pas suppléer au peu d'élévation et à la stérilité de son génie en transplantant dans ses ouvrages les beautés qui sont dans les ouvrages des grands maîtres? [...] Je réponds [...] qu'il fut toujours permis de s'aider de l'esprit des autres pourvu qu'on ne le fasse point en plagiaire. Ce qui constitue le plagiaire, c'est de donner l'ouvrage d'autrui comme son propre ouvrage », faute mais aussi faiblesse suprêmes dans un monde où règne l'individualisme, où la subjectivité s'est imposée comme le fondement de toutes les valeurs et l'originalité créatrice de *l'auteur* comme le signe réel de la génialité.

S'il y a opposition entre la raison des classiques et l'esthétique du sentiment, c'est donc, malgré tout, sur la base d'un commun rejet des visions traditionnelles de l'art, comme on le voit encore dans le *passage* de la conception classique à la conception sentimentaliste du public.

Chez Boileau, certes, le beau est défini de façon moderne, comme ce qui plaît au goût d'un public, de sorte que la Préface de 1701 peut déclarer qu'un « ouvrage qui n'est point goûté du public est un très méchant ouvrage ». Mais pour autant, ce public demeure en quelque façon intemporel puisque son goût réside dans la capacité, commune en droit à tous les hommes, de percevoir la vérité une et éternelle. « Une pensée n'est belle qu'en ce qu'elle est vraie », et « l'effet infaillible du vrai, quand il est bien énoncé, est de frapper les hommes » : telle est au fond la conviction qui anime la conception classique du rapport de l'art à un public dont les erreurs de jugement ne sauraient dès lors être que passagères; « le gros des hommes peut bien, durant quelque temps, prendre le faux pour le vrai, et admirer de méchantes choses : mais il est impossible qu'à la longue une bonne chose ne lui plaise ». Dans une telle perspective, il ne saurait y avoir véritablement d'histoire de l'art, les variations du goût n'étant que des écarts provisoires et accidentels par rapport à une norme qui, toujours, finit par reprendre le dessus et s'imposer à tous.

C'est pourtant en approfondissant l'idée que la finalité de l'œuvre est de plaire que Dubos parvient à une conception du public finalement opposée à celle des classiques et inaugure tout à la fois l'historicisme et le nationalisme qui domineront le XIXᵉ siècle. Tandis que pour Boileau le public est un public de *droit* un public *idéal* qui incarne les règles de la raison et ne saurait longtemps s'en écarter, avec Dubos le public devient un public concret, historiquement et nationalement déterminé : le parterre n'incarne pas des règles du jugement de goût qui existeraient ailleurs et indépendamment de lui[33]. Il *est* ces règles, ce pourquoi les variations qu'il connaît relèvent d'une historicité radicale. Le psychologisme fait place ici à un historicisme et la seconde partie des *Réflexions* se proposera de chercher « la cause qui a pu rendre quelques siècles si féconds et les autres siècles si stériles en artisans célèbres ». Annonçant Montesquieu, Dubos étend ce type d'analyse au « caractère des nations » dont il croit trouver les causes profondes dans « le pouvoir de l'air sur le corps humain » : « Je conclus donc de tout ce que je viens d'exposer », écrit-il après une longue enquête sur les variations historiques et géographiques du goût, « qu'ainsi qu'on attribue la différence du caractère des nations aux différents pays, il faut attribuer de même aux changements qui surviennent dans les qualités de l'air d'un certain pays les variations qui arrivent dans les mœurs et dans le génie de ses habitants.

Ainsi qu'on impute à la différence qui est entre l'air de
France et l'air d'Italie la différence qui se remarque entre
les Italiens et les Français, de même il faut attribuer à
l'altération des qualités de l'air en France la différence
sensible qui s'observe entre les mœurs et le génie des
Français d'un certain siècle et des Français d'un autre
siècle » (section 19).

L'intérêt d'une telle « explication » – qui se veut parfois très précise comme dans ce passage typique des
Réflexions : « Voilà pourquoi, par exemple, les Italiens
seront toujours plus propres à réussir en peinture et en
poésie que les peuples des environs de la Baltique » – ne
réside évidemment pas dans son contenu « scientifique ».
Ce qui importe en revanche, c'est la liaison qu'elle établit
en droit entre un relativisme historique et un relativisme
géographique pour parvenir à situer finalement le principe
du goût dans un sentiment qui n'est plus seulement
individuel mais bien *national*. Or ce relativisme est une
conséquence directe de la subjectivisation du jugement de
goût : si la raison des classiques représentait encore un
critère universel et invariable, le sentiment est par essence
voué au changement. *Les variations de l'art ne sont dès lors
plus à penser comme les diverses faces possibles de l'illustration d'un principe en vérité unique, ni même comme des
écarts par rapport à une norme : elles deviennent la norme
elle-même.* Dubos ouvre ainsi la voie à l'histoire de l'art
qui apparaîtra bientôt avec Winckelmann et Diderot. Bien
plus : la subjectivisation du Beau dont témoignent ses
Réflexions contient en germe, notamment à travers la
critique du plagiat qu'elle commande, l'impératif, typiquement moderne et antitraditionnel, d'une originalité à tout
prix qui ne se pense plus seulement en référence à des
règles éternelles, comme chez Boileau, mais dont la mesure
est plutôt à rechercher dans une histoire du beau. *Ce qui
émerge ici n'est donc rien de moins que l'exigence faite à
l'artiste d'innover pour innover qui trouvera son accomplissement ultime dans les avant-gardes du xxᵉ siècle.*

Le conflit du classicisme et de l'esthétique du sentiment, bien qu'irréductible, se joue donc sur un certain fond commun antitraditionaliste. De là la nécessité pour qui en chercherait la synthèse au sein de la modernité – dans un cadre où la subjectivité, sur quelque mode que ce soit, doit constituer le principe du jugement de goût – de s'interroger sur les conditions dans lesquelles l'esthétique pourrait se distinguer de la logique (à la différence de ce qui a lieu chez les classiques) sans pour autant sombrer dans le relativisme historiciste et nationaliste (comme on le voit finalement chez Dubos). Telle sera la question centrale de la *Critique de la faculté de juger*.

L'antinomie du goût

Dans la troisième *Critique*, Kant a élevé au rang d'*antinomie* la querelle qui, depuis plus d'un siècle, opposait le classicisme à l'esthétique de la délicatesse. Derrière les questions manifestes – le Beau est-il l'imitation d'une vérité dévoilée par la raison ou la manifestation subjective des élans ineffables du cœur? – il a su déceler dans les représentations de la subjectivité sous-jacentes aux deux moments de l'antinomie les raisons profondes pour lesquelles l'esthétique naissante devait finalement dépasser les deux termes de la « dispute » et tenter de résoudre la question du sens commun, de l'objectivité des critères, sans réduire le jugement de goût à un jugement scientifique et nier ainsi sa spécificité. L'analyse kantienne est si fondamentale qu'il est souhaitable, d'emblée, de l'avoir présente à l'esprit.

Suivant une voie qui lui est familière, Kant expose l'antinomie en partant d'une « topique », d'une analyse de trois lieux communs touchant le jugement de goût. Le premier d'entre eux, « *à chacun son goût* », ne présente aucune difficulté particulière : il signifie simplement que le Beau se confond avec l'agréable, que le jugement de goût est affaire strictement subjective, qu'il ne saurait dès lors prétendre à l'adhésion nécessaire d'autrui. Le second lieu commun, « *on ne dispute pas du goût* », est plus subtil : il suppose que le jugement de goût, quand même il renfermerait une prétention à l'universalité, ne saurait être *démontré par des preuves*, par des arguments s'appuyant sur des concepts scientifiques déterminés.

A ces deux lieux communs, il faut encore ajouter, pour saisir l'antinomie du classicisme et du sensualisme, une maxime que chacun trouvera en lui-même par la simple réflexion : « *On peut discuter du goût.* » Contrairement aux apparences, cette maxime ne contredit pas le second lieu commun car il y a bien de la différence entre une *disputatio* – argumentation scientifique qui procède par *démonstration conceptuelle* – et une *discussion (Streit)* qui vise seulement un hypothétique et très fragile accord touchant l'objet beau. En revanche, l'idée de discussion s'oppose au premier lieu commun : « On peut *discuter* du goût (bien qu'on ne puisse en *disputer*) [...]. Cette sentence enveloppe le contraire de la première proposition (" à chacun son goût "). En effet, là où il est permis de discuter, on doit aussi avoir l'espoir de s'accorder[34] », donc de transcender la sphère monadique du *cogito*, de la subjectivité individuelle.

La mise en place de l'antinomie procède ainsi d'une démarche phénoménologique : il s'agit de décrire les contradictions réellement vécues par la conscience esthétique, pour inciter à la *réflexion*. Pourvu que nous acceptions de *réfléchir*, nous trouverons en nous-mêmes – telle est au fond la conviction de Kant – le sentiment intime qu'il est tout à la fois impossible de *démontrer* la validité de nos jugements esthétiques et pourtant, en un certain sens, légitime d'en discuter dans l'espoir, fût-il souvent voué à l'échec, de faire *partager* une expérience dont nous pensons spontanément que, pour être tout à fait individuelle, elle ne doit pas être étrangère à autrui *en tant qu'il est un autre homme*. Ce que Kant nous invite à penser, c'est l'idée que le jugement de goût fait signe de *lui-même* vers une visée communicationnelle *intersubjective*, vers « un élargissement de l'objet ainsi que du sujet[35] » : si nous entreprenons de discuter du goût, si le désaccord, ici, à la différence de ce qui a lieu dans ce domaine culinaire qu'on dit à tort relever de l'art alors qu'il ne s'agit que d'artisanat, suscite un véritable dialogue, c'est bien l'indice du fait que nous jugeons l'expérience esthétique communicable lors même qu'elle ne saurait être fondée sur des concepts scientifiques, lors même que la communication qu'elle induit n'est jamais garantie empiriquement.

Or c'est là très exactement ce que *tendent à nier*, chacune à leur manière, la thèse et l'antithèse qui composent l'antinomie du goût :

« 1. *Thèse.* Le jugement de goût ne se fonde pas sur les concepts car autrement on pourrait disputer à ce sujet (décider par des preuves).

« 2. *Antithèse.* Le jugement de goût se fonde sur des concepts ; car autrement, on ne pourrait même pas, en dépit des différences qu'il présente, discuter à ce sujet (prétendre à l'assentiment nécessaire d'autrui à ce jugement)[36]. »

L'antinomie tourne tout entière autour de la question de la communicabilité du jugement esthétique, de sa capacité à transcender ou non *la subjectivité particulière* du *cogito*. C'est seulement dans cette optique qu'est abordé le problème de la rationalité ou de l'irrationalité (conceptualité ou non-conceptualité) du goût.

En un certain sens, comprises correctement, la thèse et l'antithèse renferment l'une et l'autre quelque chose de juste, de sorte qu'on peut admettre – ce sera le principe de la solution kantienne – qu'elles s'opposent seulement *en apparence : il est vrai* que le jugement de goût (thèse) ne s'appuie pas sur des *concepts scientifiques* et qu'il ne relève pas d'une démonstration comme le croit le rationalisme classique ; *mais il est non moins vrai* que ce jugement renvoie pourtant à des « concepts indéterminés », c'est-

à-dire aux Idées de la raison qui fondent la possibilité,
sinon d'une *disputatio*, du moins d'une *discussion* pouvant
conduire à un « sens commun ». L'opposition n'est donc
qu'*apparente* – « dialectique » – parce que le terme
« concept » « n'est pas pris dans le même sens dans les
deux maximes de la faculté de juger esthétique [37] » : tantôt,
dans la thèse, on entend par concept une règle scientifique
de l'entendement; tantôt, dans l'antithèse, on vise seulement une Idée indéterminée de la raison. Par suite, pour
résoudre l'antinomie, « il faudrait s'exprimer ainsi dans la
thèse : le jugement de goût ne se fonde pas sur des
concepts *déterminés*; dans l'antithèse : le jugement de goût
se fonde bien sur un concept, mais sur un concept *indéterminé* et ainsi, il n'y aurait entre elles aucune contradiction [38] ».

La signification concrète de la solution kantienne s'esquisse déjà : tout en étant l'objet d'un *sentiment* particulier
et intime, la beauté éveille les *Idées de la raison* qui sont
présentes en tout homme – ce par quoi elle peut transcender la subjectivité particulière et susciter un sens commun
(les Idées « éveillées » par l'objet beau étant en principe
communes à l'humanité). L'objet beau est à la fois purement sensible et pourtant intellectuel, il est réconciliation
de la nature et de l'esprit, *mais* réconciliation *contingente*,
fruit de la nature elle-même (de la nature de l'homme dans
le cas du génie) et non d'une volonté consciente qui
suivrait des règles déterminées comme le veulent les classiques.

Au-delà de ce qu'elles contiennent de juste, la thèse et
l'antithèse de l'antinomie peuvent aussi être interprétées de
façon dogmatique :

– La thèse signifie alors que le goût, relevant du sentiment, est affaire purement subjective, qu'il est donc, au
moins en droit, incommunicable, *ineffable*. Comme il le
faisait déjà sur le plan de la philosophie spéculative,
l'empirisme conduit au *solipsisme* esthétique : « à chacun

son goût » *, le sujet n'est qu'un individu-monade, incapable de sortir de lui-même – par où l'empirisme ne pourra, comme toute monadologie, résoudre le problème de l'intersubjectivité qu'en recourant à l'idée, en dernière instance théologique, d'une harmonie préétablie. Et s'il s'avère que le jugement de goût, malgré son caractère subjectif, donne lieu à un sens commun, c'est uniquement pour des raisons *de fait* qui, en tant que telles, ne requièrent pas la discussion. La conséquence ultime de l'empirisme est donc qu'« un jugement de goût ne mérite d'être tenu pour exact que *parce qu'il se trouve* qu'un grand nombre de personnes s'accordent à son sujet et cela même non parce que l'on suppose *derrière* cet accord quelque principe *a priori*, mais parce que (comme pour le goût du palais) les sujets sont *par hasard* organisés de manière uniforme[40] ». Le Beau est réduit à l'agréable et l'art à la cuisine. D'ailleurs la variété des goûts ne mérite pas davantage discussion que leur accord. Elle relève de la simple constatation et le sens commun ne saurait être ni l'objet ni l'effet d'un dialogue intersubjectif. La thèse marque ainsi l'avènement d'un *psychologisme* qui sera bientôt relayé par un *historisme*, puis un *sociologisme* qui, eux aussi, réduiront le goût à une affaire de *réceptacle matériel*.

– Comprise dogmatiquement, l'antithèse parvient certes à fonder le sens commun mais au prix d'une double erreur : d'abord elle réduit le jugement de goût à un jugement logique et l'art à une science. Le concept central de l'esthétique rationaliste classique devient ainsi celui de *perfection* : la belle œuvre est celle qui, conformément à des

---

* Cf. A. Philonenko : « L'empirisme nie par le fait (car autrement on pourrait disputer à ce sujet) la possibilité de la communication. L'homme réel ne peut pas communiquer avec autrui. Les plus simples mots, ainsi : " J'aime cette chose ", sont dénués de *sens*. On nous apprend que tout homme meurt seul. L'empirisme appuyé sur la vieille sentence de la métaphysique scolastique – *Individuum est inefabile* – nous apprend aussi que l'on vit seul. La liberté est niée par l'empirisme, les hommes ne sont que des monades[39]. »

règles (à des concepts) déterminées par un « art poétique », réalise *parfaitement* une fin, elle aussi déterminée conceptuellement. L'essentiel de l'art réside dans le concept : c'est grâce à lui que l'on détermine une fin édifiante, grâce à lui encore qu'on la réalise en empruntant les voies de la technique (dont la perspective, en peinture, est l'un des modèles). Mais le classicisme dogmatique renferme une seconde erreur (une faute, sans aucun doute, aux yeux de Kant) : réduisant le beau à la simple représentation technique d'une fin posée par la raison et le goût à cette raison elle-même, *il perd finalement la subjectivité* que revendiquait à juste titre, même si elle le concevait mal, l'esthétique du sentiment : le classicisme fonde le sens commun de façon telle qu'il ne réunit plus des sujets particuliers, animés de sentiments, mais des individus-monades qui ne communiquent entre eux qu'*indirectement*, seulement par le concept, donc par ce qui en eux est le moins subjectif. Pour le rationalisme classique, « le jugement de goût dissimule un jugement de la raison sur la perfection d'une chose et la relation du divers en celle-ci à une fin[41] » : l'important est de savoir si l'œuvre d'art est « bien faite », si elle est ou non conforme aux « règles de l'art » (aux règles de la perspective, à la règle des trois unités, etc.) – la sensibilité n'étant que la façon confuse dont les hommes, êtres finis, perçoivent une réalité qui en son fond est tout intelligible.

Malgré leur opposition, la thèse et l'antithèse dogmatiques s'accordent sur l'essentiel : le *cogito*, l'individu est une monade (sensible ou rationnelle, peu importe au fond) qui ne peut entrer en communication avec les autres monades qu'indirectement, non par la voie de la discussion, mais par l'intermédiaire d'une harmonie préétablie (harmonie des organes sensoriels dans l'empirisme, harmonie des raisons individuelles dans le rationalisme). Le sujet, chaque fois, se trouve réduit à l'individu et privé de sa dimension essentielle : l'intersubjectivité. Dans les deux cas, la discussion s'avère dénuée de sens : chez les empiristes parce que

tout se réduit à des questions de fait, chez les rationalistes
parce que le concept, les règles mettent bientôt fin à toute
discussion possible en décrétant péremptoirement où se
trouvent le bon et le mauvais goût.

La présentation kantienne de l'antinomie est sans doute
abstraite au regard de l'histoire de l'art. L'œuvre de Racine
ou celle de Poussin ne se laissent pas réduire à l'effet d'un
classicisme platement rationaliste – pas davantage, d'ailleurs, que celles de Picasso ou Malevitch à des traités de
géométrie à quatre dimensions. Pourtant, elle n'est pas
sans lien avec l'histoire concrète si l'on rétablit ce chaînon
intermédiaire que constitue l'esthétique comme discipline
particulière, située à mi-chemin entre la philosophie spéculative et la création artistique. Dans le conflit qui oppose
au xviie siècle les théoriciens du classicisme aux partisans
d'une esthétique de la « délicatesse », c'est bien la question
du sens commun, de l'intersubjectivité, qui tout à la fois
occupe la place centrale et apparaît indissociable d'une
représentation philosophique bien déterminée de la subjectivité.

Bien qu'elle soit, de toute évidence, parfaitement abstraite (au sens que j'ai indiqué), la manière dont Kant met
en place ce qui lui semble être l'antinomie inscrite au cœur
même du goût peut être féconde pour clarifier les positions
qui furent historiquement en présence lors de l'émergence
de l'esthétique moderne. Ce qu'éclaire tout particulièrement l'antinomie kantienne, c'est la manière dont, de fait,
les théories esthétiques précritiques, par-delà ce qui les
affronte, en viennent parfois à s'emprunter réciproquement
certaines de leurs argumentations. Comme dans toute
antinomie véritable, les positions en présence – tel est ici,
dans ce qu'il a d'irremplaçable, l'apport de Kant – sont en
effet moins opposées qu'il n'y paraît, ou, plus exactement :
elles passent aisément l'une dans l'autre, tant elles s'avèrent chacune intrinsèquement intenables. Enseignement
kantien que viennent illustrer de façon particulièrement
démonstrative les *Essais esthétiques* de Hume, dans leur

tentative pour déployer pleinement, jusque dans ses plus
redoutables apories, une conception du beau qui voudrait
s'enraciner de façon unilatérale dans une philosophie
empiriste.

Les paradoxes de l'esthétique humienne : du relativisme sceptique à l'universalisme classique

L'intérêt des *Essais esthétiques* réside dans la tension qui
les anime et les traverse : partant d'une position empiriste
radicale – donc d'un relativisme de principe – Hume tente
en effet de parvenir à l'idée de normes universelles du
goût[42]. Alors qu'en raison de leur soubassement sensualiste* on attendrait qu'ils fondent une esthétique du sentiment, c'est le classicisme le plus rigoureux que ses *Essais*
entreprennent de légitimer, apparaissant ainsi comme l'une
des premières tentatives d'apporter une solution à ce
qu'avec Kant on a pu désigner par avance comme « l'antinomie du goût ». Toute la difficulté, on va le voir,
provient du fait que la solution humienne s'élabore à partir
d'un des moments, le moment relativiste/sensualiste, qui
composent cette antinomie.

Cette tension mérite tout notre intérêt : négativement,
par les apories où elle conduit inévitablement Hume, elle
dessine en creux les réquisits philosophiques qu'impose un
dépassement de l'antinomie. Plus profondément, les impasses de l'esthétique humienne sont au plus haut point
symptomatiques des difficultés où s'enferme la réflexion

---

* Soubassement qui se manifeste au niveau de la méthode par un rejet
explicite de la déduction au profit de l'observation. La première qui
« établit d'abord un principe général abstrait, d'où l'on fait sortir une
variété d'inférences et de conclusions, peut être plus parfaite en elle-même;
mais elle convient moins à l'imperfection de la nature humaine, et elle est
une source courante d'illusions et de méprises dans ce sujet [l'esthétique]
aussi bien que dans d'autres[43] ».

moderne sur le beau lorsque, cédant au subjectivisme et à l'immanentisme le plus radical, elle ne peut prendre en charge de façon satisfaisante l'exigence de transcendance que renferme l'idée d'une norme du goût, l'idée d'un sens commun réalisé autour de l'œuvre d'art.

« La grande variété de goûts aussi bien que d'opinions qui prévaut dans le monde est trop évidente pour n'être pas tombée sous l'observation de tous[44]. » Cette remarque constitue le point de départ minimal des réflexions de Hume sur la question de la norme du goût. Car ce relativisme *de fait*, Hume ne songe nullement à le nier. Bien plus, toute sa philosophie théorique permet de le fonder sans la moindre difficulté. Avec Hume, écrit justement Cassirer, « ce n'est plus au sentiment de se justifier devant la raison (comme c'était le cas dans le rationalisme classique), c'est la raison qui est maintenant citée devant le forum de la sensation, de l'" l'impression " pure, pour y répondre de ses prétentions[45] » – prétentions à parler de *la* Beauté, ou, plus généralement, à tenir un discours *sub specie aeternitatis* sur la valeur, qui se trouvent ainsi rapportées à leur vérité ultime : les impressions sensibles qui sont la source de toutes les idées.

Le résultat de cette démarche généalogique est clair : dans l'essai intitulé *le Sceptique*, Hume affirme tranquillement qu'un Écossais ne saurait goûter la musique italienne (proposition sans doute réciproque...) puisque « Beauté et valeur sont purement relatives et dépendent d'un sentiment agréable produit par un objet dans un esprit particulier, conformément à la constitution et à la structure propres de cet esprit » – constitution et structure dont on sait, depuis Dubos et Montesquieu, combien elles sont façonnées par les traditions nationales. « Chaque esprit perçoit une beauté différente » de sorte que « chercher la beauté ou la laideur réelles est une enquête sans fruit, de même que prétendre assigner ce qui est réellement doux et ce qui est réellement amer[46] ».

La relativité du jugement esthétique s'avère ainsi être

double : ce dernier dépend à la fois de la *particularité de l'objet* (la notion de Beauté n'est qu'un « mot » qui recouvre des impressions différentes selon l'objet qui les suscite) et de la *particularité du sujet* (la notion de Beauté n'étant, sur ce versant, qu'un terme commode pour désigner une réalité psychique, voire sociologique, différenciée selon les différents esprits qui jugent).

Le nominalisme et le psychologisme humiens sont bien connus. Encore importe-t-il de remarquer qu'ils ne sont nullement affaire d'opinion mais expriment un parti pris philosophique fondamental : ils sont l'effet direct de cette réduction de l'être à la présence dans la représentation par laquelle Hume rejoint la philosophie de Berkeley. *Esse est percipi aut percipere*, être c'est percevoir ou être perçu : si la transcendance – l'idée d'une norme extérieure à l'individu – conserve encore une *signification* au niveau *psychologique*, elle a perdu toute *vérité transcendantale*; elle n'existe qu'à titre de *croyance*, tout l'effort de Hume étant alors d'analyser les processus de formation de ce type de croyance* à partir de représentations pourtant *immanentes* à la conscience empirique.

On comprend dès lors comment la perspective adoptée par l'empirisme dans la philosophie théorique ouvre la voie, lorsqu'il s'agit des valeurs, et tout particulièrement des valeurs esthétiques, à une véritable « culture de l'authenticité ». Si l'être se réduit à la seule présence au sein de mes représentations, si la vérité réside en dernière analyse dans ce que *j'éprouve* au sein de ma conscience, le sentiment est l'état du sujet le plus *authentique* puisqu'il ne renvoie à rien d'autre qu'à lui-même et ne fait signe vers aucune extériorité : « Tout sentiment est juste, déclare donc Hume, parce que le sentiment n'a référence à rien au-delà de lui-même et qu'il est toujours réel, partout où un homme en est conscient. En revanche, toutes les

---

* Le modèle de cette analyse reste bien sûr la généalogie humienne du concept de causalité.

déterminations de l'entendement ne sont pas justes parce qu'elles portent référence à quelque chose au-delà d'elles-mêmes[47]... », telle cette idée de la causalité qui nous fait attendre l'apparition de l'effet lorsque nous voyons la cause et nous incite ainsi à dépasser l'ordre de la présence pure.

Mais paradoxalement, et c'est en ce point que se renverse l'argumentation de Hume, c'est cet immanentisme même qui va fonder la supériorité de l'art sur la science, la possibilité pour la belle œuvre d'échapper au relativisme pour accéder, sinon à l'universalité absolue, du moins à un consensus bien plus général et bien plus durable que celui auquel peuvent prétendre les plus hautes manifestations de la pensée scientifique ou philosophique. Car l'art appartient tout entier à la sphère du sentiment, de la présence. Il ne prétend pas dépasser les états de conscience que sont les représentations pour dire des vérités sur la réalité extérieure à ses représentations. Il vise seulement à exprimer des passions communes à l'humanité et sa vertu cardinale n'est autre que l'*authenticité* dramaturgique.

L'ironie sceptique bouscule ici l'opinion la mieux reçue par le sens commun qui tient volontiers l'objectivité scientifique pour établie, mais cède spontanément à l'idée que la beauté ne saurait avoir la dignité d'une référence universelle. Et pourtant, « des théories de philosophie abstraite, des systèmes de profonde théologie ont pu prévaloir durant une époque, mais dans une période suivante ils ont été universellement discrédités [...] et on n'a rien expérimenté de plus exposé aux révolutions du hasard et de la mode que ces prétendues découvertes de la science. Le cas est tout différent en ce qui concerne les beautés de l'éloquence et de la poésie. Des justes expressions de la passion et de la nature sont assurées de gagner l'assentiment du public au bout d'un peu de temps et de le conserver pour toujours ». Bref, la physique de Descartes peut bien supplanter celle d'Aristote : sa victoire reste toute fragile et provisoire tandis que « Térence et Virgile gardent un empire universel et sans conteste sur l'esprit des Hommes[48] ».

Là où on aurait pu s'attendre que l'immanentisme radical, la réduction totale de la beauté au sentiment pur conduisent à un relativisme absolu, c'est l'inverse qui se produit : c'est parce que l'expression du sentiment, pourvu qu'elle soit authentique, ne saurait tromper, que le Beau peut être l'objet d'un sens commun auquel la science ne peut raisonnablement prétendre*. Le relativisme sensualiste que Hume semblait prendre très logiquement pour point de départ de sa réflexion esthétique fait ici place à un universalisme qui va tenter de retrouver, mais sur d'autres bases – en partant du sentiment et non de la raison –, les thèses majeures du classicisme français – toute la question étant bien sûr de savoir ce qui va permettre, en dernière instance, de fonder la quasi-universalité du Beau.

S'il est vrai qu'il existe de grandes variations dans le goût, puisque « la beauté n'est pas une qualité inhérente aux choses elles-mêmes mais existe seulement dans l'esprit qui les contemple[50] », nous ne saurions en conclure que « tous les goûts se valent » : « Tout homme qui voudrait affirmer une égalité de génie et d'élégance entre Ogilby et Milton, ou Bunyan et Addison, serait estimé défendre une non moins grande extravagance que s'il avait soutenu qu'une taupinière peut être aussi haute que le Ténériffe ou une mare aussi grande que l'océan[51]. » Étrangement, donc, l'idée d'une transcendance de la norme du goût par rapport à la conscience individuelle reprend ses toits : « Le goût de tous les individus n'est pas également valable » et « il existe certains hommes en général dont on reconnaîtra selon un sentiment universel qu'ils doivent être préférés aux autres sur ce point[52] ». Il est d'ailleurs clair aux yeux

---

* Cf. Dubos : « Que la réputation d'un système de philosophie peut être détruite; que celle d'un poème ne saurait l'être[49]. »

de Hume – et il reprend ici l'idée d'art poétique chère aux classiques – qu'il existe des règles de l'art et que ces règles traduisent un accord « concernant ce qui a plu universellement dans tous les pays et à toutes les époques[53] ». Nous sommes loin ici de cette « beauté différente selon les différents esprits » dont Hume parlait pourtant aussi comme d'une évidence.

En même temps que se réintroduit l'idée d'une transcendance des critères du beau, c'est également l'universalisme qui se fait plus péremptoire : « Le même Homère, qui plaisait à Athènes et à Rome il y a deux mille ans, est encore admiré à Paris et à Londres. Tous les changements de climat, de gouvernement, de religion et de langage ne sont point parvenus à obscurcir sa gloire[54]. » Comment concilier dès lors les deux moments d'une telle théorie du goût, l'enracinement dans le sentiment, qui semble par essence voué au changement, et la résurgence d'un universalisme qui ne le cède en rien au classicisme le plus rigoureux ?

La solution peut être énoncée très simplement à son niveau le plus général : la norme du goût n'est rien d'autre que la nature humaine. Cette nature humaine étant, si l'on ose dire, *relativement invariable*, elle pourra constituer le fondement, sinon d'une *universalité absolue* du goût, du moins de sa *généralité empirique* dans l'espace et le temps : « Il apparaît que, au milieu de la variété et du caprice du goût, il y a certains principes généraux d'approbation ou de blâme dont un œil attentif peut retrouver l'influence dans toutes les opérations de l'esprit. *Certaines formes ou qualités particulières, de par la structure originale de la constitution interne de l'homme, sont calculées pour plaire et d'autres pour déplaire*[55]. » Si l'on postule avec Hume que la nature des hommes, leur « constitution interne » est fondamentalement homogène – donc que le *réceptacle* des impressions sensibles est *en principe* identique chez tous les hommes – les variations du goût ne pourront provenir que du fait que ce réceptacle est plus ou moins *pur**. C'est ainsi dans les critères qui permettent d'évaluer la plus ou moins grande pureté de la nature humaine qu'il faudra rechercher la raison des différences de goût mais aussi – c'est au fond la même question vue sous un autre angle – les facteurs qui permettent d'estimer que les goûts ne se valent pas**. Hume en dénombre cinq :

1. L'objectivité esthétique requiert tout d'abord que la nature soit saine, le principe le plus général des variations se situant dans le fait que les instruments du jugement, c'est-à-dire les sens, peuvent être plus ou moins bien réglés, voire désorganisés par la maladie. Si l'esprit n'est pas serein, si la maladie nous rend incapables de fixer notre attention sur l'objet, ou « dérègle les opérations de la machine entière » que constituent nos organes sensoriels, « notre expérience sera fallacieuse et nous serons incapables de juger de la beauté catholique et universelle. [...] Un individu fiévreux n'affirmerait pas hautement que son palais est habilité à décider des saveurs et il ne viendrait pas davantage à l'esprit de quiconque de prétendre, sous les atteintes de la jaunisse, rendre un jugement concernant les couleurs[58] ».

2. En plus d'organes sains, qui garantissent une relative identité des instruments sur lesquels se fonde le jugement esthétique, il faut aussi des organes *délicats* et *affinés*. Hume cite pour étayer sa thèse une anecdote célèbre qu'on peut lire dans *Don Quichotte*. Elle vaut d'être rapportée ici

---

* Cf. Dubos : « Le sentiment dont je parle est dans tous les hommes, mais comme ils n'ont pas tous les oreilles et les yeux également bons, de même ils n'ont pas tous le sentiment également parfait. Les uns l'ont meilleur que les autres, ou bien, parce que leurs organes sont naturellement mieux composés ou bien parce qu'ils l'ont mieux perfectionné par l'usage fréquent qu'ils en ont fait et par l'expérience[56]. »

** « Mais, bien que toutes les règles générales de l'art soient fondées seulement sur l'expérience et sur l'observation des sentiments communs de la nature humaine, nous ne devons pas imaginer que, à chaque occasion, les sentiments des hommes seront conformes à ces règles[57]. »

car elle renferme sous une forme métaphorique le principe ultime des *Essais esthétiques* :

« C'est avec une bonne raison, dit Sancho au sire-au-grand-nez, que je prétends avoir un jugement sur les vins : c'est là une qualité héréditaire dans notre famille. Deux de mes parents furent une fois appelés pour donner leur opinion au sujet d'un fût de vin supposé excellent parce que vieux et de bonne vinée. L'un d'eux le goûte, le juge, et après mûre réflexion, déclare que le vin serait bon, n'était ce petit goût de cuir qu'il perçoit en lui. L'autre, après avoir pris les mêmes précautions, rend aussi un verdict favorable au vin, mais sous la réserve d'un goût de fer, qu'il pouvait aisément distinguer. Vous ne pouvez imaginer à quel point tous deux furent tournés en ridicule pour leur jugement. Mais qui rit à la fin? En vidant le tonneau, on trouva en son fond une vieille clé attachée à une courroie de cuir[59]. »

La signification de l'anecdote est double : elle indique, d'abord, que le modèle esthétique de Hume se situe, conformément au sens originaire du mot « goût », dans l'art culinaire et que le Beau se réduit ici à l'agréable. Mais d'autre part, si le Beau est seulement ce qui plaît, ce qui *convient* à la structure interne, quasi biologique, des hommes, son critère sera fourni par la constitution la *plus essentiellement humaine*, c'est-à-dire par celle des *meilleurs experts* qui possédera, au moins en droit, une certaine universalité (au sens où elle devrait être, en tant qu'*essentielle*, celle de tous les hommes).

3. D'où le troisième critère, qui se situe dans la référence à la *culture* des experts : outre une nature bien douée, il faut aussi pour prétendre juger de ce qui est beau ou laid l'avoir cultivée par la fréquentation des œuvres d'art, car « bien qu'il y ait par nature une grande différence au point de vue de la délicatesse entre une personne et une autre, rien ne tend davantage à accroître et à parfaire ce talent que la *pratique* d'un art particulier et l'étude ou la contemplation répétées d'une sorte particulière de beauté[60] ». Ici

se précise l'idée que le principe qui permet de penser l'universalité du goût en même temps que sa relativité est bien *un seul et même principe* : s'il y a universalité du goût – ce qu'atteste la permanence des œuvres d'Homère, de Térence ou de Virgile – c'est que ce réceptacle des impressions qu'est la nature humaine est fondamentalement le même en tous les hommes, à toutes les époques. Mais, pour autant, il reste indéniable que la machine humaine, comme toute machine, est dès l'origine plus ou moins parfaite, plus ou moins bien réglée et que, au fil du temps, elle s'affine, se perfectionne et s'ajuste ou au contraire se détériore : « Ainsi, bien que les principes du goût soient universels et presque, sinon entièrement, les mêmes chez tous les hommes, cependant bien peu d'hommes sont qualifiés pour donner leur jugement sur une œuvre d'art ou pour établir leur sentiment comme étant la norme de la beauté[61]. »

4. On ajoutera donc, pour éviter tout malentendu, un quatrième critère : si le fondement ultime du jugement de goût est la nature humaine, si cette nature et par suite ce jugement peuvent être affinés et cultivés, on ne saurait cependant confondre *culture* et *préjugé*. Pour prétendre à l'objectivité, le jugement esthétique se doit de rester conforme à son principe ultime et demeurer un jugement *naturel*, cultivé certes, mais non *affecté* ou *maniéré* : « Il est bien connu que, dans toutes les questions soumises au discernement, le préjugé est destructeur du jugement sain [...]; il n'est pas à un degré moindre, contraire au bon goût et n'a pas une moins grande influence pour corrompre notre sentiment de la beauté. C'est au *bon sens* qu'il appartient de faire échec à son influence[62]... » « Au bon sens », ou, comme on dit à l'époque de Hume, à l'« entendement *commun* », c'est-à-dire à la faculté de juger en tant qu'homme cultivé mais néanmoins *naturel*, à la place de tout autre être humain, hors des préjugés s'attachant à tel ou tel individu en particulier.

5. Il faudra par conséquent, et par ce dernier critère

Hume confirme encore son attachement au classicisme, un « entendement sain[63] », voire une intelligence suffisamment aiguisée pour percevoir le sens de l'œuvre d'art, car « toute œuvre d'art possède également une certaine finalité (ou dessein) en vue de laquelle elle est conçue. Elle doit être jugée plus ou moins parfaite, selon qu'elle est plus ou moins bien calculée pour atteindre cette fin[64] ». C'est ainsi l'esthétique la plus classique, l'esthétique de la *perfection*, qui se voit légitimée.

Loin de sombrer dans le relativisme, la réflexion de Hume l'amène à poser en droit la valeur universelle d'un « bon goût » qui tend à se concentrer, en dernière instance, dans une aristocratie esthétique. Reste à examiner, bien sûr, les questions posées par cette étrange conversion de l'empirisme le plus sceptique à des valeurs – l'universalité, la distinction normative du fait et du droit – qu'on s'attendrait à voir mieux fondées dans le cadre d'une philosophie rationaliste.

Toutes les difficultés vont en réalité provenir du fait que les normes du goût – les *standards of taste* – ne sont pas à proprement parler *dans* l'esprit de cette élite que constituent les hommes de goût, mais qu'elles *sont stricto sensu* les hommes de goût *eux-mêmes*. Les experts *sont* la norme, ils ne la *possèdent* pas : hors de *l'existence empirique* concrète de ces experts – avec les cinq critères qui les distinguent du commun des mortels –, la norme n'aurait aucune réalité et rien ne permettrait de la fonder *en droit*. C'est dire que dans le champ de l'esthétique comme dans celui de la théorie, la philosophie de Hume, selon la formule de Kant, « repose tout entière sur la finalité ». Pourquoi y a-t-il *une* nature humaine (représentée à l'état pur et cependant cultivée par les experts) et non pas une *diversité* de natures (ce qui permettrait bien sûr d'accorder un tout autre statut aux variations du goût)? Pour que la solution apportée par Hume à la question de la norme possède une quelconque pertinence, il faut admettre, en effet, qu'une heureuse finalité a organisé la nature humaine suivant un principe d'unicité de sorte qu'on puisse penser qu'au-delà des dissensus au fond inessentiels, un consensus naturel est en droit possible. Il faut donc postuler que, par une mystérieuse harmonie préétablie, les impressions sensibles s'accordent dans l'ordre du goût. Et à supposer même qu'une telle harmonie soit philosophiquement recevable – bien qu'elle reste un postulat tout à fait gratuit *au niveau où se situe l'esthétique*, c'est-à-dire au niveau du *sentiment* –, il resterait encore à rendre compte du fait que, malgré tout, Hume n'accorde pas la même importance ni la même signification à des désaccords culinaires qu'à des désaccords artistiques. Or, si tout n'est qu'affaire d'impression sensible et de réceptacle plus ou moins bien réglé, pourquoi y aurait-il ici deux poids et deux mesures?

A cette première interrogation s'ajoute une difficulté beaucoup plus grave encore : si la norme du goût, nous avons vu pourquoi, se trouve littéralement confondue avec la personne des experts en tant qu'ils ont « une heureuse nature », il est clair qu'elle ne possède en vérité *aucune transcendance* – ou si l'on préfère : la transcendance de la norme se réduit purement et simplement à la différence qui existe *de facto* entre les experts et le vulgaire. La question *de droit*, la question des critères tend ainsi à se réduire intégralement à une question de *fait*, de sorte qu'à la limite la question même de la norme disparaît : on devrait en toute logique, dans la perspective qui est celle de Hume, se borner à *constater* que le vulgaire ayant – admettons-le par hypothèse – une nature grossière, des organes sensoriels peu affinés, possède *tels goûts*, et que l'élite, ayant une constitution interne plus élaborée, possède en revanche *tels* autres goûts. *Mais de quel droit tirer de ce qui n'est (dans le meilleur des cas) qu'une simple constatation strictement empirique et factuelle le moindre embryon de normativité, la plus petite idée d'un critère de goût?*

Bien plus, à procéder de la sorte, Hume ne risque-t-il pas – précisément parce qu'il ne peut véritablement poser la question de droit mais reste rivé à la sphère du fait – de confondre sans cesse la prétendue « nature humaine » avec l'assez banale réalité du bourgeois écossais du XVIIIe siècle ? Il est malheureusement assez évident que Hume n'échappe pas toujours à cette critique : non seulement Homère et les tragédies grecs sont dénoncés pour leur « manque de décence et d'humanité[65] », les plus belles tragédies françaises pour leur bigoterie qui « vient défigurer » *Polyeucte* et *Athalie*[66], mais le sommet est atteint lorsque, par haine des « barbares de la Tamise », Hume n'hésite pas à placer très au-dessus de Shakespeare l'Écossais John Home, obscur auteur dramatique qui avait, semble-t-il, pour principal mérite, outre celui de n'être pas anglais, d'avoir été le cousin et l'ami de Hume et, pour cette raison, « le vrai génie dramatique de Shakespeare et d'Otway purifié de la malheureuse barbarie de l'un et de l'inconvenance de l'autre[67] ».

Regrettable symptôme du patriotisme fanatique de Hume ? Sans doute, mais symptôme particulièrement gênant pour la solution qu'il tente d'apporter à la question de la norme du goût : car si cette norme *est* les hommes de goût, et s'il se trouve que ces hommes de goût sont en désaccord (par exemple, Hume trouve Home génial, Shakespeare et Racine déplorables, mais, à n'en pas douter, d'autres « hommes de goût » ne partagent pas cet avis...), *qui* peut trancher le différend, et *au nom de quoi ?* Comme il n'y a, dans une perspective humienne, aucun terme extérieur au jugement des experts, on ne voit même pas de quel droit quelqu'un pourrait décider que tels ou tels jugements sont empreints ou non de préjugés. Toute question de droit disparaissant, la discutabilité du beau s'avère impossible ou tout au moins dénuée, en son principe même, de signification, *chacun étant au fond renvoyé à la particularité indépassable de son individualité monadique.*

Paradoxalement, l'empirisme ne réussit pas davantage que le rationalisme le plus dogmatique à s'évader des cadres étroits de l'individualisme philosophique : l'idée d'une véritable *communication* esthétique, pourtant suggérée par *le fait de la discussion*, ne parvient pas à recevoir un statut légitime dans des visions du monde au sein desquelles, en dernière instance, c'est à Dieu – ou à une secrète « harmonie » des êtres, quoi qu'il en soit : à un terme extérieur à l'humanité – qu'il revient d'assurer le « sens commun ».

Le tournant : la première « Esthétique » et la première « Phénoménologie »

L'histoire de la philosophie enseigne combien l'apparition de termes nouveaux est le plus souvent, pour ne pas dire toujours, l'indice d'une mutation dans l'ordre de la pensée. 1750, 1764 : quatorze années seulement séparent l'émergence de deux notions dont l'importance n'a cessé depuis de se confirmer. On pourrait dire de l'*Aesthetica* de Baumgarten et de la *Phénoménologie* de Lambert, en tant qu'elles représentent toutes deux des théories spécifiques de la sensibilité – du monde sensible ou phénoménal –, qu'elles constituent le signe le plus sûr, dans la philosophie, de l'avènement de l'humanisme des Lumières. Pour la première fois, sans doute, le point de vue de la connaissance finie, proprement humaine, donc sensible, est pris en compte pour lui-même. C'est en ce sens que Lambert assigne à la discipline pour laquelle il forge un nom nouveau une double tâche. Comme l'optique, dont elle devra généraliser le propos, la phénoménologie doit « sauver les apparences », entendre : il lui faut rechercher la vérité derrière les phénomènes, souvent trompeurs, que nous dévoilent les sens – par exemple, il faut, grâce à l'astronomie, savoir déduire du mouvement apparent des planètes leur mouvement réel ou encore ne pas se laisser abuser par la réfraction des rayons du soleil dans un liquide. Mais une fois accompli ce trajet qui va du sensible au vrai, du phénomène à la réalité, la phénoménologie peut aussi s'engager dans la direction inverse : à l'instar de la perspective, elle peut nous permettre de passer du vrai à l'apparence et de créer, notamment dans l'art, l'illusion de la réalité.

C'est à comprendre ces relations ambiguës entre le phénomène sensible et sa vérité que la *Phénoménologie* convie son lecteur. Étrangement, comme l'*Aesthetica*, elle tire pour l'essentiel son inspiration de la philosophie de Leibniz (on verra en annexe comment elle y associe également certains aspects de la pensée lockienne). Comment les deux premières théories autonomes de la sensibilité ont-elles pu jaillir d'une pensée qui semblait pourtant réduire le monde sensible à une forme de non-être? La question mérite qu'on s'y arrête, faute de quoi la signification la plus profonde de ces projets risquerait de nous échapper.

Leibniz et Wolff :
l'exténuation du monde sensible

Le paradoxe peut être brièvement décrit : la métaphysique de Leibniz et Wolff, dans laquelle s'inscrit explicitement l'*Aesthetica*, est sans doute celle qui pousse le plus loin la dévalorisation platonicienne du monde sensible au profit du monde intelligible. Défini comme simple manifestation « phénoménale » de relations en vérité tout intelligibles entre des êtres immatériels, le sensible paraît *a priori* tout à fait inapte à fournir l'objet d'une discipline nouvelle. A proprement parler, il n'a dans l'univers de Leibniz pas d'existence hors de l'imagination humaine : « Le corps n'a point de véritable unité. Son unité vient de notre perception, c'est un être de raison, ou plutôt d'imagination, un phénomène. »

La signification de la formule selon laquelle le sensible ne serait que de l'« intelligible confus » – donc rien de véritablement réel hors du point de vue limité qui est celui de l'homme – ne peut être correctement interprétée qu'en

rapport avec la théorie leibnizienne de l'objectivité. Pour
des raisons dans lesquelles il importe peu d'entrer ici,
Leibniz se refuse à définir l'objectivité d'une représentation
par le lien qu'elle entretiendrait avec une chose en soi
matérielle extérieure. Il s'agit donc pour lui, comme plus
tard pour Kant, de trouver au sein même des représentations du sujet un critère qui permette de distinguer l'objectivité scientifique des perceptions fugitives purement subjectives. Comme souvent dans la tradition cartésienne,
c'est le vieux problème de la distinction entre le rêve et la
réalité qui va fournir l'exemple type de la question générale.

Or, que dit Leibniz à ce propos? Sa position a le mérite
d'être tout à la fois fort claire et invariable dans les
différents passages de son œuvre où elle s'exprime avec le
plus de force : le monde sensible – le monde matériel perçu
par les sens, dans l'espace et dans le temps, comme étant,
semble-t-il, extérieur aux hommes – n'a de réalité véritable
que dans la seule et unique mesure où il traduit, bien que
de façon confuse, *un ordre systématique qui peut, à un autre
niveau, celui de l'intelligible, être saisi par la raison*. La
vérité des choses sensibles réside donc uniquement dans
leur *liaison* rationnelle – la seule, au demeurant, qui soit
perceptible du point de vue de cet être omniscient qu'est
Dieu : « Le vrai *criterion* en matière des objets des sciences,
c'est la liaison des phénomènes, c'est-à-dire la connexion
de ce qui se passe en différents lieux et temps[68]... »

On comprend dans ces conditions que la tâche principale de la connaissance soit fondamentalement opposée à
celle de la création esthétique : si l'art crée un monde
sensible et joue sur les illusions, la science cherche, tout à
l'inverse, à dévoiler les relations intelligibles, c'est-à-dire
rationnelles, que manifestent de façon confuse les objets
des sens. Car c'est seulement dans cette voie qu'on peut
atteindre l'objectivité puisque, comme le dit encore Leibniz, « la liaison des phénomènes qui garantit les vérités de
fait à l'égard des choses sensibles hors de nous se vérifie

par le moyen des vérités de raison, comme les apparences de l'optique s'éclaircissent par la géométrie ». La signification de ce texte, qui renferme comme en germe le programme de la *Phénoménologie* de Lambert, est claire : si l'apparence n'est pas fondée en raison, s'il s'avère, en d'autres termes, que des objets des sens ne sont pas « bien liés », c'est que nous avons affaire à une pure illusion, comme c'est par exemple le cas dans les songes. Si, en revanche, nous pouvons trouver une loi rationnelle de la liaison des représentations sensibles, alors ces dernières sont « bien fondées » : elles ne sont pas des illusions pures, mais des « phénomènes », c'est-à-dire, étymologiquement, des manifestations d'une réalité qui, pour être confusément perçue comme sensible, n'en est pas moins, en soi ou du point de vue de Dieu, de part en part intelligible.

C'est ici que gît le critère de la distinction entre le rêve et la réalité. Comme l'affirme l'*Ontologie* de Wolff aussi bien dans sa version latine (§ 497-498) qu'allemande (§ 142) : « Puisqu'un tel ordre ne se trouve pas dans le rêve où l'on ne peut, en se fondant sur l'expérience, indiquer aucune raison pour laquelle les choses seraient ensemble et se tiendraient ainsi les unes à côté des autres et pour laquelle leurs modifications se suivraient, il apparaît clairement que la vérité est différente du rêve de par l'ordre. La vérité n'est donc pas autre chose que l'ordre des modifications des choses... »

Nouveau paradoxe, donc, puisque cette théorie logiciste de l'objectivité dans laquelle le sensible occupe un statut proche du non-être ne cesse de côtoyer les thèmes les plus chers à une esthétique dont elle anéantit pourtant l'objet : à bien des égards, en effet, l'œuvre d'art n'est qu'un songe bien réglé. Au demeurant, Leibniz est parfaitement conscient du fait que son critère de l'objectivité ne permet pas de tracer une ligne de démarcation absolue entre la réalité ordonnée, saisie par la raison, et les productions de l'imagination. Après tout, l'auteur de la *Monadologie* n'a pas attendu Freud pour postuler, en même temps que l'existence d'une vie psychique inconsciente (celle des « petites perceptions »), le fait qu'il est possible de « rendre raison des songes mêmes et de leur peu de liaison avec d'autres phénomènes ». Allons plus loin encore : rien n'interdit de supposer par hypothèse l'existence de rêves qui offriraient la particularité d'être tout à fait cohérents et ordonnés. Or ce qui montre, s'il en était encore besoin, à quel point le critère de l'objectivité se dissocie chez Leibniz de la notion de monde *sensible extérieur au sujet*, c'est que, selon lui, dans de telles conditions, il faudrait dire que ces songes sont la réalité elle-même : « Au reste, il est vrai aussi que, pourvu que les phénomènes soient bien liés, il n'importe qu'on les appelle songes ou non... »

Cette dissociation radicale de la sensibilité et de l'être s'accentue encore jusqu'à devenir une véritable opposition si l'on considère l'abîme qui sépare le point de vue de l'homme de celui de Dieu : dire que la connaissance humaine est limitée au regard de celle de Dieu (qui « voit tout ») c'est aussi affirmer qu'elle ne peut jamais totalement s'affranchir de la sensibilité pour parvenir jusqu'à une connaissance claire et distincte de l'ordre rationnel que nous dissimulent toujours nos sens. *C'est parce que nous sommes des êtres doués de sensibilité que nous ne pouvons pas nous élever jusqu'au point de vue d'où il serait possible de contempler la totalité de ce qui est, condition* sine qua non d'*une autre perception de l'ordre intelligible du monde.* A cet égard, il n'est sans doute pas indifférent que Leibniz choisisse fréquemment, pour exprimer cette finitude et cette imperfection humaines, des métaphores esthétiques telles que celle-ci, dont chaque élément est significatif : « Considérons une très belle peinture. Cachons-la tout entière, sauf une infime partie : que verrons-nous d'autre en elle [...] sinon un amas confus de couleurs sans choix, sans art? Et cependant [...] quand on considère tout le tableau d'un centre de perspective convenable, on comprendra que ce qui paraissait appliqué au hasard sur la toile a été pour l'artiste l'œuvre d'un art suprême » (*De l'origine radicale des choses*, § 13).

Le texte repose bien entendu sur une analogie : devant le monde, l'homme est semblable au spectateur qui ne voit qu'un aspect minuscule de l'œuvre qu'il contemple – le point de vue de la totalité, celui d'où seul il devient possible d'accéder à une perspective adéquate, étant réservé à Dieu. Là où nous voyons une multiplicité sensible, confuse et chaotique, il ne « voit » qu'ordre et raison, là où nous croyons percevoir une succession d'événements dans le temps, il ne voit qu'une connexion logique intemporelle (Dieu est le seul être qui se situe du point de vue de la fin de l'Histoire); là où le monde nous apparaît comme étendu dans l'espace et, en ce sens, « extérieur » à nous, Dieu ne voit qu'un *ordre* intelligible de la situation réciproque d'êtres, en vérité immatériels. Comme dans la caverne de Platon, l'homme de Leibniz est sans cesse abusé par la *multiplicité* du monde sensible : « Et comme une même ville, regardée de différents côtés, paraît tout autre et est comme multipliée perspectivement, il arrive de même que, par la multitude infinie des substances simples, il y a comme autant de différents univers qui ne sont pourtant que les perspectives d'un seul selon les différents points de vue de chaque monade » (*Monadologie*, § 57). Dieu est précisément celui dont nous savons, non seulement qu'il perçoit cette multiplicité de perspectives sensibles pour ce qu'elle est (une différence intelligible entre les êtres), mais aussi qu'il l'intègre (au sens mathématique comme au sens usuel) dans une totalité systématique ordonnée; et comme chez Platon encore, seule cette totalité, en tant qu'elle est le monde intelligible, peut être dite véritablement « étante », la diversité du monde sensible n'en fournissant tout au plus que le reflet déformé dans l'imagination humaine.

On comprend, dans ces conditions, que l'entreprise visant à s'intéresser au monde sensible en tant que tel pour en produire, sous forme d'« esthétique » ou de « phénomé-

nologie », une théorie spécifique apparaisse particulièrement mal fondée dans un cadre intellectuel leibnizien. Il
faut l'avouer : l'*Aesthetica* soulèvera pour cette raison bien
des malentendus que Baumgarten a tenté – avec un succès
très relatif – de lever dans les premiers paragraphes de son
œuvre. Pourtant, si contradictoire que cela puisse paraître,
la philosophie de Leibniz, comme l'a subtilement compris
Bäumler, pouvait aussi ouvrir la voie à cette préoccupation
nouvelle.

La théodicée leibnizienne s'avère en effet susceptible de
donner lieu, sinon à deux interprétations, du mois à deux
directions de recherches radicalement opposées. On peut
d'abord, avec l'orthodoxie wolffienne, considérer qu'elle
fonde une philosophie qui nous détourne de la sensibilité :
si la vérité réside dans un ordre intelligible que seul saisit le
point de vue de Dieu, il nous faut, pour autant que nous
en soyons capables, nous *élever* vers cette vérité selon un
mouvement qui va inexorablement du sensible vers l'intelligible. L'ontologie et la théologie doivent être, dans ces
conditions, les disciplines essentielles. Mais d'un autre
côté, suivant une certaine conception de la *continuité* qui
oppose fondamentalement Leibniz à Descartes, nous ne
pouvons pas nous détourner définitivement du monde
sensible : tout à l'inverse, on peut même considérer que
c'est *en* lui, et non pas en Dieu, qui est inaccessible, que
nous devons chercher à repérer cet ordre rationnel qui en
constitue le soubassement objectif. Dès lors, ce sont les
disciplines *scientifiques*, en tant qu'elles correspondent au
point de vue fini de l'homme, qui deviennent centrales :
grâce à l'astronomie, à l'optique, aux diverses branches de
la géométrie, etc., nous apprenons à découvrir les liaisons
intelligibles là où elles sont *pour nous* visibles, c'est-à-dire,
au cœur du monde sensible : du point de vue de Dieu, nous
passons à celui de l'homme, et, selon une logique qu'on a
déjà évoquée, c'est dans ce renversement que la question
du statut de la sensibilité devient si cruciale que la
philosophie, fût-elle par ailleurs portée à s'en détourner, ne

peut plus l'éluder. La *Phénoménologie* de Lambert, mais avant tout l'*Aesthetica* en apportent le témoignage.

Les équivoques de l'« Aesthetica » : vers l'autonomie du sensible.

A première lecture, l'esthétique de Baumgarten semble s'inscrire dans la tradition de l'intellectualisme wolffien. En témoigne notamment la définition de la beauté comme *perfection perçue de façon sensible* ou *perfectio phenomenon* (§ 662 de la *Metaphysica*) – définition tout à fait classique dans l'école wolffienne[69], définition que Leibniz suggérait déjà dans un passage de son essai sur la sagesse[70] et que Meier, le principal disciple de Baumgarten, explicitera en ces termes au § 23 de ses *Premiers principes de toutes les belles-lettres (Anfangsgründe aller schönen Wissenschaften,* texte rédigé, en 1748, avant la publication de l'*Aesthetica,* mais en connaissance de cause puisque Meier avait suivi les cours de Baumgarten) : « Que la beauté en général soit une perfection en tant que cette perfection est connue de façon confuse ou sensible, c'est là aujourd'hui une chose arrêtée parmi tous les connaisseurs sérieux du beau. »

Le danger d'une telle conception du beau, qui repose tout entière sur l'assimilation du sensible au confus, est évident : comme le remarque Mendelssohn, en bon leibnizien, dans son *Écrit sur les sensations,* une connaissance « confuse ou sensible » de la perfection reste évidemment à tous égards inférieure à une connaissance claire et distincte de cette *même* perfection[71], de sorte que l'on pourrait être enclin à voir dans le paragraphe 662 de la *Metaphysica* un obstacle à l'idée même d'une discipline autonome intitulée « aesthetica ».

Baumgarten essaiera sans doute, j'y reviendrai, d'indiquer, avec la notion d'*analogon rationis,* une autre voie. Elle n'est pourtant pas sans ambiguïté sur cette question décisive de la nature du beau. Le titre d'un des chapitres principaux, « La vérité esthétique » (*Veritas aesthetica*)*, semble impliquer une soumission de l'esthétique à la logique, du monde sensible au monde intelligible – impression que renforce la lecture des paragraphes consacrés à la définition de cette vérité que Baumgarten nomme encore « esthético-logique », comme pour mieux souligner le parallèle entre les deux disciplines concurrentes. Aussi les critères qui permettent de déterminer la vérité esthétique sont-ils rigoureusement empruntés à la philosophie théorique. On peut en dénombrer trois : la possibilité ou non-contradiction, la conformité au principe de raison et l'unité.

La vérité esthétique requiert en effet « la possibilité des objets de la pensée élégante », c'est-à-dire qu'en eux il ne saurait y avoir de « traits caractéristiques qui se contredisent mutuellement » (§ 431) – où l'on reconnaît la définition leibnizienne de la possibilité *absolue* à laquelle Baumgarten ajoute, en toute orthodoxie, une possibilité *hypothétique* (§ 432) et une possibilité *morale* (§ 433).

A cette première exigence, qui prend en compte le principe de contradiction, s'ajoute celle qui émane du principe de raison suffisante et qui impose à l'objet beau d'être bien fondé et bien lié « selon les raisons et les conséquences » (§ 437). S'il s'agit par exemple d'un récit, il devra pour être beau s'enchaîner selon l'ordre des raisons de façon que rien en lui ne paraisse incohérent, le modèle étant aux yeux de Baumgarten le *Coriolan* de Tite-Live : « Il est rendu compte de son nom même et de son autorité première; de là son excès d'orgueil face à la puissance tribunicienne; d'où la colère de la plèbe; il en résulte l'exil de Coriolan... », etc. Bref : les *raisons* qui expliquent l'action doivent être intégralement *perceptibles*.

Le troisième et dernier réquisit, celui de l'*unité*, se déduit

---

* Dont on trouvera la traduction intégrale en annexe. Dans ce qui suit, les paragraphes cités entre parenthèses renvoient à la première édition de l'*Aesthetica*.

des deux premiers : les objets de la belle pensée doivent posséder une unité puisque les traits caractéristiques qu'on y distingue par la réflexion sont à la fois non contradictoires et bien liés – par où Baumgarten rejoint non seulement l'adage leibnizien selon lequel ce qui n'est pas *Un* être n'est pas un *Être*, mais aussi la sacro-sainte règle classique des trois unités : « Cette unité des objets, qui est une unité esthétique dans la mesure où elle se situe au niveau du phénomène, sera unité des déterminations internes, et par là unité d'ACTION, si l'objet de la belle méditation est une action, ou bien unité des déterminations externes et des relations, des circonstances, et par là unité de LIEU et de TEMPS » (§ 439).

A la lecture de ces textes, on pourrait donc avoir le sentiment de se mouvoir dans un cadre classique où le beau se trouve défini en fonction des mêmes critères qui permettent de cerner le vrai, la beauté n'étant au fond que la *présentation sensible d'une perfection logique*. Que, à la différence de ce qui avait lieu chez les classiques français, le modèle philosophique de Baumgarten soit leibnizien plutôt que cartésien ne semble en rien infirmer ce diagnostic : bien plus, tout se passe comme si le rationalisme de Leibniz, plus complet et plus radical que celui de Descartes, ne s'introduisait dans l'esthétique que pour mieux compléter l'énumération des titres de rationalité auxquels l'objet beau doit prétendre pour mériter son nom.

Disons-le d'emblée : une telle lecture de l'*Aesthetica*, pour courante qu'elle ait été jusque chez les disciples de Baumgarten, est non seulement erronée, mais elle manque tout simplement le sens général du projet qui fut celui de Baumgarten et qui peut être ainsi présenté : comment, en partant de la philosophie de Leibniz et Wolff, parvenir à accorder malgré tout une consistance propre à la sphère phénoménale du sensible, donc une autonomie à l'esthétique par rapport à sa « sœur aînée », la logique (§ 13), et affirmer ainsi la pertinence d'une prise en compte effective du point de vue de cet être fini qu'est l'homme? L'idée fondamentale de Baumgarten est qu'il existe en l'homme, en tant qu'il ne saurait percevoir le monde autrement que sous les espèces de la sensibilité, un *analogon rationis*, une faculté – ou un ensemble de facultés – *qui sont pour le monde sensible l'analogue de ce qu'est la raison pour le monde intelligible*. Corrélativement, si l'on se place du côté de l'objet et non plus des facultés du sujet, il doit y avoir au niveau du monde sensible des formes et des enchaînements ou relations entre ces formes qui soient, non pas identiques, mais *analogues* à ce que sont les formes rationnelles (les idées) et les relations entre ces formes que perçoit la raison au niveau du monde intelligible. C'est par la mise en place de cette notion d'*analogon rationis*, parfois difficultueuse et quelque peu pénible à suivre dans les méandres de l'*Aesthetica*, que Baumgarten va s'écarter des thèmes orthodoxes de l'école wolffienne pour s'opposer finalement à eux sur certains points essentiels.

Commençons par le commencement : la définition de l'esthétique donnée au § 1 de l'*Aesthetica*. Elle ne saurait être correctement comprise si on la lit avec les lunettes de l'école wolffienne : « L'esthétique (théorie des arts libéraux, doctrine de la connaissance inférieure, art de la belle pensée, art de l'analogue de la raison) est la science de la connaissance sensible. » Ce qui importe dans cette définition – si du moins on en recherche l'originalité –, ce n'est pas le fait qu'elle continue, dans le sillage de Leibniz et de Wolff, à tenir une théorie de la connaissance sensible pour inférieure et qualifie en conséquence l'esthétique de « *gnoseologia inferior* », mais c'est que, grâce à la mise en œuvre du concept d'*analogon rationis*, le projet d'une science du sensible comme tel devienne possible, légitimant ainsi l'idée que le point de vue de l'homme, en tant qu'être fini, devient digne lui aussi d'une considération particulière. Ce retournement de perspective par rapport au xviie siècle aura sans nul doute une postérité considérable, non seulement chez les disciples immédiats de Baumgarten – tel Meier qui rédige en 1755 ses *Considérations sur les bornes*

de la connaissance humaine (*Betrachtungen über die Schran-
ken der menschlichen Erkenntnis*) –, mais aussi et surtout
dans la *Phénoménologie* de Lambert dont le projet parut si
important à Kant qu'il songea un temps à intituler lui
aussi la *Critique de la raison pure* « phénoménologie ».

En ce sens, l'esthétique de Baumgarten constitue un
véritable paradoxe et l'on comprend qu'elle ait si souvent
prêté à des lectures réductrices : comment interpréter en
effet le trajet qui consiste, partant d'une position philosophique leibnizienne qui tient que le point de vue théorique
le plus élevé, celui de Dieu, est par essence au-dessus du
monde sensible, à venir finalement légitimer un intérêt
pour la connaissance d'une sphère, celle de la sensibilité,
que tout devrait, semble-t-il, conduire le philosophe à
délaisser ?

Baumgarten est bien conscient de la difficulté puisque
l'essentiel des « prolégomènes » de l'*Aesthetica* est consacré
à répondre aux objections que pourrait élever contre elle
un wolffien orthodoxe. Ces objections portent autant sur
le sujet qui étudie cette discipline nouvelle que sur son
objet : « On pourrait opposer à notre science que les
impressions des sens, les produits de l'imagination, les
fables, les troubles des passions, etc., sont indignes des
philosophes [...]. Je réponds : le philosophe est un homme
parmi les hommes » (§ 6), ce qui signifie qu'il doit, plutôt
que de tenter une impossible coïncidence avec le point de
vue de Dieu, s'intéresser à ce qui constitue l'objet, ou tout
au moins le médium incontournable de toutes ses connaissances, à savoir le sensible. « On objectera encore que la
confusion est mère de l'erreur. Ma réponse est qu'elle est la
condition *sine qua non* de la découverte de la vérité... »
(§ 7). La situation paradoxale de l'*Aesthetica* devient plus
claire ; le philosophe peut sans doute délaisser la connaissance sensible pour se tourner résolument vers la connaissance intellectuelle, claire et distincte, de l'universel ; et
dans cette voie il se rapproche de Dieu. Mais s'il veut
rester « parmi les hommes » – ce qu'il ne peut du reste

éviter (§ 557) – il doit plutôt s'enfoncer dans le particulier sensible et chercher à saisir l'*individuel*. C'est là une autre conséquence du même principe de continuité : comme y insiste le § 7 de l'*Aesthetica*, la connaissance confuse fait partie intégrante de la connaissance vraie car la « nature ne fait pas de saut de l'obscurité à la clarté. C'est donc par l'aurore que l'on va de la nuit au midi ».

Au fil de ces réponses à d'éventuelles objections émanant de l'école wolffienne se dessine ainsi, dès les premières lignes de l'*Aesthetica*, la volonté d'accorder une autonomie au sensible dont l'idée d'*analogon rationis* définit très exactement la nature et les limites. C'est à elle que renvoie la notion de vérité « esthético-logique », et nullement, comme on aurait pu le croire à première lecture, à la confusion des deux domaines, encore moins à la réduction du premier, celui de l'esthétique, au second.

Pour mieux saisir ce que Baumgarten entend par l'*analogon rationis*, il importe de percevoir comment il distingue les facultés inférieures qui vont constituer cet *analogon rationis* des facultés supérieures que sont l'entendement et la raison. A certains égards, Baumgarten reprend et approfondit le domaine que Wolff désignait déjà dans sa *Psychologie empirique (pars I, sectio 2)* comme celui de la pensée « semblable à la raison ». Mais du « semblable » à l'« analogue » il y a un pas considérable que le § 640 de la *Métaphysique* de Baumgarten vient déterminer précisément : les facultés inférieures – soit l'*analogon rationis* – comprennent : « 1) la faculté inférieure de connaître ce qui est identique entre les choses; 2) la faculté inférieure de connaître ce qui est différent entre les choses; 3) la mémoire sensitive; 4) la faculté poétique (*facultas figendi, Vermögen zu dichten*); 5) la faculté d'évaluer (*facultas dijudicandi, Beurteilungsvermögen*); 6) l'attente des cas similaires; 7) la faculté sensible de désigner (*facultas characteristica sensitiva, das sinnliche Bezeichnungsvermögen*). »

Ces facultés ont ceci de commun qu'elles appréhendent

des *relations entre les choses du monde sensible.* C'est comme telles que, prises ensemble, elles constituent l'*analogon rationis* : car à l'instar de la raison (et à la différence de l'entendement) *elles travaillent à la production de l'objectivité en reliant entre elles les représentations.* Il faut, là encore, revenir à la *Psychologie empirique* de Wolff (§ 29 et 233) qui distingue trois niveaux :

– celui, tout d'abord, des facultés inférieures (dont on a vu que Baumgarten allait faire, moyennant diverses modifications[72], l'*analogon rationis*) : les sens, l'imagination, la faculté poétique (*facultas figendi*), la mémoire;

– celui de l'*entendement* (*intellectus, Verstand*) qui comprend l'attention, la réflexion, la faculté d'abstraction et de comparaison. L'entendement fait naturellement partie des facultés supérieures en tant que ses représentations sont *distinctes* (le concept de distinction traçant ainsi la ligne de partage entre facultés inférieures et facultés supérieures);

– celui, enfin, de la raison (*ratio, Vernunft*) qui est la faculté de liaison (*nexus, Zusammenhang*) entre les représentations et qui, en tant que telle, engendre l'objectivité proprement dite – ce pourquoi, tandis que l'entendement atteint la vérité logique, la raison nous introduit dans la sphère des vérités transcendantales ou métaphysiques.

C'est en reprenant cette classification wolffienne en vue de forger son concept d'*analogon rationis* que l'*Aesthetica* élabore une philosophie originale. D'abord, le beau va se définir – et c'est en cela qu'il est adéquat à la faculté, l'*analogon rationis*, qui va le saisir – comme une *liaison sensible de représentations* ou, pour utiliser le vocabulaire qui sera celui de Kant, comme une « légalité sans concept ». D'où la formule qui revient sans cesse sous la plume de Baumgarten : dans l'esthétique il est certes question de la vérité, mais de la vérité *quatenus sensitive cognoscendae est*, « en tant qu'elle doit être connue de façon sensible »; *ce qui signifie bien qu'il existe une légalité propre au sensible ou une objectivité « esthéticologique ».* L'expression prend ici tout son sens : « La vérité des choses vraies au sens le plus strict est esthétique dans la mesure où ces choses sont perçues comme vraies de façon sensible par des sensations, des images ou même des anticipations qui sont liées à des présages et là s'arrête son domaine » (§ 444). De telles *liaisons* de représentations ne peuvent être saisies que par une faculté proche de la raison. Mais comme ces liaisons sont sensibles, donc confuses et non intelligibles, il ne peut s'agir de la raison elle-même et il faut recourir ici à un *analogon rationis* que définissent les facultés inférieures évoquées au § 640 de la *Metaphysica*.

De là une troisième thèse qui, elle aussi, annonce singulièrement les principaux thèmes de la *Critique de la faculté de juger* et amorce une véritable synthèse entre le classicisme et l'esthétique du sentiment : le beau se situe à mi-chemin entre le rationnel et le sensible ordinaire. Par son aspect confus, il s'oppose bien sûr à la raison mais en tant qu'il est liaison de représentations il se rapproche des vérités « métaphysiques ». *Analogon veritatis*, il ne peut être saisi que par un *analogon rationis*. La beauté est « *perfectio cognitionis sensitivae* » (perfection de la connaissance sensible), formule que Bäumler commente parfaitement : « La *cognitio* renvoie à l'unité; la *sensitivus* à la plénitude (à la diversité, à la richesse matérielle) et la *perfectio* ne signifie rien d'autre que l'élévation de ces deux moments de la connaissance sensible comme telle : cela ne signifie nullement une théorie rationaliste/métaphysique mais tout simplement le fait que la connaissance sensible possède sa propre perfection. Les représentations de l'imagination et des sens sont capables d'avoir leur unité et leurs connexions propres[73]. »*

* Cf. aussi : « Baumgarten a eu deux grandes idées : premièrement, l'objet esthétique est individuel (comme l'est le " goût "). Par là est reconnue la tâche *spécifique* de l'art par rapport à la science (généralisante)... L'objet esthétique, ainsi pourrions-nous clarifier cette idée, n'est pas l'objet scientifique, mais il est quand même un *objet*. Il n'est pas livré à l'arbitraire du sujet, mais à une façon de déterminer analogue à celle de la raison. Si on lie

L'objet beau pourra ainsi relever de ce domaine qu'ignore le cartésianisme pour la même raison qu'il ignore le principe de continuité, le domaine du vraisemblable : « Je crois qu'il est déjà clairement apparu que beaucoup de ce qui est représenté dans la pensée belle n'est pas complètement certain ni ne peut être perçu quant à sa vérité en pleine lumière. Et pourtant, rien de faux d'un point de vue sensible ne peut y être découvert sans répugnance. Or ce en quoi nous ne parvenons jamais à une certitude parfaite sans pour autant y découvrir de la fausseté est le vraisemblable. Dans sa signification essentielle, la vérité esthétique peut donc être dite vraisemblable : elle a ce degré de vérité qui, s'il n'implique pas une certitude complète, ne permet pas cependant de déceler une quelconque fausseté » (§ 483).

On comprend dès lors que le but de l'esthétique, en tant qu'elle a pour objet la perfection sensible, soit moins la vérité (§ 428), nécessairement générale et abstraite (§ 557), que la recherche de l'*individuel* dans sa diversité et sa richesse particulières. Ce que vise l'esthéticien, selon l'une des formules préférées de Baumgarten, c'est la « *détermination la plus déterminée possible de l'individuel* », ou, comme le disent ses *Méditations* : il cherche la *clarté extensive* des représentations, c'est-à-dire le dénombrement le plus complet possible des traits caractéristiques d'une représentation[75], tandis que le scientifique vise la *clarté intensive*, celle qu'on obtient en ne considérant qu'un trait caractéristique pour le décomposer en éléments simples (la quête de la vérité exigeant, selon Leibniz, qu'on remonte des composés au simple).

C'est là un des aspects décisifs par lesquels l'*Aesthetica* s'écarte de la tâche traditionnellement assignée à la philosophie dans l'école wolffienne. Pour en mieux saisir la

---

ensemble ces deux idées : l'objet esthétique réunit l'individualité avec la légalité. C'est là ce que signifie la formule : la beauté est la perfection de la connaissance sensible[74]. »

portée, il faut avoir présente à l'esprit la distinction qu'opère Leibniz, dans les *Meditationes de veritate, cognitione et ideis,* entre les représentations claires et les représentations distinctes.

La clarté résulte du dénombrement des traits caractéristiques : une table peut être rouge, carrée, grande, etc. Cette clarté, que Baumgarten nomme extensive, n'est nullement spécifique à l'activité scientifique. Elle est au contraire le propre de la connaissance ordinaire et elle permet de saisir l'*individuel* en tant qu'un individu se distingue des autres dès qu'on a énuméré, ne fût-ce qu'à un niveau tout à fait empirique, ses principaux traits caractéristiques. Plus on s'élève dans la clarté extensive, plus on atteint l'individuel dans sa richesse et sa diversité sensibles. C'est bien sûr ce type de clarté qui va intéresser l'esthétique, car elle donne de la *vie* à l'objet beau.

La connaissance distincte, la clarté intensive propre à la connaissance scientifique relèvent d'une démarche inverse qui ne vise pas à énumérer des propriétés *sensibles* extérieures : après avoir distingué les traits caractéristiques les uns des autres (par l'attention), *elle fait abstraction* des traits inessentiels, repère les points communs et les différences principales en vue de forger des concepts *généraux* (des espèces et des genres). Cette faculté qui permet de saisir les identités et les différences sera nommée par Wolff *réflexion* – la réflexion étant « le mode par lequel on parvient à des connaissances distinctes ».

Cette classification simple, en apparence toute scolastique, possède en vérité une grande portée philosophique pour l'esthétique. Elle soulève d'abord une difficulté dont la solution permet de mieux comprendre la nature exacte de l'*analogon rationis* : dans la recherche de la connaissance distincte, l'entendement, qui est plutôt une faculté *formelle* de classement, devient bien vite *raison*, faculté transcendantale génératrice d'objectivité. Le motif s'en comprend aisément au sein du système de Leibniz : une fois dégagés les éléments simples et forgés les concepts généraux, tâche propre de l'entendement, nous découvrons le fondement intelligible des traits caractéristiques et la *raison* de leur enchaînement (de cette liaison qui les constitue véritablement comme objets). Or – et telle est la difficulté que j'évoquais – si l'esthétique s'intéresse à la clarté extensive, si par conséquent elle s'en tient plutôt à la simple analyse empirique des représentations, on voit mal ce qui, en elle, jouerait le rôle d'un *analogon rationis*, ni la nécessité d'une telle faculté. La solution de cette difficulté est la suivante : le beau réside sans doute dans la richesse, la diversité, la *vivacité* des traits caractéristiques ; mais cette richesse est *organisée*, ces traits caractéristiques sont *reliés selon une légalité qui n'est pas celle de la raison mais qui est, tel est du moins le postulat fondamental de l'*Aesthetica, *propre au sensible.* Par exemple, dans une description poétique, on rencontre certes une énumération de traits caractéristiques, mais les modalités rhétoriques de cette énumération importent tout autant que sa richesse. Ou encore, lorsqu'une métaphore substitue à d'autres certains traits caractéristiques, elle effectue bien une *liaison symbolique* dont la « logique », si l'on ose dire, n'est pas celle de la raison mais celle de l'esthétique.

La définition du poème – *oratio sensitiva perfecta est poema*[76] – comme « perfection sensible du discours » fait donc signe vers une conception de la beauté qui intègre deux éléments : la *diversité* (ou : la vivacité, la richesse du particulier portées à un haut degré de clarté extensive) et la *liaison* de cette diversité, mais en tant qu'elle est une liaison *sensible* (ce pourquoi elle est connue par l'*analogon rationis* et non par la raison).

L'*Aesthetica* prendra donc à certains égards une direction inverse à celle de la philosophie : car elle ne peut ni ne doit faire *abstraction* du particulier sensible ; comme le disent les *Méditations* : « Ce qui est poétique dans le poème, c'est le fait de déterminer autant que possible les choses à représenter » (§ 18). Or « les individus sont à tous égards déterminés, donc les représentations singulières sont toujours poétiques » (§ 19).

Un passage de l'*Aesthetica* exprime de façon tout à fait remarquable cette opposition entre la voie de la recherche théorique qui conduit au général et celle de l'esthétique qui vise au contraire la détermination absolue, l'individualité. Décrivant la façon dont on parvient aux concepts généraux dans la logique – activité qu'il juge bien sûr excellente en son genre – Baumgarten ajoute ceci : « Pourtant, la question se pose de savoir si la vérité *métaphysique* est équivalente à un concept universel en tant qu'elle correspond à l'objet individuel qui est contenu dans un tel concept. Pour moi du moins, je crois qu'il devrait être parfaitement clair pour un philosophe que tout ce qui est contenu en perfection spécifique formelle dans la connaissance et dans la vérité logique n'a pu être obtenu qu'au prix d'une perte considérable en perfection matérielle. Pour prendre une comparaison : on ne peut transformer un bloc de marbre de forme irrégulière en une boule qu'au prix d'une perte de substance matérielle qui correspond au moins à la haute valeur de la forme régulière ronde » (§ 560 : la « haute valeur » s'entendant évidemment ici d'un point de vue logique, non esthétique).

De cette comparaison découle une conséquence limpide : « Nous partons donc de la présupposition que les efforts en vue de la vérité esthético-logique se portent avant tout du côté de la vérité métaphysique matérielle et qu'ils cherchent ainsi à saisir les objets d'une vérité métaphysique déterminée autant que possible jusqu'à l'individuel » (§ 561)[77]. « Autant que possible », car Baumgarten en est bien sûr conscient : il est impossible d'atteindre *distinctement* l'individuel et ce pour les mêmes raisons que nous ne pouvons, en tant qu'êtres finis, saisir les plus hautes vérités logiques[78]. Mais de toute façon, la quête de l'individualité ne signifie pas non plus, sur le plan esthétique, qu'il faille « tout mettre » dans un tableau ou dans un poème et que le souci d'un réalisme microscopique soit le garant de la

beauté : l'*Aesthetica* n'annonce pas le nouveau roman.
Lisant l'*Énéide*, l'esthéticien n'aura « ni égard ni pensée
pour la question de savoir de quel pied Énée a touché pour
la première fois l'Italie; et pourtant, rien de plus vrai : il l'a
touchée du pied gauche ou du pied droit, à moins que
ce ne soit des deux pieds, ce qui est moins séant »
(§ 430)[79].

Il y a donc valorisation de l'individuel, de ce qui
échappe au concept – valorisation par exemple du *nom
propre* que les *Méditations* déclarent poétique par cela seul
qu'il renvoie à une représentation singulière (§ 89)[*] – mais
pour autant, l'artiste ne doit pas renoncer à cette unité
esthétique du divers sans laquelle l'objet beau ne serait pas
même un objet. Par là l'*Aesthetica* s'ouvre à une autre
dimension, celle qui préoccupera principalement Kant
dans la *Critique de la faculté de juger* : l'objet beau, bien
que non conceptuel, doit pouvoir faire l'objet d'une *communication* et le souci de l'individuel ne doit pas conduire,
comme trop souvent dans l'esthétique du sentiment, à un
repli monadique de la subjectivité sur elle-même : c'est
parce que l'objet beau possède une légalité propre, une
unité de la diversité de ses traits caractéristiques, qu'il peut
être communiqué; car par là, il cesse d'être strictement
subjectif et acquiert, sinon une objectivité conceptuelle, du
moins une objectivité sensible qui en est très exactement
l'*analogue*.

L'*Aesthetica* donne ainsi leur formulation philosophique
aux principaux thèmes qu'on rencontrait déjà, sous une
forme plus littéraire, dans les débats français sur le classicisme et l'esthétique du sentiment. Avec l'*individuel* que
recherche l'artiste, nous entrons dans ce domaine que la
raison cartésienne ne peut saisir et qu'on peut nommer
domaine de l'irrationnel, ou encore, si l'on emprunte un

---

[*] Ce thème sera souvent repris dans la pensée allemande jusqu'à
Walter Benjamin.

vocabulaire esthétique, domaine du « mystère », de la délicatesse et du « je-ne-sais-quoi ». Mais avec Baumgarten, la médiation entre la raison et la déraison, entre l'universel et l'individuel commence à s'opérer, non seulement par l'effet du principe de continuité, mais surtout grâce à l'idée d'*analogie* dont on a vu comment elle permettait de jeter un pont entre le monde sensible et le monde intelligible*. Mais pour que ce pont acquière une réelle nécessité, encore faut-il que la séparation des deux mondes soit, elle aussi, réellement assurée. C'est là, bien sûr, une tâche que Baumgarten, malgré l'originalité et l'audace de son projet, ne pouvait parvenir à mener complètement à bien dans un cadre philosophique leibnizien.

---

* Cette thèse constitue le cœur du livre de Bäumler.

III

LE MOMENT KANTIEN :
LE SUJET DE LA RÉFLEXION

En dépit des tentatives de Baumgarten et de Lambert, la philosophie moderne reste jusqu'à Kant dominée par une conception cartésienne des limites inhérentes à la connaissance humaine. La finitude est pensée en relation à une référence absolue : l'idée d'une omniscience dont la divinité est censée être le dépositaire. C'est par rapport à cette omniscience supposée de Dieu que le savoir humain est dit *limité* et que la marque de cette limite, la *sensibilité*, est relativisée de sorte que l'esthétique ne parvient jamais véritablement à s'affranchir et à s'autonomiser par rapport à la logique et à la métaphysique. Le moment kantien représente à cet égard une véritable révolution, un retournement de perspective sans précédent dans l'histoire de la pensée. Dans la *Critique de la raison pure*, et singulièrement dans sa première partie, l'« esthétique transcendantale », Kant nous invite à inverser la relation qui fut, depuis l'aube de la métaphysique moderne, celle de la finitude et de l'Absolu. Au lieu de poser *d'abord* l'Absolu pour situer *ensuite* la condition humaine dans l'ordre du moindre, de la limitation, Kant part de la finitude pour s'élever, dans un second temps seulement, vers l'Absolu. En d'autres termes : le simple fait que notre conscience soit *toujours déjà* limitée de façon *sensible* par un monde extérieur à elle, par un monde qu'elle n'a pas créé, est le fait premier, celui dont il faut partir pour aborder de façon nouvelle toutes les questions traditionnelles qui furent celles de la métaphysique. L'homme est un être radicalement fini, et sans cette finitude, il ne serait pas même doué de représentations, de conscience, s'il est vrai, comme le dira plus tard Husserl, que « toute conscience est conscience d'un quelque chose » qui vient la *limiter*. Conséquence ultime de ce renversement : c'est la prétention métaphysique à connaître l'absolu, à saisir l'essence ultime du *cogito* ou à démontrer l'existence de Dieu, qui se trouve relativisée par rapport à l'affirmation initiale de la condition *limitée* ou *sensible* qui est nécessairement celle de la conscience humaine. Ce n'est donc plus au nom de la figure divine d'un Absolu tout intelligible qu'on pourra relativiser la connaissance sensible et la définir comme moindre être, comme confusion mais, tout à l'inverse, c'est au nom de la finitude indépassable qui est la marque de toute connaissance réelle, non illusoire, que la figure divine de l'Absolu se verra à son tour relativisée et rabaissée au rang d'une simple « Idée » de la raison dont la réalité objective est à jamais indémontrable par les voies de la théorie.

Ce renversement possède deux implications sur le statut du divin et sur celui du sensible dont il faut saisir la liaison intime pour comprendre les fondements philosophiques de la théorie esthétique kantienne.

L'idéalité du divin
et l'avènement de l'homme

La première implication touche le statut de Dieu en tant que son existence comme lieu de l'omniscience et des vérités éternelles fit dans la métaphysique moderne l'objet d'une démonstration. Ce que Kant dénonce dans la métaphysique rationaliste n'est pas la définition même de Dieu comme détenteur d'une connaissance illimitée. Rien n'interdit, en effet, de penser *négativement*, par opposition à notre entendement fini, l'idée d'un entendement infini pour lequel l'être et la pensée, le réel et le rationnel ne feraient qu'un. Ce qui est remis en question, c'est « seulement » la prétention à démontrer par l'argument ontologique l'existence d'un tel être. Il faut ici rappeler, ne fût-ce que brièvement, la critique développée à ce propos dans la « Dialectique transcendantale ».

Dans sa formulation la plus rationaliste, l'argument ontologique se présente selon Kant sous la forme suivante : le concept de Dieu, comme être parfait et nécessaire, contient toute réalité. « Or, dans toute réalité est comprise aussi l'existence; l'existence est donc contenue dans le concept d'un possible. Si donc vous supprimez cette chose, vous supprimez la possibilité intérieure de la chose, ce qui est contradictoire[1]. » Selon l'argument ontologique, nous aurions ainsi la possibilité de conclure de la simple analyse du concept de Dieu à son existence réelle. L'objection de Kant est bien connue : elle consiste à dire que la possibilité *logique*, c'est-à-dire le caractère non contradictoire d'un concept, ne garantit en rien son objectivité parce que, selon une proposition célèbre de la *Critique*, « l'Être n'est évidemment pas un prédicat réel, c'est-à-dire un concept de quelque chose qui puisse s'ajouter au concept d'une chose[2] ». En d'autres termes : en admettant que l'Idée de Dieu soit une Idée nécessaire de la raison humaine, en admettant même qu'à l'Idée de Dieu s'attache nécessairement celle de son existence, il n'en reste pas moins que cette existence reste une existence idéelle, une existence seulement en pensée, non une existence réelle. Le fait que j'ai l'idée d'un être qui existe nécessairement ne prouve en rien l'existence réelle de cet être. De là la signification nouvelle que reçoit, dans la *Critique de la raison pure*, l'idée de Dieu : « Le concept transcendantal et le seul déterminé que nous donne de Dieu la raison spéculative est donc, dans le sens le plus étroit, un concept *déiste*. La raison, en effet, ne nous donne jamais la valeur objective de ce concept. [...] Par où l'on voit clairement que l'idée de cet être, comme toutes les idées spéculatives, ne signifie rien de plus sinon que la raison ordonne de considérer tout enchaînement dans le monde d'après les principes d'une unité systématique [...]. Il est clair par là que la raison ne peut avoir ici pour but que sa propre règle formelle dans l'extension de son usage empirique, mais jamais une extension *au-delà de toutes les limites de l'usage empirique*[3] [...]. »

L'idée de Dieu n'a ainsi, d'un point de vue théorique*, aucune objectivité. Reste qu'une telle idée nous invite, en tant que scientifiques (et non plus en tant que métaphysiciens), à regarder l'univers *comme si,* créé par un auteur intelligent, il formait un tout cohérent et systématique. L'idée d'un entendement omniscient, d'une connaissance achevée de l'univers, conserve une fonction *régulatrice* pour notre connaissance finie. C'est toujours par rapport à elle, par exemple, que le *progrès* scientifique prendra son sens. Comme l'écrit Kant dans un texte essentiel qu'il faut citer et commenter** :

« Je soutiens que les Idées transcendantales n'ont jamais d'usage constitutif, comme si des concepts de certains objets étaient donnés par là et que, entendues en ce dernier sens, elles ne sont que des idées sophistiques – dialectiques. [*D'après la critique de l'argument ontologique, l'idée de Dieu, pour être l'idée nécessaire d'un être auquel on attribue l'existence, n'en reste pas moins une simple Idée de la raison dont rien ne prouve en toute rigueur l'objectivité. L'argument ontologique qui nous fait croire qu'on peut passer du concept de Dieu à l'affirmation de son existence n'est qu'un sophisme.*] Mais elles ont au contraire un usage régulateur excellent et indispensablement nécessaire, celui de diriger l'entendement vers un certain but, où convergent en un

---

* Il en irait, bien sûr, différemment si l'on se plaçait du point de vue « pratique »qui est celui de la moralité.
** J'indique mon commentaire en italique entre crochets.

point les lignes directrices de toutes ses règles et qui, bien qu'il ne soit qu'une idée – *focus imaginarius* –, c'est-à-dire un point d'où les concepts de l'entendement ne partent pas réellement, puisqu'il est placé en dehors des limites de l'expérience possible, sert cependant à leur donner la plus grande unité avec la plus grande extension[4]. »

Bref, l'activité de l'entendement – l'activité scientifique – a besoin pour *progresser* de se référer à l'idée de Dieu, à l'idée d'omniscience, lors même qu'on a admis le caractère non objectif de cette idée. C'est elle, en effet, qui suscite et dirige la connaissance en lui imposant l'exigence de chercher sans cesse davantage, non seulement à rendre le monde de plus en plus intelligible, mais aussi à s'organiser elle-même autant qu'il est possible en une totalité de plus en plus cohérente et systématique. Le retrait du divin se manifeste ainsi par une *sécularisation de l'idée de Dieu au niveau de la théorie de la connaissance*. C'est sur fond d'une telle sécularisation qu'il faut situer la revalorisation de la sensibilité qui va conduire Kant à dévoiler l'autonomie de la sphère esthétique par rapport au monde intelligible.

L'autonomie de l'esthétique

Dans la tradition philosophique platonicienne, mais aussi dans le christianisme, la sensibilité a été systématiquement dévalorisée au profit de l'intelligible. Telle est du moins la thèse soutenue par Nietzsche, parfois avec humour, comme dans ce passage du *Crépuscule des idoles* : « Les sens, qui *d'autre part sont tellement immoraux* [...], les sens nous trompent sur le monde véritable. Morale : se détacher de l'illusion des sens, du devenir, de l'histoire, du mensonge – l'histoire n'est que la foi en les sens, la foi au mensonge. Morale : nier tout ce qui ajoute foi aux sens... » Nietzsche se place ici, pour les tourner en dérision, du point de vue de Socrate et du Christ. Son argumentation contre la philosophie est « généalogique ». Elle suggère, comme on peut le comprendre d'après le passage en italique, que c'est en réalité parce qu'ils craignent la *sensualité* que les philosophes et les moralistes ont condamné la *sensibilité* au nom du primat accordé à l'intelligible. La *Critique de la raison pure* va, sans emprunter cependant la voie de la généalogie, conduire dans l'« Esthétique transcendantale » à une critique du rationalisme leibnizien qui, à bien des égards, annonce la position de Nietzsche.

On a vu comment, selon Leibniz, du point de vue de Dieu, du point de vue, donc, d'un être omniscient, les relations qui, *pour nous, apparaissent* comme *spatio-temporelles* sont en vérité purement logiques et intelligibles. Du point de vue de Dieu, le sensible n'a pas d'existence réelle et l'espace n'est qu'un ordre conceptuel, celui de la cœxistence simultanée des êtres. De même, le temps n'a pour Dieu aucune existence réelle. Il n'est qu'un système de relations logiques, et non chronologiques : celui de la succession des êtres – si le terme de succession possède encore un sens ici (il est difficile de se débarrasser de l'anthropomorphisme). Pour Kant, au contraire, le point de vue de la finitude ne saurait être relativisé par rapport à un entendement divin infini pour la simple et bonne raison que cet entendement n'est qu'un point de vue de la raison humaine, une Idée. Par suite, la caractéristique principale de la connaissance humaine, le fait qu'elle soit toujours liée à la sensibilité, à l'intuition, ne saurait elle non plus être relativisée et, comme telle, dévalorisée. La connaissance sensible, humaine, n'est pas moindre que celle de Dieu : elle est la seule connaissance possible, ce pourquoi justement la connaissance divine, l'entendement infini, est réduit au rang d'une Idée de la raison. On pourrait dire en ce sens que le retrait du divin et la revalorisation de la sensibilité « s'entre-expriment ». On peut partir de l'un pour parvenir à l'autre et réciproquement : c'est parce que la connaissance est toujours liée à l'intuition sensible que la notion d'omniscience est renvoyée à l'ordre de l'illusion métaphysique; et c'est parce que cette notion est renvoyée à l'ordre de l'illusion que la connaissance sensible doit enfin acquérir tous ses titres de légitimité. Comme le souligne Kant, la *Critique de la raison pure* peut se lire dans les deux sens, en allant de l'« Esthétique » à la « Dialectique », ou de la « Dialectique » à l' « Esthétique ». On prêtera donc une attention toute particulière à la façon dont Kant entend démontrer, dans l'*Esthétique transcendantale*, le caractère non conceptuel, sensible et intuitif, des notions d'espace et de temps. Son argumentation, qui vise directement Leibniz et sa réduction de la sensibilité à de l'« intelligible confus », pourrait sembler purement formelle. Elle touche en réalité l'une des questions les plus profondes de l'histoire de la philosophie : celle du statut de l'irrationnel, du non-conceptuel. Elle se divise en deux moments dont on peut indiquer brièvement la signification.

« L'espace n'est pas un concept discursif [...]. En effet, d'abord on ne peut se représenter qu'un seul espace, et quand on parle de plusieurs espaces, on n'entend par là que les parties d'un seul et même espace. Ces parties ne sauraient non plus être antérieures à cet espace unique qui comprend tout, comme si elles en étaient les éléments (et qu'elles puissent le constituer par leur assemblage)[5]. » Ce premier aspect de l'argumentation touche à la fois la nature de la totalité et de la continuité qui caractérisent l'espace (et le temps). Il peut être interprété de la façon suivante : tout concept est toujours une synthèse de propriétés ou d'éléments qui lui pré-existent; en lui, la totalisation et la continuité sont obtenues par addition des parties. A l'inverse, pour l'espace et le temps, c'est la totalité et la continuité qui précèdent les parties, puisque, pour reprendre le vocabulaire de Husserl, les parties de l'espace sont pensées sur l'*horizon* d'une totalité insaisissable, comme des limitations postérieures à cette totalité.

Le second moment de l'argumentation vient pour ainsi dire en complément. Il tient en une formule : « L'espace est représenté comme une grandeur infinie donnée[6] », ce qui suffit à prouver son caractère non conceptuel : en effet, aucun concept ne contient dans sa compréhension même la mesure de son extension. La définition du concept de table ne nous indique pas le nombre de tables existant dans le monde. En revanche, la représentation de l'espace est liée à l'idée de l'infinité de ses parties. Bien plus, cette infinité de l'espace est première, par rapport aux parties que l'on « découpe sur elle ».

Cette argumentation qui amènera Kant à remettre en question la formulation leibnizienne du principe des indiscernables conduit à introduire l'irrationalité (la non-conceptualité) au cœur de la connaissance humaine : ce qui est hors du concept, ce qui échappe radicalement à toute tentative de rationalisation, voire d'explication, c'est le fait que les choses nous soient *données hic et nunc*, dans l'espace et dans le temps. Cette thèse fera son chemin dans la phénoménologie de Husserl et de Heidegger : elle remet en question, affirmant l'autonomie du sensible par rapport au concept, les présupposés les plus fondamentaux de la métaphysique traditionnelle.

Criticisme et phénoménologie

Le lien qui unit ici la tradition phénoménologique à la philosophie critique peut être utilement précisé : il permettra de mieux situer la portée de l'esthétique kantienne dans l'histoire générale de cette liaison entre l'autonomisation du sensible et le retrait de la figure métaphysique du divin.

Dans *Qu'est-ce que la métaphysique?*, Heidegger distingue et oppose en effet deux notions différentes de la totalité de l'étant. S'interrogeant sur la signification du néant, entendu comme « négation radicale de la totalité de l'étant[7] », Heidegger remarque que la notion de « totalité de l'étant » soulève une difficulté particulière : « Comment nous, êtres finis, rendrons-nous accessible en soi et en même temps à nous l'ensemble de l'étant en sa totalité? Tout au plus pouvons-nous penser dans son " Idée "? l'ensemble de l'étant... » La totalité de l'étant apparaît donc accessible seulement sur le mode de l'imaginaire, seulement sur le mode de l'« Idée ». Heidegger utilise ici le terme « Idée » en son sens kantien : une « pensée » de la totalité qui ne peut jamais devenir une « connaissance », qui ne peut jamais être « présentée ». Ainsi, la négation d'une telle totalité idéelle ne nous met pas en présence du Néant, mais seulement en présence d'un néant lui-même imaginé ou idéel : « De cette manière, nous atteignons bien le concept formel du néant imaginé, mais jamais le Néant lui-même[8]. »

Heidegger ne développe pas ici les raisons pour lesquelles la totalité de l'étant n'est accessible que sur le mode de l'Idée. Il indique seulement qu'il en est ainsi pour nous, « êtres finis ». Il précise cependant qu'il est une autre façon de saisir la totalité : elle consiste à « se sentir placé au milieu de l'étant en son ensemble » : « Finalement, une différence essentielle existe entre saisir l'ensemble de l'étant en soi et se sentir au milieu de l'étant en son ensemble. » C'est là une allusion à la notion d'« être-dans-le-monde » développée dans *Être et Temps* : nous nous sentons au milieu de l'étant en son ensemble lorsque nous voyons que chaque chose se donne sur un fond, et ce fond lui-même sur un autre fond, de telle sorte que, de fond en fond, d'horizon en horizon, il est impossible de remonter jamais à un fondement ultime et dernier. C'est dans ce processus que nous faisons l'expérience du Néant, expérience qui est celle de l'angoisse, ce sentiment non psychologique de la radicale contingence de l'étant : « Dans ce recul de l'étant en son ensemble [...] il ne reste rien comme appui. Dans ce glissement de l'étant, il ne reste, il ne nous survient que ce rien[9]. » C'est donc en vertu d'une certaine saisie de la totalité que nous éprouvons le sentiment de l'angoisse, de la finitude, du Néant, du non-étant, c'est-à-dire de l'Être. Mais en même temps nous comprenons pourquoi la saisie de l'ensemble de l'étant en soi ne peut se faire pour nous, « être finis », que par une Idée. C'est en effet la deuxième saisie de la totalité de l'étant (le « se sentir au milieu de l'étant en son ensemble ») qui empêche la première d'être autre chose qu'une Idée (au sens kantien).

Que ces deux notions de totalité soient empruntées à Kant, c'est ce dont on peut se convaincre aisément si l'on se souvient, d'une part de ce que Kant entend par Idée, d'autre part des définitions de l'espace et du temps comme « grandeurs infinies données ». Dans les *Prolégomènes*, Kant a affirmé avec une grande netteté la thèse selon laquelle « la totalité de toute expérience possible n'est pas elle-même une expérience », mais cependant pour la raison « un problème (*Aufgabe*) nécessaire dont la simple représentation exige des concepts tout différents de ces concepts purs de l'entendement ». Ce que l'Idée représente ne peut jamais être donné dans l'intuition; elle est donc définie négativement comme « concept nécessaire de la raison auquel aucun objet adéquat ne peut être donné dans les sens ». Considérées positivement, les Idées n'indiquent qu'un « problème », une tâche (*Aufgabe*); c'est en cela qu'elles ont un usage régulateur qui vise à la constitution d'un système défini comme « unité de diverses connaissances sous une Idée[10] ». Les idées transcendantales tendent donc à la constitution d'un système de l'expérience. Elles y invitent en quelque sorte l'entendement. Cette totalité systématique qui serait constituée par l'addition successive des étants construits par la science reste elle-même toujours une Idée, c'est-à-dire une « tâche » à accomplir ou, comme le dira la troisième *Critique*, un « principe de la réflexion ».

Mais il existe encore une autre saisie de la totalité : celle qui est visée dans la définition de l'espace et du temps comme « grandeurs infinies données ». Dans le chapitre de la *Critique de la raison pure* intitulé « De l'amphibologie des concepts de la réflexion », l'espace et le temps sont en outre *répertoriés* comme des formes du *néant* (*ens imaginarium*). Ils ne sont rien en effet, au regard de la conscience, et cela pour une raison simple : pour qu'il y ait conscience, il faut qu'il y ait synthèse, donc application des catégories. Or cela ne peut se faire que si un contenu est déjà donné dans les intuitions. L'espace et le temps purs ne sont donc jamais perçus en eux-mêmes, mais seulement à l'occasion d'un contenu déjà situé en eux. Ainsi, l'espace et le temps, comme horizons qui débordent la représentation, sont des néants qui pourtant, dit Kant, sont « quelque chose » : l'espace et le temps purs « tout en étant quelque chose en qualité de formes de l'intuition ne sont pas eux-mêmes des objets de l'intuition ».

Cette définition de l'espace vide comme néant permet de mieux comprendre la notion de grandeur infinie donnée. Elle ne signifie nullement que l'espace soit donné en totalité, avec son infinité, *dans une représentation*. Kant est formel sur ce point lorsqu'il écrit, dans un texte dirigé contre Eberhard, qu'il est impossible de « surplomber l'espace infini donné en entier, de rassembler jamais en notre représentation ce qui ne cesse jamais, comme quelque chose qui cesse quelque part. [...] L'entendement, aussi peu que la sensibilité, ne peut embrasser l'infini ». Que l'espace soit une grandeur infinie donnée, cela signifie donc seulement qu'il déborde toujours déjà toute représentation et que, comme tel, en tant que débordant, il est ce néant qui pourtant est « quelque chose ». *Cela revient à dire que notre finitude est elle-même illimitée, que nous sommes infiniment finis.* Si l'espace est une totalité infinie donnée (c'est-à-dire non constituée par addition de parties), il ne tombe jamais dans une représentation mais bien plutôt déborde toute représentation. Ce « débordant » est appelé par Kant « néant », et ce néant est lui-même la marque illimitée de notre finitude. La totalité que vise en revanche l'Idée tombe bien dans une représentation, mais elle n'est jamais « donnée » : elle est seulement « pensée », et non « connue », puisqu'elle ne représente au fond qu'une tâche, qu'une invitation à additionner indéfiniment les étants que construit la science.

Ces deux conceptions de la totalité ne sont pas sans lien, et l'on pourrait même dire que l'une contraint l'autre à n'être qu'une Idée. En effet, s'il est impossible de « surplomber » l'espace, de l'enfermer dans une représentation qu'il précède toujours, la réalisation d'un système achevé de l'expérience est elle aussi à jamais impossible. Ces « néants » que sont les formes *a priori* de la sensibilité garantissent toujours une extériorité irréductible par rapport à la représentation et, comme tels, ils résistent à toute tentative de clôture d'un système de l'expérience.

La solution de l'antinomie du goût : de l'individu au sujet

Cette relation de la finitude à l'Idée rationnelle du système éclaire singulièrement la solution que Kant entend apporter, dans la *Critique de la faculté de juger*, à l'antinomie du goût. Le rationalisme classique et l'empirisme sensualiste présentent, bien que pour des motifs inverses, un même défaut : tous deux conduisent à fonder le « sens commun » qui se crée autour de l'objet beau, de façon telle que la subjectivité se trouve pour ainsi dire *réifiée* et, par là même, niée. La personnalité propre à l'auteur d'un jugement de goût se dissout, chez les classiques, dans une raison universelle qui se comporte de façon dogmatique à l'égard du particulier. Chez les empiristes, la particularité des sujets semble bien, dans un premier temps, préservée; mais l'intersubjectivité est finalement réduite à un principe purement *matériel*, à l'idée d'une structure psychique et organique commune à une espèce d'individus. L'expérience esthétique ne requiert dès lors plus rien qui soit spécifiquement humain, le Beau n'est qu'une variété de l'agréable, et l'art culinaire le modèle de l'esthétique en général.

La question que soulève l'antinomie du goût est la suivante : comment maintenir l'*idée* d'une possible universalité du goût sans que le principe de ce sens commun soit négateur de la subjectivité conçue en un sens non métaphysique, non « anthropologique », comme humanité de l'homme[*]? En d'autres termes : comment penser l'intersubjectivité esthétique sans la fonder ni sur une raison dogmatique ni sur une structure psycho-physiologique empirique? Et inversement : comment maintenir la particularité absolue du goût sans céder à la formule : « à chacun son goût », et détruire ainsi la prétention à l'universalité en l'absence de laquelle la simple discussion esthétique perdrait toute signification? « Là où il est permis de discuter on doit aussi avoir l'espoir de s'accorder... »

Le rationalisme et l'empirisme reposent tous deux sur une conception réifiante de la subjectivité; tous deux pensent le *cogito* de façon monadique, comme une *chose* repliée sur elle-même – par où ils conduisent, dans un premier temps, au solipsisme et recourent, en dernière instance, à l'idée d'une harmonie préétablie (harmonie des esprits ou des corps) pour résoudre le problème de l'intersubjectivité. C'est la logique de cette solution qu'il s'agit d'abolir par la mise en œuvre d'une pensée inédite du sujet qui a nom, chez Kant, *Réflexion*, et qui se trouve déjà impliquée dans la distinction du jugement déterminant et du jugement réfléchissant sur laquelle repose tout entière la théorie esthétique développée dans la troisième *Critique*[11] : « La faculté de juger en général est la faculté qui consiste à penser le particulier comme compris sous l'universel. Si l'universel (la règle, le principe, la loi) est donné, alors la faculté de juger qui subsume sous celui-ci le particulier est

* Je reviendrai sur ce caractère non « anthropologique » de l'humanité de l'homme à la fin de ce chapitre.

déterminante [...]. Si seul le particulier est donné, et si la
faculté de juger doit trouver l'universel (qui lui correspond), elle est simplement réfléchissante[12] » : c'est en ces
termes que Kant opère le partage entre le jugement de
connaissance, jugement déterminant, et le jugement de
goût, jugement réfléchissant. Par cette simple distinction,
Kant se situe déjà à l'opposé du classicisme rationaliste qui
confond jugement esthétique et jugement de connaissance.
Il tient pour impossible l'établissement d'un « art poétique » qui serait une véritable science de la production du
Beau. C'est donc la notion de réflexion qu'il faut préciser,
puisque c'est en elle que se situe clairement l'originalité de
la position kantienne.

Le terme de réflexion – univoque chez Kant tant dans la
Critique de la raison pure que dans la *Critique de la faculté
de juger* – désigne très généralement une activité intellectuelle qui se caractérise par cinq moments. Un bref
exemple[13] pourra servir ici d'illustration et préparer l'analyse du jugement esthétique. Pour forger le concept empirique d'un ensemble d'objets qui nous sont inconnus – par
exemple une variété d'arbres non encore répertoriée – il
faut procéder à un classement. En comparant des ressem-
blances, en faisant abstraction de différences qu'on juge
inessentielles, on parviendra à regrouper sous une classe
commune les objets considérés et à créer ainsi un concept
empirique auquel on pourra attribuer un nom. Dans cette
opération simple, les cinq moments constitutifs de la
réflexion – du jugement réfléchissant – sont déjà présents :

1. Tout d'abord, l'activité de réflexion procède clairement du particulier à l'universel (des individus à la classe
générale).

2. Le général (ou l'universel) n'est pas donné *avant*
l'activité de réflexion, mais seulement *après* et *par* elle – ce
en quoi le jugement réfléchissant s'oppose au jugement
déterminant qui va d'un universel qu'on possède vers le

particulier, et ne constitue ainsi qu'une *application* de l'universel.

3. Bien que le général ne soit pas donné comme concept ou comme lois *déterminés* au départ de l'opération réflexive, il existe pourtant un horizon d'attente *indéterminé* qui sert de fil conducteur ou, selon la formule de Kant, de *principe* à la réflexion : dans l'exemple choisi, ce principe nous est fourni par la logique des classes. Il consiste dans l'*espérance* ou dans l'exigence que le réel va se laisser classer et se conformer ainsi au logique. L'universel existe donc, non comme *concept*, mais à titre d'*Idée*, c'est-à-dire de principe *régulateur* pour la réflexion.

4. Cette opération suppose implicitement qu'il est parfaitement *contingent* que le réel corresponde ou non aux impératifs de la rationalité logique que nous ne lui imposons pas, mais lui soumettons seulement : rien n'interdit de penser que le réel pourrait ne pas satisfaire nos exigences subjectives de systématicité logique, de sorte que nous ne parviendrions à constituer ni genres ni espèces. Nier cette proposition reviendrait à postuler *a priori* la rationalité du réel et, en dernière instance, à redonner une objectivité à l'idée d'un point de vue divin à partir duquel le monde serait intégralement intelligible.

5. L'activité de réflexion s'avère être ainsi à la source d'une satisfaction que Kant nomme *esthétique* et qui renvoie à la notion de finalité : c'est parce que le réel, après la déconstruction de la métaphysique et de l'argument ontologique, apparaît radicalement comme contingent au regard de nos exigences de rationalité, que le sujet réfléchissant peut éprouver un plaisir lorsque, sans garantie aucune, il constate l'accord du réel avec ses exigences. Ces cinq moments de l'activité réfléchissante vont constituer la structure intime du jugement de goût. Comme dans l'opération qui préside à la formation des concepts empiriques, c'est l'Idée de système, l'Idée d'un monde intégralement intelligible, celui-là même qui apparaîtrait au regard de Dieu, qui va servir de principe à la réflexion esthétique.

Telle est la raison pour laquelle la définition kantienne de
l'objet beau comme objet réconciliant la nature et l'esprit
annonce les théories romantiques. Le lien entre l'idée de
système comme principe de la réflexion et la définition du
beau comme réconciliation de la sensibilité et de l'intelligence peut être brièvement énoncé : malgré la mise en
évidence du caractère illusoire de l'Idée de Dieu, cette Idée
continue de jouer un rôle régulateur pour toute activité
intellectuelle. Elle signifie l'exigence, inaccessible mais
continuellement présente, d'une rationalisation parfaite du
réel, donc d'une subsomption complète de la *matière
sensible* de la connaissance sous la *forme intelligible* (la
structure catégoriale). En termes clairs : conformément à la
philosophie de Leibniz, si nous pouvons nous placer du
point de vue de Dieu, il n'y aurait plus pour nous de
distinction entre le sensible et l'intelligible, l'intuition et le
concept, le particulier et l'universel, la nature et l'esprit,
etc. Qu'un tel point de vue ne puisse être le nôtre, bien
plus, qu'il ne puisse relativiser le point de vue fini de
l'homme, c'est là ce qui résulte de son statut purement
idéel. Reste que, à titre de simple exigence de la raison,
l'Idée de Dieu ou l'Idée de système peut être parfois, sinon
intégralement « remplie » (« présentée » dit Kant), du
moins partiellement ou « symboliquement » évoquée par
certains objets. Le Beau est justement l'un de ces objets :
en tant qu'il est réconciliation *partielle* de la nature et de
l'esprit, de la sensibilité et des concepts, il fonctionne
comme une *trace* contingente – dépendante du réel lui-
même – de cette Idée nécessaire de la raison. Les cinq
moments de la réflexion seront donc présents dans le
jugement de goût qui procède 1° du particulier (l'objet
beau) vers l'universel (l'exigence d'une union parfaite du
sensible et de l'intelligible); 2° sans concept déterminé
(cette exigence n'indique rien qui puisse fournir la matière
d'un « art poétique »); 3° seule l'Idée de Dieu ou de
système jouant ici le rôle de principe pour la réflexion;
4° l'existence de l'objet beau étant contingente par rapport

à cette idée; 5° l'accord, lui aussi contingent, du réel particulier avec l'exigence universelle de systématicité engendrant un plaisir esthétique.

La solution de l'antinomie du goût trouve ici son explication et sa signification. Contrairement à ce qu'affirme le rationalisme classique, le jugement de goût ne se fonde pas sur des concepts (des règles) *déterminés* : il est donc impossible d'en « *disputer* » comme s'il s'agissait d'un jugement de connaissance scientifique. Pour autant, il ne se borne pas à renvoyer à la pure subjectivité empirique du sentiment parce qu'il repose sur la présence d'un objet qui, s'il est beau (ce qu'on admettra par hypothèse), éveille une idée nécessaire de la raison qui, en tant que telle, est *commune* à l'humanité. C'est donc par référence à cette idée indéterminée (elle commande seulement la réconciliation du sensible et de l'intelligible sans dire précisément en quoi peut consister cette réconciliation) qu'il est possible de « *discuter* » du goût et *d'élargir la sphère de la subjectivité pure pour envisager un partage non dogmatique de l'expérience esthétique avec autrui en tant qu'il est un autre homme.*

Science et beauté : la fin de l'idéal classique d'une objectivité du goût

La différence exacte entre le jugement de connaissance (jugement déterminant) et le jugement de goût (jugement réfléchissant) doit donc être précisée afin qu'apparaisse le fondement ultime de la distinction qu'opère la solution de l'antinomie entre une *disputatio* où la particularité subjective s'annule dans une rationalité impérieuse et la *discussion* où cette même particularité, tout en se maintenant comme particulière, vise cependant à s'*élargir* jusqu'à prétendre, sans démonstration, sans passer par la médiation d'un concept, à l'universalité.

Considérons d'abord le cas d'un jugement qui vise

l'objectivité scientifique. Dans la philosophie précritique, et singulièrement dans le cartésianisme, le problème de l'objectivité se pose selon Kant dans les termes suivants : demander si nos représentations des objets sont « vraies », c'est essayer de savoir si elles sont *adéquates* à l'objet tel qu'il existe en soi, hors de ma représentation. Si l'on y réfléchit soigneusement, on percevra que, formulé en ces termes, le problème de l'objectivité est *a priori* insoluble : je ne puis par *définition* jamais savoir ce que l'objet est *en soi*, hors du regard que je jette sur lui. Par *définition*, l'objet que je considère est toujours un objet *pour moi*, un objet de *ma* représentation et il faudrait, pour savoir ce que cet objet est en soi, que je puisse pour ainsi dire sortir de ma conscience – ce qui, bien sûr, est impossible. Dans les philosophies précritiques, dans les philosophies qui conçoivent le *cogito* comme un sujet clos sur sa conscience, comme une monade prisonnière de ses représentations, la position même du problème de l'objectivité ne peut selon Kant que conduire à des fausses solutions : l'une consiste à faire intervenir Dieu (garantie divine ou harmonie préétablie) pour qu'il assure le passage entre l'objet pour nous et la chose en soi (ou ce que l'on désigne comme tel). La seconde est le scepticisme dont la philosophie de Berkeley fournit l'illustration spectaculaire. Bref : soit l'on fonde l'intersubjectivité sur l'intervention dogmatique d'un *Deus ex machina*, soit l'on renonce à l'objectivité pour accepter le relativisme total ou, comme on dit à l'époque de Kant, l'« égoïsme » philosophique.

A bien des égards, on le voit, l'antinomie du goût reproduit cette structure. Selon la *Critique de la raison pure*, il faut donc opérer une « réfutation de l'idéalisme », dépasser le point de vue des *cogito* dogmatiques ou sceptiques et définir l'objectivité indépendamment des notions d'*intériorité* et d'*extériorité* auxquelles renvoient implicitement les conceptions monadiques du sujet. L'objectivité, dans la philosophie critique, ne désignera plus ce qui est *extérieur* à la représentation mais le caractère universellement valable* de propositions qui opèrent l'*association* ou la *synthèse* des représentations. Le subjectif et l'objectif s'opposeront dès lors comme une association de représentations valables seulement pour moi et une association de représentations valables universellement (*par quoi l'intersubjectivité se trouve définitivement installée au cœur de l'objectivité*). C'est *au sein même des représentations*, ou plus exactement des synthèses de représentations, et non plus en référence à une « chose en soi » extérieure, qu'il faudra distinguer entre celles qui sont valables seulement pour moi (subjectives) et celles qui sont universellement valables (objectives).

Il s'agit donc, pour reprendre la formule husserlienne, de fonder la « transcendance » (l'objectivité, l'intersubjectivité) au sein de l'« immanence » (sans « sortir » des représentations). C'est une telle transcendance que vise le jugement scientifique déterminant. Examinons l'exemple d'un jugement énonçant une relation causale entre deux phénomènes. Deux éléments entrent en jeu qui permettent selon Kant de prétendre à l'objectivité dans la *liaison* de l'effet à la cause :

– On doit d'abord posséder une règle universelle (le jugement déterminant procède de l'universel au particulier) : en l'occurrence, il s'agit du principe de causalité selon lequel tout effet possède nécessairement une cause.

– Mais pour être véritablement scientifique – et non seulement métaphysique – cette loi doit également indiquer un critère d'application aux phénomènes. Comme les phénomènes sont tous situés dans le temps, le principe de causalité s'appliquera à toute succession dont on peut montrer dans une expérience, en isolant des variables, qu'elle est *irréversible*.

---

* On pourrait, semble-t-il, faire remonter déjà une telle définition de l'objectivité à Leibniz. Ce serait oublier que la démonstration de l'existence de Dieu requiert en un sens un saut hors de la représentation, une croyance en l'en-soi.

Si j'applique cette loi en suivant ce critère, je ne puis associer « librement » n'importe quel phénomène à n'importe quel autre. Ou plus exactement : si j'associe mes représentations sans tenir compte de la loi et de son critère, les associations que je produirai n'auront aucune objectivité et resteront purement subjectives.

On distinguera donc, au niveau de la philosophie théorique, deux types d'associations : celles, purement empiriques, qui n'ont qu'une signification subjective, et celles, objectives, qui supposent l'intervention d'un concept, c'est-à-dire d'une règle de synthèse à la fois déterminée et déterminante. Si, par exemple, je regarde le mur qui est devant moi en tournant la tête de gauche à droite, je puis avoir, au niveau purement subjectif de la perception, le sentiment que le mur « existe de gauche à droite ». Mais il est clair qu'une proposition fondée sur un tel sentiment n'a aucune objectivité et que, en vérité, les parties du mur existent de façon « simultanée », qu'il me faut donc les « poser ensemble », les « synthétiser » pour dépasser ma perception particulière et parvenir à l'objectivité.

Le fonctionnement du jugement de goût doit être décrit par rapport à ces deux types d'associations (l'association empirique subjective, l'association conceptuelle objective). Il participe en effet de l'une et de l'autre sans pourtant se confondre avec aucune des deux. Selon l'analyse développée dans la troisième *Critique*, le sentiment de la beauté et le plaisir esthétique qui l'accompagne naissent d'une « libre » association de l'imagination : à l'occasion de la perception d'un objet beau, l'imagination, la « plus puissante faculté *sensible* », associe des images sans que leur liaison soit aucunement réglée par un concept. De ce point de vue, le jeu imaginaire se rapproche davantage d'une association empirique subjective que d'une synthèse réglée des intuitions visant à produire un jugement scientifique. Mais bien que ce jeu soit pleinement libre en ce qu'il n'obéit à aucune règle, tout se passe cependant *comme s'il* suivait une certaine « logique », comme s'il existait, selon la **formule** même de Kant, une « légalité du contingent », une **légalité** sans concept : dans la musique, l'art qui semble **pourtant** le plus éloigné de la sphère théorique (parce **qu'il ne** présente aucune analogie avec la vision), les sons **et les** associations d'images qu'ils suscitent en nous paraissent s'organiser, se structurer comme s'ils avaient un sens, comme s'ils voulaient dire quelque chose (ce qui fait que la musique peut si aisément, sans que nous comprenions pourquoi, « traduire des sentiments »). De ce point de vue, le jeu de l'imagination, bien qu'il reste purement dans l'ordre de la sensibilité et ne recoure à aucun concept pour régler son organisation, se structure malgré tout *comme s'il* pouvait satisfaire de lui-même aux exigences de règles qui sont celles d'un jugement de connaissance.

Il y a ainsi un accord libre et contingent de l'imagination et de l'entendement, accord totalement imprévisible et

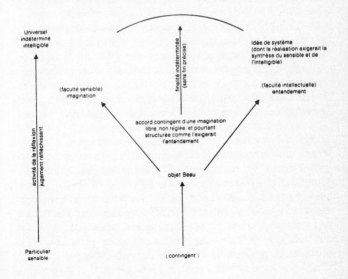

non maîtrisable – ce pourquoi il ne saurait y avoir d'art poétique ni de science du Beau en quelque sens que ce soit. Et c'est cet accord des facultés sensibles et intellectuelles qui fonctionne à son tour, dans un second temps, comme une trace *symbolique*, comme un début de réalisation des Idées de la raison dont on a vu que, pour être « présentées », elles devaient réaliser une réconciliation parfaite du sensible et de l'intelligible correspondant au point de vue qu'un entendement divin aurait sur le monde – ce qu'on pourrait représenter par le graphique de la page 131.

Dans le mouvement de la réflexion qui s'élève du particulier à l'Idée indéterminée, les deux moments extrêmes sont l'essentiel : si l'objet beau *particulier* ne suscitait pas de façon *contingente* l'accord des facultés qui est requis par l'Idée de système, si cet accord était produit de façon artificielle et volontariste, l'exigence de systématicité comprise dans l'Idée de Dieu entendue comme principe régulateur de la réflexion ne serait en rien satisfaite. La satisfaction provient en effet du sentiment de la finalité que suscite en nous l'objet beau en tant qu'il est extérieur à nous et contingent au regard de nos principes, tout se passant *comme s'il* n'existait que pour satisfaire de lui-même notre exigence de rationalité (de réconciliation du sensible et de l'intelligible). Ce qui plaît ici, c'est le fait que le *réel* vienne, *sans notre intervention*, satisfaire des exigences pourtant toutes subjectives. La Beauté naturelle devra donc être tenue pour le modèle de la beauté artistique (ce qui fait la profondeur, j'y reviendrai, de la théorie kantienne du génie). D'un autre côté, si les Idées de la raison, bien qu'*indéterminées*, n'étaient point supposées *communes à l'humanité*, l'objet beau, en éveillant ces idées, ne susciterait pas un sens commun, pas même le projet, en cas de différend, de discuter du goût, parce que, pour discuter, « il faut avoir au moins l'espoir de s'accorder »...

Une pensée inédite du sujet :
la réflexion et le sens commun

Contingence de la beauté, universalité de l'horizon d'attente sur lequel se fonde le jugement de goût, tels sont les deux termes entre lesquels se meut la réflexion. Nous avons vu comment, d'un point de vue logique, l'activité réflexive résidait d'abord dans la comparaison, selon les concepts d'identité et de différence, des éléments qui composent les genres et les espèces. Cette acception du mot, qui remonte à la psychologie wolffienne[14], trouve son prolongement dans une théorie du *Witz*, de « l'esprit », entendu comme la capacité d'établir des rapports imprévus entre des éléments apparemment éloignés ou fort différents[15]. Mais à cet « élargissement de l'objet », comme dit Kant, correspond aussi un « élargissement du sujet » par lequel ce dernier cesse de se contenir dans les bornes étroites de l'égoïsme monadique pour accéder à la sphère du « sens commun » : « Sous cette expression de *sensus communis*, on doit comprendre l'idée d'un sens commun à tous, c'est-à-dire d'une faculté de juger qui, dans sa réflexion, tient compte en pensant du mode de représentation de tout autre homme afin de rattacher pour ainsi dire son jugement à la raison humaine tout entière et échapper, ce faisant, à l'illusion résultant des conditions subjectives et particulières[16]... » De là la maxime fondamentale de la faculté de juger réfléchissante, la maxime de la « pensée élargie » : « Penser en se mettant à la place de tout autre[17]. »

C'est en ce point de l'argumentation kantienne que s'achève la solution de l'antinomie du goût et il faut préciser la nature exacte de ce qui tout à la fois rapproche, mais aussi sépare radicalement Kant des deux points de vue constitutifs de l'antinomie. Dans le rationalisme dogmatique comme dans l'empirisme, ce n'est pas à proprement parler le sens commun qui est visé. L'œuvre d'art

recherche bien dans le premier cas une universalité fondée
en *raison*, et dans le second, malgré un relativisme de
principe, elle peut accéder, comme chez Hume, à une
généralité fondée empiriquement, à un accord résultant de
la *sympathie* entendue au sens propre, comme le *fait* de
subir en commun le même sentiment. A certains égards, la
position de Kant peut *sembler* proche du rationalisme et de
l'empirisme : n'est-ce pas, dans le passage même qu'on
vient de lire, par une référence toute « classique » à « la
raison humaine tout entière », que le sens commun est
fondé? Et par ailleurs, ce *sens* commun n'est-il pas, comme
l'indique suffisamment l'expression, une affaire de *sensibilité*, de *sentiment?* Malgré l'apparence, la différence entre
la position kantienne et le rationalisme classique est fondamentale : si c'est bien en référence à la raison que se
conçoit l'élargissement de la réflexion qui engendre un sens
commun, la raison dont il s'agit n'est plus la raison
déterminante des cartésiens, mais l'*Idée indéterminée* d'un
accord de l'imagination sensible et de l'entendement, Idée
qui n'est elle-même évoquée que de façon contingente et
imprévisible par l'émergence de la beauté naturelle ou
géniale. Le beau reste donc bien, au premier chef, affaire
de sentiment et de sensibilité. Mais là encore, contrairement à ce qui a lieu dans l'empirisme, il faut soigneusement éviter de confondre le sentiment et la sympathie,
comme nous y invite une importante *Réflexion* de Kant :
« Cette propriété qu'a l'homme de ne pouvoir juger le
particulier que dans l'universel est le sentiment. La sympathie en est tout à fait distincte : elle ne concerne que le
particulier, même s'il s'agit du particulier en autrui (*Sie
geht bloss auf das Particulare, obgleich an anderen*) »[18];
dans le cas de la sympathie, « on ne se situe pas dans l'Idée
du tout, mais à la place des autres » comme êtres
simplement empiriques et non comme humanité en général. Dans l'esthétique empiriste, le sens commun reste une
simple généralité factuelle donc, *en droit*, seulement particulière (liée aux particularités psychologiques et physiolo-

giques de cette espèce animale elle-même particulière qu'est l'humanité).

Il faut dès lors rejeter la sympathie tout autant que la raison dogmatique lorsqu'il s'agit de réfléchir sur les conditions transcendantales de possibilité d'un sens commun esthétique réellement inter-*subjectif* : dans le rationalisme aussi bien que dans l'empirisme, le fondement du « sens commun » n'est pas en vérité un fondement de l'intersubjectivité puisqu'il annule l'idée même de subjectivité, résorbée dans un cas au profit d'un universel impersonnel et, dans l'autre, au profit d'une structure simplement matérielle, qui tous deux excluent la possibilité même de la discussion. Car la discussion, et avec elle toute *critique* (y compris bien sûr la critique d'art), suppose tout à la fois l'admission d'un point de vue commun, et le fait que ce point de vue n'est pas *conceptuel*, mais indéterminé, soit : *la liaison d'un sentiment particulier et d'une Idée universelle opérée par la réflexion en vue d'établir une communication directe entre les individus, un sens commun non conceptuellement fondé.*

« *Sensus communis* » ou « *différend* »

Contre une telle interprétation de la *Critique de la faculté de juger*, on a parfois objecté que « loin de permettre une " communication directe ", l'exercice du jugement réfléchissant éveille plutôt le sentiment d'une communauté promise et toujours différée », que le jugement réfléchissant, à défaut de trouver son achèvement dans une philosophie du « sens commun » et de l'intersubjectivité, esquisse tout à l'inverse une « démarche inventive qui, sur la trace de l'inconnu, de l'inacceptable, brise avec les normes constituées, fait éclater les consensus, ravive le sens du différend [19] ».

Cette objection, qui se veut d'inspiration phénoménologique et renvoie volontiers à la lecture heideggérienne de

Kant, repose en vérité sur un malentendu, qu'on peut aisément lever, et sur une erreur qui hypothèque en son principe toute interprétation de la troisième *Critique* qui viserait à n'y trouver qu'une philosophie du « différend ».

Le malentendu porte sur la notion de « communication directe » : l'expression ne signifie nullement, comme le suggère l'objection, que le jugement de goût ferait l'objet d'un consensus *instantané* et *facile* entre les individus. Faut-il rappeler encore la formule de Hume? « La grande variété de goûts aussi bien que d'opinions qui prévaut dans le monde est trop évidente pour n'être pas tombée sous l'observation de tous. Des hommes au savoir le plus borné sont capables de remarquer une différence de goûts même dans le cercle étroit de leurs connaissances. » On ne saurait mieux dire : l'insistance sur le « différend » en général est une banalité, mais en matière de goût elle devient si triviale qu'on a peine à comprendre qu'elle puisse faire l'objet d'une passion philosophique. Lorsque j'évoque l'idée d'une communication *directe* ou *immédiate*, c'est évidemment, non pour nier en quelque façon l'existence, effectivement « incontournable », d'un différend en l'absence duquel il n'y aurait pas même de *discussion* esthétique, mais pour signifier qu'à l'opposé de ce qui a lieu dans les domaines de l'éthique et de la science, l'intersubjectivité esthétique ne passe pas par la *médiation* d'une loi ou d'un concept déterminés, *comme ne cesse de le rappeler Kant lui-même de la façon la plus explicite* : « Celui qui juge avec goût peut [...] admettre que son sentiment est communicable universellement *sans la médiation des concepts* » (§ 39); il y a ainsi dans le jugement de goût une « communicabilité universelle de la sensation (de satisfaction ou d'insatisfaction) *qui se réalise sans concept* » (§ 17); et encore : « On pourrait même définir le goût par la faculté de juger ce qui rend notre sentiment procédant d'une représentation donnée universellement *communicable sans la médiation d'un concept* » (§ 40), etc. A moins de nier l'existence de ces

textes – et, avec eux, de la thèse centrale de l'esthétique
kantienne –, je vois mal comment on pourrait considérer le
fait de parler, à propos de la communication esthétique,
d'une communication « immédiate » ou « directe » comme
« le plus grave des contresens commis par les néo-
kantiens[20] ».

Allons plus loin : Kant reprend ici, sur le plan esthétique, l'opposition célèbre que Rousseau élaborait dans la
Lettre à d'Alembert, entre *le Théâtre*, symbole de la
monarchie, de cette communication indirecte qui passe par
l'intermédiaire de la scène, et *la fête*, symbole de la
démocratie, de cette communication directe où l'œil des
spectateurs ne s'oriente pas vers un objet extérieur, mais
où ils forment eux-mêmes, les uns pour les autres, le
spectacle : « N'adoptons point, écrivait Rousseau, ces
spectacles exclusifs qui renferment tristement un petit
nombre de gens dans un antre obscur, qui les tiennent
craintifs et immobiles dans le silence et l'inaction [...]. Non,
peuples heureux, ce ne sont pas là vos fêtes! C'est en plein
air, c'est sous le ciel qu'il faut vous rassembler et vous
livrer au doux sentiment de votre bonheur [...]. Mais quels
seront enfin les objets de ces spectacles? Qu'y montrera-
t-on? *Rien si l'on veut.* Avec la liberté, partout où règne
l'affluence, le bien-être y règne aussi. Plantez au milieu
d'une place un piquet couronné de fleurs, rassemblez-y le
peuple, et vous aurez une fête. Faites mieux encore :
donnez les spectateurs en spectacle, rendez-les acteurs
eux-mêmes; faites que chacun se voie et s'aime dans les
autres, afin que tous en soient mieux unis. » Voilà très
exactement le thème que Kant, *mutatis mutandis*, transpose
dans la troisième *Critique* et qui fonde une pensée esthétique de l'espace public comme espace intersubjectif de libre
discussion non médiatisée par un concept, une règle – ce
qui ne signifie nullement, on le voit, je ne sais quelle
« abolition du différend », mais, tout à l'inverse, *l'articulation du différend avec l'idée de sens commun.*

C'est à propos de cette *articulation*, qui fait tout l'intérêt de la troisième *Critique* et la distingue radicalement d'une triviale philosophie de la différence, qu'il faut se garder de commettre une erreur trop souvent reçue comme une évidence : s'il est clair que l'idée d'une « communauté idéale », d'une réconciliation parfaite des individus au sein d'une communication sans distorsion, reste évidemment ce qu'elle est, c'est-à-dire une Idée, il serait tout à fait contraire à l'esprit et à la lettre de l'esthétique kantienne de penser que le sens commun n'est qu'un horizon de part en part idéel. La question du statut du sens commun est en effet infiniment plus complexe que ne le suggère la thèse selon laquelle il s'agirait seulement d'une « communauté fragile et toujours différée ».

S'il s'agit de signifier par là que la discussion esthétique vise un accord très hypothétique, que nos goûts ne se partagent pas forcément, etc., nous retombons dans l'indéniable banalité. Mais si l'on veut dire que le sens commun n'a de statut qu'idéel, on commet une erreur grave sur la nature du lien qui unit la raison et l'empirique : *l'Idée* d'intersubjectivité parfaite est un *sens commun* qui, *de facto*, atteint parfois une impressionnante généralité à laquelle la *Critique de la faculté de juger* entend bien conférer *aussi* un statut *philosophique*, et non simplement *idéologique*. Ce point est capital; il met en jeu la différence de statut qu'occupe l'universel à l'égard du particulier dans la philosophie théorique et dans l'esthétique.

Dans la philosophie théorique l'universel ne peut que se comporter de façon impérieuse à l'égard du particulier : une loi est scientifique ou elle n'est pas une loi, et quand même Newton eût-il été seul à penser qu'il avait raison, il aurait eu raison de le penser. C'est là une conséquence de la nature intime du jugement déterminant. En revanche, dans la sphère du goût, la relation entre l'universel et le particulier, entre l'idée et l'empirique, est infiniment plus nuancée : il est bien sûr toujours possible qu'un consensus empirique soit idéologique, qu'il soit, comme on dit, une simple mode. Mais je dois reconnaître, en tant que *critique*,

que je ne dispose dans l'ordre du jugement *réfléchissant* d'aucun critère universel absolu qui me permettrait de trancher en toute certitude et je dois admettre, au moins par hypothèse, que le consensus empirique qu'on observe d'ailleurs autour de ces œuvres d'art qu'on dit « grandes », pour cette raison aussi, peut également être le signe d'une évocation symbolique des Idées de la raison. Ce pour quoi, justement, seule me reste ouverte pour décider la voie de la discussion. En d'autres termes : il appartient à l'essence du jugement réfléchissant qu'en lui la prétention à l'universel se comporte de façon *a priori* « amicale » à l'égard du particulier, y compris et peut-être surtout lorsqu'il prend spontanément la forme d'un sens commun empirique. Ne pas admettre cette proposition, dont je ne vois nullement en quoi elle implique une quelconque « reddition aux idéologies du consensus », c'est tout simplement s'interdire de comprendre ce qui sépare la *Critique de la raison pure* et la *Critique de la faculté de juger*.

Kant est au demeurant très explicite sur ce point crucial : il est clair, d'un côté, qu'un consensus empirique n'est jamais, à lui seul, la preuve de l'apodicticité des jugements de goût sur lesquels il repose et qu'on ne saurait en déduire la *nécessité* de notre adhésion. Car si la nécessité du jugement esthétique « n'est pas une nécessité théorique objective en laquelle on pourrait connaître *a priori* que chacun ressentira cette satisfaction en présence de l'objet que je déclare beau [...] elle peut encore moins être conclue à partir de l'universalité de l'expérience (d'une complète unanimité des jugements sur la beauté d'un certain objet). Non seulement l'expérience nous fournirait difficilement beaucoup d'exemples d'un pareil accord, mais encore on ne peut fonder aucun concept de la nécessité de ces jugements sur des jugements empiriques » (§ 18). Pourtant, les consensus empiriques – et on notera que Kant n'exclut pas *absolument* la possibilité d'une *unanimité esthétique* – ne sont nullement méprisables ni négligeables. Et *ils ne peuvent pas l'être dans le cadre du jugement réfléchissant où*

ils constituent, à défaut d'être des critères absolus a priori,
des critères empiriques qui forment, pour ainsi dire, des
présomptions en faveur de l'authenticité et qui doivent être
critiqués comme tels : s'« il ne peut y avoir de règle
objective du goût qui détermine par un concept ce qui est
beau », il reste que « la communicabilité universelle de la
sensation (de satisfaction ou d'insatisfaction), lorsqu'elle se
réalise bien sûr sans concept et produit autant qu'il est
possible l'unanimité de tous les temps et de tous les
peuples touchant ce sentiment dans la représentation de
certains objets, est le *critère empirique*, bien que faible et
tout juste suffisant pour fournir une présomption, du fait
qu'un goût ainsi garanti par des exemples a pour origine le
principe profondément caché et commun à tous les hommes de l'accord qui doit exister entre eux dans le jugement
qu'ils portent sur les formes sous lesquelles les objets leur
sont donnés » (§ 17).

Un tel texte n'aurait aucun sens dans la *Critique de la*
raison pure, car il signifie, contrairement à ce que suggèrent
les objections qu'on a évoquées, que le *sens commun*, même
empirique et particulier, doit, lorsqu'il s'agit du jugement
réfléchissant, être au moins pris en considération puisqu'il
peut toujours être lui-même la trace symbolique d'une
Idée. Telle est d'ailleurs la raison pour laquelle Kant peut
tranquillement affirmer qu'« il y a d'innombrables choses
de la belle nature au sujet desquelles nous admettons
derechef la concordance du jugement de tout un chacun
avec le nôtre et nous pouvons même nous y attendre sans
risquer véritablement d'être trompés » – texte qui resterait
totalement inintelligible s'il était vrai qu'à ses yeux le
jugement réfléchissant ne renvoyait toujours qu'à la simple
Idée d'une « communauté fragile et toujours différée ».

On le voit, les choses sont plus complexes et le sens
commun ne saurait être réduit ni à un consensus *de facto*,
ni non plus à une *pure idée* : dans sa généralité empirique,
il constitue pour ainsi dire un mixte, une trace symbolique
des Idées – du moins s'il n'est pas idéologique : là doit

s'exercer la *critique*, là doit commencer cette *discussion qu'on ne saurait pas plus abolir au nom du différend qu'à celui de l'universel*. Car, dans le jugement de goût, « on sollicite l'adhésion de chacun parce que l'on possède un principe qui est commun à tous; et l'on pourrait toujours compter sur cette adhésion, si l'on était toujours assuré que le cas présent est correctement subsumé sous le principe comme règle de l'assentiment » (§ 19).

Le sublime et le baroque :
l'articulation du « différend » et de l'Idée universelle

On objectera peut-être que l'interprétation ici défendue vaut dans le cas du jugement réfléchissant touchant le beau, mais qu'avec le sublime, Kant s'oriente résolument vers une pensée de l'« excès », de l'« informe », du « différend » qui ne renvoie plus à aucune prétention consensuelle ou universaliste. N'affirme-t-il pas explicitement que si, en ce qui concerne le beau, nous pouvons souvent compter sur l'assentiment des autres, « en revanche, nous ne pouvons pas nous promettre que notre jugement sur le sublime sera aussi bien reçu par autrui » (§ 29)? Et n'est-ce pas dans le sublime, à la différence de ce qui a lieu avec le beau, à une « présentation qu'il y a de l'imprésentable » que nous assistons, puisque ici ce n'est plus l'accord des facultés qui suscite le sentiment esthétique de plaisir ou de peine, mais leur désordre et leur chaos?

Je crois tout au contraire que c'est dans le cas du sublime, et ce justement parce qu'il y est effectivement question de l'« imprésentable », de ce qui « déborde » toute représentation, que Kant approfondit jusqu'en ses conséquences ultimes le projet, non d'esquisser une philosophie de la différence, mais d'articuler cette différence (ce qui échappe à la représentation) avec les Idées entendues comme principes de la réflexion. Il faut s'y arrêter car, si l'hypothèse est juste, c'est avec la philosophie du sublime que l'esthétique kantienne, et singulièrement la pensée du sujet réfléchissant qu'elle mobilise, atteint peut-être son apogée.

Commençons par examiner la définition kantienne du sublime : certains passages de la troisième *Critique* semblent faire résider la sublimité tantôt dans la nature, tantôt dans les Idées de la raison, tantôt encore dans l'activité même de l'imagination. Selon la définition globale (valant aussi bien pour le sublime « mathématique » que pour le sublime « dynamique ») donnée dans la *Remarque générale sur l'exposition des jugements esthétiques réfléchissants*, le sublime est « un objet de la nature qui prépare l'esprit à penser l'impossibilité d'atteindre la nature comme présentation des Idées ». Le sublime met donc en jeu les trois termes qu'on a évoqués : l'objet de la nature, l'esprit (l'imagination) et les Idées de la raison. Par la contemplation d'un objet naturel (par exemple l'océan) l'imagination est poussée à tenter de présenter dans une seule intuition l'Idée d'un tout. Elle échoue, et c'est selon Kant cet échec qui fonctionne comme une « présentation négative » d'une Idée dont il est par définition impossible de donner une présentation adéquate : « ... Le sublime authentique ne peut être contenu en aucune forme sensible. Il ne concerne que les Idées de la raison qui, bien qu'aucune présentation n'en soit possible, sont néanmoins rappelées et ravivées dans l'esprit par cette inadéquation même dont une présentation sensible est possible » (§ 23).

Ce qui est présenté dans le sublime n'est donc rien d'« objectif » : aucune intuition n'évoque ici les Idées, ne fût-ce que de façon partielle et « symbolique ». C'est plutôt l'*échec* de l'imagination lui-même, en tant qu'il témoigne *qu'il y a de l'imprésentable*, qui est mis en jeu et qui, en tant que tel, évoque les Idées : « La disposition d'esprit supposée par le sentiment du sublime exige une ouverture de celui-ci aux Idées : c'est en effet dans l'inadéquation de la nature à celles-ci, par conséquent seulement sous la présupposition des Idées et de l'effort de l'imagination en vue de traiter la nature comme un schème pour celles-ci que consiste ce qui est effrayant pour la sensibilité et cependant en même temps attrayant » pour la raison (§ 29).

Ce qui est sublime, ce n'est donc en vérité ni l'objet (il n'est que l'occasion d'une mise en mouvement de l'esprit – ce pour quoi il n'y aura pas de « déduction » du sublime) ni même les Idées de la raison (bien qu'elles soient supposées ici), mais le mouvement de l'imagination pour présenter les Idées, avec toute son ambiguïté (tentative-échec) : « Rien donc de ce qui peut être objet des sens ne peut être [...] dit sublime. Mais, précisément parce qu'il y a en notre imagination un effort au progrès infini et en notre raison une prétention à la totalité absolue comme à une Idée réelle, le fait que notre évaluation de la grandeur des choses sensibles ne convienne pas à cette idée éveille le sentiment d'une faculté suprasensible en nous » (§ 25).

C'est ainsi l'échec de l'imagination qui, à titre de présentation négative des Idées, est final et suscite le sentiment du sublime. Bref : le sublime « suppose », ou, comme le dit encore Kant, « concerne » les Idées; mais il ne s'y réduit pas si l'on entend par sublime ce qui est *final* (bien qu'on puisse aussi soutenir qu'en un autre sens seules les Idées de la raison sont sublimes en tant qu'elles seules sont à la mesure de l'infiniment grand. Mais le sublime est alors défini quant à son contenu – l'absolument grand – et non du point de vue de la finalité qui intéresse la faculté de juger réfléchissante).

D'où provient dès lors l'échec de l'imagination dans cette tentative en vue de présenter l'Idée d'un Tout rationnel? La réponse de Kant est très explicite : « Nous sommes bien vite convaincus que ni l'inconditionné, ni par conséquent aussi la grandeur absolue n'appartiennent à la nature *dans l'espace et dans le temps*. » En d'autres termes : l'espace et le temps, *la sensibilité*, marquent la limite que nous ne saurions franchir – ce par quoi nous retrouvons au

cœur de la théorie du sublime, et en particulier du sublime
mathématique, la pensée de la finitude radicale, transcendantale, par quoi la *Critique de la raison pure* renversait la
perspective générale de la philosophie cartésienne. Réciproquement, c'est bien aussi l'espace et le temps qu'il
faudrait dépasser, « surplomber », afin de pouvoir présenter une Idée, et c'est là très exactement ce que l'imagination tente de faire dans le cas du sublime mathématique.
Mais Kant ne se borne pas à rappeler l'acquis de la
première *Critique*; il y ajoute une description de l'expérience que suscite la tentative d'intégrer dans une représentation ce *néant* qu'est l'espace (néant : puisqu'il n'est en
effet rien d'étant comme le souligne le chapitre consacré à
« l'amphibologie des concepts de la réflexion »). C'est la
nature équivoque de cette expérience, de ce « sentiment de
l'impuissance de son imagination pour présenter l'idée
d'un Tout » (§ 26) qu'il s'agit de comprendre.

Revenons d'abord sur les deux moments du sublime :
« Notre imagination, même dans sa suprême tension pour
parvenir à la compréhension d'un objet donné dans un
tout de l'intuition (par conséquent à la présentation d'une
Idée de la raison) comme il est exigé d'elle, prouve ses
bornes et son impuissance, mais *en même temps aussi* sa
destination qui est la réalisation de son accord avec cette
Idée comme avec une loi » (§ 27). Les deux moments sont
ici clairement posés avec leur différence et leur rapport :
tout d'abord l'échec, le sentiment de ses bornes, de son
impuissance; il produit tout naturellement une *peine* (dont
la nature reste encore à déterminer). Mais cet échec cachait
une tentative qui, en tant que telle, révèle notre destination : la peine se transforme aussitôt en *plaisir* (dont la
nature, ici encore, reste à déterminer). Peine et plaisir se
succèdent donc, ou, comme le dit le § 27, évoquant la
liaison intime du plaisir et de la peine, « *l'objet est saisi
comme sublime avec une joie qui n'est possible que par la
médiation d'une peine* [...]. Le sentiment du sublime est
ainsi un sentiment de peine suscité par l'insuffisance de

l'imagination dans l'évaluation esthétique de la grandeur pour l'évaluation de la raison, et en même temps, il se trouve en cela une joie éveillée par l'accord entre les Idées rationnelles et ce jugement sur l'insuffisance de la plus puissante faculté sensible ». Ainsi, à la « présentation négative » correspond un « plaisir négatif ».

La nature d'un tel sentiment doit être précisée. L'échec de l'imagination provient du fait que (§ 27) « tout ce que la nature comme objet des sens contient pour nous de grand » est « petit par rapport aux Idées de la raison ». Pourquoi ? Parce que la nature est contenue dans les limites de l'espace et du temps, limites à l'intérieur desquelles il n'est pas d'absolument grand. Autrement dit, l'espace (avec le temps) est ici ce en raison de quoi la nature ne correspond jamais aux Idées, ou encore, ce qui fait que les Idées ne restent jamais que des Idées. Essayer de « surplomber » l'espace afin de présenter les Idées, c'est donc, d'une certaine façon, faire l'expérience de cette « grandeur infinie donnée », expérience bien évidemment négative ou, plus exactement, expérience effrayante du Néant : « Le débordant [je traduis ici littéralement *das Überschwengliche* afin d'éviter toute confusion avec *das Transzendent*] est, pour l'imagination qui s'y trouve poussée dans l'appréhension de l'intuition, un abîme en lequel elle a peur de se perdre elle-même, mais il est conforme à la loi et non débordant pour l'Idée rationnelle du suprasensible que de produire un tel effort de l'imagination, et c'est là ce qui alors est attirant dans l'exacte mesure où il avait été repoussant pour la simple sensibilité » (§ 27). Si l'expérience du toujours « débordant », c'est-à-dire de l'espace comme néant, est effrayante, c'est que dans l'effort en vue d'une « compréhension esthétique d'une unité maximale, nous nous sentons dans notre esprit comme esthétiquement enfermés dans les limites » (§ 27). En d'autres termes : dans sa tentative pour présenter les Idées, l'imagination fait l'expérience de la limite esthétique, de la finitude transcendantale, c'est-à-dire de l'espace débordant

(= néant); elle est alors plongée dans ce que Kant appelle un « abîme effrayant ». On comprend ainsi la nature du plaisir et de la peine qui constituent les deux moments du sublime mathématique : c'est bien d'angoisse et de réconfort qu'il s'agit, chacun de ces sentiments correspondant à un regard jeté sur les deux types de totalité qu'on a évoqués plus haut : dans le premier cas sur celle de l'espace (néant), dans le second sur celle du système (Idée).

Reste à confronter cette analyse avec les exemples concrets évoqués par Kant au § 26. Le sublime est défini au § 25 comme absolument grand, comme « ce en comparaison de quoi tout le reste est petit ». Le § 26 tente alors d'expliciter la notion d'absolument grand en montrant de quel type d'évaluation de la grandeur elle relève. Aussitôt, l'évaluation numérique (mathématique) est éliminée : tout nombre est susceptible d'être plus grand ou plus petit qu'un autre. Comme tel, aucun ne peut prétendre évaluer l'absolument grand.

Mais l'évaluation mathématique suppose elle-même, pour la détermination de la grandeur, l'évaluation que Kant nomme « esthétique », c'est-à-dire l'évaluation qui se fonde sur une unité de mesure saisie « d'un coup d'œil ». Alors que l'évaluation numérique peut progresser indéfiniment, l'évaluation esthétique atteint bientôt une limite au-delà de laquelle je ne me représente rien que d'obscur et confus. Ce maximum est atteint lorsque l'imagination qui, dans l'appréhension, ajoute des représentations partielles les unes aux autres, n'arrive plus à comprendre, à saisir au niveau esthétique toutes ces représentations partielles simultanément : l'imagination « perd d'un côté ce qu'elle gagne de l'autre ». Cette limite de la compréhension esthétique est alors la « mesure fondamentale la plus grande esthétiquement de l'évaluation de la grandeur ». Elle représente un maximum, un absolument grand subjectif (esthétique) qui, « lorsqu'on le considère comme mesure absolue par rapport à laquelle il n'est rien qui puisse être subjectivement plus grand [...], implique l'idée du sublime et produit cette émotion qu'aucune évaluation mathématique de la grandeur par les nombres ne saurait susciter » (§ 26).

Cette liaison qu'établit Kant entre le sentiment du sublime et la limite de la compréhension esthétique (l'absolument grand subjectif) soulève un certain nombre de difficultés. Il était apparu que le sublime résidait dans la tentative que faisait l'imagination pour « surplomber » l'espace afin de présenter les Idées de la raison. Dans cette tentative en effet, l'esprit faisait l'expérience d'une finitude transcendantale (expérience angoissante de ce néant qu'est l'espace), en même temps que celle de sa destination (présentation des Idées). Mais, si nous en croyons le § 26, ce n'est pas de finitude transcendantale qu'il s'agirait dans le sublime mathématique : ce n'est pas l'espace lui-même qui constituerait la limite infranchissable entre le sensible empirique et l'intelligible (limite qui empêcherait la présentation des Idées). C'est au contraire d'une finitude et d'une limite toutes « subjectives », « psychologiques », qu'il serait question ici. Pour le dire autrement : la limite de la « compréhension esthétique » est une limite qui passe à l'intérieur même du sensible, qui sépare en quelque sorte un sensible clair et distinct (ce qui est « compris » avant la limite) et un sensible qui deviendrait obscur et confus (l'au-delà de la limite, ce qui échappe à la compréhension, est en effet encore du sensible). Mais alors, on est en droit de se demander ce qu'il y a de sublime dans cet absolument grand subjectif. Qu'y a-t-il là qui évoque les Idées de la raison, si tout se passe en quelque sorte à l'intérieur du sensible lui-même ?

Cette difficulté atteint son point culminant dans l'exemple que prend Kant dans ce même § 26 : celui de l'église Saint-Pierre de Rome. Lorsque le spectateur y pénètre « pour la première fois », il est, nous dit Kant, saisi d'une « sorte d'embarras » : en effet, « il éprouve ici le sentiment de son impuissance pour présenter l'Idée d'un tout. En ceci, l'imagination atteint son maximum et, dans l'effort pour le dépasser, elle retombe en elle-même et, ce faisant, est plongée dans une satisfaction émouvante ». Les difficultés que soulève cet exemple sont multiples. Certes, la structure propre au mécanisme du sublime mathématique paraît bien présente : il y a d'un côté « l'Idée d'un tout » qu'on cherche à présenter, de l'autre un effort vain de l'imagination. Mais, si nous examinons l'exemple de plus près, nous voyons (ce qui était à prévoir, étant donné la liaison qu'établit Kant entre le sublime et la limite subjective de la compréhension esthétique) que le tout qu'on cherche à présenter, loin d'être une Idée rationnelle, est un tout sensible, une totalité déjà située *dans* la nature : l'église Saint-Pierre de Rome. *En droit*, donc, cette totalité est présentable, même si *de fait* elle n'est pas présentée d'un seul coup d'œil ; bien plus, il n'est nullement inconcevable que cette église puisse être présentée en une seule intuition (il suffit peut-être de trouver le bon point de vue, d'exercer sa mémoire, etc.). D'ailleurs, Kant note lui-même que l'embarras saisit le spectateur qui pénètre dans ce lieu *pour la première fois*. Ce qui laisse supposer que la seconde, ou peut-être la troisième, ce sentiment disparaîtrait en même temps que l'église (tout sensible) serait présentée.

Dans l'autre exemple pris par Kant au début du § 26, celui des pyramides, le tout est d'ailleurs effectivement présenté, pourvu que nous ne nous placions ni trop près ni trop loin. Bref, si la limite de la compréhension esthétique passe à l'intérieur du sensible, ce qui dépasse cette compréhension est toujours du « présentable » (sinon de l'effectivement présenté). C'est dire que la finitude dont il serait fait l'expérience dans le sublime mathématique (si l'on en croit cet exemple) serait une finitude que l'on pourrait qualifier de « psychologique » par opposition à la finitude transcendantale. On ne voit alors plus en quoi elle serait effrayante ni non plus comment, à partir d'un tel exemple, il est possible de retrouver ce sublime qui ne « concerne que les Idées de la raison ». S'il est vrai que le sublime est

« suscité par l'insuffisance de l'imagination dans l'évaluation esthétique de la grandeur *pour l'évaluation de la raison* » (§ 27), le lien qui unit l'évaluation esthétique et l'évaluation rationnelle semble ici s'être perdu. Loin d'avoir affaire à une finitude transcendantale (limite de l'espace pur = néant) et à une totalité rationnelle (Idée), il semble que nous trouvions ici une finitude toute « subjective », « psychologique » (limite de la compréhension esthétique), et une totalité sensible (l'église).

On aurait cependant tort de conclure que Kant choisit ces exemples à la légère, ou qu'il se contredit. Une phrase qui affirme la liaison de l'évaluation esthétique et de l'évaluation rationnelle permet peut-être de lever la difficulté : « ... L'effort le plus grand de l'imagination dans la présentation de l'unité qui sera celle de l'évaluation de la grandeur est une relation à l'absolument grand... » (§ 27). Quelle est la nature de cette relation? Telle est la question que Kant nous invite à résoudre pour comprendre le sens de ces exemples. La remarque du § 26 précise d'ailleurs le problème : « Des exemples du sublime mathématique de la nature dans la simple intuition nous sont présentés dans tous les cas en lesquels il nous est donné, non pas tant un très grand concept numérique, que bien plutôt une grande unité en tant que mesure (afin d'abréger les séries numériques) pour l'imagination. Un arbre, que nous évaluons suivant la grandeur de l'homme, donnera assurément la mesure pour une montagne; et si celle-ci est haute d'un mille environ, elle pourra servir d'unité pour le nombre qui exprime le diamètre terrestre, de telle sorte que celui-ci puisse être rendu susceptible d'être intuitionné; le diamètre terrestre servira pour le système planétaire que nous connaissons; celui-ci pour la Voie lactée; et la multitude non mesurable des systèmes semblables à la Voie lactée, qu'on nomme nébuleuses et qui, vraisemblablement, composent entre elles un même système, ne nous impose aucune limite. Dans l'évaluation esthétique d'un ensemble ainsi incommensurable, le sublime se situe moins dans la grandeur du nombre que dans le fait que nous parvenons toujours en progressant à des unités de plus en plus grandes. »

Le type d'exemple qui est ici visé est donc fort différent du précédent. Ici, c'est l'espace lui-même qui constitue explicitement la limite infranchissable qu'il faudrait cependant franchir pour présenter les Idées. Cela confirme donc l'interprétation initiale : le sublime mathématique est bien une expérience de la finitude transcendantale et non d'une finitude psychologique. Il est d'ailleurs remarquable qu'il ne soit ici nullement fait allusion à la limite de la compréhension esthétique. Bien au contraire, le passage d'une unité plus petite à une unité plus grande semble pouvoir se poursuivre indéfiniment. Ce qui est souligné, c'est le caractère lui-même illimité, infini, de notre finitude, ce qui pourrait s'exprimer encore dans la proposition : l'espace est une « grandeur infinie donnée ».

Revenons maintenant à notre question : quel rapport y a-t-il entre l'absolument grand subjectif de l'évaluation esthétique et l'absolument grand de l'évaluation rationnelle? La réponse est d'abord évidente : il y a entre eux une relation négative, une relation d'échec. La première n'épuise pas la seconde, échoue dans sa tentative de lui être adéquate. Mais pourquoi? Est-ce uniquement, ainsi que le laisserait supposer l'exemple de l'église, parce que au-delà d'une certaine limite tout deviendrait confus et obscur? Cela revient au fond à poser une autre question : pourquoi « *tout* ce que la nature comme objet des sens contient pour nous de grand » est-il « petit en comparaison avec les Idées de la raison » (§ 27)? Pourquoi « *toute* mesure de la sensibilité » est-elle « insuffisante pour les Idées de la raison » (§ 27)? La seule expérience de la limite de la compréhension esthétique ne saurait suffire à nous le garantir (puisqu'elle passe à l'intérieur du sensible). Il faut donc encore y ajouter cet acquis de l'« Esthétique transcendantale » que l'espace est une « grandeur infinie donnée », et que la nature est dans l'espace. C'est alors, et alors

seulement, que la limite de la compréhension esthétique
peut avoir un sens. Elle est en quelque sorte une façon
inférieure, psychologique, d'éprouver la limitation esthétique spatiale. Les exemples du § 26 doivent dès lors être
compris comme *analogues* du sublime véritable, puisque le
rapport entre l'église et la limite de la compréhension
esthétique qui cause l'échec de l'imagination est *identique
au rapport* entre l'Idée rationnelle et la limite transcendantale que constitue l'espace, selon une proportion que l'on
pourrait représenter de la façon suivante :

$$\frac{\text{ÉGLISE (tout sensible)}}{\begin{array}{c}\text{limite de la compréhension esthétique}\\ \text{(finitude psychologique)}\end{array}} = \frac{\text{IDÉE (tout rationnel)}}{\begin{array}{c}\text{limite spatiale}\\ \text{(finitude transcendantale)}\end{array}}$$

Ainsi, ce n'est que dans la mesure où la limite de la
compréhension esthétique renvoie à celle, transcendantale,
de l'espace, qu'elle peut évoquer les Idées et susciter le
sublime.

La raison, le sentiment et le baroque :
l'humanisme esthétique

Les quelques pages que Kant consacre au sublime dans
la troisième *Critique* s'avèrent riches d'enseignement : elles
montrent de la façon la plus précise comment coexistent au
sein de l'esthétique kantienne une déconstruction du système de la métaphysique en même temps qu'une pensée
radicale de la finitude, de ce qui à jamais déborde la
représentation et qui a nom « différence » dans la philosophie contemporaine. Ce pour quoi l'esthétique de Kant,
sans renoncer à la raison ni au sentiment auxquels elle
accorde bien un statut essentiel dans le jugement de goût,
s'oriente résolument vers le baroque, pour autant du moins

que cet art de _l'excès_ parvient à se contenir dans les limites du « bon goût » et conserver ainsi un rapport satisfaisant (pour le _sentiment_) avec les Idées (de la _raison_) : « ... lorsqu'il ne s'agit que d'entretenir un libre jeu des facultés représentatives (sous la condition toutefois que l'entendement n'en souffre pas), ainsi dans les jardins d'agrément, dans la décoration intérieure, les meubles de tout style [...], etc., la régularité qui se révèle comme contrainte doit autant que possible être évitée; de là le goût des jardins anglais, le goût du baroque dans les meubles qui entraînent la liberté de l'imagination presque jusqu'au grotesque, et c'est en ce détachement de toute contrainte fondée en des règles que se présente l'occasion en laquelle le goût peut montrer dans les conceptions de l'imagination sa plus haute perfection[21]. »

C'est l'œuvre de la réflexion (du jugement réfléchissant) que d'articuler ces trois moments – la raison déconstruite, le sentiment et l'excès de l'imprésentable –, ce par quoi elle constitue le propre de l'homme, en tant qu'être fini mais cependant capable d'une pensée de l'infini. Le point a été vivement contesté.

Selon une thèse avancée par J.-F. Lyotard – en filiation, croit-il, avec l'interprétation de Heidegger et sa polémique contre Cassirer –, « la pensée de Kant n'est pas un humanisme » comme le pensent les néo-kantiens, elle est d'ailleurs « un enjeu trop important pour être abandonnée aux néo-kantiens[22] ». L'argumentation de Lyotard s'appuie essentiellement sur une lecture classique de la _Critique de la raison pratique_, et en particulier sur la distinction qu'elle opère entre l'homme et les êtres raisonnables finis en général : « Kant y revient sans cesse, l'homme n'est pas le destinataire de l'impératif catégorique : ce dernier s'adresse à " tous les êtres raisonnables finis ". Comme principe pur de la raison pratique, la loi morale est, au sens strict, _inhumaine_[23]. » Passons sur la formule : pourquoi ne pas dire plus simplement non humaine ou suprahumaine pour désigner cette sphère de transcendance qui, nul ne le conteste, s'élève au-dessus de l'homme empirique? Passons aussi sur la banalité d'un propos qui consisterait à rappeler que la philosophie transcendantale ne se réduit pas à la psychologie ou à l'anthropologie. Reste la question de savoir ce que signifie la distinction entre l'homme et les êtres raisonnables finis et à préciser dans quelle mesure elle autorise encore à parler d'un « humanisme kantien » lorsqu'on évoque la pensée du sujet qui se trouve mise en jeu dans la théorie du jugement réfléchissant.

Car à n'en pas douter, au niveau de la *Critique de la faculté de juger*, au niveau donc de l'esthétique, c'est bien de l'homme et exclusivement de l'homme qu'il s'agit : « L'agréable, écrit Kant, a une valeur même pour les animaux dénués de raison. *La beauté n'a de valeur que pour les hommes*, c'est-à-dire des êtres d'une nature animale, mais cependant raisonnables, et cela non pas seulement en tant qu'êtres raisonnables (par exemple, des esprits), mais en même temps en tant qu'ils ont une nature animale. Le Bien, en revanche, a une valeur pour tout être raisonnable » (§ 5). Cette proposition, qui est longuement précisée dans le § 83 de la troisième *Critique*, suffirait à elle seule à légitimer l'emploi du terme « humanisme » pour qualifier l'esthétique de Kant.

Mais il faut aller plus loin : l'étrange est qu'à propos de la *Critique de la raison pratique* Lyotard attribue à Heidegger une thèse qui non seulement fut toujours celle des néo-kantiens, *mais qui en outre constitue la principale critique que Cassirer adresse à l'interprétation heideggérienne de Kant*. Le point mérite d'être précisé : il n'a pas seulement une portée philologique, mais il engage la question cruciale du statut qu'occupe l'esthétique kantienne par rapport à la seconde *Critique*.

L'interprétation développée par Heidegger dans son *Kantbuch* part du principe – d'ailleurs juste – que la pensée de Kant est une pensée, la première dans la philosophie moderne, de la finitude radicale. A quelque niveau qu'on

se situe dans la philosophie critique (sensibilité, entendement, raison théorique, raison pratique) le lien à une
réceptivité originaire ne doit pas être rompu – l'imagination
en tant que faculté à la fois réceptive et spontanée étant le
milieu où ce lien à la réceptivité, donc à la finitude, se
trouve thématisé comme tel. Dans le § 30 du *Kantbuch*,
Heidegger s'efforce par conséquent de fournir une interprétation de la *Critique de la raison pratique* qui soit
compatible avec le projet qu'il décèle dans la première
Critique : il s'agit pour lui d'accorder une pensée de la
finitude radicale, liée à l'imagination transcendantale, avec
celle, « pratique », de la « dignité du moi », de la
« possibilité fondamentale et totale de l'existence authentique ». Il lui faudra donc retrouver, au niveau de la raison
pratique, une pensée de la *réceptivité* par laquelle le lien
avec la finitude soit conservé. De là son interprétation du
respect pour la loi morale comme l'analogue, dans le
champ pratique, de ce qu'est l'intuition pure dans le
champ théorique : loin d'être secondaire par rapport à la
loi morale, sa réception par un être fini sous les espèces de
ce sentiment non psychologique qu'est le respect « ne
saurait être subséquente ou occasionnelle. Le respect pour
la loi [...] est en soi un dévoilement de moi-même comme
moi agissant[24] ».

Cette interprétation, que Cassirer va contester (dans sa
recension du *Kantbuch* : voilà un texte qu'il faut lire pour
saisir le débat de Davos), permet à Heidegger de retrouver
au niveau de la raison pratique la structure unitaire, à la
fois spontanée et réceptive, qui est celle de l'imagination :
« La réceptivité pure s'exprime dans la soumission [...], la
spontanéité pure dans la libre imposition de la loi à
soi-même; l'une et l'autre sont originellement unies[25]. » La
conséquence de cette interprétation est claire : *la loi morale
doit avoir pour destination l'homme et non l'être fini en
général.* En effet, comme Heidegger le rappelle au § 31 du
Kantbuch, l'homme n'est chez Kant qu'une espèce particulière d'êtres raisonnables finis, celle dans laquelle la fini-

tude est liée à la *sensibilité* (*l'intuition* au niveau théorique et, selon Heidegger, le respect au niveau pratique). Mais rien n'interdit de concevoir une finitude purement *rationnelle*, non sensible, qui s'exprimerait seulement dans la différence qui sépare l'être et le devoir-être : pour un être infini la loi morale est de l'ordre de l'Être, pour un être fini, du devoir-être, sans que cette différence soit nécessairement liée pour Kant à la sensibilité, donc à la finitude spécifiquement humaine.

Or, ce que Heidegger déplore dans la seconde édition de la *Critique de la raison pure*, c'est très précisément l'émergence de cette distinction qui conduit évidemment Kant à séparer finitude et réceptivité sensible, donc à secondariser l'imagination. Heidegger montre alors comment Kant, obsédé par le souci de séparer l'éthique et la psychologie, en vient *malheureusement* à opérer la distinction entre hommes et êtres raisonnables finis, à poser que la loi morale vaut aussi pour les seconds en général – ce qui la rend indépendante du respect et par suite la soustrait à la structure temporelle de l'imagination transcendantale. Voici ce qu'écrit à ce propos Heidegger : « Il est incontestable que le problème de la distinction entre un être rationnel fini en général et l'homme comme réalisation particulière d'un tel être passe au premier plan dans la seconde édition de la déduction transcendantale[26]. » Et encore : « Dans la seconde édition Kant a *élargi* le concept d'un être rationnel fini au point que ce concept ne se confond plus avec celui d'homme[27]. »

Cet élargissement a-t-il eu, comme le pense Cassirer (et, sans s'en douter, Lyotard avec lui), le sens d'une « amélioration », d'une victoire contre le psychologisme et l'« anthropomorphisme » ? La réponse de Heidegger à cette question est tout aussi explicite : « Au contraire, bien comprise, elle [la seconde édition] est encore bien plus psychologique parce qu'elle s'oriente exclusivement en fonction de la raison pure prise comme telle[28]. » *Ce n'est donc pas, comme le croit Lyotard, le néo-kantien Cassirer, mais bien Heidegger lui-même qui n'a cessé de critiquer la distinction de deux types de finitude, celle, sensible, de l'homme, et celle, purement rationnelle, de l'être fini en général. Bien plus, c'est Heidegger qui le premier a montré en quel sens cette distinction, contrairement aux apparences, pouvait avoir pour conséquence une retombée de la seconde édition de la* Critique *dans l'anthropologie, en tant qu'elle conduit Kant à « mettre l'imagination à l'arrière-plan et, dès lors, à manquer complètement sa nature transcendantale*[29]. »

Voudrait-on encore une preuve, *a contrario,* que c'est bien le néo-kantisme qui tient la distinction incriminée par Heidegger pour cruciale et affirme l'idée que la loi morale s'adresse aux êtres finis en général et non seulement à l'homme? Il suffit de lire le compte rendu que Cassirer donne du *Kantbuch* dans les *Kantstudien :* Kant, écrit-il, « a pris soigneusement garde à ce que le sens de sa problématique *transcendantale* ne glisse pas dans le psychologique et à ce que ses considérations ne soient pas refoulées dans le simple *anthropologique.* Inlassablement, il affirme fortement que toute analyse partant purement et simplement de la nature de l'homme manquera radicalement l'idée transcendantale de liberté et par conséquent la fondation de l'éthique. C'est dans ce souci qu'est énoncée la thèse kantienne si souvent méconnue et mésinterprétée selon laquelle on ne saurait parvenir à une conception pure de la loi morale sans prendre garde qu'elle doit valoir, non seulement pour des hommes, mais " pour tout être raisonnable " en général. Kant n'a pas vraiment ici, comme Schopenhauer le lui reproche en se moquant, " pensé aux chers petits anges ". Il parle comme un théoricien de la critique et de la méthode à qui il importe de ne pas laisser " se mêler " les frontières des sciences et qui veut distinguer nettement et radicalement entre la tâche de l'*éthique* et celle de l'*anthropologie. Et c'est là en somme l'objection véritable et essentielle que j'ai à élever contre l'interprétation de Kant par Heidegger*[30] ».

Ce texte est manifestement tombé dans l'oubli auprès de ceux-là mêmes qui aujourd'hui prétendent *gérer* l'héritage de ce qu'ils croient être l'interprétation heideggérienne de Kant : il est assez savoureux de voir Lyotard reprendre presque mot pour mot contre le néo-kantisme une argumentation si typiquement néo-kantienne que Cassirer n'hésitait pas à en faire le véritable point de clivage avec Heidegger. Cela prouve, s'il en était besoin, que le mépris en lequel les heideggériens ont toujours tenu les néo-kantiens s'accompagne le plus souvent d'une ignorance des pièces essentielles du débat. Pourquoi une telle bévue? Parce que l'imagerie qui entoure le débat de Davos et le *Kantstreit* veut qu'aux yeux d'un heideggérianisme rapide toute référence à l'homme ou à l'humanisme renvoie inévitablement à l'idée d'anthropologie, donc à la métaphysique de la subjectivité. Or, c'est bien connu, néo-kantisme = positivisme = métaphysique de la subjectivité, donc anthropologie, C.Q.F.D.

Mais au-delà de cette erreur philologique, la position adoptée par Lyotard conduit à manquer ce que l'interprétation de Heidegger, bien que très discutable, peut avoir de fécond philosophiquement. Comme j'ai tenté de le montrer ailleurs[31], l'idée de penser l'éthique sans perdre le lien avec la temporalité, donc, Heidegger a raison, avec l'*homme* comme lieu d'une finitude dont la structure est celle de l'imagination schématisante, n'a rien d'absurde : bien comprise, elle peut trouver sa formulation la plus élevée dans la *Critique de la faculté de juger,* où, conçues comme principes du jugement réfléchissant, les Idées de la raison théorique et de la raison pratique conservent un lien indissoluble, bien que *symbolique,* avec l'*esthétique,* avec la sensibilité et la temporalité entendues comme les marques radicales de la finitude humaine.

Au terme de cette analyse on perçoit à quel titre le « moment kantien » peut légitimement se présenter comme une grandiose tentative en vue d'articuler les trois tendan-

ces les plus caractéristiques de ce qu'on a désigné ici
comme la préhistoire de l'esthétique :

– Le rationalisme conserve certains droits auxquels il
pouvait prétendre dans la tradition classique de Boileau;
certains, mais pas tous. Les idées de la raison, dans la
théorie du beau comme dans celle du sublime, restent bien
en dernière instance les pôles fondateurs du sens commun.
Le rationalisme n'en a pas moins perdu son caractère
dogmatique et le projet d'une science du beau, que recouvre finalement l'*Art poétique,* est caduc en même temps que
s'évanouit la tentation de réduire la beauté à une simple
présentation sensible de la vérité. Conséquence inéluctable : l'esthétique, même entendue comme discipline philosophique, doit renoncer à la prétention d'établir une fois
pour toutes les critères infaillibles du bon goût. Tout au
plus peut-on interpréter le sens commun comme une
présomption en faveur de la grandeur d'une œuvre – à
supposer cependant qu'il ne soit pas « idéologique ».

– Le sentiment retrouve ainsi la place que lui refusait le
classicisme dogmatique : tandis que la référence aux idées
permet de fonder le sens commun, c'est au rôle joué par la
sensibilité qu'il revient de constituer la pierre de touche en
vertu de laquelle la logique et l'esthétique se séparent *sans
réduction possible d'un des deux domaines à l'autre.* La
thèse chère à Bouhours selon laquelle le Beau est tout
autant indicible qu'imprévisible retrouve ses droits – même
si, criticisme oblige, elle se voit elle aussi *limitée* dans son
penchant radicalement relativiste.

– C'est là ce qui permet enfin de faire droit également
aux exigences de l'esthétique baroque : si le bon goût
classique, dans son horreur métaphysique de l'excès, « rogne les ailes au génie », il ne doit plus l'entraver au point
de lui interdire l'envolée. Le Beau n'est plus ici l'image
sensible de la vérité, l'imitation de ce que la nature a
d'essentiel, de rationnel : c'est aussi et même surtout par
son irrégularité et par sa contingence à l'égard des nécessités inhérentes à la pensée logique qu'il acquiert une

structure propre, une autonomie sans laquelle il ne saurait y avoir le plus petit plaisir esthétique. Comme l'humour, le beau véritable doit surprendre, faute de quoi il ne dépasse jamais le cadre étroit d'une esthétique de la *perfection* où le « bien peint » reste et restera toujours à mille lieues du trait de génie.

Le moment kantien s'avère être ainsi par excellence celui de la brèche : brèche ouverte dans la théologie d'une divinité satellitaire qui médiatiserait la communication entre des monades individuelles murées en elles-mêmes; brèche ouverte aussi dans la réduction multiséculaire de la sensibilité à une perception confuse du monde intelligible, à une copie déformée de la vérité idéelle. Brèche, enfin, dans la conception de l'homme comme créature, comme être dont la finitude devrait à jamais être dévalorisée à l'aune d'une divinité dont l'existence « en soi » pourrait être démontrée.

C'est cette ouverture que l'esthétique de Hegel devait s'efforcer, avec une grandeur sans doute inégalée, d'aveugler par la puissance du concept.

IV

LE MOMENT HÉGÉLIEN :
LE SUJET ABSOLU OU LA MORT DE L'ART

La vérité est une, et, pourtant, impossible de contester le fait qu'il existe une multitude de systèmes philosophiques contradictoires entre eux : « C'est là-dessus que s'appuie cet argument si plat qui prétend, avec un air de connaisseur, que l'histoire de la philosophie est stérile, une philosophie contredisant l'autre, et que cette diversité prouve l'inanité de l'entreprise philosophique[1]. » Pour être, en effet, d'une confondante banalité, l'objection élevée par le scepticisme n'en requiert pas moins une réponse. Pire : le philosophe ne sait que trop, pour l'avoir lui-même pris au sérieux, que le défi lancé par la non-philosophie est de ceux qui peuvent vous entraîner fort loin – constatation d'autant plus irritante que le problème ne laisse pas d'être d'une extraordinaire simplicité : si le vrai doit être le même pour tout un chacun, comme l'exige la raison humaine, quel statut accorder à cette fâcheuse pluralité ?

Il faut bien se résoudre à l'avouer : « l'argument si plat » préoccupe déjà Hegel bien avant que son système ait reçu la forme définitive qui seule lui permettra d'y apporter une réponse satisfaisante (à ses yeux s'entend). Lorsque dans sa jeunesse il crée à Iéna, avec son ami Schelling, le *Journal critique de philosophie* (qui paraîtra à Tübingen en 1802/1803), l'introduction de la première livraison est consacrée à cette délicate question. Intitulée : *Sur l'essence de la critique philosophique en général et en particulier sur sa relation à l'état actuel de la philosophie,* elle entendait préciser les conditions dans lesquelles la critique pourrait légitimement séparer le bon grain de l'ivraie, c'est-à-dire non seulement la philosophie de la non-philosophie (des simples *opinions),* mais aussi, au sein même de ce qui mérite le nom de philosophie, le véritable système et les autres. La solution alors envisagée par Hegel ne manque pas d'intérêt : d'inspiration schellinguienne, elle *consiste à décrire l'histoire de la philosophie par analogie avec celle de l'art, comme la présentation dans diverses formes d'une seule et même idée.* Par là, c'est aussi la *critique d'art* qui devient le modèle de la critique philosophique : de même que l'œuvre esthétique est l'expression ou la *présentation (Darstellung)* d'une idée dans une forme sensible (la couleur, les sons, etc.), de même que la tâche de la critique consiste à déceler l'idée, le signifié, sous le signifiant manifeste, on distinguera dans chaque système philosophique le contenu, le « noyau rationnel » qui est identique au fond dans toutes les pensées dignes de ce nom, et la forme contingente dans laquelle il est exposé.

Le jeune Hegel peut donc croire réfuter l'argument des sceptiques en affirmant que seule la forme est variable, *déterminée historiquement* en tant que dépendante de la *culture (Bildung)* propre à chaque époque. La tâche de la critique philosophique consiste « dans ces conditions à briser la coque qui empêche l'élan intérieur de voir le jour ». Il n'y a dès lors plus de contradiction véritable entre les divers systèmes philosophiques puisqu'ils expriment tous, en dernière instance, *la même Idée.* Leur diversité apparente tient seulement au fait que, selon les époques et les cultures, le philosophe est contraint d'exprimer ses idées dans une forme relative et contingente. C'est elle que la critique doit écarter en se situant du point de vue philosophique le plus élevé, c'est-à-dire du point de vue d'une philosophie de l'identité en laquelle la forme de l'exposé, enfin débarrassé des aspects particuliers propres à telle ou telle culture historique déterminée, est identique à l'Idée de la philosophie elle-même (cet accord du fond et de la forme définissant la systématicité qu'en 1802 encore Hegel croit voir réalisée dans la philosophie de Schelling).

On prétendra peut-être ne pas saisir ce qui fonde ici les prétentions de la critique philosophique – comme d'ailleurs celles de la critique d'art – à l'objectivité : de quel droit s'autorise-t-on pour déclarer que telle ou telle œuvre exprime bien l'idée vraie, tandis que telle autre n'est qu'un tissu d'opinions sans vérité? La réponse de Hegel est encore empruntée à Schelling : elle tient dans la thèse selon laquelle on pourrait s'appuyer sur l'Idée qui est présente dans l'œuvre pour faire éclater la forme défectueuse parce que particulière et liée à la culture du temps. Il y aurait ainsi un « besoin de philosophie », encore non satisfait tant qu'il ne s'est pas coulé dans une forme systématique, et c'est sur ce besoin que la critique pourrait faire fond en vue de se légitimer, c'est-à-dire de ne pas être radicalement *extérieure* à son objet (faute de quoi, elle se comporterait envers lui de façon violente puisque non reconnue).

Il est assez facile de percevoir les faiblesses de cette première solution au regard des exigences qui seront plus tard celles du système définitif. Tout d'abord, même ainsi fondée, la critique n'échappe pas tout à fait à ce que Hegel, dans l'introduction à la *Phénoménologie,* désignera comme le dogmatisme : c'est en effet toujours du point de vue de la connaissance supposée vraie, donc du système achevé, que la critique s'effectue – ce pourquoi elle ne parvient jamais vraiment à être une critique interne (l'hypothèse du « besoin de philosophie » étant pour ainsi dire l'hommage que le dogmatisme rend à la vertu). Plus grave encore : l'argument sceptique n'est réfuté que sur fond d'une vision de l'histoire de la philosophie qui a tout simplement comme inconvénient de nier l'historicité en tant que telle : si l'on y réfléchit, on verra en effet que ce qui est historique dans chaque système philosophique est justement ce qui, en lui, est l'inessentiel (ce qui est lié à la *Bildung).* Si tous les systèmes expriment *au fond* la même idée, on voit mal l'intérêt qu'offre le déploiement de leur diversité dans le temps, et la critique qui sépare en eux ce qui est de l'ordre du contenu de ce qui est simple forme contingente n'a guère d'autre finalité que l'autojustification.

Là est du reste la véritable analogie avec la sphère de l'esthétique : en 1801, Hegel pense encore la temporalité de l'Idée philosophique une et éternelle comme l'expression de celle-ci dans une forme autre qu'elle (la *Bildung*), mais aussi *autre que la temporalité* – au lieu que, dans le système définitif, l'Idée philosophique possède son propre développement, une évolution *intrinsèque* au cours de laquelle elle déploie les différents moments qui sont dès l'origine contenus en elle comme en un germe : ici, l'historicité est devenue constitutive de l'idée elle-même, elle n'est plus ni contingente, ni liée à la seule forme extérieure, mais bien nécessaire à la vie de l'Idée.

Il importe de bien comprendre, ne fût-ce qu'en son principe, cette rupture décisive dans l'itinéraire intellectuel de Hegel : car si en 1801-1802 encore, l'esthétique et la philosophie peuvent être dans une certaine mesure mises sur le même plan, il n'en va plus du tout ainsi à partir de la *Phénoménologie* (pour citer un repère massif, mais commode). Bien sûr l'idée du beau – qui est et restera pour Hegel l'idée de la vérité – sera elle aussi « historicisée », traversée par une évolution *interne*. Mais l'immense différence entre l'esthétique et la philosophie tiendra malgré tout au fait que l'art, comme en 1801, continuera d'être pensé comme l'aliénation (la « présentation » ou l'exposition) de l'idée du vrai dans une forme *extérieure à elle* (le sensible), tandis que la philosophie deviendra l'expression de l'Idée dans *la pensée,* donc, si l'on ose dire, dans elle-même. La critique d'art conservera donc une fonction identique à celle qu'elle occupait en 1801 : il s'agira toujours de repérer un signifié intelligible « derrière » un signifiant sensible; et le beau continuera d'être, en ce sens, objet *d'interprétation;* en revanche, la philosophie ignorant ce dédoublement du contenu et de la forme, de l'idée et de son expression, se dissociera définitivement du monde de l'art, *renvoyant dès lors ce dernier à un stade dépassé dans l'ordre des progrès de l'esprit :* on voit mal en effet pourquoi, si l'essentiel est l'Idée, le contenu, on se limiterait à la saisir à travers une forme déformante, celle de la sensibilité, plutôt que de l'appréhender en soi et pour soi, telle qu'elle est en elle-même. La mort de l'art, si spectaculairement décrétée par Hegel, pourrait bien apparaître comme un relent de platonisme.

Mais pour s'en assurer, encore convient-il de saisir au plus profond la source véritable de la distinction entre l'art et la philosophie. Réexaminant, dans les *Leçons sur l'histoire de la philosophie,* l'argument sceptique tiré de la pluralité des systèmes, Hegel lui apporte une réponse inverse à celle développée en 1801 : l'histoire de la philosophie n'est plus pensée comme un déploiement de l'Idée « dans son Autre » – dans une forme extérieure –, mais bien comme un développement interne, un autodéploiement. Ce dernier offre une structure ternaire dont il importe de saisir le véritable principe (les lieux communs sur les « trois temps de la dialectique hégélienne » n'étant le plus souvent que les paravents dissimulant une pensée plus délicate à comprendre qu'il n'y paraît).

Le premier moment de cette trinité du développement de l'idée est l'*en-soi* que Hegel compare volontiers à la *dynamis* aristotélicienne, c'est-à-dire (du moins au niveau qui nous intéresse ici) à l'être en puissance, seulement virtuel. Selon l'imagerie bien connue (qui recouvre une argumentation logique complexe touchant la catégorie du « devenir ») l'en-soi peut être comparé au germe qui contient *en puissance* toute la richesse de la réalité à venir. Le deuxième moment est celui de l'*être-là (Dasein).* Le terme, en allemand courant, désigne très simplement *ce qui existe,* le réel particulier de l'existence : cette deuxième phase du devenir de l'Idée est celle où les éléments, les *déterminités* contenues virtuellement dans le germe, passent à l'existence. Le troisième temps est celui du *pour-soi*. Il marque le retour à l'unité, la recollection en un *système* des déterminités particulières de l'Idée qui ont été développées. Selon l'imagerie qu'on a évoquée, le pour-soi peut être comparé au fruit qui est tout à la fois le produit ultime du développement et le porteur de nouveaux germes (de nouveaux « en-soi »).

On comprend aisément, même en écartant les détails, que l'application de cette structure logique au problème soulevé par l'argument sceptique fournit une tout autre solution que celle qui consistait à faire de la critique d'art le modèle de la critique philosophique pour dégager l'idée de sa gangue irrationnelle : ici, non seulement la pluralité des systèmes n'est plus une objection contre l'idée de vérité, mais, à la limite, c'est l'absence d'une telle pluralité qui en constituerait une. Car cette pluralité, on l'aura compris, correspond au second moment du déploiement de l'idée, au moment de l'être-là où les déterminités multiples s'incarnent dans l'*existence* des systèmes philosophiques particuliers. Une fois récupérée dans le « pour-soi », cette pluralité apparaîtra enfin comme ce qu'elle est : un système, à vrai dire : le système de la philosophie dont l'historicité fait partie intégrante. Avec Hegel, l'histoire de la philosophie achève de devenir elle-même philosophique puisqu'elle se confond purement et simplement avec l'auto-déploiement du système complet des déterminités de la pensée. Il y a bien, en effet, les sceptiques ont en un *certain* sens raison, plusieurs « systèmes » philosophiques qui se contredisent; encore faut-il ajouter que le vrai système, le seul qui mérite ce nom prestigieux, n'est rien d'extérieur à eux. Il se confond au contraire avec leur recollection.

Conséquence de cette temporalisation de l'idée de vérité : si l'histoire de la philosophie, à la différence de celle de l'art, n'est plus le récit des incarnations sensibles d'une idée, si, au contraire, ses différents moments sont ceux, logiques et nécessaires, de l'autodéploiement de cette idée, il n'y a plus lieu d'*interpréter* les œuvres qui en jalonnent le cours : « A propos de tout objet, écrit Hegel, on peut se demander quelle en est la signification; ainsi à propos d'une œuvre d'art ce que signifie sa forme, en fait de langue, ce que signifie une expression [...], etc. Nous sommes ainsi en présence de deux éléments, l'un extérieur, l'autre intérieur, un phénomène perceptible, objet d'intuition, et une signification qui est précisément l'idée. Or comme [dans l'histoire de la philosophie] notre objet même est l'idée, il n'y a pas là deux choses différentes, mais l'idée est ce qui est significatif pour soi-même[2]. »

Bien entendu, dans le système définitif, l'idée du beau sera, elle aussi, historicisée. Il reste que l'art conservera le statut d'une présentation de ses différents moments dans une forme sensible et que, en tant que tel, il ne pourra prétendre à la même dignité que la philosophie. C'est ainsi, par-delà Kant, un certain retour à la dévalorisation leibnizienne du monde sensible qu'opère l'hégélianisme.

La théodicée revisitée

L'esthétique hégélienne se développe au sein d'une métaphysique qui reste encore en son fond prisonnière de l'individualisme monadique dont l'*Aesthetica* de Baumgarten pressentait pourtant qu'il fallait briser les cadres pour assurer au sensible son autonomie et fonder l'espace intellectuel d'une véritable philosophie de l'art. Cela est si vrai qu'on pourrait sans difficulté déceler, jusque dans la structure la plus intime du système, l'œuvre des cinq principes constitutifs de la *Monadologie* – l'affirmation de la « mort de l'art » apparaissant comme inscrite *a priori* dans l'architectonique d'une harmonie préétablie que l'introduction de la dialectique et de l'historicité perfectionnent sans doute, mais ne modifient pas sur ce point de façon décisive. Quelques indices, seulement :

1. Le *principe d'identité* : entendu en son sens leibnizien, il continue secrètement à définir *l'individualité* de ce

que Hegel nomme, au sens large, les « déterminités »
(Bestimmtheiten) de la pensée – qu'il s'agisse des différentes figures de l'Esprit, de la conscience ou des catégories de
la logique. Pour être tout à fait explicite, on pourrait dire
que ces déterminités sont au sein du système l'analogue
exact de ce que sont les monades dans la théodicée :
chaque moment – qu'on songe par exemple aux étapes de
la conscience dans la *Phénoménologie* – représente un *point
de vue,* une *perspective* partielle d'un ensemble qui, contem-
plé du point de vue de Dieu ou du philosophe, se trouve
intégré (au sens mathématique) dans une totalité harmonieuse.

2. Le *principe de raison* : il régit l'enchaînement des
déterminités monadiques, et ce jusque dans le moindre
détail. Ici encore la *Phénoménologie* peut servir de modèle :
non seulement chaque étape de l'expérience faite par la
conscience naïve produit littéralement la suivante, mais
lorsque, angoissée par la découverte des contradictions qui
traversent sa vision du monde, elle tente désespérément de
la maintenir en cherchant *systématiquement* toutes les
positions de repli possibles, elle est de part en part guidée
dans son opération par le principe selon lequel il ne faut
pas abandonner *sans raison* le savoir qu'elle détient ou
croit détenir. D'une façon plus générale, on dira que c'est
la perception d'une contradiction dialectique qui fournit la
raison suffisante du passage d'une déterminité à une
autre.

3. C'est ainsi la *continuité* dans l'intégration des différents moments ou points de vue qui se trouve assurée : de
même que la *Monadologie* ignore l'existence du vide (il n'y
a pas de sauts dans la nature), le système s'avère lui aussi
sans failles et la distance est infiniment petite qui sépare
une déterminité d'une autre.

4. Par la même raison, le système ne saurait davantage
multiplier les entités sans nécessité : on ne trouvera donc
jamais au sein de ce processus divin qu'est l'autodéploiement de l'Idée deux étapes parfaitement identiques. Autre-

ment, elles seraient *indiscernables* et ne feraient en réalité qu'une seule et unique déterminité.

5. A l'image du monde leibnizien, le système se conforme dès lors en tout point au *principe du meilleur :* il contient le maximum de déterminités intégrées au sein de la figure la plus économique, la plus élégante : celle de la circularité.

On objectera peut-être à cette comparaison qu'elle occulte la dimension de l'Histoire que Hegel, à l'évidence, ajoute à la monadologie leibnizienne. L'objection est accordée. Elle ne doit pourtant pas occulter le fait que, du point de vue *esthétique,* la conception hégélienne de la temporalité rejoint celle de Leibniz en ce qu'elle interdit également de considérer le sensible autrement que comme un intelligible confus. Je me bornerai, là encore, à repérer quelques indices de cette continuité.

J'ai déjà suggéré comment Kant fondait l'autonomie de la sensibilité dans la théorie des intuitions pures. Il faut y revenir pour mieux saisir en quoi la pensée hégélienne du temps reste étrangement prékantienne. Toute l'affaire de l'« Esthétique transcendantale » était de séparer, contre les leibniziens (contre le principe des indiscernables), l'intuition sensible du concept : c'est dans cette perspective que Kant définissait le temps (et l'espace) comme des « totalités infinies données ». Il lui fallait en effet soigneusement distinguer entre le temps esthétique et le temps conceptuel : le temps esthétique se caractérise par le fait qu'en lui la totalité précède les parties (on ne peut concevoir un moment du temps sans le penser immédiatement sur *l'horizon* d'une totalité d'instants indéfinie). Au contraire, le temps conceptuel – par exemple le temps de l'histoire des progrès scientifiques – doit être conçu comme une addition de parties (les étapes de la science) qui, *idéalement* (au niveau des Idées telles que la métaphysique les imagine), devrait finir par constituer une totalité. C'est au prix d'une telle distinction, et par elle seulement, que Kant pouvait opposer *qualitativement* le sensible et l'intelligible, là où Leibniz ne parvenait à faire du premier qu'un épiphénomène du second. C'est également à ce prix, et à ce prix seulement, une fois gagnée contre le concept l'autonomie de la sensibilité, que Kant pouvait achever le projet de Baumgarten, impossible à réaliser au sein de la métaphysique leibnizienne.

Or, de façon paradoxale – contraire à l'idée reçue selon laquelle Hegel serait le grand introducteur de l'historicité en philosophie – sa conception de la temporalité marque un double *retour* à l'intégration leibnizienne du temps dans le concept :

1. L'une des conséquences de la distinction kantienne du concept et de la sensibilité était que le temps et l'espace devaient être pensés comme des cadres vides, bien qu'ils ne puissent jamais être perçus en tant que tels. Dans sa volonté de récupérer la totalité de ce qui est dans le concept, Hegel revient, contre Kant, à l'idée que le temps, selon la célèbre formule de Leibniz, « ne se conçoit que par le détail de ce qui change ». Cette thèse est visible au niveau de l'ensemble du système où la temporalité se définit comme « le concept étant là » : elle se réduit donc au développement « intelligible » des diverses déterminités de l'Idée de sorte que, comme chez Leibniz, du point de vue de Dieu ou *für uns,* pour nous philosophes qui connaissons la vérité, la temporalité n'est qu'une apparence : elle n'est au fond que la façon confuse dont le sujet fini, le sujet de la réflexion, appréhende le développement de déterminités qui, en soi, existent de toute éternité. Cette thèse, qui fonde la distinction entre l'effectivement réel et le contingent, se retrouve également à un moment clef de la dialectique logique, puisqu'elle sous-tend la première catégorie fondamentale de la logique de l'Être : la catégorie du devenir. C'est parce que le devenir pur est impensable (ou si l'on veut : le temps esthétique et non conceptuel), qu'il faut immédiatement le penser comme devenir de *quelque chose*. C'est donc d'emblée, dès les premières pages de la *Logique*, que se trouve réhabilitée la conception

leibnizienne du temps esthétique comme pure illusion de la finitude, vouée finalement à être dépassée dans la perfection du point de vue divin.

2. Mais il faut aller plus loin : c'est toute la structure ontologique de la théodicée leibnizienne qu'on peut retrouver dans la philosophie hégélienne de l'histoire. Hegel, du reste, n'en a jamais fait mystère : *la Raison dans l'histoire* ira même jusqu'à définir l'ensemble du système comme un simple approfondissement de ce qui, déjà, était en germe chez Leibniz : « Notre méditation, y écrivait Hegel, sera donc une théodicée, la justification de Dieu que Leibniz avait tentée métaphysiquement à sa manière et avec des catégories encore indéterminées. »

De cette revalorisation du point de vue de Dieu par rapport à celui de l'homme découlent deux conséquences fondamentales pour saisir la place *inférieure* de l'esthétique dans l'œuvre de Hegel.

1. Paradoxalement, Hegel n'échappe pas à la figure monadologique de l'individualisme moderne : il n'y a nul hasard en ce sens si sa philosophie de l'histoire non seulement trouve sa source métaphysique dans la théodicée leibnizienne, mais son expression parfaite, sur le plan de la théorie politique, dans la fameuse « main invisible » des libéraux. Que Hegel ait par ailleurs critiqué l'État libéral ne diminue en rien la similitude de structure qui relie la « ruse de la raison » et de la « main invisible »; la communication esthétique redevient donc une communication *médiate :* c'est dans l'idée esthétique, elle-même apparentée à la vérité, que peuvent se reconnaître les spectateurs, et c'est par l'intermédiaire d'un système (d'une harmonie préétablie) qu'ils communiquent entre eux.

2. L'autonomie de la sensibilité par rapport au concept s'évanouit – pour autant du moins qu'elle ne se confond pas avec la pure et simple contingence : comme en témoigne le *Concept préliminaire* de *l'Encyclopédie,* l'intuition est une faculté encore embryonnaire, vouée à ne saisir que de façon confuse ce que la raison seule peut véritable-

ment penser. Corrélativement, l'art ne peut être qu'un moyen, lui aussi inférieur, de saisir la vérité de l'idée, bref, une « *gnoseologia inferior* ». Et, dans ces conditions, c'est tout l'effort tenté par la *Critique de la faculté de juger* en vue de rompre avec le classicisme qu'il s'agit de remettre en question – ce que signifie au fond, comme on va le voir, l'affirmation hégélienne de la supériorité du beau artistique sur le beau naturel.

La contre-révolution copernicienne :
beauté artistique ou beauté naturelle?

On a souvent reproché à Kant son relatif désintérêt, voire son manque de goût pour la beauté artistique. Même dans leur langue originale, les vers de Frédéric le Grand cités au § 49 de la *Critique de la faculté de juger* comme l'un des sommets du génie artistique prêtent à sourire. Les passages consacrés à la classification des beaux-arts sont sans doute profonds, mais on y chercherait en vain les traces d'une authentique culture esthétique. Nul doute que, sur ce point, les *Cours* de Hegel se montrent bien supérieurs à la troisième *Critique*. Au reste, la façon dont Kant rattache « le privilège de la beauté naturelle sur celle de l'art » au fait qu'il « s'accorde avec la manière de penser éclairée et sérieuse de tous les hommes qui ont cultivé leur sentiment moral » (§ 42) semblera aujourd'hui, en mettant les choses au mieux, bien désuète. Pire : du point de vue de la philosophie transcendantale elle-même, l'argument paraît tout empirique et, dans cette mesure, assez faible. Le monde est rempli de gens fort sérieux et fort respectables qui placent la beauté artistique très au-dessus de la beauté naturelle. Bref : nombre d'interprètes ont cru pouvoir en tirer la conclusion que c'était là le talon d'Achille de l'esthétique kantienne.

A commencer par Hegel lui-même. Dès la première page de l'introduction de ses cours, la thèse kantienne est prise à contre-pied : Hegel y souligne en effet que l'objet de l'esthétique n'est pas le domaine du beau en général, mais celui de la seule beauté artistique. Au demeurant, il n'est pas certain que le qualificatif de « beau » puisse s'appliquer au sens propre à des êtres naturels. Et quand bien même on s'autoriserait cette licence poétique, il faudrait de toute façon affirmer que le « beau artistique se situe bien au-dessus de la nature ». La justification apportée par Hegel à ce renversement du kantisme ne manque pas d'intérêt : si la beauté artistique est la seule qui vaille, c'est « parce qu'elle est celle qui est née de l'esprit et restituée par lui »; or, « autant l'esprit et ses productions se situent au-dessus de la nature et de ses phénomènes, autant la beauté artistique s'élève au-dessus de la beauté naturelle. Bien plus : considérée d'un point de vue formel, même une pensée sans intérêt, comme il en passe par la tête de n'importe qui, se situe au-dessus de toute production naturelle, car dans une telle pensée, la spiritualité et la liberté sont toujours présentes ». Qui pourrait contester que l'humain soit supérieur à l'inhumain et que, dans ces conditions, ce soit par une bien étrange naïveté, voire un surprenant désintérêt pour la culture que la *Critique de la faculté de juger* n'ait pas perçu l'évidente supériorité de l'art sur la nature?

La question des rapports entre les deux types de beauté est en vérité beaucoup plus complexe qu'il n'y paraît. A vouloir juger trop vite, on risque de se tromper de cible, de ne pas voir, par exemple, que le véritable contempteur de l'art n'est pas celui qu'on croit et que le « privilège » de la nature est peut-être, selon un paradoxe qui mérite qu'on s'y arrête, le meilleur moyen, sinon le seul, de sauver l'art de l'inévitable infirmité dont il souffre au sein du classicisme. Si la beauté n'est que l'expression sensible de la vérité, si cette expression est elle-même pleinement maîtrisée par un sujet (l'artiste), l'art sera sans doute supérieur à la nature, car mieux approprié à la réalisation des fins qui sont dès lors assignées à la beauté. Mais dans ces condi-

tions, on voit mal aussi comment il pourrait ne pas
occuper une place inférieure à celle de la science et de la
philosophie, censées nous livrer un accès plus direct et plus
fiable à « la chose même ». Dans le primat accordé à la
nature sur l'artifice, une part de la beauté est, il est vrai,
soustraite au pouvoir de l'esprit, mais c'est aussi par là que
l'esthétique peut espérer ne pas se réduire à une « théorie
de la connaissance inférieure », voire à une simple recette
indiquant les moyens susceptibles de communiquer à l'entendement commun des vérités trop abstraites pour être
saisies par lui au niveau qui, seul, pourtant, conviendrait :
celui de la vraie spéculation.

Pour mieux saisir ce paradoxe, il faut garder présents à
l'esprit les motifs qui conduisent Kant à la thèse selon
laquelle la beauté doit *avant toute chose* comporter un
élément naturel, indépendant de l'esprit humain. On sait
que l'objet beau est celui qui, bien que purement sensible
(*naturel*), suscite en nous un accord intellectuel des facultés
analogue à celui qui serait exigé pour que les Idées se
trouvent enfin réalisées. Ce que demande la raison, en
effet, c'est que la nature et l'esprit soient réconciliés comme
ils le seraient du point de vue d'une science achevée ou, ce
qui revient au même, d'un entendement infini, omniscient,
comme doit l'être l'entendement divin. *Mais pour offrir un
quelconque intérêt, encore faut-il que cette réconciliation de
la nature et de l'esprit vienne de la nature elle-même*. On
peut dire de l'objet beau qu'il est celui qui évoque en nous
l'idée de Dieu. Mais pour que cette Idée soit « ravivée en
nous », comme dit encore Kant, il convient justement que
cet accord de la nature et de l'esprit qu'exige la raison ne
soit pas *controuvé* : il ne saurait être artificiellement
produit, faute de quoi, il perdrait tout ce qui fait son
charme, à savoir sa contingence, sa naturalité, le fait qu'il
n'est pas un produit de notre volonté. Ce qui plaît à la
raison dans le beau tient très précisément à cette contingence : c'est parce que son exigence est que la nature se
conforme finalement aux lois de l'entendement qu'elle est

pour ainsi dire heureuse de voir que certains objets manifestent, indépendamment de nous, *sans qu'on les y oblige*,
quelque chose comme une « trace » (§ 42) ou un début de
satisfaction de cet imprescriptible réquisit. Il en va du beau
comme de l'humour : il ne peut jamais tout à fait « être
fait exprès ».

L'enjeu de cette thèse n'est pas mince. Sur le plan
philosophique général, c'est toute la différence entre
réflexion et détermination qui se joue ici : le jugement
réfléchissant suppose toujours que l'accord de la nature et
de l'esprit soit en son principe *contingent*, donc naturel
puisqu'il procède du particulier au général et non l'inverse.
C'est à ce prix, et à ce prix seulement, que l'objet beau
reste toujours pour nous une *surprise*. Sur le plan de
l'esthétique, entendue comme discipline spécifique, c'est la
problématique centrale du classicisme qui se trouve, au
passage, écartée : puisque la beauté ne relève pas du
jugement déterminant, il ne peut y avoir d' « art poétique », de science du beau qui *déterminerait* tout à la fois
les règles générales de la production de la beauté ainsi que
leurs justes critères d'application.

C'est là ce que tentent d'exprimer les *exemples* célèbres
où Kant dénonce comme inesthétique le procédé de l'imitation. Comme Leibniz, Kant admire la beauté des insectes
et des fleurs : dans les dessins symétriques d'une rare
complexité qui ornent parfois les ailes des scarabées ou des
papillons, dans l'extraordinaire diversité des couleurs, la
nature a toutes les apparences de l'art. On dirait qu'elle le
fait exprès, de façon *finale*, et c'est précisément parce qu'il
n'en est rien (la nature n'a pas d'intentions) que la raison
humaine peut éprouver quelque plaisir à voir certaines de
ses exigences pourtant les plus irréalisables un tant soit peu
confirmées. Il est toutefois remarquable que si « l'on avait
secrètement trompé » l'amoureux du beau « et planté en
terre des fleurs artificielles (que l'on peut fabriquer toutes
semblables aux fleurs naturelles) ou placé sur les branches
des arbres des oiseaux artistement sculptés et que là-dessus

il découvrît la supercherie, l'intérêt immédiat qu'il portait
auparavant à ces choses disparaîtrait aussitôt », car « la
pensée que la nature a produit cette beauté » (§ 42) est
seule susceptible de fonder notre intérêt immédiat pour
l'existence même de la chose belle. Kant y insiste à
plusieurs reprises : « Cet intérêt que nous prenons ici à la
beauté exige absolument qu'il s'agisse de la beauté de la
nature et il disparaît entièrement dès que l'on remarque
qu'on est trompé » *(ibid.)*. Ainsi, « il n'est chose plus
goûtée des poètes que le chant beau et enchanteur du
rossignol dans un buisson solitaire par un calme soir d'été
sous la douce lumière de la lune » *(ibid.)*. Et pourtant, si
nous apprenons qu'un « jeune espiègle sachant parfaitement imiter » le rossignol nous a trompés, ce qui nous
semblait beau quelques instants auparavant devient « in-
supportable ».

L'exemple du rossignol est sans doute l'un des passages
les plus fameux de la troisième *Critique* – peut-être aussi
l'un des plus mal compris : Hegel l'a commenté et beaucoup après lui s'accordent à y voir l'indice d'une très
grande naïveté, voire d'une regrettable faute de goût –
comme si l'essentiel était, ici, d'ordre biographique.
Comme s'il eût été question, ici, de faire preuve d'une
culture d'historien de l'art! Le propos est à l'évidence tout
autre : ce dont il vise à *témoigner*, c'est du fait que seul ce
qui est extérieur à la subjectivité humaine, donc *naturel*,
peut être dit beau *si du moins l'on refuse de confondre
purement et simplement la beauté et la vérité, l'art et la
science*. Car c'est bien aussi, négativement, de l'art qu'il
s'agit, et du fait qu'il ne saurait se réduire, ni à l'imitation
de la nature, ni à l'application d'une simple *technique*
permettant de réaliser à la *perfection* les fins qu'on se
propose d'illustrer. L'art authentique devra donc comporter une part de naturalité, un élément qui échappe au
contrôle de la subjectivité et de la conscience des objectifs
qu'elle peut s'assigner dans l'art. Si l'on veut éviter les
écueils du classicisme d'un Boileau, il faut donc – tel est le

sens profond de l'allusion au petit rossignol – résoudre le paradoxe suivant : comment l'art peut-il tout à la fois se proposer des fins conscientes, viser de façon explicite la réalisation d'une certaine forme de beauté, et cependant appartenir encore à la nature de telle sorte qu'il ne se réduise pas à la réalisation techniquement réussie d'une « bonne idée » (d'une quelconque « vérité de raison »)?

C'est à cette étrange équation que répond la théorie du génie. L'art, dans la perspective anticlassique qui est celle de Kant, nous confronte au dilemme suivant : « Ou bien il est une imitation telle de la nature qu'elle va jusqu'à l'illusion et, en ce cas, c'est en tant que beauté naturelle (étant pris comme tel) qu'il a un effet; ou bien il s'agit d'un art dirigé de manière visible à l'intention de notre satisfaction », mais alors « l'art ne peut jamais être intéressant que par sa fin et jamais en lui-même » (§ 42). C'est bien de cette alternative que Kant entend dégager l'art en introduisant en lui, par sa conception de la génialité comme talent *naturel*, le primat de la nature sur l'esprit conscient de soi et des règles qu'il serait censé appliquer. Les raisins de Zeuxis, dont Platon rapporte qu'ils étaient si bien imités que les grives venaient les picorer, n'ont de beauté, pour autant qu'ils en aient, qu'à titre de *copies*; il est facile de comprendre, dans ces conditions, qu'on leur préfère l'original – sauf à confondre l'art avec une simple performance technique. Mais dans l'autre hypothèse évoquée par le passage qu'on vient de lire, l'art n'est pas en meilleure situation : s'il s'agit en effet, comme dans le classicisme, de « plaire avant toute chose » en présentant de façon spirituelle de belles idées morales, il est clair que la finalité et la valeur de l'art sont à nouveau hors de lui; il n'est, là encore, qu'un instrument, le véhicule, en lui-même secondaire, d'une communication dont les termes se jouent ailleurs.

Voici donc l'essentiel de la thèse kantienne sur l'art : « La nature était belle lorsqu'en même temps elle avait l'apparence de l'art; et l'art ne peut être dit beau que lorsque nous sommes conscients qu'il s'agit d'art et que pourtant celui-ci nous apparaît en tant que nature » (§ 45). On ne saurait être plus clair : puisque la beauté réside dans une certaine réconciliation de la nature et de l'esprit, puisque cette réconciliation n'offre d'intérêt pour la raison humaine que si elle est une heureuse surprise, un accord imprévisible et contingent, il faut, lorsqu'il s'agit de beauté naturelle, que la nature nous étonne en ressemblant à l'esprit, *donc en ayant l'apparence de l'art*; et lorsqu'il est question de beauté artistique, il faut qu'à travers le génie nous reconnaissions dans le produit fini *l'œuvre de la nature* : « Aussi bien, la finalité dans les produits des beaux-arts, bien qu'elle soit intentionnelle, ne doit pas paraître telle... La règle scolaire ne doit pas transparaître; en d'autres termes on ne doit pas montrer une trace indiquant que l'artiste avait la règle sous les yeux et que celle-ci a imposé des chaînes aux facultés de son âme » (§ 45). Contrairement à ce que pensent les classiques, l'art ne relève en rien du concept de perfection : il ne s'agit pas de bien présenter une bonne idée, mais de *créer inconsciemment* une œuvre inédite, radicalement nouvelle et cependant douée immédiatement de signification pour tout un chacun.

On comprend dans ces conditions que Kant rejoigne certains aspects de l'esthétique du sentiment, voire de l'art baroque : non seulement le véritable génie est inconscient – ce qui constitue en lui une part de naturalité sans laquelle les beaux-arts ne seraient jamais que des arts appliqués –, mais les règles qu'il invente au fur et à mesure qu'il les met en œuvre sont aussi *mystérieuses* pour lui que pour le spectateur : « Le créateur d'un produit qu'il doit à son génie ne sait pas lui-même comment se trouvent en lui les idées qui s'y rapportent » (§ 46). L' « idée esthétique » qui guide le génie ne se conçoit ni ne s'énonce clairement : « Aucune expression, désignant un concept déterminé, ne peut être trouvée pour elle »; elle « donne à penser en plus d'un concept bien des choses indicibles dont le sentiment anime la faculté de connaissance » (§ 49). L'artiste de génie ne *suit* donc pas les règles : il les invente, et le miracle de l'art tient à ce que cette invention inconsciente, *donc naturelle*, fait immédiatement sens pour autrui, et ce *en vertu des mêmes principes qui faisaient du beau naturel une trace symbolique des idées de la raison*. Le beau artistique s'avère être ainsi l'analogue exact du beau naturel en l'homme. Voilà pourquoi il est essentiel de maintenir contre le classicisme que la règle de l'art, pour autant qu'il y en ait une, « ne peut être exprimée dans aucune formule pour servir de précepte » (§ 47).

Toutes proportions gardées, il en va de l'art comme de l'humour : il relève d'un don naturel qui ne s'enseigne pas, qui est donc purement *original* et cependant *communicatif* en ce qu'il fait immédiatement « sens commun ». On peut apprendre la technique propre à chaque art particulier comme on peut apprendre à raconter des « histoires drôles » : cette acquisition laborieuse ne saurait transformer qui que ce soit en artiste ou en humoriste. Entre restituer ce qui est de l'ordre de la mémoire et avoir, comme on dit si bien, le *sens* de l'humour, il est un abîme qu'aucun labeur ne saurait jamais combler. Qu'on le veuille ou non, c'est cette « vérité esthétique » que le primat de l'artificiel sur le naturel risque de nous faire oublier dans sa volonté toute cartésienne de réintégrer le beau dans l'orbite des pouvoirs de l'esprit. Et c'est bien dans cette voie, celle d'un classicisme rénové, que la critique de Kant devait inévitablement conduire l'esthétique hégélienne.

*Vers un nouveau classicisme :
la triple historicité de l'art
comme présentation sensible du vrai*

Évitons d'abord un malentendu lié à l'équivocité du mot classicisme : je n'entends désigner par ce terme ni l'art grec, comme le fait Hegel, ni même les œuvres les plus marquantes du xviie siècle français, mais la *doctrine esthétique*, d'origine cartésienne, selon laquelle l'art aurait pour fonction principale de représenter les vérités de raison dans cet élément extérieur à elles, mais accessible à l'entendement commun, qu'est la sensibilité. Dans le classicisme, ainsi entendu, il est clair que le moment central du beau est l'*idée*, l'élément sensible n'étant que le milieu, par essence inadéquat, au sein duquel la vérité devient *perceptible* de façon *plaisante*. On a vu comment l'*Art poétique* de Boileau constituait l'une des premières grandes thématisations intellectuelles de cette préséance toute « classique » du contenu idéal de l'art sur sa forme sensible; on a dit également comment, chez Boileau, cette représentation du beau s'accompagnait d'une prétention de l'art à l'éternité : puisque la vérité ne saurait être qu'une et intemporelle, puisque l'humanité à qui elle s'adresse à travers les formes esthétiques possède une essence intangible et invariable, l'art ne saurait connaître des progrès historiques semblables à ceux qui bouleversent le monde de la science.

L'originalité de l'esthétique hégélienne tient justement dans l'inversion de ce postulat : c'est parce que la vérité a une histoire – ou pour mieux dire : est elle-même histoire – que l'art, comme présentation sensible de cette vérité, doit lui aussi entrer dans la sphère de l'historicité. Il y aura donc des « étapes » de l'art, comme il y en a dans le déploiement des figures de la conscience que décrit la *Phénoménologie*, ou dans celui de l'idée logique ou des diverses formes de l'esprit (auxquelles, du reste, l'art appartient). Mais pour autant, telle est la thèse que je voudrais ici expliciter, le classicisme, que l'esthétique kantienne s'était efforcée de battre en brèche, ne se trouve nullement modifié dans son *principe : car pour être devenue historique, la vérité n'en demeure pas moins le moment essentiel d'une œuvre d'art qui continue d'être conçue comme présentation sensible du vrai*, de sorte qu'on pourrait dire de l'hégélianisme que s'il constitue sur le plan métaphysique une historicisation de la théodicée leibnizienne, il s'avère être sur le plan esthétique un *classicisme historicisé*.

La formule, cependant, ne saurait tenir lieu d'explication : les modalités de cette historicisation du Beau sont, dans l'esthétique hégélienne, d'une si grande profondeur qu'à les suivre on comprend véritablement la place ultime à laquelle l'art peut prétendre dans un système métaphysique au sein duquel il est voué à occuper un rang inférieur. L'*Aesthetica* de Baumgarten et la *Critique de la faculté de juger* tentaient, contre la réduction leibnizienne de la sensibilité à de l'intelligible confus, contre le primat du point de vue de Dieu sur celui de la finitude humaine, de donner à l'esthétique ses lettres de noblesse : il fallait donc lui garantir l'autonomie de son objet. En introduisant l'historicité dans la vérité, c'est ce primat du divin et de l'intelligible que Hegel entend rétablir. Par contrecoup, la sphère de l'esthétique, qui pourtant était née de la légitimation du sensible, doit elle aussi être réintégrée dans l'ensemble du système. La philosophie de l'art doit donc embrasser son objet pour mieux l'anéantir, ou si l'on veut être tout à fait juste : pour mieux l'assurer dans le rôle subalterne dont il n'aurait jamais dû s'évader.

Que l'esthétique de Hegel reprenne le thème fondamental du classicisme, c'est là ce que confirment de la façon la plus nette les modalités selon lesquelles elle définit la destination suprême de l'art : d'après l'introduction des cours sur l'esthétique*, celle-ci est atteinte « lorsque l'art

---

* Deux précisions philologiques s'imposent. La première concerne la traduction française : elle est si défectueuse que j'ai dû renoncer à y faire référence. C'est donc ma propre traduction qu'on lira dans les citations – simple traduction de travail qui vise tout au plus la fidélité sans rechercher l'élégance. Il faut ensuite rappeler que, pour l'essentiel, nous ne connaissons l'esthétique de Hegel qu'à travers les notes de cours rassemblées par ses élèves et publiées pour la première fois par l'un d'entre eux, H. G. Otho, en 1835, puis rééditées, dans une version légèrement améliorée, en 1842. C'est cette seconde édition, reprise de façon accessible en poche par Suhrkamp, que j'ai suivie ici. Sur la fiabilité des textes collationnés par Otho, on pourra

s'est situé dans la même sphère que la religion et la philosophie pour ne plus être qu'une manière d'exprimer et de porter à la conscience le *divin*, les intérêts les plus profonds de l'homme, les vérités de l'esprit les plus vastes... L'art a cette destination en commun avec la religion et la philosophie, mais de telle sorte cependant qu'il présente de façon sensible même ce qui est le plus élevé et qu'il le rapproche ainsi du mode de manifestation qui est propre à la nature, aux sens et à la sensation[3] ».

Hegel n'a cessé de le répéter : « L'art a pour objet la présentation de la vérité. » Loin donc d'être une pure illusion, comme pourrait le laisser croire une certaine tradition platonicienne, l'art possède une visée identique à celle de la religion et de la philosophie, et même si la vérité y est présentée sous la forme de *phénomènes*, de ces manifestations sensibles que sont les *œuvres*, il convient « d'attribuer à ces phénomènes de l'art une réalité (*Realität*) bien plus élevée et une existence (*Dasein*) bien plus vraie qu'à la réalité (*Wirklichkeit*) quotidienne » (I, p. 22). Car, Hegel y insiste à maintes reprises dans ses cours, la présentation sensible de la vérité doit se faire dans la belle œuvre de telle sorte que les deux moments en présence ne soient pas rapportés l'un à l'autre de façon arbitraire, mais au contraire, au sens le plus fort, convenable : « Le contenu de l'art est l'idée, sa forme en est la structuration sensible et imagée. Or l'art doit médiatiser ces deux aspects de telle sorte qu'ils constituent une libre totalité réconciliée » (I, p. 100). C'est dans la diversité des modalités d'une telle réconciliation que Hegel va situer le principe d'une hiérarchie *chronologique*, non seulement des diverses appréhensions du concept de beauté, mais aussi des diffé-

utilement se reporter aux articles de Annemarie Gethmann-Siefert. Disons seulement que, pour ce qui touche à la structure systématique de l'œuvre, le texte de Otho est largement corroboré par ceux que nous tenons directement de la main de Hegel. C'est éventuellement dans le détail de tel ou tel jugement esthétique, notamment sur Goethe ou sur Schiller, qu'il pourrait, semble-t-il, y avoir discussion.

rents arts eux-mêmes. Avant d'expliciter ce principe – qui permettra de comprendre très exactement en quoi l'hégélianisme revient, de façon certes grandiose, sur les acquis de l'esthétique kantienne –, on doit déjà saisir en quoi cette simple définition de l'art implique un triple retour au classicisme :

1. C'est tout d'abord une conception « cartésienne » de l'esprit qui se trouve ici réactivée. Il ne s'agit évidemment pas de suggérer par là que le concept hégélien de l'esprit serait une reprise des *Méditations métaphysiques*; il est clair que, de la conscience cartésienne à l'esprit hégélien, la distance est grande et ne saurait être annulée. Reste que, comme chez Descartes, et à la différence de ce qui avait lieu dans la théorie kantienne du génie, l'esprit se voit réinvesti d'un pouvoir de maîtrise sans limites sur lui-même : c'est dire qu'il ne saurait subsister en son sein, du moins en dernière instance, lorsqu'il se trouve enfin conforme à son concept, la moindre *obscurité*, la plus petite parcelle de cette *naturalité* que Kant n'hésitait pas à attribuer au pouvoir créateur de l'artiste. Il n'y a sur ce point aucun doute pour Hegel : la véritable beauté est une création de l'esprit, et s'il est une chose que l'on ne saurait nier, c'est bien le fait que « l'esprit est capable de se considérer lui-même et d'avoir une conscience, et même une conscience *pensante* de lui-même et de tout ce qui jaillit de lui. Car c'est justement le *penser* qui constitue l'essence la plus intime de l'esprit. [...] Or l'art et ses œuvres, pour autant qu'il y ait en eux quelque chose de vrai, appartiennent eux-mêmes à l'ordre du spirituel en tant que jaillis de l'esprit et engendrés par lui, quand bien même leur présentation porte en elle l'empreinte de l'apparence sensible et pénètre le sensible par l'esprit » (I, 27).

2. On comprend, dans ces conditions, que la philosophie hégélienne se situe aux antipodes de l'esthétique du sentiment, et c'est en fin connaisseur de cette tradition que Hegel marque ses distances par rapport à ceux qui, notamment « en France », ont affirmé contre le classicisme

cartésien l'*irrationalité* du « cœur », de ce « je-ne-sais-quoi » dont on a vu comment il constituait, pour Bouhours et Dubos, « l'âme de la délicatesse » : il s'agit en effet d'en finir avec ces « réticences élevées à l'encontre d'un traitement véritablement scientifique des beaux-arts » qu'on peut lire « en particulier dans certains écrits français sur le beau » (I, 19) – mais aussi, il faut bien l'avouer, chez Baumgarten et jusque dans la *Critique de la faculté de juger*.

3. On doit donc résolument affirmer – et l'on mesure ici combien Hegel s'écarte de Kant pour réintégrer l'orbite de l'esthétique classique – non seulement que les beaux-arts sont dignes de susciter la réflexion philosophique, mais surtout (ce qui va beaucoup plus loin) qu'ils sont un objet tout à fait approprié à un traitement authentiquement scientifique (I, 18). La nuance est importante : elle signifie que l'art n'est pas un objet irrationnel sur lequel la réflexion philosophique pourrait bien, comme de l'extérieur, trouver à s'exercer, mais qu'il fait *intrinsèquement partie* du développement de la science, c'est-à-dire de l'autodéploiement de l'esprit dans toute sa systématicité.

C'est à ce titre que l'art apparaît pleinement comme ce qu'il est : un moment de la vérité qui possède son développement (son historicité) propre (interne), mais aussi, en tant justement qu'il n'est qu'un moment, son historicité *externe :* il y a, au sein du système complet de la science, un *avant* de l'art (en l'occurrence, pour des raisons qu'on n'analysera pas ici : l'État), et un *après* (la religion et la philosophie, comme on le comprendra peut-être mieux dans ce qui suit) : « De même que l'art trouve son *avant* dans la nature et dans les domaines de la vie, il possède aussi son *après*, c'est-à-dire une sphère qui à son tour dépasse son mode d'appréhension et de présentation de l'absolu. Car l'art contient encore en lui-même une borne et doit donc se résoudre dans des formes supérieures de conscience » (I, 141) : passage capital où Hegel nous livre le principe d'une esthétique qui va essentiellement consister en une hiérarchisation chronologique des étapes de l'*auto-dissolution de l'art* dans la religion, puis dans la philosophie. Car la limite que l'art porte en lui, nous la connaissons; elle n'est nullement liée, comme le croit naïvement l'esthétique du sentiment (qui, au demeurant, seconde naïveté, y voit une supériorité de la beauté sur la vérité), au fait que l'art contiendrait un élément irrationnel, voire serait en lui-même d'un autre ordre que celui de la raison. Bien évidemment, la borne évoquée par Hegel *est celle de la sensibilité* en laquelle s'exprime la vérité – sensibilité qui, du point de vue du philosophe, du point de vue du divin, n'a pas plus de valeur ontologique dans le *système* qu'elle n'en a dans la théodicée leibnizienne.

Il s'agit donc de comprendre comment l'introduction de l'historicité dans l'art, en tant que présentation sensible d'une vérité elle-même historique, n'est pas l'opposé du classicisme, mais, au contraire, le plus sûr moyen de le réaliser, de le rendre enfin conforme à son concept, à ce que, dès l'origine, il contient de juste dans sa lutte contre le baroque et le sentimentalisme. En ce point nodal de l'esthétique hégélienne, la *triple historicité* du beau qui structure l'ensemble des *Cours* prend toute sa signification. Tentons de la formuler de façon adéquate :

1. *La première historicité :*
   symbolisme, classicisme, romantisme

Considérons à nouveau la façon dont Hegel définit *l'articulation* des deux moments constitutifs du concept de la beauté artistique : nous avons affaire, « *premièrement*, à un contenu, un but, une signification; *deuxièmement* à l'expression, au phénomène, à la réalité de ce contenu; mais *troisièmement*, ces deux moments sont si pénétrés l'un par l'autre que l'extérieur, le particulier apparaît exclusivement comme étant la présentation de l'intérieur » (I, 132). Si l'art est structuré comme un langage, avec, dirions-nous aujourd'hui, un signifiant et un signifié, il reste cependant très différent du langage originaire en ceci que le signifiant, la forme sensible, ne doit en principe rien concéder à l'arbitraire : « Dans l'œuvre d'art, rien n'est présent qui n'exprime et ne possède un rapport essentiel avec le contenu » (*ibid.*). Il y a d'autres façons de dire une vérité que le mode esthétique; mais ce qui le caractérise entre tous, c'est le fait que, bien que sensible, la forme de l'expression ne laisse rigoureusement rien à la contingence (I, 101).

De cette simple remarque se déduit le principe de la hiérarchisation des grandes formes d'art; dans la mesure où « l'art a pour tâche de présenter en général l'idée pour l'intuition immédiate dans sa forme sensible et non dans la forme du penser et de la pure spiritualité, dans la mesure où cette présentation tire sa valeur et sa dignité de la correspondance et de l'unité des deux moments que constituent l'idée et sa forme, le rang et le degré d'excellence de l'art, quant à la réalité conforme à son concept, dépendent du degré d'intimité et d'unité avec lequel l'idée et la forme apparaissent élaborées l'une en l'autre » (I, 103). Le principe de hiérarchisation se dédouble ainsi lui-même :

– La supériorité d'une forme d'art se mesurera d'abord à la capacité qu'elle possède à exprimer adéquatement, *bien que de façon sensible*, la vérité de l'idée; en ce sens, l'art recherche ce que Hegel, après Kant, nomme l'« *idéal* », c'est-à-dire l'individualité entendue comme la synthèse de l'universel contenu dans l'idée et du particulier inhérent à la forme sensible qu'elle revêt; « car l'idée en tant que telle est certes le vrai en soi et pour soi, mais le vrai selon son universalité non encore objectivée », tandis que, comme idée du beau, donc incarnée de façon sensible ou *individualisée* par son union avec une forme particulière, elle s'apparente à l'idéal : dès lors, on peut dire que l'exigence qui s'exprime dans l'art, c'est que « l'idée et sa forme comme réalité concrète soient rendues parfaitement adéquates » (I, 104, 105). Et c'est selon cette exigence qu'on devra juger les « progrès » qui scandent l'histoire de l'esthétique.

– Mais il va de soi que, ainsi formulé, le principe de hiérarchisation reste tout à fait insuffisant (« abstrait »). Car la valeur de l'art, et ici encore s'exprime le classicisme de Hegel, dépend aussi (on verra en fait que c'est tout un) de la richesse et de la profondeur (de la « concrétude ») de l'idée. Or cette dernière relève à son tour d'une *historicité* : « Car l'esprit, avant de parvenir au concept véritable de son essence absolue, doit effectuer un parcours jalonné d'étapes fondé lui-même dans ce concept, et à ce parcours du contenu qu'il se donne correspond, comme lui étant immédiatement lié, un parcours des formes d'art au sein desquelles l'esprit se donne en tant qu'esprit artistique la conscience de lui-même » (I, 103).

On l'aura compris, c'est en ce point précis que Hegel parvient à réconcilier pleinement le classicisme et l'historicité, la seconde venant conférer au premier sa puissance maximale : loin que l'histoire de l'art, comme chez Dubos, vienne constituer un argument contre la thèse selon laquelle l'art serait la manifestation sensible de la vérité, il vient au contraire la confirmer de façon magistrale; c'est parce que la vérité « vraie » est elle-même historique (et non « éternelle », du moins au sens naïf que les classiques du XVIIe siècle confèrent « encore » à ce terme), qu'il y a nécessairement aussi une histoire des manifestations sensibles de cette vérité. Il n'y a donc rien là qui incite à abandonner le projet de transformer l'art en objet scientifique; rien non plus qui puisse plaider en faveur d'une « indépassabilité » de l'art; tout au contraire, et les deux thèmes sont fortement liés, c'est parce qu'il est, *dans l'ordre de la sensibilité*, manifestation historique d'une vérité elle-même historique qu'il faudra bien se résoudre à le dépasser au profit d'expressions mieux appropriées à la spiritualité d'un contenu qui, *en dernière instance*, répugne à la sensibilité, même s'il peut s'y complaire *pour un temps*.

Comme l'art n'est pas un langage semblable aux autres,

puisque en lui la liaison de la forme et du contenu, du signifiant et du signifié, ne doit rien emprunter à l'arbitraire, l'historicité du contenu est aussi bien celle des formes. En d'autres termes, nous pouvons compléter le principe de la hiérarchisation des arts en soulignant que l'imperfection de la forme, dans la sphère esthétique, est radicalement dépendante de celle du contenu : « La défectuosité de l'œuvre d'art ne doit pas être considérée par exemple comme un manque d'habileté technique inhérent au sujet, mais la défectuosité de la forme provient aussi de celle du contenu »; et Hegel illustre son propos en termes culturels : si les « Chinois, les Indiens et les Égyptiens » ne parviennent à produire de Dieu que des images « sans forme ou d'une forme n'offrant qu'une déterminité mauvaise et sans vérité », c'est parce que « leurs représentations mythologiques » sont elles-mêmes indéterminées et abstraites (I, 105). C'est donc seulement grâce au développement de l'idée « que la beauté artistique parcourt une totalité d'étapes et de formes particulières »; les trois grands moments : *symbolique, classique, romantique*, ne sont ainsi « que les différentes relations du contenu et de la forme, relations qui se déduisent de l'idée elle-même et qui fournissent par là le véritable principe de la division de ces différentes sphères » (I, 107).

Cette tripartition des grandes formes génériques, qui apparaît comme la *première relation de l'art à l'historicité*, est (relativement) bien connue. Dans l'optique d'une histoire de l'esthétique entendue comme histoire de la subjectivité, elle offre l'immense intérêt de témoigner, bien que *négativement*, de la liaison intime qui unit l'esthétique à ce que l'on pourrait nommer la *laïcité philosophique* inhérente, chez Kant, au retrait du divin : c'est parce que Hegel accomplit véritablement le projet leibnizien d'une systématicité parfaite, parce que, ce faisant, il est conduit à faire de la philosophie une tentative de dépassement par l'homme du point de vue de la finitude humaine (de la *subjectivité réflexive*) au profit du point de vue de Dieu (du savoir ou du *sujet absolu*) que sa hiérarchisation des formes d'art prend non seulement la forme d'une chronologie, d'une logique de la temporalité, mais qu'elle tourne aussi à la mise à mort de l'art. Elle est en effet susceptible d'une double lecture : comme autodéploiement de l'art à travers les différentes étapes que l'approfondissement de l'idée impose à la variété des formes; mais tout aussi bien comme autodissolution de l'art puisque, au cours de ce procès, il doit inévitablement se rendre compte, au moment même où il touche à la perfection de son genre, qu'il n'est pas le moyen d'expression le plus adéquat de l'idée, qu'il est inférieur à la *représentation* du divin par la religion, et, finalement, par la pensée philosophique elle-même. C'est cette structure paradoxale de l'art qu'il faut saisir, avant de pénétrer les deux autres formes d'historicité qui vont venir également l'affecter et compléter ainsi cette structure d'autodéploiement et d'autodépassement.

L'art commence donc par être *symbolique*. Ce premier moment n'offre pas de difficulté particulière, tant il est facile d'y repérer, en suivant le principe de hiérarchisation, la double défectuosité qui l'affecte : en effet, la forme symbolique est imparfaite, en ceci que, d'une part, « en elle l'idée n'accède à la conscience que de façon indéterminée, avec une déterminité abstraite, et que, d'autre part, par là même, l'adéquation entre la signification et la forme ne peut elle-même que rester abstraite et défectueuse » (I, 109). Il en résulte deux conséquences *visibles*.

Comme l'idée est encore trop indéterminée pour pouvoir indiquer elle-même de façon concrète la forme qu'elle doit recevoir, l'art symbolique, comme le suggère son nom, se borne souvent à utiliser des objets naturels comme simples *représentants* du contenu à exprimer; par exemple, on peut symboliser la force par l'image d'un lion. On fait alors *comme si* l'idée était présente dans la forme qu'est dès lors l'objet naturel, mais, bien évidemment, la relation entre les deux moments de l'art reste ici tout à fait extérieure. Car, en vérité, l'idée n'est pas dans l'objet naturel et le rapport, on ne saurait mieux dire, reste seulement *symbolique*.

L'idée ne peut donc se satisfaire d'une telle relation extérieure à sa forme, et c'est dans cette insatisfaction, qui constitue aux yeux de Hegel le moment du sublime, que l'art symbolique commence à se ruiner lui-même, que son autodéploiement devient autodépassement. Quel lien convient-il d'établir entre le symbolique et le sublime? En allemand, sublime se dit : *erhaben*, ce qui s'élève *au-dessus*. Or, dans cette quête insatisfaite d'une forme qui lui soit adéquate, l'idée fait l'expérience de sa propre sublimité, c'est-à-dire du fait qu'elle est *au-dessus* de toutes les formes sensibles qu'on tente maladroitement de lui accoler. L'idée devient donc tyrannique à l'égard des phénomènes naturels qu'elle torture littéralement et finalement rejette dans sa tentative même de se les approprier : l'art symbolique s'exprimera donc aussi bien dans « des géants et des colosses », qui par leur caractère monumental et grandiose essaient laborieusement de traduire cette supériorité de l'idée encore toute abstraite et indéterminée, que dans ces statues indiennes « aux cent bras et aux cent poitrines » dont la diversité torturée et la richesse factice correspondent à la même aspiration insatisfaite.

C'est cet effort, encore vain, que l'art *classique* vient couronner : si l'idéal se définit comme adéquation parfaite de la forme et du contenu, de la présentation sensible et de l'idée, c'est seulement avec l'art classique que nous l'atteignons, et qu'ainsi nous pénétrons la sphère de la beauté parfaite. Dans l'optique qui nous intéresse ici, il importe de bien comprendre le paradoxe constitutif de cette seconde étape : elle va en effet apparaître, au sein du système hégélien, comme la perfection suprême d'un ordre limité, comme l'art le plus parfait, mais malgré tout comme un art, donc comme inadéquat à l'idée, puisque celle-ci, en tant que telle, ne saurait jamais se satisfaire pleinement d'être incarnée dans une forme sensible, fût-elle, à la différence de ce qui a lieu dans l'art symbolique, la plus adéquate possible, la plus intrinsèquement déterminée par son contenu. Qu'advient-il, en effet, avec le passage du symbolique au classique? Selon le principe de hiérarchie, il faut tout à la fois que l'idée se détermine, devienne plus concrète et plus riche, mais aussi que, ce faisant, elle produise pour ainsi dire sa propre forme, détermine non seulement son contenu mais aussi l'expression qui, seule, lui convient pleinement. L'art classique ne saurait donc plus se contenter d'emprunter à la nature *extérieure* des formes symbolisant l'idée, la spiritualité. Et pourtant, il doit rester un art, et comme tel, une présentation sensible, donc, en un sens, malgré tout naturelle, de la vérité : « Il convient donc de rechercher pour un tel contenu ce qui, dans l'ordre du naturel, a pour attribut *intrinsèque* le spirituel en soi et pour soi » (I, 110).

La seule forme naturelle qui réponde à l'équation ainsi formulée est la forme humaine, et, pour l'essentiel, l'art classique s'incarne aux yeux de Hegel dans la sculpture grecque qui présente l'unité visible de l'humain et du divin : le corps humain, en particulier le visage, apparaît ainsi comme « le seul phénomène sensible approprié à l'esprit ». Bien sûr, dans cette nouvelle étape de la vie esthétique, à la différence de ce qui avait lieu dans le symbolique, le corporel n'est « plus simple existence (*Dasein*) sensible, mais existence et forme naturelle de l'esprit; pour cette raison il faut le soustraire à toute indigence du seulement sensible et de la finitude contingente du phénomène » (I, 110). C'est là ce que l'art grec, plus que tout autre, parvient à exprimer dans le calme et la sérénité des corps et des visages. Il touche ainsi l'idéal puisque, d'un côté, l'idée s'est suffisamment développée pour se percevoir elle-même comme subjectivité et que, de l'autre, cette subjectivité trouve en l'homme une expression qui n'a plus rien d'arbitraire. Mais c'est en ce point précisément, que le paradoxe de l'art éclate au grand jour.

Car la subjectivité qui s'exprime dans l'art le plus parfait n'est encore qu'une subjectivité finie, humaine, affectée justement pour cette raison d'un corps naturel, donc *esthétique* (sensible). En un sens, l'art n'y peut rien : comment pourrait-il, puisque c'est son essence que de présenter l'idée dans une forme sensible, s'affranchir de toute référence à la sensibilité et, par là, à la finitude? En un autre sens, c'est précisément là ce qui le condamne au moment même, bien sûr, où il atteint sa perfection : *avant*, cette limite aurait pu encore être imputée à une imperfection accidentelle, provisoire, ce qui n'est plus possible lorsque nous avons enfin affaire à l'idéal. Telle est la raison pour laquelle Hegel évoque en termes proprement *mitigés* ce qu'il faut bien se résoudre à nommer l'anthropomorphisme de l'art le plus parfait : « On a certes souvent condamné la personnification et l'humanisation comme une dégradation du Spirituel; mais l'art, dans la mesure où il a pour vocation de rendre le spirituel intuitionnable de façon sensible, doit en venir à cette humanisation... » (I, 110). L'idée vraie est bien cette unité de l'humain et du divin que représente la statue grecque; mais, en même temps, le fait que cette représentation reste dans l'ordre de l'esthétique, de la sensibilité, puisqu'elle s'exprime dans le corps humain, est une limite qui rejaillit inévitablement sur la conception de la spiritualité elle-même : « Par là, l'esprit est aussi déterminé comme particulier, humain, non comme purement absolu et éternel... » La forme classique, malgré sa perfection, ne peut donc elle non plus se maintenir : « Elle a certes atteint ce que la mise en forme sensible propre à l'art peut produire de plus élevé et si quelque chose, en elle, fait défaut, cela tient seulement à l'art lui-même et à la limitation de la sphère qui est la sienne » (I, 111). « Seulement »... La formulation ne manque pas d'intérêt : elle confirme, s'il en était besoin, combien l'histoire de l'esthétique est, dans une métaphysique de la raison, l'histoire de son propre dépassement. C'est là ce dont témoigne plus explicitement encore le passage du classicisme au romantisme.

Avec l'époque romantique, en effet, nous entrons dans

ce que l'on pourrait nommer « l'art de la sortie de l'art » :
le romantisme se définit en effet comme « le dépassement
de l'art par lui-même, dépassement qui demeure pourtant
encore dans le domaine propre de l'art ainsi que dans sa
forme » (I, 113). Le paradoxe mérite qu'on s'y arrête. Il
s'éclaire si l'on prend en compte la double structure
(contenu/forme) du principe de hiérarchisation.

D'un côté, le contenu de l'art romantique est d'un degré
plus élevé que celui de l'art classique : ce dernier était
parvenu à l'idée vraie que l'esprit est synthèse du fini et de
l'infini, de l'humain et du divin, union que la sculpture
grecque présentait de façon *idéale* dans la sensibilité. Mais
cette unité du fini et de l'infini reste encore chez les Grecs
un *en-soi*, une unité immédiate, non développée et déterminée. C'est précisément pour cette raison, en fonction même
de sa limitation, que ce contenu spirituel peut encore
trouver dans la sensibilité une expression qui lui soit
parfaitement adéquate (I, 111). En revanche, dans l'art
romantique, cet en-soi devient pour-soi : l'esprit *prend
conscience* du fait qu'il est unité du divin et de l'humain, de
l'infini et du fini. Du dieu grec, nous passons au Dieu
chrétien qui est esprit, donc *intériorité, pour-soi.*

Cette modification du contenu doit inévitablement
rejaillir sur la forme : dans ces conditions nouvelles,
« l'élément *vrai* pour la réalité de ce contenu ne peut plus
être l'existence sensible immédiate du spirituel, la forme
corporelle humaine, mais *l'intériorité consciente de soi.*
Voilà pourquoi le christianisme, parce qu'il représente
Dieu *en tant qu'esprit*, et non en tant qu'esprit particulier,
individuel, mais bien comme esprit absolu, dans l'*esprit* et
dans la vérité, doit se retirer de la sensibilité de la
représentation vers l'intériorité spirituelle; et c'est de cette
dernière qu'il doit faire l'élément matériel et l'existence
(*Dasein*) de son contenu, et non du corps », comme dans la
représentation grecque du divin (I, 112). On comprend la
situation paradoxale de l'art romantique : enfin parvenu à
une représentation correcte, spirituelle, du divin, il s'aper-

çoit qu'il ne peut plus le présenter dans un matériau sensible qui le particularise, donc le déforme en l'individualisant : « Le contenu nouveau qu'on a ainsi obtenu n'est donc pas lié à la présentation sensible comme si elle lui correspondait, mais au contraire, il se libère de cette existence immédiate qui doit dès lors être posée négativement, dépassée, et réfléchie dans l'unité spirituelle » (I, 113). C'est dès lors le *monde intérieur* qui doit constituer le contenu de l'art romantique, et c'est lui qu'il s'agit maintenant de présenter.

Car le paradoxe est là : pour être romantique, l'art n'en cesse pas moins d'être art et, comme tel, il reste intrinsèquement lié au sensible, donc en quelque façon à l'extériorité. Tout le problème, du côté de la forme, revient donc à savoir comment un contenu qui est intériorité pure (conscience, pour-soi) peut être adéquatement présenté dans l'extériorité sensible. Avec le romantisme, « l'intériorité fête son triomphe sur l'extériorité et elle laisse voir cette victoire dans et par l'extériorité elle-même » (*ibid.*) : l'art romantique sera par conséquent un art du sens interne, du sentiment, et finalement, si l'on considère les *formes de la sensibilité*, du temps plutôt que de l'espace. On mesure ici à quel point l'esthétique reçoit chez Hegel l'étrange mission de dépasser la sensibilité, à quel point l'art romantique est bien, en ce sens, l'art de la sortie de l'art et de l'entrée dans la religion. L'idée à laquelle il s'est élevé est celle de l'esprit, non plus extériorisé dans la belle individualité grecque, mais conscient de soi, et quoique *rationnellement* supérieur à l'art classique, il doit en quelque façon lui redevenir *esthétiquement* inférieur : plus question, en effet, de retrouver l'adéquation parfaite avec une sensibilité qui, désormais, est clairement désignée comme ennemie.

Telle est la raison pour laquelle l'art romantique devra se résoudre à abandonner la perfection classique et à renouer avec la fâcheuse scission de la forme et du contenu qui caractérisait le symbolique. Moment quelque peu analogue à celui du sublime puisque l'Idée se retrouve au-dessus du sensible, mais, ici, pour une raison radicalement inverse : c'est parce qu'elle est devenue trop riche et trop concrète pour lui, et nullement parce qu'elle est encore indéterminée, qu'elle doit reprendre ses distances avec la forme : « Par suite, l'indifférence, l'inadéquation et la séparation de l'idée et du contenu réapparaissent à nouveau – comme dans le symbolique – toutefois avec cette différence essentielle que dans le romantisme l'idée, dont la défectuosité dans le symbole commandait les défauts de la forme, doit se manifester comme esprit et comme âme parfaits en soi et que c'est en raison de cette haute perfection qu'elle se soustrait à une réconciliation adéquate avec l'extériorité puisqu'elle doit chercher et accomplir sa vraie réalité et sa vraie manifestation seulement en elle-même » (I, 114).

Les trois moments (symbolisme, classicisme, romantisme) de la relation de l'idée avec sa forme s'avèrent être ainsi les trois temps d'un processus consistant à « chercher, atteindre et dépasser l'idéal en tant que véritable idée de la beauté ». Cette première historicité se résout ainsi en une autre, plus particulière, au sein de laquelle se précise encore le caractère intrinsèquement intenable, donc par essence provisoire, de l'esthétique.

2. *La deuxième historicité :*
   architecture, sculpture, peinture,
   musique et poésie

L'examen de la hiérarchie, elle aussi, au sens fort, *chronologique*, des différents arts particuliers s'avère riche d'enseignement. Il faut d'abord, pour en comprendre la signification profonde, saisir comment cette nouvelle division de l'esthétique se distingue de la première tout en s'y rapportant de façon directe; la trinité des grandes formes d'art – *symbolisme/classicisme/romantisme* – est la plus générale, celle qui énonce les moments de l'idée du beau elle-même. Il s'agit maintenant, avec la prise en compte des arts particuliers, d'analyser la façon concrète dont ces grandes étapes du concept de beauté s'incarnent dans « l'être-là (*Dasein*) extérieur » sous forme d'œuvres particulières. Il y aura donc un lien intime entre les différents genres artistiques et l'idée du beau puisqu'ils n'en sont au fond que la réalisation sensible (I, 114-115). D'après ce qui a été dit au sujet de l'art romantique, il est aisé de saisir le principe de la seconde hiérarchie : poursuivant le paradoxe inhérent à l'art en tant que « présentation sensible » d'une vérité intelligible, Hegel en vient très logiquement à poser la thèse selon laquelle l'art le plus élevé est tout simplement celui qui parvient à s'affranchir au maximum de la sphère sensible, donc, à certains égards, *de ce qui constitue l'art en tant que tel*. Réciproquement, plus un art restera englué dans *l'extériorité* du matériau corporel, plus il méritera d'occuper les rangs inférieurs de l'échelle.

C'est donc avant tout de la *spatialité*, en tant qu'elle est par excellence la forme de la sensibilité (de l'extériorité) qu'il faut s'émanciper, et dans ces conditions, on comprend pourquoi, selon Hegel, le premier genre artistique, en commençant bien sûr par le bas, est l'*architecture*; non seulement elle se déploie dans l'ordre des trois dimensions de l'espace, mais en outre, les matériaux qu'elle utilise pour représenter l'idée – ou faudrait-il dire plutôt : pour l'abriter, puisque son exercice favori est la construction des temples – sont intégralement empruntés à la nature inorganique. Elle se situe donc au plus loin de la spiritualité véritable, ce pour quoi elle a par essence vocation à correspondre à l'art symbolique.

C'est précisément dans le projet de rendre le matériau sensible plus adéquat à l'idée, donc moins extérieur à elle, que l'on passe de l'architecture à la sculpture : celle-ci se meut certes, encore, dans l'élément de la tridimensionnalité, mais elle cesse de considérer le matériau sensible de façon seulement *mécanique* pour tenter de lui donner la forme de l'organicité, par où de *l'individualité* – la sculp-

ture s'avère être tout à fait adéquate à l'idéal classique :
« ... Par l'architecture, le monde extérieur inorganique est
purifié, ordonné de façon symétrique, apparenté ainsi à
l'esprit, et là se dresse le temple de Dieu, la maison de ses
fidèles. *Dans un second temps*, c'est Dieu lui-même qui fait
son entrée dans ce temple dans la mesure où l'éclair de
l'individualité touche la masse inerte et la pénètre » (I, 118)
en donnant à l'esprit infini la forme du corps humain
organisé.

Une fois que l'art s'est plu à construire le temple divin,
qu'il y a fait entrer Dieu lui-même comme individualité
incarnée dans l'organisation sculpturale de la matière, reste
à s'occuper de la communauté des fidèles. On peut dire
que dans cette troisième étape Dieu s'humanise : il devient
l'esprit réfléchi dans la multiplicité de ceux qui constituent
son Église invisible. « L'unité solide de Dieu dans la
sculpture se fragmente dans la multiplicité d'une intériorité
séparée dont l'unité n'est pas une unité sensible, mais
purement idéelle » : dans un mouvement d'intériorisation
analogue à celui par lequel on passait du classicisme au
romantisme, la sculpture cède la place aux trois arts de la
sortie de l'art, aux trois étapes au cours desquelles va
véritablement s'accomplir le projet d'en finir avec la spatialité.

A commencer par la peinture; non seulement elle parvient à se passer du matériau inorganique (ou presque : la
matérialité proprement dite est largement inessentielle dans
l'ordre pictural), mais elle « spiritualise l'acte de rendre
visible » en s'affranchissant des contrantes de la troisième
dimension. Selon l'heureuse formule de Hegel : « La
peinture libère l'art de la complétude sensible/ spatiale [*von
der sinnlich-räumlichen Vollständigkeit :* dans le texte allemand, les deux termes sont indissolublement liés], de
l'élément matériel en tant qu'elle le réduit à la dimension
de la surface » (I, 121). En contrepartie de cet abandon de
la « complétude » du volume extérieur, le nouveau genre
artistique auquel on vient de parvenir s'autorise une

première expression des sentiments subjectifs, une première approche de l'intériorité : « Ce qui, sentiment, représentation, but, peut trouver une place dans le cœur humain, ce qu'il est capable de faire surgir de lui, toute cette multiplicité peut constituer le contenu bariolé de la peinture » (*ibid.*).

C'est cette intériorité que creuse la musique puisqu'elle parvient la première parmi les autres genres esthétiques à se débarrasser totalement de la spatialité : « Bien qu'encore sensible, son matériau atteint un degré plus profond de subjectivité et de particularisation » (I, 121). Le son, en effet, dépasse « la co-existence indifférente propre à l'espace » (*ibid*) pour nous faire pénétrer dans l'ordre de la temporalité, c'est-à-dire, pour parler comme Kant, dans l'ordre du sens *interne*. Les notes musicales peuvent être considérées comme des *points* : de même qu'en passant de l'architecture et de la sculpture à la peinture on était passé du volume à la surface, on passe ici de la ligne au point. Et toujours selon la même proportion, ce qu'on perd en extériorité, on le gagne en intériorité : la musique est le premier art véritablement approprié à l'expression de l'infinie variété des sentiments et des passions de l'âme humaine.

Ce mouvement d'intériorisation propre aux arts romantiques s'achève avec la poésie. Le son, dans la musique, est encore lié à la sensibilité, même si cette dernière ne prend plus la forme de l'extériorité, mais s'incarne dans le temps de la conscience. Pour dire les choses très simplement : les sonorités musicales sont *intrinsèquement sentimentales*. Dans la poésie, en revanche, le son prend ses distances avec cette forme de sensibilité spiritualisée : il devient *arbitraire*, au sens où l'on parle aujourd'hui, dans la linguistique, de « l'arbitraire du signe » : « Le *son* se fait *mot* en tant que son en soi articulé dont le sens consiste à désigner des représentations et des pensées... » (I, 122). Il devient ainsi un « point spirituel » : car « cet élément sensible qui, dans la musique encore, ne faisait immédiatement qu'un avec l'intériorité, se sépare ici du contenu de la conscience tandis que l'esprit détermine ce contenu par, en et pour lui-même, contenu pour lequel il se sert certes du son, mais toutefois comme d'un signe en soi sans valeur et sans contenu » (I, 122-123).

La poésie est donc l'art de la sortie de l'art auquel aspirait dès l'origine l'histoire de l'esthétique, celui au sein duquel, du moins selon Hegel, la sensibilité s'est effacée au point de laisser place à la spiritualité *représentée* dans la conscience subjective. Si l'on tient compte du fait que l'idée qu'il s'agissait d'exposer est celle du divin, on comprend que la fin de l'art ne puisse signifier que le passage à une sphère supérieure de l'esprit; on conçoit également que celle-ci ne puisse être que la *religion*, toujours définie par Hegel comme appréhension du divin sur le mode de la *représentation*. Mais avec cette remarque, nous entrons dans une troisième forme d'historicité. Les deux premières – celles qui conduisaient du symbolisme au romantisme puis de l'architecture à la poésie – étaient *intérieures* à l'esthétique elle-même. Maintenant que nous en quittons l'orbite, il nous est possible de la situer au sein d'une temporalité qui l'englobe, par rapport, donc, à ce qui la précède et la suit au sein du système tout entier.

3. *La troisième historicité :*
la dissolution de l'art dans la religion

La fameuse thèse hégélienne selon laquelle l'art appartiendrait désormais à une époque révolue de l'histoire humaine reçoit ici toute sa signification. Quand Hegel pose tranquillement que « l'art est et reste pour nous, quant à sa destination la plus haute, quelque chose de passé (*ein Vergangenes*) », qu'il a perdu « *pour nous* » sa « vérité authentique » et « cessé d'être vivant » (I, 25), l'affirmation doit être comprise à deux niveaux de profondeur successifs.

Il est clair, bien sûr, que le « pour nous » s'entend d'abord en un sens historique et signifie : « pour nous, modernes », qui avons quitté l'enfance de l'humanité. C'est ici par rapport à l'Antiquité grecque que se mesure le temps écoulé : « Les beaux jours de l'art grec de même que l'âge d'or du Moyen Âge tardif sont révolus » (I, 24), et s'ils le sont, c'est parce que nous vivons dans une « culture de la réflexion », voire de la raison, qui nous permet de nous affranchir des cadres de la sensibilité lorsque nous cherchons à penser la vérité : « Voilà pourquoi notre présent, fondamentalement, ne se prête pas à l'art » (I, 24). Alors que la culture grecque était avant tout une culture esthétique, une religion de la beauté, la modernité chrétienne a si bien spiritualisé le religieux que notre environnement culturel a pu prendre ses distances à l'égard de l'art. Il suffit pour s'en convaincre de considérer la différence qui sépare la divinité antique, telle qu'elle se manifeste de façon *idéale* dans l'art classique, et la spiritualité des chrétiens : « Le dieu grec n'est pas abstrait, mais individuel; il est en harmonie avec la forme naturelle. Le Dieu chrétien est certes lui aussi une personnalité concrète, mais *purement* spirituelle, et il doit être su, comme *esprit* et dans l'esprit. Son élément d'existence (*Dasein*) est donc essentiellement le savoir interne et non la forme naturelle extérieure dans laquelle il ne peut être présenté que de façon incomplète, sans que soit prise en compte toute la profondeur de son concept » (I, 103).

Le « pour nous » se précise. Il signifie maintenant : pour nous, philosophes de culture chrétienne, qui parvenons à comprendre que la divinité n'a pas besoin d'une forme sensible, donc, *pas besoin de l'art*, pour être *représentée* à la conscience. Puisqu'elle est spiritualité pure, c'est même par une naïveté foncière que la vision esthétique du monde en vient à penser qu'on pourrait s'en tenir à une appréhension sensible de l'absolu. *C'est ainsi en vertu de son classicisme, en vertu de l'idée que la mission de l'art est la présentation sensible de la vérité, que Hegel est inévitablement conduit à affirmer la dissolution de l'art dans la religion – elle-même conçue comme un simple mode (certes supérieur, parce que moins sensible) de présentation de la vérité.* La logique que nous avions vue à l'œuvre dans le passage, via Baumgarten, de Leibniz à Kant se renverse et se confirme tout à la fois : Kant, en fondant, contre Leibniz, l'autonomie de la sensibilité, était conduit à faire du divin une simple idée et de la religion une modeste « foi pratique », dictée au fond par les exigences de la raison. Il nous entraînait ainsi dans la sphère de la *laïcité philosophique*. En rétablissant le point de vue de Dieu dans ses droits, en réassumant le concept d'un sujet absolu comme vérité, et non comme simple idée de la raison humaine, Hegel devait inévitablement reprendre à son compte la vieille thèse leibnizienne sur la sensibilité « royaume de l'intelligible confus ». Nul hasard, donc, si refaisant le parcours kantien en sens inverse, Hegel nous invite à dépasser la sphère de la sensibilité, *c'est-à-dire le point de vue de la réflexion esthétique*, dans celle de la religion. Ce qu'explicite la « troisième historicité » de l'art.

En effet, dans le monde grec lui-même, les bornes qui sont celles de l'art commencent à apparaître : « Pour nous, l'art ne passe plus pour le mode suprême que la vérité puisse emprunter pour se donner une existence. En fait, la pensée s'est très tôt élevée contre l'art comme représentation qui rend le divin sensible : chez les juifs et les mahométans, voire chez les Grecs comme Platon, déjà, qui s'est opposé avec vigueur aux dieux d'Homère et d'Hésiode. A vrai dire, avec les progrès de la culture vient pour chaque peuple un temps où l'art fait signe vers son propre dépassement » (I, 141-142). Et, selon Hegel, ce temps est venu en Europe lorsque, avec la Réforme, le christianisme, qui avait fait lui-même usage de l'art, a dû enfin y renoncer, la représentation de Dieu ayant atteint un degré trop élevé de spiritualité pour pouvoir être plus longtemps galvaudée de la sorte : « Lorsque la passion du savoir et de la recherche ainsi que le besoin d'une spiritualité intérieure engendrèrent la Réforme, la représentation religieuse dut elle aussi se retirer de l'élément sensible pour rentrer dans l'intériorité de l'âme et de la pensée. *L'après* de l'art consiste en ceci que l'esprit est habité par le besoin de trouver la satisfaction en son propre sein seulement comme étant la vraie forme qui convient à la vérité » (I, 142). On ne saurait être plus clair, et ce passage par la Réforme exprime en condensé tout ce que la religion ajoute à l'art en adoptant pour forme la *représentation :* avec cette dernière, « l'absolu se déplace de l'objectivité de l'art vers l'intériorité du sujet » de sorte que Hegel peut parler d'un « *progrès* de l'art vers la religion » (I, 142/ 143).

Ce progrès s'achèvera, comme on sait, avec la philosophie : elle seule parvient à penser l'intériorité d'une façon qui convient pleinement à la nature de l'esprit absolu. Car pour l'avoir intériorisé, la religion n'en continue pas moins de représenter Dieu comme un objet extérieur à la conscience : cela est à vrai dire inhérent à la structure même de la *représentation en tant que telle*. Cette dernière, en effet, est toujours réflexive; elle demeure donc inévitablement dans l'élément de la conscience finie pour laquelle tout objet reste en quelque façon dans une certaine extériorité. Seule la philosophie spéculative, qui parvient à comprendre que la réflexion de la conscience finie n'est qu'un moment du déploiement de la subjectivité absolue et qu'en ce sens l'esprit authentique ne peut trouver à s'exprimer dans aucune autre forme que celle de la pensée pure, peut réconcilier l'objectivité de l'art et la subjectivité de la religion.

Peu importent, ici, les modalités de cette étrange réconciliation (au demeurant, ce sont les thèses les plus générales du système, voire le système tout entier qu'il faudrait déployer pour en justifier la possibilité – en admettant, bien sûr, qu'on y parvienne). Ce qu'il fallait saisir, en revanche, c'est le fait qu'avec elle l'idée kantienne selon laquelle la beauté, naturelle ou artistique, est irréductible aux pouvoirs de l'esprit se trouve, elle aussi, « dépassée ».

Kant voulait critiquer la métaphysique de la subjectivité et le sommet de sa critique se situait sans nul doute dans l'esthétique. Que le « dépassement » hégélien de cette tentative soit ou non philosophiquement légitime est une autre question qui engagerait au fond celle de savoir dans quelle mesure Kant peut être aussi posthégélien. J'ai tenté ailleurs d'y apporter une réponse. Ce qui est peu douteux, en tout cas, c'est que la postérité de l'esthétique ne cessera pendant longtemps, jusqu'à nos jours peut-être, d'hésiter entre ces deux modèles. Dans une certaine mesure, l'esthétique nietzschéenne elle-même, dans sa réaffirmation de l'autonomie du sensible, peut être considérée comme une forme de « retour à Kant ». Mais ce qui la distinguera radicalement de l'esthétique kantienne, voire de l'hégélianisme, c'est sa volonté farouche d'en finir avec l'idée que l'art est un *monde*.

De l'art comme « monde historique »

S'il est une thèse à laquelle Kant tient, c'est bien celle selon laquelle il existe un *monde* de la beauté ; non seulement cette dernière ne prend sens que par rapport à l'idée *cosmologique*, qui seule, il faut y insister, lui permet de gagner une certaine « objectivité » – celle du « sens commun » –, mais en outre, le beau artistique lui-même, bien que produit de l'esprit humain, conserve une part de naturalité sans laquelle il ne pourrait prétendre appartenir de plein droit à la sphère de l'esthétique. Tel est le sens, nous l'avons vu, de la théorie du génie.

Dans cette mesure, il n'est pas inexact de penser que sa remise en cause par Hegel, à travers l'affirmation de la supériorité du beau artistique sur le beau naturel, porte un coup décisif à la *mondanéité* de l'art. Dans le génie hégélien, la part de naturalité est, pour ainsi dire, en voie de disparition. En vérité, elle tend vers le non-être et l'art se voit tout entier soumis aux pouvoirs de la subjectivité et de l'histoire : la métaphysique reprend sa marche triomphale. D'un autre côté pourtant, parce qu'il est un « classique », c'est-à-dire, au sens ici défini, un *rationaliste*, Hegel ne peut que continuer à considérer l'univers du beau comme un *monde*, même si, depuis Kant, ce dernier est devenu de part en part *idéal et historique* : ainsi Hegel explique-t-il comment, dans la troisième partie de l'esthétique, celle qui s'occupe des arts particuliers, « nous avons affaire au beau artistique tel qu'il se déploie comme un *monde* [le terme est souligné par Hegel lui-même] de la beauté réalisée... » (I, 115). Voici la description qu'en donne Hegel dans un texte qui vaut d'être intégralement traduit :

« Le contenu de ce monde est le beau et le beau véritable, comme nous l'avons vu, est la spiritualité incarnée dans une forme, l'idéal, et finalement l'esprit absolu, c'est-à-dire la vérité elle-même. Cette région de la vérité divine présentée de façon artistique pour l'intuition et la sensation constitue le point central du monde de l'art tout entier, entendu comme la forme divine autonome et libre qui s'est complètement approprié l'extériorité de la forme et du matériau et n'en porte ainsi la marque que comme manifestation d'elle-même. Toutefois, étant donné que le beau se développe ici comme effectivité (*Wirklichkeit*) objective et qu'il se sépare dès lors sous forme de la particularité autonome des aspects et des moments individuels, ce centre s'oppose maintenant à ses extrêmes en tant qu'ils se sont réalisés dans une réalité particulière. *L'objectivité encore privée d'esprit*, le simple environnement naturel de Dieu constituent donc le premier de ces extrêmes. Ici prend forme l'extériorité comme telle, qui ne possède pas son but et son contenu spirituels en elle, mais dans un autre. En revanche, l'autre extrême est le divin, entendu comme l'intérieur, ce qui est su, comme l'existence (*Dasein*) subjective de la divinité particularisée de façon multiple » (I, 116).

On peut faire une première remarque : il est facile de

retrouver dans cette description du monde de la beauté, ou
de la beauté comme monde, le principe des trois hiérarchies – des trois formes d'historicité – que nous avons vues
à l'œuvre à l'intérieur ainsi qu'à l'extérieur immédiat de
l'art. Comme en elles, c'est l'essence intime de l'art (l'idéal)
qui est au centre, précédée par le plus naturel et suivie par
le plus spirituel. On doit ensuite observer que, comme chez
Kant, c'est l'idée du divin qui structure la mondanéité, qui
en constitue pour ainsi dire l'armature : sans elle, il ne
saurait y avoir d'unité systématique, et en l'absence de
cette dernière, il n'y aurait pas non plus de monde, tant il
est évident, pour Kant comme pour Hegel, que ce qui n'est
pas *Un* monde n'est pas un *Monde*. Mais l'immense
différence qui sépare ces deux visions de l'art comme
intrinsèquement lié à la mondanéité est aisément repérable,
même si les implications en sont d'une grande profondeur :
c'est que, chez Kant encore, l'idée de monde n'était
évoquée par l'art (par la beauté en général) qu'à raison de
sa contingence et de sa naturalité, soit : *à raison de ce par
quoi il n'était pas intégralement maîtrisé par la subjectivité.*
Et c'est aussi dans cette mesure qu'il pouvait prétendre à
une validité *universelle*, c'est-à-dire, en un certain sens,
intemporelle et *anhistorique*. Si le chant du petit rossignol
imité par l'homme n'évoque plus l'idée de monde, s'il n'est
pas beau, ni même en quelque façon touchant, c'est parce
que nous le savons *dominé* par la subjectivité et que, dès
lors, plus rien en lui ne vient évoquer le cosmos.

Or si chez Hegel encore l'art reste un monde, ce monde
a pourtant cessé d'être extérieur à la subjectivité *conçue
comme subjectivité absolue :* il lui appartient même si bien
qu'il s'en trouve de part en part historicisé puisque cette
subjectivité absolue ne se déploie elle-même que dans
l'élément de la temporalité. Et dès lors, il est réellement
permis de se demander si l'hégélianisme n'ouvre pas,
malgré lui, la voie à ce qui va se jouer dans l'esthétique de
Nietzsche, à savoir l'éclatement du monde en une infinité
de points de vue *historiques*, de « perspectives » pour

lesquelles, selon la fameuse formule de Nietzsche, « il n'y a pas de faits, mais seulement des interprétations ».

La réponse à cette question est en vérité plus complexe qu'il n'y paraît. Car l'historicisme hégélien est d'une bien étrange nature, pour ne pas dire tout simplement qu'il répugne à l'historicité qu'elle aussi il étreint pour mieux l'anéantir. Chacun tient volontiers pour évident aujourd'hui que l'hégélianisme serait la première prise en compte philosophique de ce problème de l'historicité que la philosophie transcendantale, par avance « structuraliste », aurait négligé. C'est même là un lieu commun, pour ne pas dire une banalité tant, en effet, il est peu douteux qu'il y ait dans toutes les parties du système des « étapes » successives, que ce soient celles de la conscience, de l'Idée logique, de l'histoire universelle proprement dite ou encore, on vient de le voir, de l'esthétique. Mais en un autre sens, il ne faut pas craindre d'affirmer que cette assertion est une erreur – pour autant que le terme ait un sens en philosophie. Car le projet hégélien n'est nullement d'ouvrir la philosophie à l'histoire, *mais de résorber l'historicité dans le concept*, ce qui jusqu'à preuve du contraire n'est pas identique. Il s'agit, dans la filiation directe de Leibniz (dont, décidément, l'influence est par trop méconnue dans les études hégéliennes) de montrer que la temporalité, à l'opposé de ce que pensait Kant, *n'est rien en dehors du concept*, qu'elle n'est, selon la fameuse formule de la *Phénoménologie*, que le « concept existant » (*der daseiende Begriff*).

Et c'est par ce biais que Hegel, si l'on ose dire, résiste encore à Nietzsche : s'il peut maintenir l'idée d'un monde unique, *bien qu'historique*, ce n'est pas, comme Kant, en faisant de l'histoire une réalité extérieure au concept et du monde une Idée de la raison, mais au contraire en intégrant, bon gré mal gré, l'historicité dans le système, de telle sorte qu'elle n'y cause plus de désordres. C'est donc cette systématicité toute leibnizienne, cette unification des points de vue finis dans une harmonie supérieure qui a maintenant nom « sujet absolu », que Nietzsche devra d'abord détruire pour libérer les potentialités historicistes contenues dans l'hégélianisme : alors et alors seulement surgira l'époque du non-monde, du pur éclatement des atomes volitifs, dont seule une nouvelle figure de l'art pourra prétendre être l'expression.

V

LE MOMENT NIETZSCHÉEN :
LE SUJET BRISÉ ET L'AVÈNEMENT
DE L'ESTHÉTIQUE CONTEMPORAINE

Selon une interprétation, dominante en France depuis les travaux de Deleuze et de Foucault, Nietzsche serait le philosophe antihégélien par excellence : il faudrait « prendre au sérieux le caractère résolument antidialectique de la philosophie de Nietzsche », car c'est sa pensée tout entière « qui reste abstraite et peu compréhensible, si l'on ne découvre pas contre qui elle est dirigée », c'est-à-dire, pour l'essentiel, contre Hegel, puisque, comme l'écrit encore Deleuze dans son beau livre[1], « l'antihégélianisme traverse l'œuvre de Nietzsche, comme le fil de l'agressivité ». Dans cette pratique de la déconstruction qui a nom « généalogie », c'est déjà la philosophie de la « différence » qui jouerait à plein contre les catégories de l'identité qui ont caractérisé, suivant l'expression reçue, « toute la philosophie depuis Platon ».

On verra qu'il existe aussi, selon une thèse que Heidegger a plaidée avec beaucoup de force, une continuité souterraine entre l'œuvre de Nietzsche et celle de Hegel. Il reste que, au moins à première vue, tout oppose la pensée tragique de l'irréductible multiplicité de la Vie à cette philosophie de la réconciliation qu'est l'hégélianisme. Par les vertus de la dialectique, les conflits et les contradictions sont toujours voués à être dépassés dans une harmonieuse synthèse. Nietzsche ne se contente pas d'en affirmer l'impossibilité, voire le caractère mensonger : il dénonce aussi, d'un point de vue généalogique, la signification « nihiliste » de toute philosophie antitragique. Dès *la Naissance de la tragédie** , il va jusqu'à émettre l'hypothèse selon laquelle, s'il s'avérait « que la tragédie ancienne a été dévoyée par la pulsion dialectique vers le savoir et vers l'optimisme de la science, il faudrait en conclure qu'il existe un conflit éternel entre la conception *tragique* et la conception *théorique* du monde[2] ». Et c'est cette passion antitragique de la théorie que la dialectique pousse à son comble en faisant de toute « différence », de toute contradiction, un simple moment de transition vers l'identité de la réconciliation finale.

Cette « guerre des dieux » où s'affrontent le tragique et le théorique est sous-jacente aux deux critiques que Nietzsche ne manque jamais d'adresser à la dialectique hégélienne.

La première peut sembler triviale : elle vise la « soumission du philosophe à la réalité », ce « fatalisme dialectique »[3] qu'implique l'identification fallacieuse du rationnel et du réel. Hegel est ici suspect d'avoir « implanté dans les générations dont il fut le levain cette admiration pour la " puissance de l'histoire " qui, pratiquement, se transforme à tout moment en une admiration toute nue du succès et qui conduit à l'idolâtrie du factuel[4] ». Ne nous y trompons pas : Nietzsche ne reprend pas ici l'objection qui est déjà celle des néo-kantiens. Pas davantage il ne fait écho aux *Thèses sur Feuerbach* de Marx. A l'évidence, son propos n'est pas de réhabiliter une quelconque « vision morale du monde » contre le fatalisme de la dialectique. Ce qui, dans la confusion du réel et du rationnel, fait l'objet d'une

---

* Sauf exception indiquée en note, c'est à l'édition Schlechta que renvoient les références entre parenthèses. J'ai cru devoir retraduire toutes les citations et l'édition Schlechta a le mérite d'être aisée à utiliser. On peut facilement trouver les correspondances avec l'édition Kroener ainsi qu'avec celle de G. Colli et M. Montinari.

analyse généalogique n'est nullement la liquidation de la notion d'idéal, mais, tout au contraire, le fait que Hegel, au lieu de se rendre à l'idée que ce qui est doit être, cherche encore à démontrer que ce qui doit être est. Homme théorique par excellence, il voit dans l'histoire l'incarnation progressive du divin tandis qu'au regard plus exercé du généalogiste il va de soi que « Dieu n'a été créé que par l'histoire[5] ». Si « le culte hégélien pour le réel entendu comme rationnel » revient à une « divinisation du succès[6] », ce n'est donc pas par « immoralisme », comme le pensent platement les kantiens, mais au contraire par un excès de moralisme, parce que Hegel maintient encore à tout prix l'idée qu'il faut réconcilier le devoir-être et l'être, et que cette réconciliation, bien entendu, ne peut s'opérer qu'à partir du premier terme (l'idéal, c'est-à-dire la raison).

C'est dans la même optique qu'il faut comprendre la seconde critique que Nietzsche élève contre la forme *systématique* que prend l'hégélianisme; car le « nihilisme psychologique » se traduit aussi par la supposition « d'une *totalité*, d'une *systématisation*, voire d'une *organisation* qui régiraient tout à la fois les causes des événements et les liens qu'ils entretiennent entre eux; si bien que l'âme altérée d'admiration et de vénération se délecte à l'idée d'une forme suprême de domination et d'organisation globales (si c'est une âme de logicien, la rigueur absolue et la dialectique réelle suffisent déjà pour la réconcilier avec le tout). On imagine une manière d'unité, une forme quelconque de " monisme ", et, par suite de cette croyance, l'homme est placé dans un sentiment profond de corrélation et de dépendance à l'égard d'un tout qui le dépasse, il est un simple mode de la divinité[7]... »

La volonté de système n'est que le visage ultime pris par la métaphysique héritée du platonisme : paradoxalement, elle reconduit le dualisme platonicien de l'apparence et de la vérité puisqu'il faut, pour maintenir l'illusion du monisme, montrer constamment que la pluralité se réduit à

l'unité, que le particulier entre dans l'universel – travail
« d'ouvrier de la philosophie » qui assure de façon
définitive la victoire du théorique sur le tragique. Par la
dialectique, Hegel installe « l'histoire en posture de souve-
rain unique à la place des autres puissances spirituelles, art
et religion, dans la mesure où l'histoire est le " concept se
réalisant soi-même", la " dialectique de l'esprit des peuples " et le " tribunal du monde "[8] ». C'est cette vision du
monde qui conduit à affirmer la « mort de l'art ». C'est
donc elle qu'il faut dépasser pour donner enfin à l'esthétique la place qui lui convient.

Contre la dialectique :
la revalorisation de l'esthétique

A regarder vers ses origines grecques, ou plutôt « socra-
tiques », la dialectique apparaît non seulement antitragique, mais surtout, selon un thème constant chez Nietzsche, inesthétique : « Avec Socrate, le goût grec s'altère en
faveur de la dialectique : que se passe-t-il exactement ?
Avant tout, c'est un goût *distingué* qui est vaincu; avec la
dialectique le peuple arrive à avoir le dessus. Avant
Socrate on écartait dans la bonne société les manières
dialectiques. Elles passaient pour de mauvaises manières »
(« Le cas Socrate », § 5). Comme souvent chez Nietzsche,
le jugement lapidaire dissimule une *forme d'argumentation*;
il faut la restituer pour saisir exactement l'essence anti-
esthétique de la dialectique et pour comprendre comment
le renversement du platonisme auquel prétend Nietzsche
doit culminer dans une même réhabilitation du sensible et
de l'art. En un certain sens, qui reste à préciser, le
« moment nietzschéen » entretient avec la négation dialectique, platonico-hégélienne de l'art, une relation *analogue*
(ce qui ne signifie pas identique) à celle que le « moment
kantien » entretient avec le rationalisme classique : même
si les voies empruntées sont, ici et là, fort différentes, il

s'agit, dans les deux cas, de conquérir ou de reconquérir l'autonomie de la sensibilité – par rapport au « concept » chez Kant, à la « volonté de vérité » dialectique chez Nietzsche – et d'ouvrir ainsi l'espace nécessaire à l'existence même de l'esthétique.

En quoi, tout d'abord, la dialectique est-elle « populaire », donc inélégante (Nietzsche compare encore le dialecticien à quelqu'un qui « se servirait avec les mains »)? La réponse, ici, peut être brève : si la méthode socratique emprunte les voies du dialogue, c'est pour mieux réfuter les positions de l'adversaire en vue de parvenir à une vérité qui est celle de l'Idée (de l'intelligible). Or, à la différence de l'erreur, qui est, comme chacun sait, multiple, la vérité se veut unique. Elle prétend valoir en tout temps et en tout lieu, *pour tout le monde*. C'est en cela qu'elle est « démocratique », « roturière », voire, au sens que Nietzsche donne à ce terme, « réactive », puisqu'elle ne peut se poser qu'en réaction *contre* les forces de l'illusion et du mensonge, notamment, donc, contre l'art – que Platon dénonce sur ce motif dans un des passages les plus célèbres de *la République*.

Par opposition à l'homme théorique (savant ou philosophe) qu'est le dialecticien, toujours animé par la volonté de vérité, l'artiste apparaît comme un personnage aristocratique : vivant encore dans le monde prédémocratique de la tradition (par exemple, l'univers des « grands Hellènes » d'avant Socrate), il pose des valeurs sans discuter, sans argumenter, *avec autorité*. Les forces avec lesquelles il joue ne sont pas réactives : elles n'ont pas besoin, à la différence du vrai, de nier d'autres forces pour se poser. On comprend dès lors cette assertion décisive contre la dialectique : « Ce qui a besoin d'être d'abord prouvé ne vaut pas grand-chose. Partout où l'autorité est encore de bon ton, partout où l'on ne démontre pas mais où l'on commande, le dialecticien est une sorte de polichinelle » (*ibid.*). Et si Socrate est « le polichinelle qui se fit prendre au sérieux », c'est parce que, tirant toute sa « férocité » d'un profond

« ressentiment populaire » (*ibid.* § 7) contre l'aristocratisme esthétique, il a entrepris, avec succès, d'inoculer la « mauvaise conscience » chez ses interlocuteurs en les mettant sans cesse en contradiction avec eux-mêmes. Avec sa « méchanceté de rachitique », armé de la dialectique et « du coup de couteau du syllogisme » (*ibid.*), il réussit à extirper les tentations illusoires de la beauté sensible au profit de la vérité. La *laideur* et l'origine *populaire* sont, en ce sens très précis, indissociables chez lui, comme ne manque pas de le souligner Nietzsche : « Socrate appartenait de par son origine au plus bas peuple : Socrate était de la populace. On sait, on voit même encore combien il était laid », ce qui doit faire douter qu'il fût véritablement grec (*ibid.*, § 3).

Voici peut-être l'essentiel : la dialectique ne peut s'exercer que dans le cadre d'une théorie des Idées selon laquelle le monde sensible doit être nié au profit du monde intelligible. Chacun sait que le sensible est trompeur, qu'il nous montre les mêmes réalités sous des aspects différents (qu'on songe, par exemple, aux variations d'un morceau de cire...) et que, *par conséquent*, il contrevient aux règles les plus sacrées de la logique, à commencer par le fameux principe d'identité. Au contraire, les idées vraies sont stables : elles sont ce qui demeure sous la contingence des changements qui ne cessent d'affecter le monde sensible. Tout cela est bien connu, et Nietzsche, contrairement à une opinion reçue, ne se contente pas d'inverser les termes de l'opposition du temporel et de l'éternel, du sensible et de l'intelligible. Avant toute chose, c'est le regard du *généalogiste* qu'il jette sur cette négation de l'esthétique qu'est le platonisme *en tant que prototype de toute théorie* : « Ces sens, *qui d'autre part sont tellement immoraux*, – ces sens nous trompent sur le monde *véritable*. » Tel est, selon l'ironie nietzschéenne, le fond du discours scientifico-philosophique. Le « d'autre part », bien sûr, n'a rien d'accessoire : en vérité, c'est par crainte de la *sensualité* (toujours « immorale ») que l'on en vient à déprécier la *sensibilité* (toujours « fallacieuse »). Aux yeux du « généalogiste » (comme plus tard à ceux du psychanalyste), les thèses philosophiques ne sont jamais que des « rationalisations », des « symptômes » comme dit déjà Nietzsche (*ibid.*, § 2), l'expression fétichisée d'un certain *pathos*, voire d'une pathologie.

Si, comme l'affirme Nietzsche dans un célèbre aphorisme, « ma philosophie est un *platonisme inversé* », que résulte-t-il de cette inversion quant à la fondation (ou la refondation) de l'esthétique? La réponse nous est fournie dans le chapitre du *Crépuscule des idoles* intitulé : « Comment le " Monde-vérité " devient une fable ». Heidegger en a donné un commentaire irréprochable dont je me borne ici à rappeler la principale conclusion. Le thème central du texte de Nietzsche est limpide : il s'agit de montrer combien le « monde-vérité », qu'il faut opposer au « monde-apparence » comme le monde intelligible au monde sensible, s'avère être lui-même, au terme d'une longue histoire qui commence avec Platon pour finir avec Zarathoustra, l'illusion par excellence. Ce qu'il est plus important, en revanche, de remarquer, c'est le fait qu'à l'issue de ce parcours il ne s'agit nullement de valoriser l'apparence (le sensible) comme telle, mais bien de supprimer l'idée selon laquelle il existerait quelque chose comme de l'apparence : « Le " monde-vérité ", nous l'avons aboli : quel monde nous est resté? Le monde des apparences peut-être? ... Mais non! *avec le monde-vérité nous avons aussi aboli le monde des apparences.* » C'est à ce prix, et à ce prix seulement, que les conditions de possibilité sont créées qui vont permettre à l'art de prendre le pas sur la philosophie. Car, cette libération du sensible et de l'apparence que réalise la généalogie du monde-vérité est tout autant libération de l'art puisque celui-ci « affirme précisément ce que nie l'évaluation du monde prétendu vrai[9] ».

L'art n'est en effet « rien d'autre que la volonté de l'apparence en tant que sensible[10] », et comme cette apparence, nous l'avons vu, n'en est pas une « en réalité », il faut dire avec Nietzsche que « la volonté de l'apparence, de l'illusion, de l'imposture, du devenir et du changement est plus profonde, plus " métaphysique " que la volonté de vérité, de la réalité, de l'être ». C'est en ce sens encore que l'art, antiplatonicien par essence, « a plus de valeur que la vérité », qu'il est l'expression la plus transparente de la vie, de cette volonté de puissance qui forme « l'essence la plus intime de l'être ». Comme l'affirmait déjà laconiquement *la Naissance de la tragédie* : « Seule vie possible : dans l'art. Autrement, on se détourne de la vie » – par où l'on pressent que la déconstruction généalogique de la vérité platonicienne ne supprime pas toute notion de vérité, qu'il est peut-être une vérité plus profonde que celle des idées, plus « réelle », si l'on peut dire, que celle qui anime le rationalisme philosophique ou scientifique, *vérité à laquelle, peut-être, l'art seul serait capable de satisfaire, comme seuls, à ce niveau, les sens cessent de nous mentir « en tant qu'ils nous montrent le devenir, la disparition, le changement...* ». Il y aurait donc au moins deux vérités et deux mensonges, les uns bienfaisants et bien réels, les autres réactifs et irréels... et c'est cette dualité que viendrait recouvrir celle de la théorie (fausse vérité et mauvais mensonge) et de l'art (bonne vérité et bon mensonge).

Nietzsche antihégélien?
Trois thèses sur Nietzsche

Toute la question, bien sûr, revient *d'abord* à savoir dans quelle mesure cette « inversion du platonisme » ne reste pas en quelque façon dépendante de ce qu'elle entend bouleverser – ce que ne contredirait pas l'autre grand « renversement » de cette fin du xixe siècle : celui de Hegel par Marx. A l'opposé de Deleuze et de Foucault (quant à ce point précis s'entend, l'influence de Heidegger, sur Foucault tout au moins, étant par ailleurs décisive), Heidegger a mis en évidence une certaine continuité entre

Nietzsche et la métaphysique avec laquelle il prétendait rompre de manière définitive. Sans entrer dans le détail de cette interprétation qui fait de Nietzsche le penseur de la technique, j'en retracerai brièvement le principe avant de suggérer trois thèses sur le nietzschéisme comme fondement, non tant de ce monde technicien qui est le nôtre, que d'une esthétique contemporaine dont il n'est pas certain que Heidegger lui-même soit aussi éloigné qu'il le pensait.

Heidegger n'a cessé d'appeler à penser la technique à partir de son essence, laquelle réside à ses yeux dans l'achèvement de la métaphysique moderne comme « métaphysique de la subjectivité ». Écrites entre 1936 et 1946, les notes intitulées *Dépassement de la métaphysique* s'attachent à montrer qu'entendu à partir de son essence le terme de « technique » équivaut à celui de la « métaphysique achevée » et que cette dernière trouve son expression enfin adéquate dans la théorie nietzschéenne de la « volonté de puissance ». Pour aller à l'essentiel, on pourrait dire que, depuis Descartes, la métaphysique a été, d'après Heidegger, une anthropologie, une pensée de l'homme comme *fondement* et ce selon les deux axes traditionnels, théorique et pratique, de l'interrogation philosophique. Comme anthropologie théorique, la métaphysique moderne consiste à concevoir le réel comme obéissant aux principes constitutifs de l'esprit humain, par exemple (chez Leibniz) à transférer le principe de raison (principe logique ou « subjectif ») au réel lui-même et, l'ontologisant, à poser que *nihil est sine ratione*. Une telle anthropologie théorique, qui culmine avec l'affirmation hégélienne de l'identité du rationnel et du réel, ne constitue pas toutefois, à elle seule, le soubassement de la domination de la technique comme « métaphysique achevée ».

Pour apercevoir dans la relation technique au monde la présence de la « métaphysique achevée », il faut en effet prendre en compte le versant pratique de la métaphysique de la subjectivité : comme l'anthropologie pratique, elle se

représente l'étant non plus seulement comme conforme
aux principes subjectifs de la rationalité, mais comme
« objet pour la volonté ». Au fil de l'approfondissement
moderne de l'essence de la subjectivité comme volonté,
l'étant a en effet tendu de plus en plus à n'avoir de réalité
que comme objet manipulable par le sujet en vue de
l'accomplissement de ses fins, comme instrument ou
comme étant uniformément disponible pour la volonté. A
cet égard, la réinterprétation kantienne du *je pense* comme
un *je veux*, et surtout la doctrine de l'autonomie de la
volonté auraient préparé le pas décisif vers l'interprétation
technique du monde que thématise la philosophie de
Nietzsche. Car, jusque-là, la volonté était encore subor-
donnée à autre chose qu'elle-même, à savoir les fins qu'elle
était supposée poursuivre. En revanche, chez Kant, la
raison pratique ne veut plus autre chose qu'elle-même, elle
se veut elle-même comme liberté : dans « le concept
kantien de la raison pratique comme pure volonté », c'est
donc l'accomplissement même de l'idée de volonté qui se
jouerait, « l'arrivée à perfection de l'être de la volonté »,
qui devient volonté inconditionnée par autre chose qu'elle-
même, « volonté absolue » ou, puisqu'elle ne veut plus rien
d'autre qu'elle, « volonté de volonté ».

Maillon essentiel dans le procès de technicisation du
réel, l'« autonomie de la volonté » telle que l'entendait
Kant ne serait à vrai dire plus séparée de l'absolutisation
ultime de la volonté que par une médiation encore indispensable : celle de la théorie nietzschéenne de la volonté de
puissance comme « avant-dernière étape du processus ».
Avec la volonté de puissance nietzschéenne surgit en effet
explicitement une figure de la volonté qui, en apparence,
veut encore autre chose qu'elle-même (la puissance), mais
qui – selon une interprétation construite, depuis 1936, par
les cours sur Nietzsche – ne veut en fait plus de puissance
(plus de domination) que pour mieux s'éprouver indéfiniment comme volonté maîtrisant le réel; bref, « l'être de la
volonté de puissance ne peut être compris qu'à partir de la

volonté de volonté[11] », à partir de cette volonté inconditionnée par quoi s'achèverait le projet cartésien de maîtrise
et de possession de la nature. On comprend dès lors en
quoi Heidegger a pu estimer qu'avec le règne de la
technique, c'est « le déploiement de la domination inconditionnée de la métaphysique » qui véritablement commence en trouvant enfin une époque à sa mesure[12]. Car,
sur le chemin qui conduisit de Descartes à Nietzsche, le
devenir de la raison aura consisté – et l'analyse heideggérienne, ici, est assez proche de celle de Max Weber – à ne
plus fixer par elle-même d'objectifs, à se transformer, de
raison objective qu'elle essayait d'être, en raison purement
instrumentale.

Parallèlement, la volonté n'est elle-même plus assignée à
aucune fin : la maîtrise du monde ne vise plus, comme chez
Descartes ou à l'époque des Lumières, à émanciper les
hommes ou à leur procurer le bonheur, mais elle devient
recherche de la maîtrise pour la maîtrise, ou, si l'on
préfère, de la force brute pour la force brute. Pourtant,
cette rupture avec le cartésianisme serait plus apparente
que réelle puisqu'en émancipant la volonté de toute soumission à des fins, Nietzsche ne ferait qu'accomplir l'essence du vouloir, que le porter au niveau de son concept,
parachevant ainsi la pensée du sujet qui était au fond
encore seulement en germe dans le cartésianisme. C'est
donc en métaphysicien que Nietzsche, selon un thème
central de son esthétique, penserait l'art davantage à partir
de *l'artiste*, c'est-à-dire du *créateur* (de sa *volonté*) qu'à
partir de l'œuvre elle-même ; c'est encore en filiation directe
avec cette métaphysique de la subjectivité, qu'il était censé
renverser à travers sa critique généalogique de la dialectique platonico-hégélienne, que sa philosophie de l'art pren-
drait la forme d'une « physiologie », c'est-à-dire d'une
théorie des « forces vitales » qui sont au principe de
l'activité créatrice : voilà pourquoi Nietzsche, selon cette
interprétation, « en dépit de sa haute appréciation de la
pensée grecque des origines, la pensée préplatonique, pense

lui-même absolument dans le sens des Temps modernes [13] ».

On peut difficilement contester la force de la lecture
heideggérienne, même si elle conduit à cet étrange paradoxe selon lequel la généalogie serait beaucoup moins
éloignée de la dialectique qu'il n'y paraît au premier abord.
Et pourtant, il me semble tout aussi difficile de nier que la
pensée de Nietzsche soit déjà beaucoup plus proche de
celle de Heidegger que ce dernier ne le laisse entendre. Car
enfin, cette subjectivité que Heidegger se plaît à retrouver
dans le concept de volonté de puissance n'a plus tout à
fait, tant s'en faut, les caractéristiques habituelles du sujet
métaphysique : conscience, rationalité, identité, transparence à soi, etc., lui font si bien défaut qu'on voit mal
comment parler encore ici de « subjectivité ». D'ailleurs,
cette volonté de puissance dont Nietzsche dit qu'elle
s'identifie à la *Vie* pour constituer l'essence la plus intime
de l'être est caractérisée par une telle diversité qu'on peut
difficilement la rapporter encore à la permanence d'une
quelconque substance : bien plus, on pourrait dire à bon
droit de la Vie qu'elle *est* multiplicité, *différence*, de sorte
qu'entre l'Être de Heidegger et cet éclatement radical que
tente de penser Nietzsche la distance serait, là encore,
moins grande que Heidegger ne veut le suggérer. Comme
souvent chez lui, l'interprétation des Temps modernes
comme *uniformément* voués à développer les diverses *étapes* du devenir monde de la métaphysique conduit à
négliger la tâche qui consisterait à retracer l'histoire, non
du sujet métaphysique, mais *des* diverses conceptions
modernes de la subjectivité. Le livre de Heidegger sur
Nietzsche est admirable, parfois grandiose : je ne suis pas
sûr qu'il gagne à écraser la pensée nietzschéenne du sujet
sur celle de Descartes.

D'où la *première thèse* que je voudrais formuler, puis
étayer dans ce qui suit : l'esthétique de Nietzsche –
c'est-à-dire, au fond, sa philosophie (puisque l'art est
l'expression la plus adéquate de la vie) – n'est pas tant

inscrite dans « la métaphysique de la subjectivité » qu'elle n'ouvre la voie à une *forme nouvelle, voire radicalement inédite, d'individualisme.* Au demeurant, Heidegger a fort bien suggéré ce qui constituait peut-être la spécificité d'un tel individualisme. Commentant un aphorisme de *la Volonté de puissance* selon lequel le « perspectivisme » serait une propriété de l'être lui-même, Heidegger fait cette observation décisive : « Point ne serait besoin de plus amples preuves pour montrer que cette conception de l'étant serait exactement celle de Leibniz, si ce n'était que Nietzsche exclut la métaphysique théologique, soit le platonisme de celui-ci[14]. » Autrement dit : Nietzsche = Leibniz, moins l'harmonie, moins Dieu, entendu comme cette monade des monades qui *accorde* entre elles les multiples perspectives des différentes monades particulières afin qu'elles forment un *monde*, un *univers*, c'est-à-dire une totalité cohérente et non, comme chez Nietzsche, une multiplicité radicalement chaotique. On ne saurait mieux dire. Encore reste-t-il à percevoir quelle signification il faut accorder à un individualisme – ou, si l'on préfère : une monadologie – dans lequel, tout à la fois, la notion d'individu est brisée (le sujet n'est plus clos sur lui dans l'identité de sa conscience comme il l'était pour les penseurs du xviiᵉ siècle) en même temps que s'évanouit l'idée d'une harmonie réconciliatrice – que celle-ci ait nom, dans la philosophie politique, « main invisible », ou, dans la philosophie spéculative, « théodicée », « ruse de la raison », « système », etc.

La *deuxième thèse* ne peut être énoncée qu'à titre d'anticipation de ce qui va suivre puisqu'elle vient préciser la teneur de cette nouvelle figure de l'individualisme. Une lecture des textes consacrés par Nietzsche au concept d'individu en relation à ceux, beaucoup plus nombreux et mieux connus, concernant l'esthétique proprement dite, fait clairement apparaître une dualité centrale :

– D'un côté, l'abandon de tout projet « dialectique » visant à intégrer dans une quelconque systématicité la

multiplicité radicale de la vie (si l'on veut : le *tragique* de
l'existence) fait de l'individualisme nietzschéen le prototype
de l'ère contemporaine en tant qu'il prend la forme d'un
historicisme et d'un relativisme comme on n'en avait
encore jamais rencontrés dans toute l'histoire de la philosophie. La thèse fameuse selon laquelle « il n'y a pas de
faits, mais seulement des interprétations » peut et doit
s'entendre, non seulement, comme le font Deleuze et
Foucault, dans le sens d'une critique généalogique du
rationalisme métaphysique ou scientiste, mais aussi, et
peut-être surtout, comme l'inauguration de ce que l'on
pourrait nommer un « ultra-individualisme », chacun
ayant désormais le « droit » (les guillemets s'imposent ici
car le terme n'a plus guère de sens) d'exprimer ce qui
constitue à proprement parler son « point de vue ». Plus
rien, en effet, ne vient *contraindre* les diverses perspectives
à entrer de force dans un *ordre*. A cet égard, il n'y a rien de
surprenant au fait que Nietzsche soit devenu le penseur
fétiche d'une génération intellectuelle proche des divers
mouvements libertaires qui ont scandé la vie intellectuelle
et politique des années 60-70.

— D'un autre côté, pourtant, rien ne serait plus absurde
que de voir en Nietzsche un penseur de la « libération des
mœurs ». On connaît son goût pour la rigueur classique et
son aversion pour tout ce qui ressemble de près ou de loin
à un déferlement des passions, à commencer, bien sûr, par
le romantisme. Nietzsche, toutefois, n'est pas un classique,
cela va de soi, au sens « cartésien » du terme, au sens où,
comme chez Hegel encore, c'est la raison qu'il s'agirait
d'exprimer dans l'art. Et pourtant, c'est bien malgré tout
du *même* classicisme qu'il s'agit : car l'art continue chez lui
d'entretenir un lien direct avec la *vérité*. Le vrai a certes
cessé d'être identité, transparence, harmonie pour devenir
cette *différence* pure qu'est la multiplicité des forces vitales.
Mais ce que nous enseigne la « physiologie » nietzschéenne
de l'art, c'est que la beauté n'est rien d'autre que l'expression savamment hiérarchisée (dans le « grand style ») de

cette multiplicité. Symétrique de l'ultra-individualisme, on pourrait donc parler d'un hyperclassicisme* puisque, plus que jamais, c'est bien la vérité que l'art a pour fonction de traduire dans la sensibilité – à condition de préciser toutefois que ce nouveau classicisme est, si l'on peut dire, un classicisme de la « différence » et non plus de l'identité harmonieuse.

C'est à ce titre – *troisième thèse* que développera le prochain chapitre – que Nietzsche peut être considéré comme le véritable penseur de l'avant-gardisme. Non qu'il ait écrit sur ce thème ou lui-même appartenu à un quelconque mouvement qui eût pu être considéré comme « d'avant-garde ». Pas davantage il n'a témoigné dans ses propres goûts d'une audace particulière. Mais en un sens moins anecdotique, Nietzsche annonce la dualité qui fera le fond de tous les mouvements d'avant-garde qui ont marqué l'esthétique du XXᵉ siècle jusqu'à la fin des années soixante : d'un côté l'ultra-individualisme, qui, en poursuivant les valeurs révolutionnaires de l'émancipation individuelle à l'égard des traditions, va consacrer l'innovation comme critère suprême du jugement esthétique et le faire ainsi basculer dans la sphère de l'historicité; de l'autre, le souci hyperclassique d'assigner à l'art une fonction de vérité, voire de l'aligner sur le progrès des sciences pour lui permettre de traduire une réalité qui, à la différence de ce qui avait lieu dans le classicisme originel (celui du XVIIᵉ siècle), n'est plus rationnelle, harmonieuse, *euclidienne*, mais illogique, chaotique, informe et non euclidienne.

L'individu : un concept équivoque

La théorie nietzschéenne de l'art comme seule perspective honnête sur la vie apporte une contribution particuliè-

---

* L'usage de ce terme sera justifié plus amplement dans le chapitre suivant.

rement importante à la logique de l'individualisme philosophique tel qu'il s'est mis en place dans l'histoire de
l'esthétique à travers le conflit du sentimentalisme et du
rationalisme – deux visages de l'individualisme dont on a
dit comment ils prenaient, chacun à sa façon, la forme de
monadologies où les individus ne communiquent entre eux
que de façon médiate, par l'intermédiaire d'une structure
psychologique commune (Hume) ou d'un système de l'harmonie (Leibniz, Hegel). Je voudrais indiquer ici comment
Nietzsche reprend et bouleverse tout à la fois ce qui avait
émergé véritablement avec Leibniz, c'est-à-dire, ontologiquement, l'installation de l'individualité comme principe
du réel (avec l'affirmation selon laquelle le réel est en son
fond le plus intime un tissu de monades), et, axiologiquement, la promotion des valeurs de l'indépendance et de la
créativité personnelles.

Cette hypothèse – Nietzsche parachevant l'individualisme philosophique – est évidemment paradoxale : elle ne
se heurte pas seulement à l'idée que Nietzsche, comme
chacun sait, annonce la critique freudienne des philosophies de la conscience, donc, semble-t-il, de l'individualisme philosophique (Nietzsche n'a cessé de dénoncer l'idée
de monade ou d'atome et sa pertinence pour la théorisation de l'idée de sujet); elle s'expose également à un certain
nombre de difficultés « factuelles » qu'on ne saurait
sous-estimer. Pour le dire brièvement : lorsqu'on recense
les textes de Nietzsche consacrés aux notions d'individualisme ou d'individu, ils paraissent travaillés par une tension
constante qui semble *a priori* interdire tout projet d'une
lecture quelque peu consonante.

D'un côté, en effet, c'est une évidence, Nietzsche fait de
l'individu une valeur absolue, et, d'abord, un principe
ontologique : on lit par exemple dans *la Volonté de
puissance* qu'il n'y a pas d'espèces, « il n'y a que des
individus différents » – sorte de reformulation du principe
des indiscernables en vertu de quoi, comme on sait,
Nietzsche présente dans des textes multiples et bien connus

les concepts et les mots (la raison et le langage) comme des processus d'homogénéisation des différences, d'effacement de l'individualité et, en ce sens, comme des figures de la perte du réel entendu comme jeu du « pur différencié », selon la formule utilisée dans un autre fragment.

Dans la logique de cet individualisme ontologique, Nietzsche met donc en place un individualisme axiologique qui culmine dans la défense des valeurs de l'originalité contre ce qu'il nomme parfois la « vulgarité[15] », c'est-à-dire la dissolution de l'individuel différencié dans le commun nivelé. Participent de cette critique de la vulgarité quelques moments bien connus du discours nietzschéen que je ne rappelle ici que pour mémoire :

– La généalogie des valeurs grégaires et de la civilisation du troupeau, dont Nietzsche reconstitue les diverses étapes selon une filiation qui va du judaïsme au socialisme en passant par Socrate, le christianisme, Rousseau, la Révolution française et la démocratie.

– L'analyse critique de la genèse de la *conscience* et du *langage*, elle-même inscrite dans une certaine évolution de la vie. C'est ici le très important § 354 du *Gai Savoir*, intitulé « Du génie de l'espèce », qui développe de façon particulièrement brillante l'idée selon laquelle la naissance de la conscience chez ce vivant qu'est l'homme (son émergence, puis sa valorisation) n'allait pas de soi, n'était pas une fatalité, mais s'est trouvée liée aux exigences (elles-mêmes non fatales) de la communication et du langage : un certain type d'hommes n'ont pu faire face, explique Nietzsche, aux nécessités de la vie sans avoir besoin les uns des autres, c'est-à-dire sans substituer aux valeurs de l'indépendance celles de l'entraide et de la solidarité. Or le besoin de l'autre faisait ainsi apparaître simultanément la nécessité d'exprimer et de communiquer ce besoin, c'est-à-dire de se « comprendre mutuellement », et d'abord, pour cela, d'accéder à une conscience de ce besoin; telle est la raison pour laquelle, selon Nietzsche, la conscience naît en même temps que le langage : elle ne

« s'est développée que sous la pression du besoin de communiquer ». Il en résulte que l'homme n'est devenu conscient que de ce qui était communicable, partageable avec autrui, donc *commun*, et, de ce point de vue, ce qui accède à la conscience et au langage n'est donc jamais l'individuel, mais le grégaire, ou la vulgarité : « Je pense, comme on le voit, conclut Nietzsche, que la conscience n'appartient pas essentiellement à l'existence individuelle de l'homme, mais au contraire à la partie de sa nature qui est commune à tout le troupeau [...] et qu'en dépit de la meilleure volonté qu'il peut apporter à " se connaître ", nul d'entre nous ne pourra jamais prendre conscience que de son côté non individuel et " moyen ". [...] La pensée qui devient consciente ne représente que la partie la plus infime, disons la plus superficielle, la plus mauvaise de tout ce que l'individu pense » – c'est-à-dire la partie qui ne correspond pas à l'individualité. Alors que « tous nos actes sont bien au fond suprêmement personnels, uniques, individuels, incomparables », la conscience et le langage procèdent de cette « grande falsification » qui consiste en une « généralisation », et, comme telle, en une « superficialisation » de ce qui est.

On perçoit ici comment un thème aussi important chez Nietzsche que la critique de la conscience et du langage s'inscrit directement dans la perspective d'une revalorisation de l'individualité : si la généralisation est falsification, superficialisation, le *vrai* (le non falsifié) et le *profond* (le non superficiel) résident bien dans l'affirmation de l'individu comme tel. On a là une première ligne d'analyse où la pensée de Nietzsche prend des accents proches de celle de certains jeunes hégéliens anarchistes. Il en résulte fort logiquement une critique de la modernité comme civilisation où, les valeurs de la conscience s'affirmant à travers la philosophie du *cogito* et ses appendices scientifiques, l'individuel se dissout dans le général entendu comme grégarité. La modernité comme triomphe du « génie de l'espèce » contre l'individu, contre ces grandes individualités qu'in-

carnaient par exemple les Grecs (d'avant Socrate, bien sûr)
et, parallèlement, la démocratie, valeur suprême du monde
moderne, scientifique donc « roturier » en ce qu'il vise une
vérité qui « vaut pour tous », la démocratie comme
égalisation des hommes, donc comme effacement des différences constitutives de l'individualité : voilà sans nul doute
une première pente de la pensée de Nietzsche qui trouve sa
cohérence autour de l'installation de l'individu comme
vraie réalité et comme valeur absolue – ce que résume au
mieux ce fragment de *la Volonté de puissance :* « Rien ne
s'oppose plus aux *instincts du troupeau* que la souveraineté
de l'individu[16]. »

La difficulté, comme toujours chez Nietzsche, vient de
ce que d'autres textes, aussi nombreux et aussi importants,
contredisent les premiers pour faire apparaître une critique
radicale de la notion d'individu et, corrélativement, de
l'individualisme. Nietzsche y insiste à maintes reprises : en
réalité, la notion d'individu ne vaut guère mieux que celle
d'espèce, ou comme l'affirme un fragment de *la Volonté de
puissance*, « le concept " d'individu " et celui " d'espèce "
sont également faux et seulement apparents[17] » – propos
qui paraissent bien cette fois relever d'un anti-individualisme ontologique (l'individu comme apparence et non plus
comme fond de ce qui est), à quoi va correspondre un
anti-individualisme axiologique : « Le " bien de l'individu "
est tout aussi imaginaire que le " bien de l'espèce "[18]. »
Bref : l'individu n'est ni un bon principe ontologique, ni un
principe axiologique légitime – ce qui semble en parfaite
contradiction avec les passages qu'on vient d'évoquer.

En fait, lorsque Nietzsche fait de la notion d'individu
une « erreur » (selon l'expression utilisée dans *le Crépuscule des idoles*), c'est une particularité fort précise de
l'individualité qui est visée. Sur ce point les textes concor-
dent :

– *Crépuscule des idoles :* « L'homme isolé, " l'individu "
– l'*individuum* – tel que le peuple et les philosophes l'ont
entendu jusqu'ici est une erreur : il n'est rien en soi, il n'est

pas un atome, un " anneau de la chaîne ", rien qu'un
héritage laissé par le passé[19]... » et, en ce sens, la valeur de
l'individu varie selon qu'il « représente l'évolution ascen-
dante de la vie » ou « l'évolution descendante, le déclin, la
dégénérescence chronique, la maladie ». L'individu ne peut
donc ni ontologiquement ni axiologiquement être considéré *en lui-même*. Ni il n'existe isolément, ni il n'a de
valeur indépendamment du processus qui s'accomplit en
lui. On valorisera donc ce *moment* qu'est l'individualité si
elle est un moment d'intensification et d'accroissement de
la volonté de puissance – on la dévalorisera si elle en
constitue un moment d'exténuation ou d'épuisement.

– On trouve un texte parallèle dans *la Volonté de
puissance*[20] : il faut refuser le concept d'individu, y explique Nietzsche, pour percevoir qu'en fait « tout être
particulier est justement la totalité du processus en ligne
droite (non pas simplement l'héritage de ce processus, mais
ce processus lui-même), qu'il est en réalité « *toute la vie
antérieure* en *une* seule ligne et *non* son résultat[21] ».

Ces affirmations qui peuvent paraître étranges au regard
de la valorisation nietzschéenne de l'individualisme à
laquelle on assiste par ailleurs doivent, pour être correctement interprétées, être rapprochées de la critique des
notions d'atome et de monade telles que Nietzsche les
comprend. Dans l'important fragment de *la Volonté de
puissance* cité plus haut[22], Nietzsche évoque la construction de la notion de sujet en la désignant comme cette
« *fausse substantialisation* du Moi » par laquelle le Moi a
été artificiellement « dégagé du devenir », posé « comme
quelque chose qui est » (avec, pour moteur de l'opération
fétichisante, la « croyance dans l'immortalité personnelle »). Une telle substantialisation du Moi, Nietzsche la
décrit aussi comme une « déclaration d'autonomie du
Moi » qu'on a voulu considérer comme un « atome ».

Ce qui s'avère ainsi erroné dans la notion d'individualité, ce n'est pas le concept d'individu en général, mais un
concept particulier de l'individu, à savoir l'individu *autono-*

misé par rapport au monde et au devenir et posé comme un atome ou comme une « monade[23] » c'est-à-dire comme une unité dernière, stable, durable, voire indestructible (immortelle), source ultime de ses propres actes et de ses propres représentations. Contre une telle vision de l'individualité, un passage de *la Volonté de puissance* affirme qu'il « n'y a pas d'unités dernières durables, point d'atomes, point de monades », que « l'unité n'existe pas dans la nature du devenir », qu'il n'y a pas de « volonté » qui puisse être la source ultime et identique à elle-même de ce qu'elle poserait, etc. L'« autonomisation de l'individu sous forme d'atome » renvoie en vérité à ces images stabilisées du monde qu'ont construites à la fois la religion, la métaphysique et la science en inventant, à la place du jeu chaotique du « pur différencié » et du pur successif, un « monde-vérité » d'*êtres*, de *causes*, d'*unités*, etc. (par exemple, en physique, « une systématisation rigide des atomes, identique pour tous les êtres, dans les mouvements nécessaires[24] »).

C'est donc, avant Heidegger mais dans le même sens que lui, l'individu « métaphysique » que Nietzsche critique, c'est-à-dire l'individu centré sur les valeurs de l'unité (atomique ou monadique) et de l'autonomie – là où en réalité, en chaque homme, règne bien plutôt une pluralité de centres de forces qui se combinent et se combattent à chaque instant (l'unité du Moi n'est qu'une fiction), et où ce que nous appelons la volonté est bien plutôt le terme ultime d'un conflit incontrôlable entre les centres de forces qu'un libre arbitre au sens d'une volonté posant elle-même ses lois (l'autonomie est une illusion).

Parallèlement à ces textes qui développent une critique de l'individualité métaphysique qui, à bien des égards, annonce la déconstruction heideggérienne, s'esquisse chez Nietzsche une intéressante remise en cause de l'individualisme. Par rapport à la valorisation de l'individu contre le troupeau, ces passages de son œuvre sont aussi fort étonnants au premier abord, puisqu'il y dénonce explicite-

ment l'individualisme comme une des composantes caractéristiques d'une civilisation grégaire. A titre d'exemple, on
peut citer ces deux fragments de *la Volonté de puissance* :

– « L'individualisme est le degré *le plus modeste* de la
volonté de puissance[25] », propos étrange si l'on se souvient
de la façon dont Nietzsche fait par ailleurs de la souveraineté de l'individu la valeur la plus opposée à celle du
troupeau.

– « Ma philosophie tend à établir une *hiérarchie*, non
une morale individualiste[26] » – alors que l'on aurait pu
croire que l'affirmation de la souveraineté de l'individu
constituait, précisément, contre la morale du troupeau, le
principe d'une authentique morale individualiste.

Dans le même esprit, on peut être troublé de voir
imputer au christianisme, c'est-à-dire à l'une des expressions les plus caractéristiques, aux yeux de Nietzsche, des
valeurs du troupeau, la valorisation de l'individu : « En
réalité, c'est le christianisme qui a le premier incité l'individu à s'ériger en juge de toutes choses; la folie des
grandeurs est presque devenue un devoir pour ce dernier
car il doit faire valoir des droits *éternels* contre tout ce qui
est temporel et conditionné[27]. » Le christianisme contribue
ainsi à la genèse de l'individualisme en nous habituant,
précise Nietzsche, au concept superstitieux « de l'âme, de
l'âme immortelle, de l'âme-monade, de l'âme qui, en vérité,
possède tout à fait ailleurs sa véritable demeure » et donc
l'être n'est pas le moins du monde conditionné par les
choses terrestres[28]. Certes réinterviennent dans cette description de l'apport chrétien la version *monadique* de l'individualité dont on a vu comment Nietzsche la critiquait, mais
on peut cependant être quelque peu surpris qu'en un sens,
qui reste à préciser, l'individualisme soit rejeté du même
côté que le christianisme dont il s'agit pourtant de dépasser
les évaluations roturières, antiaristocratiques.

Cette interrogation impose à l'évidence de cerner de plus
près ce dont Nietzsche entend faire la généalogie lorsqu'il

vise l'individualisme négatif. Le texte clef, à cet égard, pourrait bien être ce fragment de *la Volonté de puissance* : « Apparemment opposés sont les deux traits qui caractérisent les Européens modernes : *l'individualisme* et *l'exigence de droits égaux*. J'ai enfin fini par comprendre[29]. » Qu'a compris Nietzsche? Qu'en réalité l'individualisme *moderne* est inséparable de l'*égalitarisme* à travers lequel il s'exprime et s'accomplit. Ce lien (paradoxal puisque l'individualisme devrait être l'affirmation de la *différence* et de l'*altérité*, et non la valorisation de l'identité ou de l'égalité), Nietzsche en explique la genèse de la façon suivante : l'individualité moderne est « faible et craintive » (« l'individu est une vanité infiniment vulnérable »); pour ne pas souffrir des différences, l'individu moderne entreprendra donc de les nier; la seule façon, pour lui, de défendre la valeur de son existence, ce sera d' « exiger que tous les autres lui soient reconnus *égaux*, qu'il se trouve toujours *inter pares*; c'est donc " le principe d'individualité " qui élimine les très grands hommes et exige, parmi les hommes à peu près égaux, qu'on sache grâce au regard le plus subtil, à la plus vive lucidité, déceler les talents[30] ». La valorisation de l'individualité et des « petites différences » s'effectuera ainsi sur fond d'une égalisation et d'une homogénéisation préalables, sur fond, en ce sens, d'une certaine *dépersonnalisation*. Nietzsche opposera donc à l'individualisme des Modernes ce qu'il appelle le « personnalisme des Anciens[31] » pour qui l'individualité était valorisée comme telle, dans sa distance et dans sa différence.

L'opposition de l'ancien et du moderne, de la tradition et de la démocratie si l'on veut, laisse apparaître la structure suivante :

1. *L'individualisme moderne*, qui valorise l'égalité plus que la différence : c'est par là qu'il va de pair avec le christianisme (égalité devant Dieu) et la démocratie (égalité devant la loi) – et qu'il est aussi « le plus bas degré de la volonté de puissance », l'individu ne s'y affirmant qu'en se considérant comme l'égal des autres au lieu de poser sa

différence avec autorité, sans *comparaison* ni *argumentation*, comme le souligne clairement cet autre fragment de *la
Volonté de puissance* : « L'individualisme est une variété
modeste et encore inconsciente de la " volonté de puissance
" »; ici, il semble déjà bien suffisant à l'individu de s'affranchir de la domination de la société (que ce soit celle de
l'État ou celle de l'Église). Il ne s'oppose pas *en tant que
personne*, mais purement en tant qu'individu. Il représente
tous les individus contre la collectivité. C'est-à-dire qu'il
s'égale instinctivement à tout autre individu; ce qu'il
conquiert, il ne le conquiert pas comme personne, mais
dans la mesure où il représente les individus contre la
collectivité [32]. » Pour cette raison, l'individualisme moderne
est assimilé par Nietzsche à une forme d'« égoïsme individuel [33] », à la volonté dérisoire de se considérer isolément
par rapport à la société, par rapport à l'humanité en son
ensemble. Ce n'est donc pas non plus un hasard si cette
figure de l'individualisme est associée, sur le plan métaphysique, à l'illusion du Moi, du sujet monadique transparent
à lui-même ou, tout au moins, source ultime de ses actes et
de ses idées. Car la vérité de cet individu comme « homme
isolé », en réalité cette « erreur », est bien l'individualisme
comme volonté du Moi de se séparer égoïstement pour se
poser « contre la collectivité ». Le but n'est pas ici la
culture authentique de sa propre originalité, l'affirmation
créative de soi, mais en cette version encore embryonnaire,
ou plutôt « dégradée », « décadente », de la volonté de
puissance, il s'agit seulement de se poser comme « un »
contre le « tout ». Degré zéro de la vie, donc, puisque cet
affranchissement à l'égard du tout s'accomplit sous les
espèces de l'égalisation à tous; en me posant, selon la
conception kantienne/libérale du droit, comme identique à
tous les autres, et en posant tous les autres comme mes
égaux, je mets en place une société (la société démocratique) où est assuré, à travers le thème des droits de
l'individu (ce suffrage universel que Nietzsche abhorre), ce

minimum d'indépendance où la volonté de puissance connaît son expression la moins élaborée.

L'analyse nietzschéenne de l'individualisme moderne comme intrinsèquement lié à l'avènement de l'univers démocratique n'est pas sans évoquer celle de Tocqueville à ceci près que, pour l'essentiel, et malgré les nostalgies tocquevilliennes, les signes sont inversés; la modernité n'a rien ici d'un « progrès »; elle est bien sûr à lire comme décadence, comme un recul de la vie vers une forme rabougrie : « On veut la liberté (c'est-à-dire la différenciation d'avec le tout par l'identification à tous) tant qu'on n'a pas la puissance », tandis que « quand on l'a, on veut l'hégémonie ».

On aurait tort, en revanche, de comparer hâtivement la critique nietzschéenne de l'individualisme libéral (entendu comme « égoïsme » de l' « homme isolé ») à la critique marxienne. Malgré la similitude des formules – et bien que la dénonciation de l'individualisme soit déjà fort prisée au XIXᵉ siècle –, Nietzsche associe de façon subtile libéralisme et socialisme dans un commun rejet. En des termes proches de ceux de Tocqueville lorsqu'il voit dans la genèse d'un État « tutélaire » l'un des horizons possibles de l'individualisme moderne, il explique[34] comment le socialisme n'est en vérité qu'« un moyen d'agitation de l'individualisme » dans la mesure où « l'instinct des socialistes » n'est nullement de faire de la société « la fin de l'individu », mais d'utiliser la société « comme un moyen de réaliser beaucoup d'individus » – l'État socialiste étant conçu comme celui qui doit procurer aux individus un accès *égal* au plus grand bonheur possible, selon une exigence qui s'avère être ainsi celle-là même de l'« égoïsme individuel ».

2. Contre cet individualisme moderne (démocratique, chrétien et socialiste), Nietzsche fait valoir l'attitude qui consiste à s'affirmer, non comme individu contre le tout, mais comme personne dans sa différence *incomparable* (car comparer, c'est déjà supposer des termes, par conséquent des *identités*). Tel est bien le « *personnalisme des Anciens* »

qui correspond, non à l'esprit de la démocratie, mais à
celui de l'aristocratie; on ne valorise plus, alors, l'égalité,
mais la distance et la hiérarchie, le modèle étant trouvé par
Nietzsche dans ce qu'il appelle « les grandes individualités » et qu'il découvre chez les Grecs d'avant Socrate, voire
sous la Renaissance[35]. La valeur suprême n'est plus alors
l'autonomie des individus par rapport au tout, mais l'affirmation de soi en toute *indépendance* à l'égard d'autrui.
Significatif, à cet égard, sont les fragments[36] où Nietzsche
évoque le principe de sa morale, à savoir cette « individua-
tion » qui, antisociale, « nie l'égalité universelle et l'équivalence entre les hommes[37] » : tout à l'inverse de ce qui a
lieu dans l'individualisme moderne, il s'agit enfin « de dire
" moi " plus souvent et plus fort que la majorité des
hommes », de s'imposer à eux, « fût-ce en se soumettant
ou en se sacrifiant les autres » si l'indépendance n'est
réalisable qu'à ce prix[38].

La vraie rupture nietzschéenne : de l'individualisme moderne à l'individualisme contemporain ou postmoderne

Ces ambiguïtés de la notion d'individualisme telle qu'elle
est traitée par Nietzsche offrent au moins un double intérêt
pour l'analyse et la compréhension de sa philosophie
entendue comme philosophie de l'art.

Il est clair, tout d'abord, que le concept d'individualité
peut être pris en plusieurs sens et que, notamment, il peut
s'entendre, à la différence de ce qui a lieu par exemple chez
Tocqueville, comme désignant une réalité ancienne, un état
prémoderne de la volonté de puissance que la naissance de
l'égalitarisme vient tardivement exténuer. Encore faut-il
comprendre l'enjeu qu'occupe cette opposition entre l'ancien et le moderne dans la pensée de Nietzsche; comme
toujours chez les *contemporains* (cela vaudrait aussi bien
pour Heidegger ou pour Leo Strauss), la revalorisation de

l'ancien contre le moderne n'est pas une fin en soi, mais un dispositif stratégique qui n'a de sens que dans l'optique d'une *postmodernité* : si les « considérations » de Nietzsche sont « inactuelles », c'est évidemment au sens où elles heurtent la modernité « démocratique » égalitariste; mais c'est aussi par là qu'elles sont plus actuelles que cette modernité elle-même, qu'elles préparent un avenir qui se veut inédit; en l'occurrence, puisqu'il s'agit avant tout de philosophie, la transformation du statut du philosophe qui d'ouvrier doit devenir *artiste*, selon un thème constant de la pensée nietzschéenne.

C'est dans cette optique que l'individualisme ancien doit servir, sinon de modèle, du moins de fil conducteur dans la quête d'une nouvelle figure de l'individualisme; et si cette dernière doit trouver son expression la plus achevée dans l'art, entendu au sens le plus général comme étant lui-même la manifestation la plus adéquate de la volonté de puissance, c'est parce que, dans un univers enfin pleine-ment perspectif, dans un monde redevenu infini en ce qu'il offre la possibilité d'une infinité d'interprétations, seul l'art se présente *authentiquement* pour ce qu'il est : une évalua-tion qui ne prétend pas à la vérité. Ici encore se vérifie l'assertion selon laquelle la philosophie de Nietzsche prend la forme d'une monadologie sans sujet ni système. Ni monades (individus au sens moderne), ni point de vue unique à partir duquel, comme chez Leibniz ou Hegel, les perspectives pourraient être synthétisées selon une harmo-nie (que cette harmonie soit pensée comme dialectique ou non important finalement assez peu) : telle pourrait être la formule de l'individualisme nietzschéen, postmoderne, par lequel l'art devient le mode d'être à soi de la volonté de puissance.

Un tel individualisme reste encore « monadologique », bien qu'en un sens radicalement nouveau puisqu'il ne conserve de la théodicée leibnizo-hégélienne que l'idée d'une multiplicité de points de vue qu'il renonce à intégrer dans l'unité d'une synthèse harmonieuse. Il faut, pour en préciser encore les contours, considérer deux séries d'indices particulièrement significatifs, concernant tout d'abord ce que Nietzsche tient pour spécifiquement allemand dans la philosophie de Leibniz à Hegel, puis la nature de son perspectivisme entendu comme une forme inédite de relativisme ou d'historicisme.

La brisure du sujet

Le très intéressant § 357 du *Gai Savoir* intitulé : « A propos du vieux problème : qu'est-ce qui est allemand ? » est consacré à l'analyse de trois penseurs typiquement représentatifs de la germanité : Leibniz, Kant et Hegel. La critique de ces auteurs comme s'inscrivant dans la tradition du rationalisme platonicien est habituellement de rigueur chez Nietzsche. Mais ce qui distingue ce texte tient justement au fait qu'il adopte, une fois n'est pas coutume, une attitude laudative; et à travers l'hommage qu'il rend aux philosophes allemands se dessinent peu à peu les traits caractéristiques d'un individualisme esthétique sous-tendu par une nouvelle théorie de la subjectivité.

Ce que Nietzsche, en effet, juge « positif » dans l'œuvre philosophique des Allemands, c'est la *profondeur,* ici entendue au sens propre comme la capacité de mettre au jour les « arrière-mondes ». Elle témoigne du fait, comme le dit encore Nietzsche à propos de Leibniz, que « notre monde intérieur est un monde bien plus riche, bien plus vaste, bien plus caché » qu'on ne l'avait cru jusqu'alors. Et c'est ici tout à la fois la tâche du généalogiste qui s'esquisse, en même temps que se déconstruit la vision moderne, métaphysique, du sujet – vision *platement* individualiste qui accorde à la *surface,* à la *conscience,* un primat tout à fait injustifié.

Pour comprendre avec fidélité ce que Nietzsche porte ici au crédit de Leibniz, Kant et Hegel, il faut percevoir la signification que revêt chez lui, à la différence de ce qui a lieu dans toute philosophie d'inspiration platonicienne, le souci de dépasser les apparences, de rendre visibles les arrière-mondes. Une telle volonté de parousie pourrait sembler paradoxale. On a vu en effet comment l'un des principaux reproches adressés au platonisme, ainsi qu'à la version populaire qu'en fournit le christianisme, tenait à ce que tous deux s'efforcent à nier le monde sensible au nom d'un monde intelligible – le premier étant désigné comme l'apparence par rapport à laquelle le second vient jouer le rôle d'un arrière-monde démystificateur (selon le fameux mythe de la caverne). Pourquoi dans ces conditions ce qui est négatif chez Platon (la critique des apparences au nom d'un arrière-monde accessible seulement à la réflexion philosophique) deviendrait-il positif chez les Allemands? N'avons-nous pas affaire, dans les deux cas, à une relativisation du monde réel au nom d'un monde caché?

En vérité, l' « apparence » s'est, de Platon aux Allemands, tant et si bien déplacée que ce n'est plus la même illusion qui, ici et là, se voit dénoncée; si chez Platon et dans le christianisme (cette « horreur du toucher »), c'est le monde sensible qui est critiqué au nom d'un au-delà dont le modèle est fourni par la théorie des Idées, chez Leibniz, Kant et Hegel, c'est tout à l'inverse la vérité platonicienne qui se retrouve en lieu et place de l'apparence. La critique du platonisme, pour Nietzsche comme plus tard pour Heidegger, trouvera son prolongement naturel dans une déconstruction de la science moderne qui se borne à développer et accomplir ce qui, déjà, est en germe dans la métaphysique; les sciences poursuivent en effet, de façon inlassable, la tâche qui consiste à dénoncer les opinions naïves, *sensibles,* au nom d'une vérité cachée, accessible seulement à la raison du savant. Seule l'inversion du platonisme peut créer les conditions de possibilité de la généalogie. Il ne s'agira plus pour elle de « sauver les phénomènes », de dévoiler sous le chaos confus des images sensibles l'immuable clarté des idées. Tout au contraire, la véritable *profondeur* consiste à révéler sous l'apparence *superficielle* de la lumière intelligible ce monde obscur et fou que le jeune Nietzsche appelait « dionysiaque ». Voici en quoi une telle activité « archéologique » est typiquement germanique.

Chez Leibniz tout d'abord : ce qui est remis *profondément* en question, ce sont les prétendues « évidences » de la philosophie cartésienne, et, en particulier, ce primat de la conscience au nom duquel la vie « intérieure » devrait s'identifier à la vie claire et distincte. Leibniz est en effet le premier à introduire dans la philosophie le concept d'inconscient, avec ces fameuses « petites perceptions » qui, en vertu du principe de continuité, doivent nécessairement précéder l'apparition de la conscience claire, c'est-à-dire relier un degré zéro de conscience à un degré N. C'est ainsi qu'il devait concevoir « l'incomparable idée qui lui donnait raison, non seulement contre Descartes, mais contre tout ce qui avait philosophé jusqu'à lui, selon laquelle la conscience est un simple *accident* de la représentation, *non* son attribut nécessaire, essentiel, de sorte que ce que nous appelons conscience ne constitue qu'un état (et peut-être même un état malade) de notre monde spirituel – nullement, tant s'en faut, ce monde lui-même ». La parenthèse, bien sûr, est un ajout de Nietzsche; elle indique ce qui sépare encore la « découverte » leibnizienne d'une véritable généalogie. Car il est clair que, pour avoir « découvert l'inconscient », Leibniz n'en continue pas moins de penser dans les termes qui sont ceux de l'individualisme moderne : le sujet se définit comme monade/ substance et la conscience, même partiellement remise en question, demeure l'idéal du philosophe en même temps que l'intelligible reste la vérité d'un sensible qui n'a guère plus d'autonomie que chez Platon. Néanmoins, il y a selon Nietzsche quelques raisons de penser « qu'un Latin ne serait pas parvenu aisément à ce renversement d'évidence » et qu'ici la profondeur germanique ouvre la voie à une authentique *généalogie du sujet* : c'est le fond métaphysique de cet individualisme moderne qui se trouve subverti.

Du côté de chez Kant, ce n'est rien de moins que la raison scientifique autant que philosophique qui voit contestée sa séculaire suprématie : il faut rappeler ici « le formidable point d'interrogation qu'il vint poser devant le concept de " causalité " ; non qu'il ait, à l'instar de Hume, contesté d'un point de vue général les droits de cette idée; au contraire, il commença à délimiter avec soin le domaine à l'intérieur duquel elle conservait un sens (c'est une tâche qu'on n'a pas même achevée aujourd'hui) ». Bel exemple du style de Nietzsche : on aurait pu attendre qu'il préférât Hume à Kant, qu'il appréciât le doute que le scepticisme faisait peser sur la catégorie même de causalité (tant sur la légitimité de son usage que sur sa capacité à dépasser le stade de la « croyance » pour atteindre celui de la vérité). Et pourtant, il juge la critique kantienne plus profonde que celle de l'empirisme; car si Kant, à la différence de Hume, admet une certaine validité du principe de raison, c'est pour immédiatement la relativiser en postulant la fameuse thèse selon laquelle la loi de la causalité ne s'applique qu'aux phénomènes, la sphère de la pratique se soustrayant peut-être à son emprise. Ainsi, avec lui, « c'est en Allemands que nous doutons de la valeur ultime des connaissances fournies par les sciences de la nature et, plus généralement, de tout ce qui peut s'apprendre de façon causale : le connaissable lui-même, en tant que tel, nous apparaît déjà de *moindre* valeur ».

C'est enfin « l'admirable trouvaille de Hegel » qu'il faut mettre au crédit de la profondeur allemande. Son mérite est double : il consiste d'abord à mettre un terme au primat de l'identité, à accepter l'idée de contradiction au sein de la logique; il réside ensuite et surtout dans le fait d'introduire l'historicité dans les catégories de la raison et de rompre ainsi avec la théorie platonicienne des idées stables et éternelles.

Bien évidemment, ces percées vers la véritable généalogie restent encore fugaces et la dépendance de l'individualisme moderne à l'égard de la métaphysique traditionnelle demeure, dans les trois cas, évidente; chez Kant, parce que le primat de la raison pratique relève encore du platonisme et de la tradition rationaliste; chez Leibniz et Hegel, parce que la découverte de l'inconscient et de l'histoire est encore au service de la mise en système de ce qui est, de sorte que, dans un cas comme dans l'autre, la « découverte » se trouve bientôt annulée – l'inconscient repris dans la conscience, l'histoire dans la Raison, et non l'inverse.

Il n'en reste pas moins que le jugement porté par Nietzsche sur la valeur de ce qui est allemand est au plus haut point significatif d'un nouvel âge où l'individualisme s'accommode de la disparition du sujet et de l'objet au profit d'un perspectivisme pur, d'un éclatement absolu des points de vue dans un historicisme radical.

Avec l'émergence de l'inconscient chez Leibniz, c'est en effet l'exténuation du sujet qui est en jeu – exténuation qui devra finalement s'accomplir dans l'avènement d'un individu éclaté, n'aspirant plus à la maîtrise de soi ou à l'autonomie. Telle est la raison pour laquelle le mot « sujet » ne renvoie en dernière instance qu'à une « terminologie qui est celle de notre croyance à l'*unité* commune aux multiples moments de notre plus haut sentiment de réalité; nous concevons cette croyance comme l'effet d'une seule cause[39] » et c'est par cette hypostase de l'identité que nous parvenons à l'idée que le moi est un substrat ultime de nos représentations. Le *cogito* cartésien s'avère n'être qu'un effet de ce que Nietzsche nomme le « piège des mots » ou l'« habitude grammaticale »[40]. En vérité, « le " sujet ", c'est la fiction d'après laquelle beaucoup d'états identiques en nous seraient l'effet d'*un même* substrat; mais c'est *nous* qui avons créé l'identité de ces états[41] ».

Avec l'hypothèse de l'inconscient, c'est bien cette fiction qui se trouve ébranlée car, explique encore Nietzsche, il faut enfin se résoudre à ne considérer la conscience que comme un épiphénomène de la vie, nullement comme la vie elle-même : la « conscience du moi » n'apparaît plus dès lors que comme « le dernier trait qui s'ajoute à l'organisme quand il fonctionne déjà parfaitement, elle est presque superflue » – de sorte que si la fiction de l'unité du moi possède quelque vérité, ce ne saurait être en tout cas au niveau de la conscience, comme l'a cru naïvement toute la philosophie d'inspiration platonicienne-cartésienne : « Si j'ai quelque unité en moi, elle ne consiste sûrement pas dans mon moi conscient », lequel n'est jamais qu'un « phénomène terminal » dont les causes me sont tout à fait inconnues, mais dans ce que Nietzsche désigne comme la « sagesse de l'organisme [42] ». Il y a donc, au sens marxiste du terme, un fétichisme du sujet que la généalogie dissout littéralement en montrant que le moi n'est qu'une « création », « une simplification pour désigner comme telle la force qui pose, invente, pense, par opposition à tout acte particulier de poser, inventer, penser [43] ». On croit ainsi exhiber avec le « moi » une réelle faculté, mais en vérité, cette faculté n'est rien, ou plus exactement, elle n'est que la concrétion, la réification d'une activité qui n'existe jamais que comme activité particulière.

L'éradication du sujet, par laquelle Nietzsche renoue avec « le personnalisme des Anciens », s'accompagne d'une inévitable disparition de l'objet, comme le suggère, selon une argumentation subtile, un passage décisif de *la Volonté de puissance* [44]. Il est clair, tout d'abord, que la liquidation du sujet/substance (de la conscience cartésienne) conduit à penser le monde comme un tissu d'interprétations irréductibles à une quelconque unité (tout substrat *stable* leur fait défaut); on n'a donc en toute rigueur plus « le droit de demander : *qui* interprète? », car « c'est l'interprétation elle-même, en tant que forme de la volonté de puissance, qui possède une existence (non celle d'un " être ", mais d'un *processus,* d'un *devenir*) en tant qu'elle est un affect ». Et si l'interprétation seule constitue le fond de ce qui est, ce n'est plus seulement le sujet qui est une illusion, un effet du fétichisme, mais l'idée qu'il existerait « en soi » des « faits » indépendants de l'interprétation : « Une " chose en soi "? – aussi absurde qu'un " sens en soi "! Il n'y a pas

" d'états de faits en soi ". » Dès lors, de même qu'il est vain
de chercher, au sens métaphysique, un « sujet » de
l'interprétation, de même qu'il faut renoncer, toujours en
ce sens métaphysique, à la question « qui interprète? », on
doit aussi se résoudre à abandonner « la question " qu'est-
ce que c'est? " » – car elle n'est à son tour qu'« une façon
de *poser un sens* » et, comme telle, elle revient toujours à
cette autre question : « " qu'est-ce que c'est pour moi, pour
nous, pour tout ce qui vit, etc.)? " » – la parenthèse visant
à faire comprendre que le moi ne s'entend plus, *ici*, au sens
d'un sujet métaphysique identique à lui-même dans la
transparence de sa conscience, mais comme un sujet brisé,
une force interprétative parmi d'autres, un pur point de
vue : « Bref, l'essence d'une chose n'est elle aussi qu'une
opinion sur cette " chose". Le *" cela passe pour "* est le
résidu vrai du *" c'est "* ; c'est le seul *" cela est "*. »

Nietzsche ne cesse d'y insister : s'il « n'y a pas de faits »,
mais seulement des interprétations, c'est parce que, selon
la formule du *Crépuscule des idoles*, « tout jugement est un
symptôme », ou comme le dit encore un fragment de *la
Volonté de puissance* : tout jugement de valeur n'a de sens
que « dans une perspective définie, celle de la *conservation*
de l'individu, d'une collectivité, d'une race, d'un État,
d'une Église, d'une foi, d'une civilisation », et l'on oublie
simplement « qu'il n'y a de jugements que perspectivistes [45] ». Bref : « Il n'y a pas de chose en soi, pas de
connaissance absolue [46] », parce que, à la différence de ce
qui a lieu chez Leibniz ou Hegel, la multiplicité des points
de vue s'avère irréductible dans l'individualisme postmoderne ici inauguré et ce pour l'excellente raison qu'il n'y a
plus de sujet susceptible de fonder en lui une quelconque
recollection systématique.

Que cette forme extrême d'individualisme soit explicitement assumée par Nietzsche, voilà qui ne saurait faire de
doute si l'on précise en quoi il prolonge la critique de la
science qu'il perçoit, ou croit percevoir, chez Kant. Ce
n'est pas seulement la sphère de la vérité scientifique qui se

trouve privée de toute objectivité, mais bien aussi celle de la *signification*. Là où Kant tentait de maintenir, notamment dans le domaine de l'esthétique, la possibilité d'un « sens commun », d'un accord contingent des subjectivités ou des sensibilités hors des règles conceptuelles de l'objectivité, Nietzsche postule une radicale hétérogénéité : « Nos valeurs sont des interprétations introduites par nous dans les choses. Y a-t-il un sens dans l'en-soi? Tout sens n'est-il pas nécessairement un sens relatif, une perspective[47]? »

Mais c'est aussi à partir de Hegel qee se détermine la nature ultime de l'individualisme nietzschéen. Dans le dépassement hégélien de Leibniz et de Kant, encore trop platoniciens, le relativisme dévoile sa véritable signification : celle d'un historicisme radical, comme le suggère encore le fragment suivant : « Ce qui nous sépare de Kant comme de Platon et de Leibniz, c'est que nous ne croyons qu'au devenir... Nous sommes de part en part *historiens* » – et Nietzsche évoque ici les noms de Lamarck et de Hegel dont Darwin n'est que l'avatar.

On a déjà dit combien Nietzsche s'écartait de l'esprit systématique, réconciliateur, de la dialectique hégélienne. Deleuze a sans nul doute raison d'insister sur ce point. Il reste que son interprétation, contrairement à celle de Heidegger, sous-estime cette filiation, pourtant avouée par Nietzsche lui-même, selon laquelle la référence à l'histoire permet de porter un coup fatal à l'idéalisme platonicien. Comme le remarque à juste titre Leo Strauss, jusqu'à Hegel, « tous les idéaux prétendent avoir une base objective : dans la nature, en Dieu ou dans la raison. Le sens historique détruit cette prétention et, avec elle, tous les idéaux connus[48] ». C'est cette virtualité que Nietzsche salue dans l'hégélianisme avant d'en tirer toutes les conséquences – ce qui implique évidemment que l'historicité soit dépouillée de sa gangue systématique. Selon Strauss, les idéaux et les cultures différents « ne s'ordonnent plus chez Nietzsche en un système » parce qu'il est devenu impossible d'opérer « une véritable synthèse »[49]. Dans le sillage de

Heidegger, Strauss nous invite donc à voir dans le perspectivisme nietzschéen plus une prolongation de l'hégélianisme que sa réfutation, en ce sens que 1° tout y devient enfin historique et 2° le fond de tout idéal (pour autant que le terme conserve encore un sens) est la subjectivité entendue comme volonté de puissance : « La transvaluation de toutes les valeurs que Nietzsche tente de réaliser est finalement justifiée par le fait que sa racine est la plus grande volonté de puissance – une volonté de puissance plus grande que celle qui donnait lieu à toutes les valeurs antérieures », soit, pour reprendre la terminologie de Heidegger : un triomphe de la métaphysique de la subjectivité plutôt que son dépassement, ou plutôt, selon la formulation ici adoptée : un triomphe de l'individualisme postmoderne puisque avec Nietzsche on assiste « à la fin du règne de la chance », l'homme devenant « pour la première fois le maître de sa destinée » dans une apologie de la créativité artistique qui ne connaît plus aucune limitation substantielle.

La « physiologie de l'art » : un nouveau visage de l'historicisme

Pour rendre l'historicisme hégélien radical, il faut, comme on l'a suggéré, extraire l'histoire du cadre dialectique qui est encore le sien chez Hegel. C'est à ce prix que peut s'accomplir un relativisme parfait, qui se laisse repérer chez Nietzsche à deux indices particulièrement décisifs :

1. Tout d'abord le fait qu'il ne saurait y avoir aucune extériorité, aucune transcendance par rapport à ce perpétuel *devenir* qu'est la vie (ce pourquoi le vitalisme est un historicisme). Chez Hegel encore, le devenir avait une fin et la raison englobait l'histoire plus qu'elle n'était produite par elle. J'ai déjà eu l'occasion d'analyser ailleurs[50] cet aspect fondamental du nietzschéisme et d'indiquer en quoi

sa définition de l'Être comme vie ou « volonté de puissance » impliquait une inévitable récusation du droit – à vrai dire de toute question du type : *Quid juris?* Or c'est exactement cette position de principe que désigne chez Nietzsche le terme « physiologie », comme on le voit en particulier dans le très explicite § 2 du *Problème de Socrate* : Nietzsche y plaide la thèse selon laquelle le « consensus des sages » autour du platonisme ne prouverait en rien qu'ils aient eu raison : tout au plus est-il l'indice que « ces sages parmi les sages avaient entre eux quelque accord *physiologique* pour adopter à l'égard de la vie une même attitude négative, pour être *contraints* de la prendre ». Il y a plus : non seulement le dualisme platonicien du monde sensible et du monde intelligible se comporte de manière inamicale à l'égard de la vie (il annonce sa dépréciation chrétienne au nom de l'au-delà) : mais surtout, il repose sur une « stupidité » qui, hélas! lui est consubstantielle : celle qui consiste à croire qu'on peut *juger* la vie alors que, de toute évidence, tous nos jugements sur la vie n'en sont jamais que des expressions, de sorte que « des jugements de valeur sur la vie, pour ou contre, ne peuvent en dernière instance jamais être vrais ». « La valeur de la vie » ne pouvant « être évaluée ni par un vivant, parce qu'il est partie, même objet de litige, et non pas juge, ni par un mort, pour une autre raison », il y a, dans la prétention platonicienne à vouloir juger le monde d'ici-bas un véritable cercle herméneutique : comprendre ce cercle, c'est aussi comprendre que nul énoncé philosophique ne saurait échapper à l'histoire (à la vie *comme* historicité), qu'il n'y a pas, en quelque sens que ce soit, de « métalangage » : « Une condamnation de la vie de la part du vivant n'est jamais que le symptôme d'une espèce de vie déterminée. »

Mais on manquerait peut-être l'essentiel si l'on ne percevait que cet historicisme vitaliste est une conséquence directe de la « brisure du sujet » – ce qui le distingue des formes plus anciennes de relativisme. Car l'une des consé-

quences de cette « brisure » est justement que nos évaluations, nos points de vue, nos *interprétations* du monde ne
peuvent jamais être *fondés* par une quelconque référence à
un savoir, au sens propre, *absolu* (non relatif à l'historicité
de la vie). C'est ainsi qu'il faut comprendre le § du *Gai
Savoir* intitulé « Notre nouvel infini » selon lequel « le
monde, pour nous, est redevenu infini en ce sens que nous
ne pouvons lui refuser la possibilité de *prêter à une infinité
d'interprétations* ». Et dans ces conditions, il ne saurait non
plus y avoir aucune *objectivité,* il n'y a, pour employer un
vocabulaire emprunté à un autre registre, plus de signifié,
seulement du signifiant, ou encore, comme l'affirme à juste
titre Foucault dans un commentaire de Nietzsche : « Si
l'interprétation ne peut jamais s'achever, c'est tout simplement qu'il n'y a rien à interpréter [...] car, au fond, tout est
déjà interprétation. »

2. Le philosophe achève dès lors de se confondre avec le
généalogiste, c'est-à-dire, au sens le plus radical, avec celui
qui perçoit comment, derrière les évaluations, il n'y a pas
de fond mais un abîme, derrière les arrière-mondes eux-
mêmes, d'autres arrière-mondes, à jamais insaisissables car
n'ayant *en soi* aucune existence, sinon à titre d'hypostase
d'une interprétation elle-même à jamais insaisissable. En ce
sens encore, Foucault avait raison d'y insister, « la généalogie ne s'oppose pas à l'histoire comme la vue altière et
profonde du philosophe au regard de taupe du savant. Elle
s'oppose au contraire au déploiement métahistorique des
significations idéales... », bien plus : « elle a besoin de
l'histoire pour conjurer la chimère de l'origine[51] ». Le
généalogiste, personnage typique de l'individualisme postmoderne, est donc un « solitaire ». En marge du troupeau,
il lui incombe d'affronter la tâche angoissante de regarder
l'abîme en face : « Le solitaire [...] doute même qu'un
philosophe puisse en général avoir des opinions " véritables et ultimes "; il se demande s'il n'y a pas, s'il ne doit
pas y avoir en lui, nécessairement, derrière chaque caverne
une autre plus profonde encore, au-dessous de chaque

surface un monde souterrain plus vaste, plus étrange, plus riche, et sous tout fondement, sous toute " fondation ", un abîme. " Toute philosophie est une philosophie de façade ", voilà le jugement d'un solitaire. [...] Toute philosophie cache encore une philosophie, toute opinion est aussi une cachette, toute parole est aussi un masque [52]. » La caverne du solitaire, en effet, n'est plus celle de Platon.

Dans la philosophie moderne, l'historicisme et le relativisme avaient toujours pris la forme d'un *subjectivisme* (même si le sujet y était constamment réduit à cet atome isolé qu'est l'individu des empiristes aussi bien que des rationalistes dogmatiques) : s'il y avait relativisme – par exemple dans l'esthétique du sentiment ou encore dans les diverses formes de l'empirisme sceptique –, c'est justement parce que la « subjectivité » de l'individu était à ce point affirmée qu'elle en venait à rendre impossible tout espoir de trouver des critères acceptables de l'objectivité du goût (voire de la vérité ou de la moralité). Rien de tel chez Nietzsche, où, nous l'avons vu, l'historicisme prend la forme d'un perspectivisme sans sujet ni objet, d'un perspectivisme où, à la limite – mais il faut s'y tenir –, seule existe l'interprétation en tant que telle, indépendamment de toute idée d'un sujet qui interpréterait, de même que d'un objet interprété.

La théorie nietzschéenne de l'art comme seule expression adéquate de la volonté de puissance est par excellence le lieu où cette nouvelle conception de la relativité, où ce *nouvel individualisme sans sujet ni objet* trouve sa traduction la plus authentique. Toute la difficulté des textes de Nietzsche tient cependant au fait que, par leur allure relativiste, ils empruntent la forme et le vocabulaire du subjectivisme sceptique inhérent à l'individualisme moderne, tandis que, sur le fond, ils impliquent au contraire une critique radicale de toutes les formes de subjectivité connues jusqu'alors – ce pourquoi il fallait, me semble-t-il, distinguer cet individualisme contemporain de la « métaphysique de la subjectivité ».

Sur le premier versant, il faut citer bien sûr la fameuse thèse du *Nietzsche contre Wagner* selon laquelle « l'esthétique n'est rien d'autre qu'une physiologie appliquée » – thèse dans la formulation de laquelle Nietzsche recourt si constamment au registre de la psychologie et de la biologie qu'il donne parfois le sentiment d'être un matérialiste français du XVIIIe siècle. C'est dans cette optique *apparemment* subjective (au sens d'un refus de l'idée même d'un critère de l'objectivité du goût), qu'il faut comprendre les conclusions auxquelles parvient cette « physiologie », et, notamment, celle selon laquelle le beau et le laid n'existent nullement « en soi », mais seulement comme « symptômes » de certains « états esthétiques » plus ou moins utiles au développement et à l'intensification de la vie : « Une expérience immémoriale nous prouve que ce qui, au point de vue esthétique, nous *déplaît* instinctivement s'avère être nuisible et dangereux pour l'homme, profondément suspect. [...] Dans cette mesure, le *beau* se situe dans la catégorie générale des valeurs biologiques de l'utile, du bienfaisant, de ce qui augmente la vie[53]... » Comme chez Hume, semble-t-il, le beau est *relatif* à une *structure matérielle,* en l'occurrence à une structure instinctuelle, dont il intensifie la puissance.

Ce « matérialisme » relativiste se présente toujours sous une double forme – biologique (référence au corps) et psychologique (référence aux pulsions inconscientes), dualité qui trouve bien sûr son unité dans le concept de vie dont Heidegger a raison de souligner qu'il est chez Nietzsche un concept métaphysique (ontologique) et nullement une notion scientifique[54] :

– C'est en ce premier sens que l'art est dit agir « comme une suggestion sur les muscles et les sens[55] », puisque « tout mouvement intérieur (sentiment, pensée, émotion) est accompagné de changements *vasculaires* et par conséquent de variations dans la couleur, la température, la sécrétion », tous phénomènes qu'il conviendrait selon Nietzsche de mettre en relation avec « la puissance sugges-tive de la musique[56] ». C'est dans le même esprit que nous sommes conviés à cette étrange réfutation de la conception aristotélicienne de la tragédie : « J'ai plusieurs fois mis le doigt sur la grande méprise d'Aristote qui croyait recon-naître dans deux affects déprimants, la frayeur et la pitié, les affects tragiques par excellence. [...] On peut réfuter cette théorie avec le plus grand sang-froid : il suffit tout simplement de mesurer au dynamomètre l'effet d'une émotion tragique. On parvient alors à un résultat que seul peut méconnaître la parfaite mauvaise foi systématique : la tragédie est un *tonique*[57]. » Bref, tout semble ici purement matériel, au point que, selon Nietzsche, « l'art nous fait penser à des états de vigueur animale : il est d'une part l'excédent, le débordement d'une constitution corporelle florissante dans le monde des images et des désirs; d'autre part une excitation des fonctions animales par les images et les désirs de la vie intensifiée; il est une augmentation du sentiment de la vie, un stimulant de la vie[58] » – et non un « calmant », comme l'a cru platement Schopenhauer.

– La psychologie des pulsions artistiques n'offre pas davantage de place à l'émergence d'un quelconque critère objectif du beau, et le relativisme de Nietzsche s'avère être, ici encore, radical : il conduit purement et simplement à faire de la création artistique l'effet d'un excès de sensua-lité. Un fragment de *la Volonté de puissance* explique en ce sens que les artistes, du moins « ceux qui valent quelque chose, sont doués (aussi du point de vue corporel) d'un tempérament vigoureux » de sorte que, « sans un certain surchauffement du système sexuel, on ne saurait imaginer un Raphaël[59]... ». C'est une version – assez plate, au moins au premier abord – de la théorie freudienne qui émerge ici, tout se passant comme si la création artistique était tenue pour l'analogue de l'activité sexuelle : « Faire de la musique, écrit Nietzsche, c'est aussi une façon de faire des enfants[60]. » D'où le thème, longuement développé dans les aphorismes consacrés à la « physiologie de l'art », selon lequel il y aurait comme un jeu à somme nulle dans le rapport des deux types de création (sexuelle et artistique), l'artiste devant rester chaste s'il veut conserver toute son énergie esthétique : « La chasteté est seulement l'économie de l'artiste », car « c'est une seule et même force que l'on dépense dans la création artistique et dans l'acte sexuel ».

Comme chez Hume encore, « le beau existe tout aussi peu que le bien et le vrai[61] ». Il n'y a pas de beauté « en soi », de beauté « objective », puisque tout se réduit à des évaluations, elles-mêmes dépendantes de *l'individu* ou, pour parler comme Nietzsche, du « type d'homme » qui évalue : « L'*homme du troupeau* éprouvera le *sentiment de valeur* du beau devant d'autres objets que ceux de l'homme d'exception ou surhomme », car « il n'est pas possible de demeurer *objectif,* c'est-à-dire de suspendre la force qui interprète, ajoute, comble, invente (c'est cette dernière force qui produit la chaîne des prises de position affirmatives en faveur de la beauté)[62]. »

L'équivocité de l'individualisme postmoderne éclate ici au grand jour : d'un côté, l'historicisme semble se confondre avec une forme de subjectivité puisque l'une de ses caractéristiques principales est de rejeter l'« objectivité » du beau, de le faire radicalement dépendre du « type d'homme » qui évalue – ce qui suggère l'idée que le beau reste prisonnier d'une certaine forme de « subjectivité ». Et pourtant, on a vu comment la condamnation de l'individualisme moderne, si elle laissait place à un autre type d'individualisme, celui que Nietzsche attribue aux Anciens, s'effectuait sur la base d'un rejet, voire d'une véritable « déconstruction » (au sens de Heidegger), de la conception cartésienne, métaphysique, de la subjectivité. Si donc les critères du beau ne peuvent être « objectifs », ce ne saurait être au sens où ils renverraient à des choix conscients, opérés par un *sujet autonome* doué de cette libre capacité de décision volontaire que la philosophie moderne a pris l'habitude de désigner par l'expression : « libre arbitre ».

Nietzsche n'a de cesse de le souligner : la notion de libre arbitre implique celle de « cause de soi ». Elle renferme l'idée que le sujet conscient, le *cogito,* doit être considéré comme une « substance », comme le substrat unique et ultime de décisions et de choix qui s'enracineraient, pour ainsi dire, en eux-mêmes : « L'exigence de libre arbitre, au sens métaphysiquement superlatif où il règne malheureusement encore dans la cervelle des demi-instruits, l'exigence d'assumer soi-même l'entière et ultime responsabilité de ses actions, et d'en décharger Dieu, le monde, l'hérédité, le hasard, la société, n'est rien de moins que celle d'être *causa sui*[63]. » Or cette idée est tout simplement absurde : « La *causa sui* est la plus belle contradiction interne qu'on ait jamais conçue, une sorte d'attentat contre la logique et de monstre » comparable, l'humour en moins, aux extravagantes histoires du baron de Münchhausen qui prétendait « s'arracher au marais du néant en se tirant par la perruque et se hisser ainsi à l'existence[64] ». La généalogie nietzschéenne est ici bien connue : elle consiste à montrer comment l'illusion du libre arbitre procède d'une réification des concepts de cause et d'effet dans leur application à la volonté, là où, « dans la vie réelle, il y a seulement des volontés *fortes* et des volontés *faibles* », mais point de volonté « libre » au sens de *l'autonomie.*

Si l'individualisme de Nietzsche, compris comme une réactivation de celui des Anciens, dénonce la croyance en l'objectivité en général, ce ne saurait donc être sur la base d'une quelconque conception métaphysique, qu'elle soit empiriste ou rationaliste, de la subjectivité. Pour que soit dénoncée l'objectivité, pour conserver aussi quelque signification, même minimale, à la notion d'individualité, il faut pourtant préserver la possibilité d'une référence à la subjectivité. De quelle nature ? Voilà la question qu'il faut résoudre si l'on veut interpréter correctement le nouvel individualisme qui s'exprime dans la théorie esthétique de Nietzsche.

Un aphorisme de *Par-delà le bien et le mal* peut nous mettre sur la voie. Nietzsche s'y interroge sur cette « superstition du logicien » qui consiste (toujours cette croyance en la grammaire!) à rapporter le verbe à un sujet. Contre une telle superstition, il faut affirmer « qu'une pensée vient quand *elle* veut et non quand " je " veux; c'est donc falsifier la réalité que de dire : le sujet " je " est la condition du verbe " pense "; *ça pense (es denkt),* mais que ce " ça " soit l'antique et fameux " je ", ce n'est, pour employer un euphémisme, qu'une supposition, une allégation – certainement pas une " certitude immédiate " [65] ». La généalogie nietzschéenne prend, comme à l'accoutumée, la forme d'une « défétichisation » de cette hypostase qu'est l'illusion du moi : « On déduit ici selon la routine grammaticale : penser est une activité, or toute activité suppose un sujet agissant, donc[66]... » L'analyse est bien connue, mais Nietzsche, ici, la conduit à son terme : non seulement il convient de se débarrasser du fétichisme du sujet (de ce sophisme qui consiste, comme Kant l'avait déjà pressenti, à prendre ce qui n'est qu'une simple « philologie » pour une ontologie), mais il faut en outre en finir avec l'idée qu'il y aurait « quelque chose » qui pense. Ce « quelque chose » aurait-il même une autre forme que celle du *cogito* cartésien, repris par la *Phénoménologie* de Hegel à laquelle Nietzsche fait ici allusion, qu'il resterait encore illusoire en suggérant l'idée d'un substrat *identique* à lui-même : « C'est déjà trop dire que " ça pense "; déjà ce " ça " comporte une *interprétation* du processus et ne fait pas partie du processus lui-même. [...] Peut-être les logiciens s'habitueront-ils eux aussi un jour à se passer de ce petit " ça " qu'a laissé en s'évaporant ce brave vieux " moi "[67]. »

La déconstruction nietzschéenne de la subjectivité métaphysique semble à vrai dire informulable : on serait tenté de remplacer la formule « je pense » par cette autre : « ça pense en moi » – mais on risquerait sans cesse de confondre le « ça » avec le « substrat » dont Nietzsche nous invite à nous débarrasser. Il est au demeurant douteux qu'une telle déconstruction de la subjectivité se puisse mener jusqu'à son terme sans entraîner des contradictions performatives, trop plates pour qu'on entreprenne ici d'en fournir les inévitables illustrations (quel est le sujet qui déclare qu'il n'y a pas de sujet ? Que signifient les « nous » par lesquels Nietzsche identifie, comme le faisait déjà Hegel, la position du philosophe, c'est-à-dire sa *propre* position ? Quel sens accorder aux « en fait », « en vérité », etc., au nom desquels les idées de factualité et de vérité sont dénoncées comme des « interprétations »?...)[68]. Ce qui importe *ici*, c'est de comprendre qu'une telle « position » philosophique (en admettant qu'elle soit « tenable ») reviendrait au final à dire qu'aucun de ces deux termes, objectivité et subjectivité, n'existe, qu'il n'y a que des interprétations sans *interpretans* ni *interpretandum*, et que c'est cela qui justifie la place éminente que *doit* occuper l'art comme expression enfin adéquate de l'essence de ce qui est, c'est-à-dire de la vie ou de la volonté de puissance.

On comprendra dès lors en quel sens on peut dire que l'historicisme de Nietzsche repose sur une nouvelle forme d'individualisme, sur un individualisme sans sujet ni systématicité, sur une monadologie sans monades ni harmonie préétablie : c'est que seules les évaluations comme telles – les « points de vue » ou les « perspectives » – constituent, dans leur particularité absolue, des *moments*, toujours fugitifs, *d'individualité*, en ce qu'ils représentent chaque fois des *expressions particulières* et *temporelles* de la volonté de puissance ou de la vie.

On laissera donc de côté la question de la cohérence interne de cet individualisme postmoderne – question dont la pertinence serait évidemment rejetée par un nietzschéisme orthodoxe – pour s'interroger sur sa traduction esthétique. Dans la première partie de son *Nietzsche,*

Heidegger formule en ces termes la difficulté à laquelle se heurte, semble-t-il, un relativisme aussi radical touchant la question du beau : « D'une part, en effet, l'art doit représenter le mouvement antinihiliste, la base des valeurs nouvelles, et de la sorte préparer et fonder la mesure et les lois de l'existence historialement spirituelle. Mais dans le même temps, on veut que l'art soit compris par le détour et les moyens de la physiologie... » Or il est pourtant clair que « du moment que l'art n'est plus que du ressort de la physiologie, l'essence et la réalité de l'art se dissocient en des états nerveux et en des processus dans les cellules nerveuses. Ou bien y aurait-il dans ces aveugles mouvements quoi que ce soit qui puisse de soi-même déterminer un sens, poser des valeurs, établir des critères[69] ? ».

La question que pose Heidegger doit être ainsi explicitée : l'art est dit antinihiliste parce que, à la différence de la science, de la philosophie ou de la religion, il se présente sans détour comme une *interprétation,* soit, aux yeux de Nietzsche, comme une expression « honnête » de la volonté de puissance. Il s'écarte donc en principe de ces négations fétichisées de la vie que sont le rejet platonicien du sensible (qui conduit à retirer toute légitimité à l'art), ou encore de cette naïve croyance au moi dans laquelle se reconnaît l'individualisme du troupeau – avec son cortège de valeurs « démocratiques » au premier rang desquelles figure cette « vérité » à laquelle chacun peut prétendre et qui prétend valoir pour chacun. La modalité « physiologique » selon laquelle Nietzsche envisage la création esthétique exprime cette opposition entre la volonté artistique, perspectiviste, et la volonté de vérité qui évacue toujours la sphère de l'*aisthêsis.* Mais dans cette subversion de la philosophie platonicienne, la position de Nietzsche ne risque-t-elle pas de perdre à son tour toute légitimité, réduite qu'elle serait à un pur relativisme ? Car, ajoute encore Heidegger, selon le point de vue de la physiologie, « il n'y a aucune hiérarchie ni établissement de critères; tout y est, comme cela est, et demeure ce que c'est et a sa simple raison dans le fait que cela est. La physiologie ne connaît point de domaine où quelque chose ferait l'objet d'une décision ou d'un choix. Livrer l'art à la physiologie revient à ravaler l'art au niveau des sécrétions gastriques. Comment l'art ainsi conçu serait-il dans le même temps capable de fonder et de déterminer des valeurs? Définir l'art à la fois comme mouvement antinihiliste et comme objet de la physiologie, c'est vouloir mêler l'eau et le feu[70] ».

Il faut donc, Heidegger a raison, qu'après ce moment de dissolution et de critique du platonisme de nouveaux critères soient finalement établis – faute de quoi l'individualisme relativiste sombrerait dans la contradiction la plus plate : s'il n'y a pas de fait, rien que des interprétations, si ces interprétations ne sont elles-mêmes que l'émanation d'une « physiologie », à quoi bon discuter le platonisme? Pourquoi ne pas en rester au simple constat que « les choses sont ce qu'elles sont », que le point de vue de Platon et celui de Nietzsche se « valent », au moins en ce sens qu'il n'existe à l'évidence aucune extériorité, aucun dehors de la physiologie à partir de quoi il serait possible de les départager?

De l'ultra-individualisme
à l'hyperclassicisme : le « grand style »

La question des critères, c'est-à-dire, au sens le plus général, la question de la vérité, se réintroduit dans et par l'esthétique. Le paradoxe d'un tel énoncé est évident : Nietzsche n'a cessé d'affirmer que l'art avait « plus de valeur que la vérité », que nous avions l'art « pour ne pas périr de la vérité », etc. Comment pourrait-il, à l'instar des *classiques,* refaire à son tour de la beauté une présentation sensible du vrai?

Comme je l'ai suggéré : cela n'est possible qu'au prix d'une *révolution* de la notion de vérité. Elle ne désigne plus,

c'est l'évidence, l'identité stable des Idées au nom desquelles les philosophes prétendent « sauver les phénomènes »,
exhiber leur *véritable rationalité dissimulée à la myopie des
sens.* En des termes que Heidegger a fort bien repérés : la
vérité n'est plus la « rectitude de la représentation ». Mais
pour autant, elle ne laisse pas de résider dans un certain
type d' « accord » : celui de l' « *évaluation* » avec le réel[71].
Pour rendre le paradoxe tout à fait explicite, il faudrait
dire que c'est parce que l'art est faux qu'il est vrai, et ce, au
moins en deux sens :

– D'abord parce que, en tant qu'interprétation qui ne
prétend pas être plus que ce qu'elle est – donc : parce qu'il
renonce à toute prétention à une vérité absolue –, l'art se
trouve être en accord avec le caractère perspectif de
l'existence, avec cette « vérité » selon laquelle tous nos
jugements ne sont que des symptômes, de simples évaluations. Comme l'écrit Deleuze, commentant une formule
célèbre de Nietzsche : « L'art est la plus haute puissance du
faux, il magnifie le " monde en tant qu'erreur ", il sanctifie
le mensonge, il fait de la volonté de tromper un idéal
supérieur. [...] Alors vérité prend peut-être une nouvelle
signification. Vérité est apparence. Vérité signifie effectua-
tion de la puissance, élévation à la plus haute puissance.
Chez Nietzsche, nous les artistes = nous les chercheurs de
connaissance ou de vérité = nous les inventeurs de
nouvelles possibilités de vie[72]. » On ne saurait mieux dire
que l'idéal classique d'un art expression de la vérité n'a pas
disparu chez Nietzsche. Bien plus, à y regarder de près, la
définition de la vérité n'a pas tellement changé, et la
« révolution » nietzschéenne du platonisme nous reconduit
en partie à son point de départ : car si l'art est vrai,
n'est-ce pas, malgré tout et quels que soient les mots qu'on
utilise, parce qu'il est *adéquat au réel,* voire beaucoup plus
adéquat que ce mensonge qu'on a coutume, depuis Platon
au moins, de désigner sous le nom de vérité? En ce sens,
Deleuze a raison d'affirmer que, pour Nietzsche, l'artiste
est un chercheur de vérité : il est même, par excellence,

celui qui est en quête de la « vraie vérité », le seul qui ne mente pas (comme les sens, eux non plus, ne sauraient mentir), et c'est pour cela, en dernière instance, que le « vrai » philosophe doit lui aussi se faire artiste.

– Non seulement l'art est ainsi « fondé » à se présenter de façon explicite comme une simple interprétation, comme une pure évaluation, mais en jouant sur les apparences, en produisant de l'illusion, il se montre infiniment plus vrai que toute autre activité, à commencer par l'activité intellectuelle. Tel est le sens ultime du fameux fragment selon lequel « la volonté d'*apparence,* d'illusion, de tromperie, de devenir et de métamorphose est plus profonde, plus " métaphysique " que la volonté de vérité, de réalité, d'être », parce que plus *adéquate* au fond de ce qui est, à savoir cette multiplicité de la vie qui a nom « volonté de puissance ». Puisque, écrit encore Nietzsche, « l'apparence telle que je la comprends est la réelle et unique réalité des choses », celle qui se refuse et se refusera toujours à « toute métamorphose en un imaginaire " monde de la vérité " », on comprend non seulement que l'art soit plus vrai que la vérité, mais aussi *comment* la philosophie doit devenir à son tour une esthétique. Tous les interprètes de Nietzsche ont noté le caractère non anecdotique, philosophique, de l'écriture aphoristique : beaucoup y ont vu, suivant en cela l'évidence la plus visible, une « subversion » de l'idée de vérité, une sorte de révolte contre la « systématicité » inscrite jusque dans la grammaire et la syntaxe de l'écriture traditionnelle. On peut plaider avec plus de force, je crois, qu'il s'agit plutôt d'une concession très *classique* à l'idée de vérité.

Bien sûr, à première vue, « un aphorisme envisagé formellement se présente comme un *fragment;* il est la forme de la pensée pluraliste[73] », non pas au sens « libéral » et démocratique du terme, mais en ceci que l'écriture fragmentée est censée s'opposer par son « ouverture » à la « clôture » du « système » entendu comme aboutissement de la théorie platonicienne de la vérité. L'aphorisme est

ainsi par excellence *la forme artistique* de la philosophie ;
comme dit encore Deleuze : « Seul l'aphorisme est capable
de dire le sens, l'aphorisme est l'interprétation et l'art
d'interpréter[74]. » Sans doute. Mais la subversion est loin
d'être aussi profonde qu'on se l'imagine et, à bien des
égards, la forme aphoristique est *aussi* l'indice d'une
étonnante naïveté : car dans la volonté d'être *adéquat* à la
« brisure » et à la multiplicité de l'être comme vie par la
brisure et la multiplicité de l'écriture, c'est au fond toujours le vieux concept de vérité comme adéquation au réel
qui se trouve reconduit et presque confirmé – de sorte que
la pensée de Nietzsche, comme celle de ses épigones,
semble souffrir d'un cruel manque d'auto-réflexion. Pour
reprendre une formule que Fichte appliquait à Spinoza : il
pense bien, « mais il ne pense pas sa propre pensée ».

Il reste à comprendre, dans ces conditions, les motifs qui
conduisent Nietzsche à prendre avec autant de vigueur le
parti du classicisme contre le romantisme. Certes, je viens
de le suggérer, il existe en dernière instance une analogie
profonde entre le classicisme et l'esthétique de Nietzsche,
puisque l'art se voit confier dans les deux cas la tâche
d'exprimer la vérité de façon sensible et vivante. Mais,
malgré la profondeur de l'analogie, une différence fondamentale demeure. Dans l'esthétique cartésienne (au sens
large, englobant l'hégélianisme), la vérité qu'il s'agissait de
présenter était définie comme rationalité. Chez Nietzsche,
c'est à une « puissance » supérieure que l'art se manifeste
comme exposition du vrai : il ne s'agit plus d'exprimer une
vérité platonico-cartésienne, mais la « vraie vérité » qui est
« différence » – *et permet de qualifier l'esthétique nietzschéenne un « hyperclassicisme de la différence »*. Comment
dès lors interpréter le fait que Nietzsche voit dans le
classicisme, et en particulier dans le XVIIᵉ siècle français,
l'incarnation la plus réussie de ce sommet de l'art qui a
nom « grand style »?

Sur ce point au moins, sa pensée est d'une parfaite
limpidité et sa définition de la « grandeur » est, dans toute

l'œuvre de la maturité, d'une univocité sans faille. Comme
l'explique fort bien un fragment de *la Volonté de puissance,*
« la grandeur d'un artiste ne se mesure pas aux " beaux
sentiments " qu'il excite », mais elle réside dans le « grand
style », c'est-à-dire, dans la capacité à « se rendre maître
du chaos que l'on est soi-même, à forcer son propre chaos
à devenir forme; devenir logique, simple, sans équivoque,
mathématique, devenir *loi*, voilà en la matière la grande
ambition[75] ». Ne pourront être surpris par ce texte que
ceux qui commettent l'erreur, aussi absurde que fréquente,
de voir dans le nietzschéisme une manière d'anarchisme,
voire une théorie qui anticiperait sur les mouvements
libertaires des années soixante de notre siècle. Rien de plus
faux, et l'apologie de la rigueur « mathématique » trouve,
elle aussi, sa place dans la définition des forces multiples
qui composent la volonté de puissance. La raison peut en
être indiquée simplement; si l'on admet que les forces
« réactives » sont celles qui ne peuvent se déployer sans
nier d'autres forces, il faut bien convenir que *la critique du
platonisme, si justifiée soit-elle, ne saurait conduire à une
pure et simple élimination de la rationalité.* Une telle
éradication, en effet, serait *par définition réactive.*

Il faut donc, si l'on veut parvenir à cette grandeur qui
est le signe d'une expression réussie des forces vitales,
hiérarchiser ces forces de telle façon qu'elles cessent de se
mutiler réciproquement – et dans une telle hiérarchie, la
rationalité doit *aussi* trouver sa place. Bien plus, selon un
thème constant chez Nietzsche, la « simplicité logique »
propre aux classiques est la meilleure approximation de
cette hiérarchisation « grandiose », comme le suggère de
façon explicite cet autre fragment de *la Volonté de puissance :* « L'embellissement est la conséquence d'une *plus
grande* force, l'embellissement comme expression d'une
volonté victorieuse, d'une coordination plus intense, d'une
mise en harmonie de tous les désirs violents, d'un infaillible
équilibre perpendiculaire. *La simplification logique et géométrique est une conséquence de l'augmentation de la*

force[76]. » Nous sommes loin, on le voit, de l'image d'un
Nietzsche apologète de la « libération des mœurs ».

A l'opposé du grand style se situent toutes les formes
d'activité, esthétiques ou non, qui, incapables de parvenir à
la *maîtrise de soi* requise par la hiérarchie des instincts,
donnent libre cours au déferlement des passions, *c'est-*
à-dire à la réaction, puisque ce déferlement est toujours
synonyme de mutilation réciproque des forces. Une telle
mutilation définit la *laideur* : celle-ci signifie toujours :
« *décadence d'un type,* contradiction et coordination insuffisante des aspirations intérieures. Elle signifie une diminu-
tion de force organisatrice, de " volonté "[77]... » (Schlechta,
III, 75). Dans la sphère de la philosophie, c'est, on le sait,
le platonisme qui fournit le prototype de la réaction.
Encore faut-il comprendre exactement en quoi il s'oppose
symétriquement au « grand style » : comme l'explique
longuement *le Crépuscule des idoles,* si Socrate invente le
« monde-vérité », c'est au plus profond *pour mettre un*
terme à « l'anarchie des instincts » qui apparaît lorsqu'on
quitte l'univers aristocratique de la tradition et que, dès
lors, le *questionnement,* l'interrogation et le doute viennent
prendre la place de l'autorité, du commandement et de la
volonté qui pose des valeurs *sans discussion*. Socrate est un
« philosophe médecin »; mais la « cure » qu'il propose
consiste dans la « castration », dans la suppression de tous
les instincts (du monde sensible) au nom de la prétendue
« vérité » (de l'intelligible). Or la véritable solution, pour
Nietzsche, eût consisté non à mutiler les forces au nom
d'autres forces (le sensible au nom de l'intelligible), mais à
les hiérarchiser : Socrate, au fond, a péché par manque de
maîtrise.

Dans le domaine de l'art, c'est, pour une raison analogue, le romantisme qui apparaît comme le sommet du
réactif : les passions y sont si déchaînées qu'elles ne
peuvent que se contrarier les unes les autres. Le personnage romantique par excellence est *malheureux, déchiré,*
pâle et malade. Comme le suggère de façon significative un

fragment de *la Volonté de puissance* : « Qui sait si sous l'antinomie du *classique* et du *romantique* ne se cache pas l'antinomie de l'actif et du réactif[78] ? » Par où la conception schopenhauérienne et wagnérienne de l'art comme consolation apparaîtrait comme l'équivalent esthétique de ce qu'est la réaction socratique sur le plan philosophique. Si le classicisme est l'incarnation du grand style, puisque « pour être un classique il faut avoir tous les dons, et des désirs violents, contradictoires en apparence, mais de telle sorte qu'ils marchent ensemble sous le même joug[79] », si bien qu'on y « a besoin d'une quantité de froideur, de lucidité, de dureté, de la logique avant tout[80] ! », par exemple des « trois unités », il faut rompre à tout prix avec l'esthétique du sentiment qui annonce le romantisme : « Nous sommes hostiles aux *émotions sentimentales*[81] » – et Nietzsche le fait en des termes qui ne laissent aucun doute sur le parti qu'il prend dans le conflit qui oppose le classicisme au sentimentalisme : il invite tout artiste digne de ce nom à cultiver « la haine du sentiment, de l'*esprit,* la haine de ce qui est multiple, incertain, vague, approximatif[82]... » – bref : de tout ce que valorisait l'esthétique de Bouhours ou de Dubos.

Comme on le voit encore : la réhabilitation nietzschéenne du sensible et de l'esthétique n'est pas aussi univoque qu'on aurait pu le croire. On avouera même que, sous la plume de Nietzsche, une telle invitation à haïr le « sensible », le « multiple », pourrait paraître étrange. Contre Victor Hugo, il réhabilite Corneille, comme un de ces « poètes d'une civilisation aristocratique [...] qui mettaient leur point d'honneur à soumettre à un *concept* [c'est Nietzsche qui souligne] leurs sens peut-être plus vigoureux encore, et à imposer aux prétentions brutales des couleurs, des sons, et des formes la loi d'une intellectualité raffinée et claire : en quoi ils étaient, ce me semble, dans la suite des grands Grecs[83]... » Le triomphe des classiques grecs et français consiste ainsi à combattre victorieusement ce que Nietzsche nomme de façon singulière « cette plèbe sensuelle » qui suscite l'admiration des peintres et des musiciens « modernes » (romantiques). Mais c'est, comme il l'indique lui-même dans un autre fragment, que de tels termes sont ambigus, peuvent être pris en plusieurs sens : par exemple, « le besoin de destruction, de changement, de devenir » peut être un signe « dionysiaque », actif, antiplatonicien; il peut aussi être l'indice du ressentiment qui pousse le faible à vouloir tout détruire (Wagner, Schopenhauer sont ici pris en exemple).

Tout le problème, on le voit, revient à savoir comment articuler la critique *ultraperspectiviste ou ultra-individualiste* du platonisme avec cet *hyperclassicisme* qui conduit Nietzsche, tout bien pesé, à trouver les classiques bien supérieurs aux romantiques, donc, en un sens, à *retrouver dans une certaine conception de la vérité un privilège de l'œuvre sur l'artiste.*

Cohérence de Nietzsche.
Proximité de Heidegger

Après avoir lu ou relu tous les passages que Nietzsche a consacrés à l'art, il est difficile de se départir d'un certain sentiment d'étrangeté. Selon qu'on considère les textes qui évoquent le projet d'une « physiologie de l'art » ou ceux qui définissent le « grand style », on pourrait être tenté d'élaborer deux interprétations toutes différentes, voire opposées, de sa théorie esthétique :

– Lorsqu'il s'exprime en « physiologue », Nietzsche semble souvent flirter avec un relativisme matérialiste qui menace *l'œuvre* d'une réduction complète à la réalité psychologique ou biologique de l'*artiste*. Et même si l'on suit l'interprétation de Heidegger (comme on doit le faire, à mon sens, sur ce point) selon laquelle le « biologisme » de Nietzsche n'est pas une forme de scientisme mais une *ontologie* (une définition de l'être de l'étant comme vie), il reste que son esthétique semble demeurer prisonnière des cadres de l'individualisme : elle continue de penser l'œuvre à partir du sujet ou, du moins, *à partir de l'artiste* et de ses états « esthétiques », par exemple, de cette « ivresse dionysiaque » sans laquelle il ne saurait y avoir de création authentique.

– Lorsque au contraire Nietzsche considère l'art en « classique », lorsqu'il nous invite à penser le grand style comme une hiérarchisation du multiple qui implique une maîtrise de soi, le penchant au « psychologisme » s'estompe : c'est alors le sujet qui tend à s'effacer devant la vérité de l'œuvre.

Ces deux moments – que j'ai désignés ici par les expressions : « ultra-individualisme » et « hyperclassicisme » – sont en vérité liés entre eux de façon indissoluble selon une modalité qui peut, au terme de cette analyse, être indiquée fort simplement. Il suffit en effet de percevoir comment ils procèdent tous deux d'une source commune, sont à égalité l'effet d'une même cause : la « brisure » du sujet. Loin de s'opposer, ils se rejoignent et se complètent mutuellement.

Cela est clair, tout d'abord, pour l'ultra-individualisme. Il n'est pas douteux, en effet, que le relativisme radical de Nietzsche, son perspectivisme, tienne directement à la généalogie au fil de laquelle le *cogito* se voit déconstruit : s'il n'y a plus de « monde », plus de « faits en soi », plus d'« objectivité », c'est bien parce que, le sujet étant lui-même ouvert sur l'infini de « son » inconscient, il lui est désormais impossible de prétendre énoncer une quelconque vérité absolue. Il doit au contraire se résoudre, comme on l'a vu, à considérer tous ses jugements comme des symptômes, des évaluations ou des interprétations purement *relatives* à sa situation particulière. Et l'infinité des points de vue ainsi fondée (ce que Nietzsche nomme le « nouvel infini ») ne se laisse à son tour jamais réduire à l'unité d'une totalité, d'un *uni*-vers – ce qui différencie au plus profond le perspectivisme de la monadologie.

Mais si l'on y réfléchit, on perçoit que le classicisme de

Nietzsche, en tant qu'il est classicisme _de la différence_ (une invitation à penser l'art comme expression d'une « réalité » qui n'est plus celle de l'être mais du devenir), trouve tout autant son origine dans la brisure du sujet : c'est parce que ce dernier est clivé que le monde a cessé d'être, que l'objectivité s'est évanouie, que le réel est changement ; c'est donc aussi pour la même raison que la vérité ne saurait plus longtemps être définie comme _identité,_ comme non-contradiction, validité universelle, etc., mais qu'elle est devenue _Vie,_ c'est-à-dire multiplicité, _différence_ et _temporalité._

Ainsi interprétés, les deux moments de l'esthétique nietzschéenne s'accordent et, tout bien pesé, ils annoncent davantage la pensée heideggérienne de l'art qu'ils ne s'y opposent par avance. Car chez Heidegger aussi, la déconstruction de la subjectivité conduit à faire de l'art qui vient – pour autant que l'art, selon la prophétie hégélienne qu'il semble près de partager, ne soit pas défunt – un classicisme de la différence, et de l'œuvre une expression de la vérité de l'Être.

Selon une formule plusieurs fois reprise dans _l'Origine de l'œuvre d'art,_ « l'art est la mise en œuvre de la vérité » ; plus précisément encore : « Il est sauvegarde créatrice de la vérité dans l'œuvre. [...] Il fait jaillir la vérité. Il fait surgir ainsi dans l'œuvre, en tant que sauvegarde instauratrice, la vérité de l'étant[84]. » De telles formulations appellent au moins deux précautions si l'on ne veut pas en déformer le sens :

– On commettrait une erreur totale si l'on ne percevait qu'ici la vérité n'est plus entendue comme adéquation à un objet, à un étant visible dans la représentation. Comme le souligne à juste titre l'un de nos meilleurs philosophes de l'esthétique : chez Heidegger, « l'art est donc voué par essence à la vérité. Mais cela veut-il dire que l'art serait la reproduction " vraie " du réel ? Ce serait reprendre la conception traditionnelle de la vérité comme adéquation à un objet. Or l'analyse de l'œuvre va nous conduire vers une

définition plus originelle de la vérité comme dévoilement [85] » – terme qui traduit l'allemand *Unverborgenheit* et
le grec *alêtheia*. Ce n'est pas ici le lieu de rappeler la
signification de cette théorie de la vérité. Qu'il me suffise
de dire que l'essentiel, selon la phénoménologie de Heidegger, n'est pas *dans la représentation, mais dans la venue en
présence* de l'étant en tant que tel, dans le dé-voilement. Ce
que l'œuvre d'art « montre » est, si l'on ose dire, invisible,
ce qu'elle manifeste, c'est qu'il y a du visible, de la
représentation, et que ce simple fait n'a rien de banal
comme tend à nous le faire croire l'univers de la quotidien-
neté. Pourtant, en un autre sens, *l'idée d'adéquation n'a pas
perdu toute légitimité :* si la vérité n'est plus l'accord du
jugement avec la chose, si elle est devenue dévoilement, il
reste que, à *une puissance supérieure,* la notion d'adéquation retrouve une signification. L'art authentique est en
effet celui qui nous mettra « en présence » de cet invisible
qu'est la venue en présence de l'étant; il est celui qui, pour
reprendre une formule que Lyotard emprunte lui-même à
Kant, « présentera qu'il y a de l'imprésentable » et qui, par
là, se montrera plus *fidèle,* donc, si l'on veut, plus *adéquat,*
sinon à la « chose même », du moins à « l'affaire de la
pensée »; pour ne plus être un étant visible, un objet
présent dans la représentation, identifiable et stable mais
un néant, une absence, une *différence,* ce n'est pas moins
d'elle qu'il s'agit dans l'œuvre d'art, c'est d'elle qu'il faut
donner la mesure et c'est en ce sens que l'art conserve pour
tâche *classique* d'exprimer la vérité.

– Dans ces conditions, la part de la subjectivité – ou, si
l'on veut : le rôle de l'artiste – tend à se réduire au profit
de celle de l'œuvre. Lorsque Heidegger fait de l'art une
« mise en œuvre de la vérité », c'est pour ajouter aussitôt :
« Ici se cache une ambiguïté essentielle : la vérité est à la
fois " sujet " et " objet " de la mise en œuvre. » Même si les
termes « sujet » et « objet » sont inappropriés puisqu'ils
renvoient à une conception métaphysique de la vérité
entendue comme adéquation du jugement à un état de fait

représenté, ils disent bien ici ce qu'ils veulent dire : l'œuvre
est « *sauvegarde* instauratrice ». En d'autres termes : tout
en elle n'est pas *inventé,* sa vérité ne réside pas tout entière
dans l'artiste, elle n'est pas, du moins pas essentiellement,
l'expression de ses états psychiques, de son « ivresse » ou
de sa « physiologie », comme le laissent penser certaines
formules de Nietzsche (mais on a vu que ces formules
étaient moins « subjectivistes » qu'il n'y paraissait). D'où
l'ambiguïté de l'œuvre qui est certes *création,* donc instauration, mais instauration non subjective, puisque l'essentiel, en elle, est la *sauvegarde* d'une vérité qui n'*appartient*
pas à l'artiste, dont il n'est pas le maître et possesseur.

Si l'on accepte l'idée que la notion de sujet, chez
Nietzsche déjà, s'est dissociée de celle d'auteur, « maître et
possesseur de son œuvre », si l'on admet aussi que la
volonté de puissance qui définit le fond de ce qui est, l'être
de l'étant, est à penser bien plus comme différence et
temporalité pures que comme résidu d'une quelconque
conception de la subjectivité, on conviendra peut-être que
la pensée nietzschéenne de l'art n'est pas si éloignée de celle
de Heidegger.

Quoi qu'il en soit de cette question, après tout seulement
« philologique », il reste que ce nouveau classicisme de la
différence qui émerge chez Nietzsche et s'exprime avec
maturité chez Heidegger nous lègue une difficulté qui, on
va le voir, traverse les courants majeurs de cet art qu'on
dit « contemporain ». Je la formulerai brutalement, quitte
à nuancer par la suite cette interrogation : peut-on imaginer qu'un art qui s'assignerait comme principale tâche de
dire la « différence », de « présenter qu'il y a de l'imprésentable », puisse donner lieu à des œuvres du même ordre
que celles qui ont marqué l'histoire de l'esthétique connue
jusqu'à ce jour? Plus clairement peut-être – parce que
après tout on pourrait bien se moquer de la vieille
conception « métaphysique » de l'œuvre : si l'art fut
toujours, comme le pense Heidegger lui-même, avec Hegel,
expression d'un *monde,* comment concevoir que des œuvres

qui prétendraient dire l'imprésentable, ce qui échappe à la représentation, le non-étant, puissent se structurer en *monde* au même titre que les œuvres qui, si l'on peut dire, « classiquement classiques », visaient « seulement » à exprimer *quelque chose* comme « une vision du monde »? Que la « déconstruction » de la tradition métaphysique puisse prendre une certaine place, sans doute provisoire, dans l'histoire de la philosophie, je puis encore le concevoir puisqu'une telle déconstruction, qu'on le veuille ou non, reste de *l'ordre conceptuel*. Qu'un *analogue* du discours déconstructif puisse s'instaurer dans l'art me semble en revanche improbable, sauf si cet art, comme il le fit si souvent au cours du xxᵉ siècle, adopte explicitement pour thème et pour finalité sa propre mort. Mais dans ces conditions, il ne saurait prétendre se constituer en *monde*.

Paradoxe : ce nouveau classicisme qui fait de la vérité *dévoilée* par l'œuvre une différence et non plus une identité va trouver sa voie dans les « avant-gardes », qui de Cézanne à Malevitch, de Mallarmé à René Char vont fasciner la philosophie contemporaine. Nietzsche l'avait annoncé de façon prophétique : « la raison, *comme l'espace euclidien,* n'est qu'une idiosyncrasie ». Et tandis que les penseurs déconstruisaient la première, les peintres de l'avant-garde ne devaient pas se faire faute de bouleverser le second.

VI

LE DÉCLIN DES AVANT-GARDES :
LA POSTMODERNITÉ

> « *La névrose et l'ART MODERNE.* C'est le titre
> d'une conférence annoncée dans une université de
> valseuses de la plage où je passe le mois d'août. Et
> si je connaissais le Professeur qui va conférencier
> *(sic)*, je l'inviterais à venir voir de près nos peintres
> modernes. Il déciderait lui-même si la névrose ou la
> pathologie a quelque chose à faire avec eux. Il
> verrait André Derain, Georges Braque, Maurice de
> Vlaminck, Fernand Léger, presque des géants,
> superbes de calme et de bon sens dans leurs propos,
> il verrait Picabia, sportman plein de sang-froid,
> Marcel Duchamp, G. de Chirico, Pierre Roy, Met-
> zinger, Gleizes, Jacques Villon et bien d'autres,
> esprits ornés, doués de talents, et peut-être ensuite
> demanderait-il à modifier sinon le titre de sa confé-
> rence, du moins ses conclusions. »

> Guillaume Apollinaire,
> *Chroniques d'art*, 1902-1918.

Dialectique de la fin des avant-gardes

Avec leurs expositions sans tableaux et leurs concerts de
silence, les avant-gardes finissantes* ont tourné l'art en

---

* Depuis la fin des années soixante-dix, les avant-gardes traversent une
période sombre, pour ne pas dire une crise irréversible. Le diagnostic est
d'autant plus difficile à récuser qu'il émane le plus souvent des avant-gardes
elles-mêmes. Certains, comme Philippe Albéra, le directeur de la revue

dérision et préparé à leur insu l'éclectisme postmoderne : sous prétexte de choquer ou de subvertir, les œuvres d'art sont devenues *modestes*. Les colonnes de Buren ne bouleversent plus : elles divertissent en suscitant des sentiments d'irritation ou d'acquiescement en vérité si fugitifs qu'ils confinent à l'indifférence.

Le cas des premières avant-gardes fut tout autre : encore portées par des projets esthétiques d'envergure, elles ne visaient pas tant la mort de l'art, que son renouvellement radical. Pourtant, des décennies parfois après leur création, certaines œuvres restent lettre morte auprès de ce public qu'on dit cultivé – pour ne rien dire du « grand public » qui demeure le plus souvent dans l'ignorance complète de la culture contemporaine la plus reconnue par les amateurs éclairés. Des études récentes font apparaître à cet égard l'impressionnante marginalité économique et sociologique de la « musique moderne »[*]. Paradigmatique de cette

---

Contrechamps, en conviennent avec lucidité : « Les idées de rupture radicale, de lutte révolutionnaire, l'agressivité de l'artiste qui veut choquer le bourgeois et renverser l'ordre établi ont quasiment disparu[1]. » A peine voilé, le même constat s'affiche jusque dans le programme de l'IRCAM : « Précédée d'une période d'évolution radicale, la musique contemporaine des décennies 1970-1980 semble chercher sa voie » en des temps « où certaines des récentes tendances – porteuses d'illusions – s'épuisent déjà d'elles-mêmes[2] ». Et de son côté, Jean Clair, qui dirigea l'une des plus importantes revues d'avant-garde et organisa des expositions qui devaient marquer le renouveau de Paris dans le champ de l'art contemporain, dresse un véritable acte de décès : « L'esthétique de la modernité, en tant qu'elle fut une esthétique de l'*innovatio,* semble avoir épuisé les possibilités de sa création. A l'intérieur d'elle-même, le développement dans les années dix, puis l'institutionnalisation accélérée dans les années cinquante qui a exaspéré et accéléré ses tendances [...] lui apportent le coup de grâce. L'utopie du *novum* est forclose[3]. » Bref, l'idée même d'avant-garde a si mauvaise presse qu'un musicien contemporain comme Luciano Berio peut tranquillement déclarer : « Celui qui se dit d'avant-garde est un crétin. [...] L'avant-garde c'est du vide[4]. »

[*] Étrangement, le terme ne désigne que la musique dite « savante », comme si les autres formes de musiques (jazz, rock, variétés, etc.) n'étaient pas, elles aussi, contemporaines. C'est là un effet propre de l'élitisme des premières avant-gardes.

crise, elle ne parvient guère à toucher un public autre que celui des professionnels ou des semi-professionnels. Voudrait-on incriminer des institutions étatiques qui entraveraient l'essor d'un art subversif ? Las ! Ce sont elles qui le soutiennent et le subventionnent pour une part trois fois supérieure à celle que fournit un marché au demeurant largement dominé, du moins jusqu'à une date récente, par la radio et la télévision publiques*. Pierre Michel Menger le souligne au terme d'une enquête sociologique serrée : « La fonction et le besoin d'une justification politico-idéologique de l'avant-gardisme ont largement perdu de leur importance. La culture d'opposition est devenue culture officielle ; le tourbillon des innovations esthétiques " révolutionnaires " est orchestré par le marché et/ou très largement soutenu par l'État ; l'audace, la provocation** et la volonté de rupture se sont banalisées[6]. »

On objectera, non sans raisons d'ailleurs, que « le compositeur sérieux – par définition pourrait-on dire – n'est pas à la recherche d'un créneau de marché », qu'il est

---

* Comme le déclare Maurice Fleuret : « Nous vivons pour la première fois dans l'histoire sans théorie dominante, sans référence, sans point de repère. Aucune personnalité majeure n'émerge de la jeune génération. La révolution esthétique de ces dernières années n'est pas qualitative mais quantitative : l'histoire de la musique récente se réduit à un catalogue d'œuvres et de noms. J'ai multiplié par six les crédits à la création sans arriver à susciter l'efflorescence que j'espérais[5]. » Texte à lire, bien sûr, comme un symptôme plus que comme une analyse, tant il est clair que la multiplication technocratique des crédits a peu à voir avec la création.

** Les jeunes compositeurs ne s'y trompent d'ailleurs pas comme en témoigne cette déclaration imagée qu'Alain Daniel – au demeurant auteur d'un remarquable quintette à cordes – confie à une journaliste venue l'interroger après une journée qui lui est consacrée à France-Culture : « Les gens qui cherchent sans cesse à expérimenter pour expérimenter sont chiants ! On essaie de montrer que tout ce qu'on va donner à entendre est expérimental, comme ça, c'est facile, si ça ne plaît pas, on peut toujours s'excuser en affirmant que l'expérience n'a pas abouti. [...] Aujourd'hui, les compositeurs s'escriment à vouloir faire du nouveau. [...] C'est l'idée qui plaît dans la musique contemporaine, en l'occurrence la réaction contre ce qui est fait et ce qui se fait, mais la musique elle-même ? Je ne crois pas qu'elle plaise[7]. »

mû par une nécessité intérieure au regard de laquelle « la
sanction du public, mesurée quantitativement, n'est pas
non plus le critère d'accomplissement esthétique[8] ». On
accorderait volontiers l'argument s'il visait à distinguer
l'artiste authentique du démagogue. Mais la logique de
l'avant-garde va bien au-delà : dans le conflit qui oppose le
public et l'artiste, elle tient pour évident que ce dernier, en
avance sur une masse abêtie et manipulée, a nécessairement raison : « Qui ne souhaiterait réconcilier l'art avec la
société? poursuit donc l'argument. Mais avec quelle
société? A société de consommation, arts " d'assouvisse-
ments ", suivant l'expression de Malraux. L'art novateur
doit montrer le chemin, pas suivre la troupe : aile mar-
chante dans une société marchande, l'art s'accommode mal
du marché[9]. »

  Propos séduisants, sans doute, mais qui touchent pour le
coup un thème un peu trop sensible au cœur du grand
public : celui du génie méconnu, martyr solitaire d'un
monde sans âme livré à la domination de la technique;
propos rassurants même : l'art d'avant-garde se porterait
bien, il serait plus vivant que jamais et la désertion du
public en serait pour ainsi dire le signe le plus certain.
Rassurants parce que, dans cette vision élitiste qui fut
toujours celle des avant-gardes, l'enfer, bien sûr, c'est les
autres : l'industrie culturelle soumise aux impératifs de la
rentabilité capitaliste (Marx) et technique (Heidegger); les
médias – qui tout à la fois relaient et sacralisent le
conformisme éclectique sécrété par l'économie; et finalement la « *masse* » *elle-même* qui refuse – mais il faut lui
pardonner : elle est manipulée – de se laisser éduquer,
initier aux plus hautes créations de la culture contemporaine.

  Qu'il faille s'interroger sur les dangers d'un monde
dominé par la technique, que la société bourgeoise vive
aussi de la production d'une culture débile et débilitante,
nul ne saurait l'ignorer. De là à en conclure que la
« sous-culture » et ses relais médiatiques viennent étouffer

une création authentique aujourd'hui au meilleur de sa condition, il y a un pas qu'on ne saurait franchir sans manquer au minimum de sens tragique en l'absence duquel l'interrogation philosophique est comme mutilée. Dans le cas de la culture contemporaine plus qu'en aucun autre, il nous faut garder distance avec l'idée, toujours trop simple, que « les responsables sont ailleurs ». Car le destin de cette culture est, pour une part non négligeable, lié à celui des avant-gardes, et les avant-gardes, à l'exact inverse de ce que suggèrent les plaidoyers *pro domo* qu'on vient d'évoquer, vivent de la banalité quotidienne : pas de banalité, pas d'avant-garde, si l'avant-garde est ce mouvement par lequel un petit groupe, une élite, animée d'un projet *nouveau,* rejette radicalement le conformisme ambiant, les idées reçues, les héritages de la tradition. La crise des avant-gardes ne saurait donc jamais provenir des oppositions qu'elles rencontrent. Tout au contraire, c'est peut-être aujourd'hui l'exténuation d'une telle opposition, l'absence même de conflit entre les artistes d'avant-garde et un public quasi inexistant, qui fait véritablement question.

Risquons l'hypothèse : et si les avant-gardes se mouraient d'être devenues banalité? Et si c'était les avant-gardes qui avaient, depuis le début de ce siècle, secrètement et parfois à leur insu, travaillé à l'abolition de toute distinction entre « sous-culture » et « haute culture »? L'urinoir introduit au musée par Duchamp n'est-il pas le symbole de cette volonté de rompre avec la banalité, qui devient elle-même banale et banalisante en ce qu'elle efface toute distinction entre l'œuvre d'art et l'objet technique?

C'est, dès lors, du côté d'une dialectique interne aux avant-gardes qu'il faudrait chercher les sources de la crise qui aujourd'hui les affecte. Comme le suggère Octavio Paz dans ses conférences de 1972 sur le destin de la poésie moderne : « L'art moderne commence à perdre de ses pouvoirs de négation. Depuis des années, ses négations sont des répétitions rituelles : la rébellion est devenue procédé, la critique rhétorique, la transgression cérémonie.

La négation a cessé d'être créatrice. Je ne dis pas que nous vivons la fin de l'art : nous vivons celle de l'idée d'art moderne[10]. » Bien qu'il prenne ses distances avec Hegel, qui décrétait plus radicalement la mort de l'art, la contradiction que dévoile Paz est bien une contradiction dialectique au sens hégélien : en se faisant purement critique, le modernisme des avant-gardes se retourne contre lui-même. Animé par une unique obsession : la recherche de l'originalité et de la nouveauté en tant que telles, il bascule dans son contraire, la simple répétition vide et morne du geste de l'innovation pour l'innovation. La rupture avec la tradition devient elle-même tradition, « tradition du nouveau », certes – pour reprendre l'expression de Harold Rosenberg –, mais tradition quand même et, selon Paz, tradition aujourd'hui vide de sens et de contenu.

Le raisonnement de Paz touche l'une des principales difficultés que rencontre la « haute culture » contemporaine : la crise qu'il décèle est d'autant plus grave qu'il s'agit d'une crise interne, nullement d'une « réaction » qui, de l'extérieur, viendrait freiner un mouvement en plein essor. Est-il pourtant légitime d'incriminer sans autre précision « l'art moderne »? A vrai dire, la formule est si vague qu'elle en perd presque toute signification et l'on ne peut manquer de s'étonner qu'elle soit si unanimement reprise par les critiques les plus avertis et les philosophes les plus subtils. Je préférerai, dans ce qui suit, me référer au concept plus limité d'avant-garde. Stravinski et Ravel sont sans doute des « modernes » : leur art eût été impensable au XIXᵉ siècle. Ils ne sont pas des avant-gardistes. La notion mérite d'être précisée si nous voulons comprendre la nature de la crise.

L'expression « avant-garde » appartient originellement au vocabulaire militaire. Mais il est remarquable que sa première utilisation en un sens figuré*, pour désigner à la

---

* Pour autant qu'il soit possible de dater l'émergence d'un concept avec une absolue précision[11].

fois des mouvements radicaux dans le champ de l'art et de la politique, apparaisse dans le contexte scientiste d'une philosophie de l'histoire : celle de Saint-Simon. Au cours du dialogue entre l'artiste et le savant qui figure dans les *Opinions littéraires, philosophiques et industrielles*[12], le premier déclare au second que les artistes doivent « servir d'avant-garde » : dans la « grande entreprise » qui a pour but « l'établissement du système de bien public », « les artistes, les hommes à imagination ouvriront la marche*; ils proclameront l'avenir de l'espèce humaine; ils ôteront au passé l'âge d'or pour en enrichir les générations futures[14] ». Nous aurons à revenir sur l'interprétation de cet élément indissolublement scientiste et progressiste qui tout au long du xxe siècle marquera de son empreinte les avant-gardes les plus éloignées en apparence de cette idéologie héritée des Lumières.

Sur le plan, non de l'histoire des idées, mais des *mouvements*** réels, il semble que, dans le contexte français, ce soit le groupe des « Incohérents »[16] qui constitue la première avant-garde esthétique digne de ce nom. Défrayant la chronique entre les années 1882 et 1889 (date à laquelle le mouvement s'épuise de lui-même et s'autodissout), les Incohérents se forment par la fusion de groupuscules où se retrouvent les habitués des cabarets parisiens : « Hydropathes », « Hirsutes », « Zutistes » ou « Jemenfoutistes », leur principale activité réside dans l'organisation d'expositions plus ou moins humoristiques destinées pour l'essentiel à « choquer le bourgeois », à marquer symboliquement la distinction entre la vie de bohème et celle du philistin. Les signes de reconnaissance jouent donc

---

* Cf. aussi les *Lettres de H. de Saint-Simon à messieurs les jurés :* « De nouvelles méditations m'ont prouvé que l'ordre dans lequel les choses devaient marcher était les artistes en tête, ensuite les savants, et les industriels seulement après ces deux premières classes[13]. »
** Comme le note Poggioli[15], les avant-gardes ne prennent plus la forme de l'école, jugée trop « académique », mais celle, plus souple, du « mouvement ».

un rôle capital dans la vie du groupe, comme en témoigne ce manifeste où s'expriment les éléments les plus caractéristiques d'une idéologie tout à la fois élitiste et potache : « L'Incohérent est jeune, il lui faut en effet la souplesse des membres et de l'esprit pour se livrer à de perpétuelles dislocations physiques et morales. [...] L'Incohérent n'a conséquemment ni rhumatismes ni migraines, il est nerveux et robuste. Il appartient à tous les métiers qui se rapprochent de l'art : un typographe peut être incohérent, un zingueur jamais. [...] L'Incohérent prend sa retraite en se mariant ou en attrapant un rhumatisme » !

Plus sérieusement, c'est au cours des premières années de ce siècle qu'on assiste de la part des artistes eux-mêmes à une thématisation de l'idéologie d'avant-garde, dont l'essai de Kandinsky, *Du spirituel dans l'art et dans la peinture en particulier* (1912), constitue sans doute l'expression exemplaire. Kandinsky mobilise pour décrire la « vie spirituelle » une métaphore qui mérite l'attention car elle recèle tous les éléments requis pour déterminer le type idéal de l'avant-garde : « Un grand triangle divisé en parties inégales, la plus petite et la plus aiguë au sommet figure schématiquement assez bien la vie spirituelle. Tout le triangle, d'un mouvement à peine sensible, avance et monte lentement, et la partie la plus proche du sommet atteindra " demain " l'endroit où la pointe était " aujourd'hui ". En d'autres termes, ce qui n'est encore aujourd'hui, pour le reste du triangle, qu'un radotage incompréhensible et n'a de sens que pour la pointe extrême paraîtra demain, à la partie qui en est la plus rapprochée, chargé d'émotions et de significations nouvelles[17]. » La suite du texte file la métaphore et en dégage les implications principales.

La première est sans doute l'*élitisme :* « A l'extrême pointe du triangle, dit Kandinsky, il n'y a qu'un homme, *tout seul*. Sa vision égale son infinie tristesse. » Il a pour mission de « faire avancer le chariot récalcitrant » du peuple abêti, situé à la base du triangle. D'un côté, donc, se trouvent « les hommes supérieurs » qui osent remettre en question les traditions et sont, par suite, voués à la solitude; de l'autre, « les partisans de la représentation populaire », « républicains » ou « socialistes » enfouis dans le conformisme de masse. Parmi ces derniers « personne n'est jamais parvenu à résoudre une seule difficulté. Ce sont d'autres hommes, supérieurs à eux, qui toujours ont fait avancer le chariot de l'humanité[18] ». La métaphore de l'avant-garde retrouve alors les accents militaires qui l'inspiraient à l'origine : les hommes supérieurs, artistes ou savants de génie « vont de l'avant, oubliant toute prudence, et succombent dans la conquête de la citadelle de la science nouvelle tels ces soldats qui, ayant fait le sacrifice de leur personne, périssent dans l'assaut désespéré d'une forteresse qui ne veut pas capituler[19] ». Le génie est donc seul et le sommet du triangle n'est qu'un point. On le « tourne en dérision », on le « traite de fou »[20]. Mais cette solitude est le signe le plus sûr de l'appartenance à l'élite, comme Schönberg le confesse à Kandinsky dans une lettre du 24 janvier 1911 : « Il est provisoirement refusé à mes œuvres de gagner la faveur des masses. Elles n'en atteindront que plus facilement les individus. Ces individus de grande valeur qui seuls comptent pour moi[21]. » Le thème est si important pour Schönberg qu'il deviendra en 1937 le centre d'un essai intitulé *Comment on devient un homme seul,* où l'élitisme et la question du public (de son absence) s'articulent autour de la notion d'individualité : la solitude de l'artiste serait l'indice de sa personnalité, le signe de son *individualisation* par rapport à une masse *informe* qui absorbe aveuglément les valeurs de la tradition contre lesquelles il se révolte.

On pourrait désigner le second aspect que suggère la métaphore du triangle par le terme d'*historicisme.* Malgré un certain pessimisme lié à la structure triangulaire d'une vie spirituelle qui impose à l'artiste l'état de solitude, une croyance inébranlable au progrès permet de ressusciter l'optimisme au niveau de l'histoire : « En dépit de l'aveuglement [de la masse] le triangle spirituel continue en réalité d'avancer »; il « monte lentement avec une force irrésistible ». L'élite peut être rassurée : sa solitude n'est que provisoire, elle sera tôt ou tard comprise par la masse à laquelle elle sert d'éclaireur et de guide. « La dissonance picturale et musicale d'aujourd'hui n'est rien d'autre que la consonance de demain[22]. » Mais, en vertu même de cette philosophie de l'histoire, obligation est faite à l'artiste de rompre avec la tradition pour créer sans cesse du nouveau. Ainsi, « chaque époque crée un art qui lui est propre et qu'on ne verra jamais renaître ». Dès lors, l'imitation des formes passées et dépassées de l'art n'est que « celle des singes » dont « la mimique est dénuée de toute signification[23] ». L'avant-garde est liée à l'idée de révolution : elle a pour mission d'ébranler « hardiment l'ordre établi », étant entendu que ce mouvement est sans fin. L'originalité ou l'individualité de l'artiste ne se situent donc plus seulement en relation à des règles, mais elles se conçoivent explicitement en fonction d'une certaine mise en histoire de l'art.

En conséquence de cet élitisme et de cet historicisme, l'avant-garde se veut *expression du Moi* ou, pour reprendre la formule même de Kandinsky, « expression pure de la vie intérieure » de celui qui, par son originalité, se trouve tout à la fois au sommet du triangle (élitisme) et en avance sur son temps (historicisme) et qui, par suite, constitue seul une véritable *individualité* (les autres « individus », même ceux qui sont immédiatement au-dessous du sommet, commencent à former une « masse » : ils se ressemblent, possèdent des points communs et sont donc moins individualisés que le génie). Ce thème est proprement central : il fournit la principale justification théorique à l'abandon de la « figuration » en peinture et de la tonalité en musique. S'il faut en finir avec l'art figuratif, s'il faut cesser d'imiter la nature, c'est pour être enfin pleinement en mesure d'exprimer la subjectivité, ce que Kandinsky résume par cette formule capitale : « *Ce refus total des formes habituel-*

les du beau conduit à admettre comme sacrés tous les procédés qui permettent de manifester sa personnalité[24]. »

Nous verrons que la position des cubistes est sur ce point différente. C'est néanmoins en fonction de ce critère ultime et par référence à ceux qu'il situe à la pointe du triangle – Picasso et Schönberg – que Kandinsky esquisse une histoire de l'art contemporain où transparaissent de la façon la plus significative les trois présupposés implicites (élitisme, historicisme, individualisme) de toute idéologie avant-gardiste : tandis que Debussy, malgré certaines innovations appréciables, cède encore aux « charmes d'une beauté plus ou moins conventionnelle », Schönberg, « *seul* dans cette voie » et « *à peine reconnu de quelques rares admirateurs* [...] nous fait pénétrer dans un royaume nouveau où les émotions musicales ne sont plus seulement auditives, mais avant tout intérieures. Ici commence la musique future ». La situation est analogue dans le champ de la peinture. C'est cette fois Picasso qui « dépasse » Cézanne et Manet : à la différence de ces derniers, pourtant déjà « en avance » sur leur temps, Picasso « n'a jamais succombé à cette beauté (conventionnelle). Constamment poussé par le besoin de s'exprimer, emporté par sa fougue, il se jette d'un procédé à l'autre. Si un abîme les sépare, Picasso, d'un bond insensé, le franchit et déjà il est sur l'autre bord au grand effroi de *la cohorte compacte de ses fidèles admirateurs. Ils croyaient l'avoir atteint et tout est à recommencer*[25] ». Les trois moments de l'avant-gardisme sont ici clairement articulés : c'est parce que l'artiste de génie est doué d'une *personnalité* qui le place « *en avant* » de son temps – ses admirateurs, qui forment pourtant déjà une élite, ont quelque chose de « compact » – qu'il est voué à la solitude réservée à l'*élite* de cette élite.

Une interprétation « individualiste »
de l'avant-garde

Si l'on entend par individualisme l'idéologie moderne
selon laquelle, au nom de sa liberté et de son autonomie,
l'individu doit rompre avec l'hétéronomie des traditions
héritées[26], il semble bien qu'une interprétation de l'avant-
garde en termes d'individualisme s'impose. Le principe en
a été esquissé par D. Bell, dans son essai sur *les Contradictions culturelles du capitalisme*[27]. Reprenant certains traits
à l'analyse marxienne de la société civile bourgeoise*, il
montre comment l'émergence du capitalisme ruine définitivement la notion de tradition en même temps que la vision
holiste du social qui lui est attachée : « L'idée fondamentale du modernisme, la tendance répandue dans la civilisation occidentale depuis le xvi\e siècle est la suivante : l'unité
de la société n'est ni le groupe, ni la corporation, ni la
tribu, ni la cité, mais l'individu[28]. » Et dès lors que cet
individu se conçoit non seulement comme une monade
douée de liberté et d'autonomie, mais comme l'atome
social véritable, il s'accorde inéluctablement la capacité et
le droit de remettre en question toutes les valeurs qu'il
n'aurait pas lui-même posées et de modifier à son gré les
normes qu'il institue. Pour aller dans le sens de Bell, on
pourrait ajouter qu'au niveau de la philosophie politique
ce principe reçoit sa justification dans le *Contrat social* de
Rousseau : les individus regroupés en assemblée se donnent à eux-mêmes leurs lois, ils en sont maîtres et possesseurs; nul ne saurait donc les empêcher de les changer à
volonté puisqu'il est « absurde que la volonté se donne des
chaînes pour l'avenir[29] ». Au niveau sociologique, Bell cite
le passage du *Manifeste* où Marx décrit l'essence révolutionnaire de la société bourgeoise : « La bourgeoisie ne

---

* Il va de soi que Bell prend largement, par ailleurs, ses distances avec
le marxisme qui fut jadis le sien.

peut exister sans révolutionner constamment les instruments de production [...]. Tous les rapports sociaux traditionnels et figés, avec leur cortège de notions et d'idées antiques et vénérables se dissolvent; tous ceux qui les remplacent vieillissent avant même de pouvoir s'ossifier. » Dès l'origine donc, l'individualisme « bourgeois » aurait une portée révolutionnaire, sa temporalité serait orientée vers l'avenir et l'on perçoit en quel sens Bell, ancien marxiste, peut envisager d'établir une continuité paradoxale entre le monde bourgeois et la naissance d'avant-gardes dont le principal souci sera de rompre avec les traditions, de créer sans cesse du nouveau en révolutionnant continuellement le monde de la culture.

Continuité paradoxale en effet, puisque l'univers spirituel des avant-gardes semble, en apparence, aux antipodes du mode de vie bourgeois : la vie d'artiste, du « bohème » se veut à l'opposé de celle du philistin et, comme le souligne Malevitch, les liens entre les avant-gardes esthétiques et politiques sont parfois fort étroits : « Le cubisme et le futurisme furent les formes d'art qui annoncèrent la révolution de la vie économique et politique de 1917[30]. » C'est bien pourtant ce paradoxe que Bell entend mettre au cœur de son interprétation : « Il est frappant de voir, écrit-il, que, alors que la société bourgeoise introduisait un individualisme radical dans le domaine économique et qu'elle était prête à supprimer tous les rapports sociaux traditionnels, elle redoutait les expériences de l'individualisme moderne dans le domaine de la culture. Réciproquement, les innovateurs du milieu culturel, de Baudelaire à Rimbaud et Alfred Jarry, s'empressaient d'explorer toutes les dimensions de l'expérience mais détestaient la vie bourgeoise. Jusqu'ici, personne n'a écrit l'histoire de ce problème ni expliqué cet antagonisme[31]. » Il s'agit donc pour Bell de savoir comment l'idée d'un fond individualiste commun à la bourgeoisie et aux avant-gardes (toutes deux bouleversent les traditions au nom de l'autonomie individuelle) peut être maintenue sans contradiction, lors même que le conflit qui oppose les deux formes de vie est patent.

La réponse de Bell a pour préalable une critique des paradigmes dominants de la sociologie contemporaine : le marxisme et le fonctionnalisme. Contre ces paradigmes, il faut selon lui affirmer l'*hétérogénéité* des différents niveaux qui constituent la société capitaliste. On distinguera à cette fin trois sphères : en premier lieu, la *structure techno-économique* qui peut être, pour l'essentiel, décrite en termes webériens. Régie par un mode d'organisation bureaucratique, elle a pour principe l'efficacité, la rentabilité maximale (la *Zweckrationalität* ou « rationalité instrumentale »). La seconde sphère est celle du *politique :* depuis l'émergence de l'individualisme moderne – disons pour le contexte français et pour nous borner à ce qui est le plus visible : depuis la Révolution de 1789* – elle est toujours davantage orientée, conformément aux analyses de Tocqueville, par une légitimité démocratique qui a pour fondement ultime l'exigence d'égalité – d'abord formelle, puis de plus en plus réelle[32]. La *sphère de la culture,* enfin, – et Bell se réfère ici, non plus à Weber ou à Tocqueville, mais à Cassirer[33] – a pour principe, dans le monde moderne, l'expression du Moi ou « l'épanouissement de la personnalité[34] ».

Or le marxisme et le fonctionnalisme, que tout oppose par ailleurs, ont, selon Bell, une tendance commune à représenter ces trois niveaux comme intégrés dans une totalité cohérente (au moins du point de vue de l'interprète) : d'un côté, on affirmera que les superstructures expriment (avec retard, rétroaction, etc., mais quand même...) les infrastructures; de l'autre, on supposera des systèmes de valeur partagés au sein d'un consensus[35]. C'est cette vision unitaire du tout social que Bell entreprend de

---

* Il va de soi que les prémices de l'individualisme et leur théorisation dans les doctrines du contrat social sont bien antérieures à la Révolution française.

mettre en cause en dévoilant les discordances qui, de plus en plus, se font jour entre les trois sphères de l'économie, de la politique et de la culture. L'apparition de ces discordances est d'ailleurs relativement tardive dans l'histoire du capitalisme (ce qui explique, pour une part, l'erreur des paradigmes sociologiques incriminés). A l'origine l'infrastructure et la superstructure de la société bourgeoise étaient relativement harmonieuses : comme le montrent les analyses de Max Weber, longtemps puritaine et protestante, l'idéologie du capitalisme a su conserver, jusqu'à la fin du xixᵉ siècle, sa cohérence avec la sphère économique. Les treize « vertus utiles » auxquelles Benjamin Franklin prétendait consacrer treize semaines quatre fois par an sont l'incarnation même de cette homogénéité : la tempérance, le silence, l'ordre, la décision, l'économie, le travail, la sincérité, la justice, la modération, la propreté, la sérénité, la chasteté et l'humilité – autant de qualités dont la mise en valeur (sinon l'exercice réel) a pu légitimer l'esprit d'entreprise d'un capitalisme naissant.

Mais il est clair que cette « éthique protestante » a aujourd'hui disparu au profit d'une culture nouvelle que Bell qualifie d'« hédoniste » et de « narcissique ». Deux étapes marquent son avènement dans le contexte de l'histoire américaine : les années 1910 tout d'abord, qui voient naître à Harvard, autour du groupe des « jeunes intellectuels », l'exigence d'une formidable libération des mœurs : « L'abondante richesse de la vie se résumait en une série de mots qui étaient autant de signes de ralliement. L'un d'eux était l'adjectif " nouveau ". Il y avait la " nouvelle démocratie ", le " nouveau nationalisme ", la " nouvelle liberté ", la " nouvelle poésie " et même la " nouvelle république " (commencée en 1914). Le second était la sexualité. La lecture de ce mot faisait frissonner les lecteurs de journaux. [...] Le troisième mot de ralliement était libération[36]. » Ce vent de liberté devait conduire les États-Unis à découvrir Freud et Bergson – on vendit alors en deux ans plus d'exemplaires de *l'Évolution créatrice* qu'en quinze ans en

France – mais aussi les principaux représentants de l'avant-garde esthétique de la vieille Europe.

De cette première poussée d'émancipation à l'égard de l'éthique protestante, Bell donne deux raisons principales : la fin, sous l'effet de l'accroissement démographique, du règne de la « petite ville » et, surtout, la naissance d'une véritable société de consommation où le développement du crédit vient littéralement bouleverser l'existence des masses en ruinant l'ancienne idéologie ascétique de l'épargne et de l'abstinence[*].

La seconde étape est celle des années soixante. Pour l'essentiel, elle n'innove pas mais reprend, en les démocratisant, les thèmes qui étaient déjà ceux des « jeunes intellectuels »[38]. Les années soixante voient se répandre une *morale de l'authenticité* dont l'impératif catégorique tient en deux mots : *Be yourself*. Programme simple, certes, mais qui passe par une critique virulente des valeurs bourgeoises et des mœurs de l'Amérique profonde. Au terme de cette époque de « contre-culture », note Bell, « *la morale traditionnelle fut remplacée par la psychologie, la culpabilité par l'anxiété*[39] » : psychologie, puisqu'il ne s'agit plus d'imposer des normes mais de comprendre et d'épanouir la personnalité individuelle; anxiété et non culpabilité, puisque le « mal d'être », sur fond d'exténuation de la « loi morale », se réduit à l'effet d'un conflit intrapsychique. Conséquence de cette nouvelle vision du monde sur la culture : les thèmes principaux des premières avant-gardes passent dans l'existence quotidienne. « Avec l'effacement de la distinction entre l'art et la vie (mot d'ordre déjà présent dans le mouvement surréaliste), l'authenticité d'une œuvre d'art ne se définit plus qu'en termes d'immédiateté, immédiateté à la fois de l'intention de l'artiste et de

---

[*] « La transformation culturelle de la société américaine est due singulièrement à l'apparition de la consommation de masse et à la diffusion de ce qui, jadis, était considéré comme objet de luxe par les classes moyennes et par le peuple[37]. »

l'effet sur le spectateur. Au théâtre, seule compte la spontanéité; le texte est pratiquement éliminé et l'on improvise; on exalte le " naturel ", la sincérité prend le pas sur le jugement, la spontanéité sur la réflexion : quand Judith Malina, directrice du Living Theatre, déclare : " Je ne veux pas être Antigone (sur la scène), je suis et je veux être Judith Malina ", elle veut se débarrasser de l'illusion au théâtre, comme les peintres l'ont éliminée dans l'art[40]. »

Au terme de cette analyse, l'opposition du bourgeois et de l'artiste apparaît comme l'effet paradoxal d'un nouveau visage de l'individualisme : entrée dans l'ère de la consommation de masse, la société capitaliste ne peut plus s'accommoder d'une éthique ascétique qui restreindrait cette consommation. D'où le conflit entre une sphère économique qui requiert toujours les mêmes efforts et reste réglée par le souci de rentabilité, et une sphère culturelle qui, sous l'apparence d'une critique radicale de la société de consommation, ne fait en vérité qu'y inciter comme jamais auparavant : « Les deux sphères qui historiquement avaient été unies pour produire une unique structure des mentalités, celle du puritanisme, sont maintenant séparées. [...] D'une part, la corporation des affaires exige que l'individu travaille énormément, accepte de reporter à plus tard récompenses et satisfactions... » mais, d'autre part, la corporation de la culture « encourage le plaisir, la détente, le laisser-aller. Il faut qu'on soit consciencieux le jour et bambocheur la nuit. C'est ce qui s'appelle l'accomplissement, le plein épanouissement de soi-même[41] ».

Cette interprétation – à laquelle je vois mal comment on pourrait rester insensible tant elle dévoile une des caractéristiques les plus profondes des comportements contemporains – conduit à un paradoxe : alors que l'art d'avant-garde se présente volontiers, pour ne pas dire complaisamment, comme subversif et antibourgeois, il ne serait en vérité que l'expression ultime d'une société bourgeoise qui, afin de satisfaire aux exigences nouvelles de consommation

qu'elle a *elle-même* engendrées, a su renoncer à la morale
ascétique que décrivait encore Max Weber pour faire place
aux idéologies hédonistes de la libération culturelle.

Je ne reviendrai pas ici sur les difficultés que soulève, sur
le plan méthodologique, ce type d'interprétation[42] : il est
clair que, malgré les distances qu'elle prétend prendre avec
le marxisme, elle reconduit l'idée, à mes yeux douteuse,
que les « superstructures » ne sont que l'effet des « infrastructures » (l'idéologie de l'avant-garde, l'effet de l'âge du
crédit). Pourtant, moyennant une certaine élaboration du
concept d'individualisme[43], elle me semble rendre compte
assez adéquatement de ce que l'on pourrait nommer la
« *forme* avant-garde » des mouvements modernistes, abstraction faite de leurs *contenus particuliers :* il est clair, en
effet, que les trois moments que nous avons vus à l'œuvre
dans le texte de Kandinsky – l'élitisme, l'historicisme et le
culte du moi – reçoivent une interprétation plausible dans
la perspective esquissée par Bell.

C'est ailleurs, me semble-t-il, au niveau du contenu des
différentes avant-gardes, que se situent les limites de sa
lecture. Deux difficultés principales me paraissent devoir
être repérées qui imposent une interprétation plus complexe du phénomène :

1. *La première* tient à ce que, insistant sur la continuité
qui relie le modernisme à l'individualisme classique « depuis le XVIᵉ siècle », Bell sous-estime la rupture qu'introduit
dans l'histoire de l'art l'abandon de la perspective et de la
tonalité. Cette rupture s'inscrit à ses yeux, si l'on ose dire,
dans la *continuité des ruptures* qui scandent depuis leur
origine l'histoire des sociétés individualistes /démocrati-
ques. On passerait ainsi de l'impressionnisme au cubisme
ou à l'art abstrait comme on était passé, par exemple, du
romantisme à l'impressionnisme – la seule différence notable entre le XIXᵉ et le XXᵉ siècle étant au fond qu'en ce
dernier les ruptures se feraient de plus en plus fréquentes
sous l'effet d'un individualisme sans cesse exacerbé. Dans
une optique assez proche, Gilles Lipovetsky a donné toute

sa puissance à cette vision continuiste de l'histoire de l'art :
« Le modernisme, écrit-il, n'est pas une rupture première et
incomparable : dans sa rage de détruire et d'innover
radicalement, le modernisme poursuit dans l'ordre culturel,
avec un siècle d'écart, l'œuvre des sociétés modernes visant
à s'instituer sur le mode démocratique. [...] De même que
la révolution démocratique émancipe la société des forces
de l'invisible et de son corrélat, l'union hiérarchique, de
même le modernisme artistique libère l'art et la littérature
du culte de la tradition, du respect des maîtres, du code de
l'imitation[44]. »

Que l'idéologie de la rupture avec les traditions s'exprime au plus haut point dans la Révolution française,
que, dans cette mesure, on puisse y chercher l'origine de la
« forme avant-garde », cela n'est pas douteux. Mais si l'on
admet qu'un des aspects fondamentaux des avant-gardes
picturales du début de ce siècle se situe, *au niveau de leur
contenu,* dans l'abandon de la perspective euclidienne, cette
analogie avec la Révolution française devient problématique*. S'il fallait comparer le mouvement de l'histoire de
l'art à celui des idées et des réalités politiques – exercice
dont j'ai conscience qu'il ne relève guère d'une science
exacte –, je dirais plutôt que c'est l'émergence de la
perspective qui annonce, avec quelques siècles d'avance, la
révolution politique, et qui coïncide, sur le plan des idées,
avec l'apparition de cet humanisme qui s'exprime dans les
théories du contrat social. C'est là du moins ce que suggère
l'idée, attestée par exemple dans les travaux de Francastel,
selon laquelle *la valorisation de la perspective correspond à
une vision du monde dominée par la notion moderne d'égalité, par une métaphysique de la subjectivité où l'homme
occupe un point de vue sur le monde à partir duquel ce
dernier apparaît comme un matériau manipulable et maîtrisable à volonté*[45].

---

* Il va de soi que ces quelques réserves n'ôtent rien, par ailleurs, à
l'intérêt et à la pertinence des analyses de Lipovetsky.

A vrai dire, ce n'est pas l'interprétation individualiste qui est ici mise en cause à sa racine, mais la périodisation de l'histoire du concept d'individualisme qu'elle implique. Pour formuler l'hypothèse que j'aimerais préciser et tester dans ce qui suit : si l'on peut mettre en parallèle la naissance de l'individualisme moderne et celle de la perspective picturale classique, il faut en revanche percevoir qu'au rejet de cette perspective – comme au rejet de la tonalité en musique – correspond peut-être une nouvelle figure de la subjectivité ou, si l'on veut, un nouvel âge de l'individualisme qui ne saurait se réduire au premier. Sur le plan de l'histoire des idées, mais aussi, nous allons le voir, sur le plan de l'histoire de l'art, le parallèle entre les avant-gardes et la Révolution française conduit à sous-estimer la rupture qu'introduit, à la fin du XIXᵉ siècle, l'émergence de cette nouvelle figure de la subjectivité que thématise si bien la philosophie de Nietzsche : si dans l'individualisme classique, dont la Révolution française est tout à la fois l'héritière et l'expression sur le plan politique, le sujet est conçu sur le modèle du *cogito,* de la monade close sur elle-même et sur ses intérêts particuliers, le XIXᵉ siècle voit apparaître des critiques de plus en plus radicales du *cogito* qui conduisent à l'élaboration, en particulier chez Nietzsche, d'un « sujet brisé », d'un sujet différent de lui-même, ouvert sur un inconscient immaîtrisable.

Dans les théories libérales de l'individu, la pluralité des points de vue et des intérêts pouvait encore être « intégrée » de façon *harmonieuse* dans une monadologie ou dans une théorie du marché – « main invisible » ou « ruse de la raison ». Dans le perspectivisme que thématise Nietzsche, mais qui, à n'en pas douter, dépasse de très loin le cadre de la philosophie pour devenir la *Stimmung* de cette fin du XIXᵉ siècle, cette pluralité devient irréductible, irréconciliable : à l'idée d'harmonie fait place celle de chaos, et l'identité cède le pas à la « différence » – et c'est cette « différence », inhérente à un nouvel âge de la subjectivité, qu'exprimeront aussi bien la philosophie que la peinture ou la musique d'avant-garde. De Schönberg à Kandinsky ou Malevitch, c'est cette critique du *cogito* qui justifie l'avant-garde, s'il est vrai, comme y insiste Malevitch, qu'on ne pourra créer des formes esthétiques radicalement nouvelles qu'après avoir « supprimé de tous nos arts l'idée petite-bourgeoise du sujet » et « tapé sur la conscience comme sur des clous que l'on enfonce dans un mur de pierre[46] ».

2. *La seconde difficulté* à laquelle se heurte l'interprétation de Bell découle de la première : à certains égards – et nous aurons l'occasion de voir combien cette remarque se vérifie jusque dans le détail – les avant-gardes se caractérisent par le culte du moi, par la « sacralisation », pour reprendre la formule de Kandinsky, de « tous les moyens qui permettent d'exprimer sa personnalité ». Pourtant, au niveau *du contenu* des avant-gardes, nous savons, au moins depuis Apollinaire, que deux courants principaux se sont très tôt différenciés au début de ce siècle : d'un côté, celui de l'art abstrait, de l'« orphisme » qui, avec Delaunay et Kandinsky, rejette la perspective au nom de l'abstraction pure; de l'autre le cubisme qui, malgré son refus du « naturalisme », conserve l'idée proprement *classique* d'un art *objectif* ou *réaliste* qui resterait attaché aux principes de la figuration quand même celle-ci ne passerait plus, tout au contraire, par les lois de la perspective euclidienne.

Que cette distinction établie par Apollinaire dans *les Peintres cubistes* ait été vivement contestée lorsqu'il entreprit de classer chaque artiste dans l'un de ces deux camps[47], ne devait pas l'empêcher de s'imposer *globalement* auprès des peintres eux-mêmes, comme en témoigne parmi d'autres ce texte, datant de 1946, dû au grand théoricien du cubisme que fut Metzinger : dès 1912, confesse-t-il, nous envisagions déjà « deux possibilités : une peinture d'" effusion pure " et un " nouveau réalisme ". La première s'appelle maintenant peinture abstraite ou non figurative, la seconde a gardé le nom de cubisme[48] ». On sait combien le surréalisme devait reprocher au cubisme son souci de réalisme et d'objectivisme[49]. Si l'on entend, au sens large, par « classicisme », une forme d'art qui définit le beau comme l'exposition du vrai, du réel, on peut dire que la composante classique n'est nullement absente des avant-gardes et même de la plus remarquable d'entre elles, le cubisme. Au demeurant, on aurait tort de penser que l'art abstrait et le surréalisme, pour se démarquer du réalisme des peintres cubistes, écartent de leur art toute référence *classique* à une *science* de l'art : il serait aisé de montrer comment, chez Kandinsky lui-même, la théorie des couleurs prétend prendre la forme d'une science ou encore, comment, dans le surréalisme, l'écriture automatique se légitime aussi en référence à cette théorie « scientifique » qu'est la psychanalyse aux yeux de Breton. Bref : ce dont l'interprétation individualiste des avant-gardes ne rend pas compte, c'est de cette composante *classique, réaliste voire parfois scientiste* qui vient contrebalancer le subjectivisme ou le narcissisme par ailleurs inhérents à la *forme* avant-garde. Si la logique de l'individualisme est celle qui affranchit des normes de la tradition, la logique du classicisme conduit tout au contraire à l'imposition de normes contraignantes. C'est cet aspect « objectiviste » des avant-gardes – et tout particulièrement du cubisme – qu'il faut prendre en compte pour mesurer plus exactement ce que l'interprétation individualiste laisse peut-être échapper.

La « quatrième dimension »

« Dans les premières années du xxᵉ siècle, nous rappelle Francastel, la mode était au scientisme », le monde était « saisi d'étonnement devant les applications chaque jour renouvelées, non pas tant de la science que des techniques » qui venaient bouleverser la vision d'un univers physique qu'on avait cru « stable pendant des siècles[50] ». Tel est bien le contexte dans lequel fleurissent les premières

avant-gardes, contexte quelque peu estompé tant le progrès des sciences, de nos jours, suscite davantage encore
l'inquiétude que l'étonnement ou l'admiration. Par l'effet
d'une illusion rétrospective, nous sommes volontiers en-
clins à oublier que la fascination des futuristes italiens
pour les « machines modernes[51] » est à tout prendre
plus proche de Jules Verne que de Kafka, ou que les
premiers peintres cubistes pouvaient adhérer sans
réserve à une philosophie selon laquelle « par les
modifications des œuvres d'art, on pourrait historiquement suivre à la trace les modifications des sciences »,
tant l'influence des secondes sur les premières paraissait
décisive[52].

Sans nous laisser prendre au jeu d'une vision causaliste
des rapports entre l'art et la science, il faut constater avec
Francastel que « la première démarche du cubisme, vers
1907, a été une spéculation sur les dimensions de l'espace.
Influencés par les vocables qui circulaient dans leur entou-
rage, les cubistes ont cru faire œuvre scientifique positive
en introduisant dans leurs toiles une quatrième dimension
ou en supprimant la troisième[53]... » Comme le suggère
encore Francastel, sans peut-être en percevoir toutes
les implications esthétiques et philosophiques : « Pour
Picasso, le monde possède un double aspect. Il est d'abord
courbe et proche. C'est lui qui est plastiquement le plus
près de certaines hypothèses géométriques de Riemann et
d'Einstein[54]. »

Étrangement pourtant, la plupart des historiens de
l'art* ont évité de donner à ces allusions scientifiques une
portée autre que métaphorique. Soucieux – à juste titre –
d'éviter toute confusion entre la peinture et les géométries
nouvelles, entre l'espace mathématique des savants et
l'espace plastique des artistes, ils ont préféré le plus
souvent s'en tenir à l'aspect négatif d'une référence qui

---

* A l'exception notable de Jean Clair et Linda Dalrymple-Henderson
sur les travaux desquels je reviendrai dans ce qui suit.

menaçait sans cesse d'alimenter l'accusation d'« intellectualisme » si communément opposée à l'art d'avant-garde :
l'allusion aux géométries « non euclidiennes »[*] n'aurait au
fond servi, de la part des peintres eux-mêmes, qu'à légitimer contre un public conservateur, habitué au naturalisme
des tableaux « en perspective », l'abandon d'un espace
euclidien borné à la tridimensionnalité[**]. Précaution légitime, encore une fois, mais qui conduit à sous-estimer
singulièrement la signification véritable du recours aux
géométries nouvelles. Les contemporains des premières
avant-gardes ne s'y sont d'ailleurs pas trompés, comme
en témoigne ce passage des *Peintres cubistes* qu'Apollinaire consacre aux mathématiques modernes : « Jusqu'à
présent, les trois dimensions de la géométrie euclidienne
suffisaient aux inquiétudes que le sentiment de l'infini met
dans l'âme des grands artistes. [...] Or aujourd'hui, les
savants ne s'en tiennent plus aux trois dimensions de la
géométrie euclidienne. Les peintres ont été tout naturellement, et pour ainsi dire par intuition, amenés à se
préoccuper de nouvelles mesures possibles de l'étendue
que, dans le langage des ateliers modernes, on désignait
toutes ensemble et brièvement par le terme de quatrième
dimension[56]. »

Ce texte est d'autant plus remarquable qu'il maintient
l'importance de cette « quatrième dimension » en pleine
connaissance de cause : mieux que tout autre, Apollinaire
sait que le reproche de « géométrisme » est déjà si banal au
moment où il rédige son livre (en 1912) qu'il est tout
simplement à l'origine du terme « cubisme », d'abord

* Nous verrons que cette expression recouvre en réalité des thèses
mathématiques très diverses.
** Cf. parmi d'autres, J. Paulhan : « L'espace euclidien est une étendue
qui pourrait être entièrement remplie par des cubes égaux, juxtaposés, sans
qu'il y en ait un dernier dans aucune file. [...] Mais on sait fort bien que la
notion de l'espace euclidien est elle-même fort maltraitée de nos jours par
les mathématiciens[55]. » Dans la suite du texte, le « on sait fort bien »
n'apparaît guère que comme une élégante dénégation...

utilisé comme anathème[*]. Et pourtant, il ne peut manquer de souligner le rôle irremplaçable que jouent les nouvelles géométries, sinon dans la formation du cubisme, du moins dans la légitimation d'un nouveau rapport « intuitif » à ce qu'il nomme, selon l'exacte terminologie des mathématiciens, « l'étendue »[**]. De leur côté, les peintres évoquent de façon très explicite la nécessité de « dépasser » les trois dimensions d'Euclide et de remettre en cause, avec les géométries non euclidiennes, le postulat qui « pose l'indéformabilité des figures en mouvement[58] » : « Si l'on désirait rattacher l'espace des peintres à quelque géométrie, affirment Gleizes et Metzinger, il faudrait en référer aux savants non euclidiens, méditer certains théorèmes de Rieman *(sic)*[59]. » Le caractère hypothétique de cet énoncé (« Si l'on désirait... ») ne doit pas tromper : il ne s'agissait nullement pour Gleizes et Metzinger – tout au contraire – de déclarer non pertinente pour l'artiste l'étude des géométries nouvelles, mais seulement de rappeler que, pour autant, les artistes n'étaient pas des géomètres, que leurs connaissances mathématiques relevaient encore de l'ama-

---

[*] Pour ainsi dire contraints de reprendre un terme péjoratif mais déjà consacré par l'usage, Gleizes et Metzinger rédigent avec le même souci les premières pages de leur ouvrage théorique majeur, *Du cubisme*, paru en 1912 : « Le mot cubisme n'est ici qu'afin d'épargner au lecteur toute hésitation quant à l'objet de cette étude et nous nous empressons de déclarer que l'idée qu'il suscite, celle de volume, ne saurait à elle seule définir un mouvement qui tend vers la réalisation intégrale de la peinture. »

[**] Dans son *Traité élémentaire de géométrie à quatre dimensions* (1903) dont on sait qu'Apollinaire avait eu connaissance, le mathématicien E. Jouffret distinguait soigneusement « l'espace », caractérisé par un nombre n de dimensions (trois chez Euclide), de « l'étendue » qui, avec la géométrie à quatre dimensions, s'ouvre à l'infinité des dimensions : « Nous appellerons ÉTENDUE l'ensemble que forment ces espaces en nombre infini et qui est leur contenant comme chacun d'eux est le contenant d'une infinité de plans, chacun de ceux-ci contenant d'une infinité de droites, chacune de celles-ci le contenant d'une infinité de points. Rien n'empêche de considérer l'étendue comme étant englobée à son tour dans un champ à cinq dimensions, et ainsi de suite indéfiniment[57]. »

teurisme et restaient – comme en témoigne d'ailleurs le fait que le nom de Riemann soit mal orthographié – des connaissances de seconde main.

Nous savons aujourd'hui[*] par quels canaux complexes les peintres s'initièrent aux nouvelles géométries et nous pouvons reconstituer de façon assez précise la signification concrète que devait revêtir pour eux cette fameuse « quatrième dimension ». Bien que les essais de son principal théoricien, Charles Howard Hinton[63], ne fussent pas traduits, nombre d'ouvrages consacrés aux géométries nouvelles étaient aisément accessibles au public français dès le début des années 1900. Outre *la Science et l'hypothèse* de Poincaré – dont l'influence transparaît aussi bien dans les écrits de Gleizes et Metzinger que dans les *Notes sur le grand verre* de Duchamp –, on vit paraître, en 1903, l'*Essai sur l'hyperespace* de Boucher et le *Traité élémentaire de géométrie à quatre dimensions* de Jouffret. Ce traité, qui offre l'avantage de fournir de nombreuses représentations graphiques des corps à quatre dimensions ou « hypercorps », avait de quoi susciter l'intérêt d'artistes soucieux de rompre avec le naturalisme des époques précédentes. Évoquant « l'univers que nous habitons et ceux que nous soupçonnons à côté de lui », il laissait planer un doute prometteur sur l'existence de la quatrième dimension : « Le monde à quatre dimensions, pouvait-on lire dès la première page, n'existe sans doute qu'au sens géométrique. *Mais rien n'empêche aussi de lui supposer l'existence concrète,* et alors le nôtre en ferait partie. » Et l'Avant-propos s'attachait à relativiser l'espace tridimensionnel de la géométrie euclidienne en le réduisant à une simple

---

* Grâce aux remarquables travaux de Linda Dalrymple-Henderson aux États-Unis et de Jean Clair en France. Cf., de la première, *The Fourth Dimension and Non-Euclidian Geometry in Modern Art*[60]; de J. Clair : « L'échiquier, les modernes et la quatrième dimension[61] », *Marcel Duchamp ou le Grand Fictif*[62]. Ces ouvrages sont les plus éclairants que j'aie lus sur ce sujet et ce qui suit leur doit beaucoup.

convention née de l'habitude*. Dès lors, s'il n'était ni vérité logique ni loi intangible de notre perception, comment ne pas envisager la possibilité d'une « transformation correspondant à celle de l'analyse et ayant pour résultat de donner à nos descendants la sensation de se voir, et de concevoir l'espace avec quatre dimensions [65] »? Pour Hinton, que cite Jouffret**, la réponse ne saurait faire le moindre doute : la perception de la quatrième dimension est bien affaire d'accommodation; elle n'attend que la maturation de notre développement mental : « Quand la faculté est acquise, ou mieux : lorsqu'elle est portée à la conscience – car elle existe en chacun de nous sous une forme imparfaite –, un nouvel horizon s'ouvre. [...] Notre perception est soumise à la condition d'être dans l'espace; mais l'espace n'est pas limité comme nous le croyons au premier abord [67] » à la tridimensionnalité.

Plus prudent que Hinton, Jouffret rejoignait sans doute Poincaré dans la conviction que la quatrième dimension resterait à jamais imperceptible pour nous. Mais il ne cessait pourtant de suggérer que son caractère non perceptible n'impliquait aucunement son inexistence : « La non-perception des corps qui sont à l'extérieur de notre espace n'empêche nullement d'établir leur géométrie, c'est-à-dire les relations descriptives et métriques qu'ils ont entre eux et avec ceux qui, de *l'autre côté,* peuplent les étendues supérieures. Le lecteur qui nous suivra dans ces curieuses régions de la pensée, dans ce pays qu'on a appelé la féerie des mathématiques, s'habituera vite aux étrangetés qu'il rencontrera puisque ces étrangetés sont d'accord avec la

---

* « Il paraît, ce nombre [trois], n'avoir aucune nécessité logique, car on peut le remplacer par tout autre nombre entier lorsqu'on vient à formuler un système analytique quelconque; il serait donc un simple produit de l'expérience, non certes de l'expérience individuelle, mais de l'experience accumulée qui a fourni les idées héréditaires [64]. »

** A vrai dire, Jouffret ne partage pas le point de we de Hinton et se range plutôt à celui de Poincaré selon lequel la quatrième dimension restera à jamais imperceptible [66].

plus rigoureuse logique[68]. » Comme nous le verrons dans un instant, ce langage était fort proche de celui par lequel la science-fiction devait exhumer la quatrième dimension du domaine réservé des spécialistes pour recueillir l'attention du public. Mais il nous faut d'abord définir cette fameuse dimension – à défaut de pouvoir en donner une représentation visuelle adéquate.

La difficulté pour comprendre ou faire comprendre ce que peut être la quatrième dimension tient en effet à ce qu'elle n'est pas perceptible. Il faut donc, pour en donner une *idée,* suivre la voie d'un *raisonnement,* au demeurant très simple, que Jouffret formule en ces termes : « Le géomètre conçoit l'espace divisé en une infinité de *tranches infiniment minces* qu'il appelle des *plans,* celles-ci en une infinité de *bandes infiniment étroites* qu'il appelle des *droites,* et celles-ci en une infinité de *segments infiniment courts* qu'il appelle des *points*[69]. » On dira donc qu'au lieu d'avoir trois dimensions comme les volumes, les plans n'en ont que deux, les droites ou les lignes n'en ont qu'une et les points n'en ont pas. Voici maintenant comment, à partir des éléments simples de cette série, on parvient à l'idée de la quatrième dimension : « Prenant la série en sens inverse, c'est-à-dire à partir du *point,* la géométrie qui va nous occuper la poursuit plus loin que l'espace [à trois dimensions]. Celui-ci n'est également pour elle qu'une *tranche* (nous ne pouvons plus diversifier les mots et nous cueillons le dernier lancé par la série commencée), qu'une *tranche infiniment mince* au milieu d'une infinité d'autres espaces formant autant de tranches pareilles dans une étendue à quatre dimensions[70]. »

Il s'agit donc d'un raisonnement *par analogie :* de même que le point peut être conçu comme une tranche infiniment mince coupée, si l'on peut dire, dans une ligne, de même que la ligne à son tour peut être regardée comme une tranche infiniment mince de plan, et le plan comme une tranche infiniment mince de volume (par exemple : un carré est une tranche infiniment mince de cube), de même

– par analogie – rien n'empêche d'imaginer qu'un volume, un cube dans notre exemple, ne soit à son tour une tranche découpée dans un corps à quatre dimensions qu'on appellera dès lors un « hypercorps ».

Nous ne pouvons pas, on l'a dit, percevoir cet hyper-corps; mais rien ne nous interdit d'en tracer la figure en *deux dimensions*. Partons de la ligne droite. Si nous déplaçons cette ligne parallèlement à elle-même, nous obtenons un plan et passons ainsi de la première dimension à la seconde :

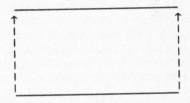

Si maintenant, nous déplaçons un carré parallèlement à son plan, nous obtiendrons un cube[71].

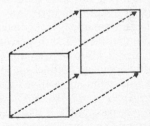

Par analogie toujours, nous pouvons déplacer à nouveau un cube perpendiculairement aux trois dimensions, et nous obtiendrons un hypercube, c'est-à-dire un volume en quatre dimensions *(voir figure page suivante)*.

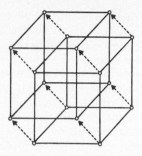

Bien entendu, la représentation de la quatrième dimension n'est donnée ici qu'en deux dimensions et nous ne saisissons toujours pas intuitivement la quadridimensionnalité. Mais, toujours par analogie, on peut dire, en reprenant l'argument de la célèbre fable d'Edwin Abott[72] qu'évoque Poincaré dans *la Science et l'hypothèse,* que nous avons exactement la même difficulté à saisir la quatrième dimension que celle qu'auraient des êtres parfaitement plats, limités à deux dimensions, pour comprendre la troisième.

Sans chercher plus avant à nous appuyer sur l'intuition, nous dirons donc qu'un corps à *n* dimensions est toujours la limite infiniment mince d'un corps à *n* + 1 dimensions, et que, par suite, un volume à trois dimensions peut être regardé comme une tranche d'un hypercorps, même si cet hypercorps échappe à notre perception. C'est en ce sens précis que Jouffret pouvait évoquer en une même phrase « l'univers que nous habitons (à trois dimensions) et *ceux que nous soupçonnons à côté de lui* » sans pouvoir les percevoir – la non-perception n'étant, encore une fois, nullement le signe de leur inexistence.

Pour donner une dernière formulation de la même idée, on ajoutera que les hypercorps peuvent être représentés « par des projections sur notre espace, au moyen de perpendiculaires abaissées de divers points du corps sur celui-ci, tout comme les corps de notre espace peuvent être, au moyen de perpendiculaires, représentés par des *projections sur un plan*. [...] Mais si, avec une projection sur un plan, encore mieux, avec deux projections sur deux plans, on n'a gère de peine à constituer et à voir par la pensée le solide de l'espace, il est de toute impossibilité de remonter de la projection d'un corps à quatre dimensions à ce corps lui-même[73] » afin d'en avoir une représentation intuitive.

Nous savons le goût que les peintres cubistes ont eu pour les géométries : « L'art, celui qui ne passe pas, déclarait Metzinger[74], s'appuie sur une mathématique*. » Nous savons également que les peintres eurent une connaissance assez précise des thèses de Jouffret grâce aux leçons que leur dispensait un jeune mathématicien, Maurice Princet. Princet ne fut évidemment pas le « père du cubisme » (ni d'ailleurs le seul vulgarisateur des géométries nouvelles), comme l'avait plaisamment soutenu Vauxcelles dans un article de décembre 1918 que Juan Gris devait vivement contester[76]. Il serait pourtant tout à fait inexact de nier que son apport théorique auprès des jeunes artistes fût important comme en témoignent, parmi tant d'autres**, ces deux confessions de Metzinger qui méritent toute notre attention : « Souvent Maurice Princet se joignait à nous. Quoique très jeune, il occupait dans une compagnie d'assurances une situation importante qu'il devait à son savoir de mathématicien. Mais par-delà sa profession, c'est en artiste qu'il concevait les mathématiques, en esthéticien qu'il évoquait les continus à *n* dimensions. Il aimait intéresser les peintres aux vues nouvelles sur l'espace

* Et aussi : « Cette science me donna le goût des arts. C'est le nombre qui fait la part des sons et des silences, des lumières et des ombres, des formes et des vides. Michel-Ange et Bach m'apparaissent comme de divins calculateurs. Déjà je sentais que la mathématique seule permet l'œuvre durable. Qu'elle soit le résultat d'une patiente étude ou d'une fulgurante intuition, elle est seule capable de réduire à la stricte unité d'une messe, d'une fresque ou d'un buste nos diversités pathétiques[75]. »

** Cf. aussi les notes sur *le Grand Verre* de Duchamp.

ouvertes par Schlegel et quelques autres. Il y réussissait.
Pour l'avoir écouté par hasard, Henri Matisse se fit
surprendre en lisant un essai sur l'hyperespace. Oh! ce
n'était qu'un ouvrage de vulgarisation! Cela montrait au
moins que pour le " grand fauve ", le temps était passé du
peintre ignare qui, barbe au vent, court vers le joli motif.
Quant à Picasso, la rapidité de sa compréhension émerveil-
lait le spécialiste. C'est que sa tradition le préparait mieux
que la nôtre à un problème de structure[77]... » – Texte
intéressant en ce qu'il indique un changement de *Stimmung*
par rapport à l'artiste romantique : si les savants deve-
naient esthéticiens, le mouvement inverse, dans une atmosphère très fortement marquée par le scientisme, n'était pas
moins réel : les peintres avaient le sentiment qu'un nouvel
âge de la science venait légitimer un nouvel âge de la
peinture. Sur le contenu de l'enseignement de Princet,
Metzinger est tout aussi précis. Écoutons-le encore :
« C'est en effet une sottise, me déclarait Maurice Princet
devant Juan Gris, que de prétendre réunir en un seul
système de relations la couleur, qui est une sensation, et la
forme qui est une organisation que vous n'avez qu'à
recevoir et que vous devez comprendre, et, nous initiant
aux géométries non euclidiennes, il nous pressait de créer
une géométrie des peintres. Nous ne pouvions le faire dans
le même sens que lui. *Néanmoins, de la rue Lamarck à la
rue Ravignan, la prétention d'imiter une boule sur un plan
vertical ou de figurer par une droite horizontale le trou
circulaire d'un vase placé à la hauteur des yeux fut considérée comme les artifices d'une illusionnisme périmée. Le
cubisme était né*[78]. »

Les géométries à quatre dimensions eurent au moins un
effet décisif : légitimer aux yeux des peintres la critique de
la perspective traditionnelle comme « illusion périmée » et,
par suite, engendrer l'idée d'une réduction de l'espace
plastique à la bidimensionnalité. Le point est décisif. C'est
sans doute dans cette réduction que les géométries à quatre
dimensions et les géométries non euclidiennes pouvaient se

rejoindre dans l'esprit des peintres. Contrairement à une idée reçue, les géométries de Riemann et de Lobatchevski n'étaient pas tout à fait inaccessibles au non-spécialiste qui en lisait la présentation faite par Poincaré dans *la Science et l'hypothèse*. Sans entrer dans le détail de cette exposition, on peut saisir brièvement en quoi ces géométries renforçaient l'idée d'un nécessaire dépassement de la perspective.

Jusqu'au début du xixe siècle, le *postulat* d'Euclide selon lequel « par un point hors d'une droite ne passe qu'une parallèle à cette droite » faisait figure non de principe premier, mais en vérité de théorème mal démontré. Le nombre de mathématiciens qui tentèrent d'en produire une démonstration directe afin de réparer cette lacune était incalculable jusqu'à ce que Lobatchevski eut l'idée de tenter une démonstration par l'absurde : il renversa tout simplement le fameux postulat et partit de l'hypothèse qu'on peut, par un point, mener plusieurs parallèles à une droite donnée. Et il obtint un système mathématique nouveau, *apparemment* irreprésentable, mais cohérent. A sa suite, Riemann reprit la même démarche, mais en partant cette fois-ci de l'hypothèse inverse que par un point extérieur à une droite on ne peut faire passer aucune parallèle à cette droite.

Les géométries de Lobatchevski et de Riemann déduisent de ces prémisses une série de théorèmes qui semblent en contradiction parfaite avec ceux de la géométrie euclidienne. Pour évoquer seulement les deux plus connus : dans la géométrie de Lobatchevski, la somme des angles d'un triangle est inférieure à 180°, tandis qu'elle est, chez Riemann, supérieure à 180°. S'agissait-il, dès lors que ces deux systèmes étaient cohérents d'un point de vue proprement mathématique, de la découverte d'un nouvel espace? Telle fut bien sûr la question que les artistes et les philosophes devaient inévitablement se poser. Et si la réponse était affirmative – comme tous ou presque le pensèrent (et comme certains le pensent encore aujourd'hui!) –, quelle représentation plastique fallait-il donner de ces nouveaux espaces où les angles du triangle ne font plus 180°, où les perpendiculaires à une même droite se croisent, etc.?

Je laisserai de côté la question de la signification réelle de ces géométries dans l'histoire des sciences. Il est malheureusement clair* qu'elles n'ont pas bouleversé notre perception de l'espace même si elles ont conduit à privilégier la cohérence interne des systèmes mathématiques sur le recours à l'intuition et aux « figures ». Je ne m'intéresserai ici qu'à la façon dont elles pouvaient être comprises par les artistes à travers un livre, celui de Poincaré, que tous connaissaient. Quelques exemples simples empruntés à la géométrie de Riemann suffiront à faire saisir l'essentiel. Selon Poincaré, cette géométrie pourrait en effet être présentée comme la géométrie qu'auraient des êtres « infiniment plats », vivant sur la surface d'une sphère et doués d'intelligence. Il est clair, tout d'abord, que de tels êtres « n'attribueront à l'espace que deux dimensions : ce qui jouera pour eux le rôle de la ligne droite, ce sera le plus court chemin d'un point à un autre sur la sphère, c'est-à-dire un arc de grand cercle[79] ».

Il suffit de comprendre cet exemple simple pour comprendre aussi que, chez Riemann, les perpendiculaires à une même droite se « croisent » et les angles d'un triangle comptent plus de 180°. Imaginons en effet, comme nous y invite Poincaré, que pour ces êtres infiniment plats vivant sur une sphère, la ligne droite soit un grand cercle comparable aux méridiens sur le globe terrestre et nous verrons que deux droites (deux méridiens (a) et (b)) perpendiculaires à une même droite (l'équateur (c)) se croisent au pôle Nord et au pôle Sud.

On admettra sans peine également que les angles γ, α, β, du triangle ABC soient supérieurs à 180° puisque α et β sont déjà, par définition, des angles droits.

---

* Cf. Annexe III.

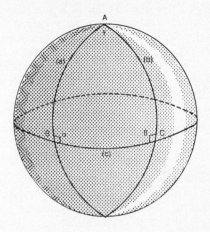

On pourrait sans difficulté donner ainsi à percevoir visuellement, en géométrie sphérique, les propriétés incompréhensibles au premier abord de ces théories qu'on a peut-être déclarées un peu hâtivement « non euclidiennes ». Mais peu importe, encore une fois, la vérité historique. Ce qui nous intéresse ici, c'est que les géométries à quatre dimensions et les géométries non euclidiennes – tout particulièrement celle de Riemann – pouvaient se rejoindre sur un point dans l'esprit des artistes : l'idée qu'il convenait d'en finir avec la perspective pour revenir *aux deux dimensions*. Car, par un paradoxe aisément compréhensible, l'effet des géométries à quatre dimensions fut bien, *sur le plan plastique,* la réduction du tableau à la bidimensionnalité au sein de laquelle seule la quatrième dimension pouvait être représentée *par projection*. L'art des illusions qu'est la perspective n'est en effet d'aucun secours pour représenter les hypercorps, *de sorte qu'une représentation plastique de la quatrième dimension ne pouvait s'opérer qu'en considérant les propriétés purement mathématiques de figures définitivement limitées à deux dimensions.* Or, pré-

sentée sous la forme que lui donnait le modèle de Poincaré,
la géométrie de Riemann pouvait suggérer l'idée d'un
espace courbe, lui aussi limité aux deux dimensions. Bref,
dans cet espace comme dans celui que décrivait Jouffret,
une chose au moins était certaine : c'est qu'il fallait en finir
avec la perspective et, qu'en ce sens, toutes ces géométries
pouvaient bien apparaître globalement comme « non euclidiennes ».

Le rôle de la science-fiction

Il faut ajouter que si la géométrie à quatre dimensions
renforçait, elle aussi, l'idée d'un espace plastique limité à
deux dimensions, elle introduisait également un élément
mystérieux, à mi-chemin entre l'esthétique et la science : le
« sentiment » d'un hyperespace peuplé d'hypercorps qui
engloberait secrètement le nôtre. Rien d'étonnant, dès lors,
à ce que la science-fiction se soit si bien emparée du thème
qu'elle devînt le principal médium de la vulgarisation des
géométries nouvelles dans les milieux de l'avant-garde des
années 1910. C'est en effet par la théosophie et la science-
fiction que les principales thèses de Charles Howard
Hinton sur la quatrième dimension gagnèrent la faveur du
public. Elles étaient accessibles en français dans des ouvrages tels que celui de Leadbeater, *l'Autre Côté de la mort,*
paru en 1910 aux Éditions théosophiques. On pouvait y
lire des propos finalement assez proches de ceux d'un
mathématicien sérieux comme Jouffret : « En réalité, disait
par exemple Leadbeater, dans notre monde physique nous
ne connaissons que trois dimensions. Ce n'est pas que
seules ces trois dimensions existent mais qu'elles seules
peuvent être comprises par le cerveau physique. En réalité
nous vivons dans un espace possédant une quantité de
dimensions. [...] Nous ne voyons que ce que nous sommes
capables de voir mais il y a beaucoup plus à voir. » Et,
dans le même sens, les textes théosophiques de Level[80] ou

de Noircame[81] suggéraient la possibilité d'accéder à un monde quadridimensionnel par le développement de certaines de nos facultés mentales.

Mais c'est sans nul doute[82] Gaston de Pawlowski qui devait avoir la plus grande influence sur les peintres modernes en vulgarisant, dans un essai populaire, *le Voyage au pays de la quatrième dimension,* les thèses de Hinton, Jouffret et Poincaré.

Ami de Jarry et d'Apollinaire, docteur en droit mais humoriste distingué en fait, Pawlowski avait entrepris une carrière de journaliste[83]. Passionné, comme les futuristes, par les « machines nouvelles », il fut l'éditeur du *Vélo* et d'*Automobilia* avant de devenir le directeur d'une des plus influentes revues d'art de l'époque, *Comoedia,* dans laquelle il publia entre 1910 et 1912 des bonnes feuilles de ce qui allait devenir *le Voyage.* Alliant le goût de la fiction pure aux découvertes scientifiques les plus récentes, Pawlowski entendait dans ce livre échapper, comme le faisaient les artistes nouveaux, aux « certitudes bourgeoises » en mobilisant les idées les plus contraires aux attitudes mentales les mieux établies[84]. Et c'est dans le sillage de Jarry et de son « Commentaire pour servir à la construction pratique de la machine à explorer le temps »*

---

* Qui parut en février 1899 dans le *Mercure de France,* en appendice à la publication de *la Machine à explorer le temps* de Wells. Signe de l'intérêt croissant de la fiction pour les nouvelles géométries, on pouvait y lire dès l'introduction : « Il n'est pas plus malaisé de concevoir une machine à explorer le temps qu'à explorer l'espace, soit que l'on considère le temps comme la quatrième dimension de l'espace, soit comme un lieu essentiellement différent par son contenu. [...] On définit usuellement le temps : le lieu des événements comme l'espace est le lieu des corps. Ou avec plus de simplicité : la succession, alors que l'espace – qu'il s'agisse de l'espace euclidien ou à trois dimensions, de l'espace à quatre dimensions, impliqué par l'intersection de plusieurs espaces à trois dimensions, des espaces de Riemann, où les sphères sont retournables, le cercle étant ligne géodésique sur la sphère de même rayon; des espaces de Lobatchevski, où le plan ne se retourne pas; ou de tout espace autre qu'euclidien reconnaissable à ce qu'on n'y peut, comme dans celui-ci, construire deux figures semblables – est la simultanéité. »

qui évoquait déjà la quatrième dimension et les géométries non euclidiennes que Pawlowski entreprit de décrire à sa manière le nouvel univers qu'on croyait alors pouvoir déceler « au-delà de celui que nous habitons ».

Le livre de Pawlowski, dès sa sortie en 1912, connut un grand succès. Il reprenait au fond un argument analogue à celui qui avait déjà servi de fil conducteur au roman de Abott, *Flatland* : de même que, dans ce dernier, un être à deux dimensions (un carré) découvrait contre toute attente l'existence d'une troisième dimension insoupçonnée jusqu'alors, c'est, dans *le Voyage,* de la découverte de la quatrième dimension qu'il s'agissait[85]. Pawlowski s'y plaisait à mettre en évidence des paradoxes tels que l'« angoissant problème » de l'escalier horizontal qui « après une succession indéniable de marches vous ramène à l'étage d'où l'on est parti » : « Ce sont des choses dont on sourit pour la première fois, en croyant à une erreur passagère; ce sont des problèmes qui deviennent effrayants lorsqu'on s'obstine à en chercher la solution suivant les principes primitifs de la géométrie euclidienne à trois dimensions. Et j'avoue pour ma part que j'éprouvai un réel soulagement le jour où je compris que si de pareils escaliers pouvaient exister, leur possibilité ne se concevait que dans un espace à quatre dimensions et que cela seul suffisait à donner une explication définitive du problème. Et bientôt, ce fut même avec un plaisir étrange que je parcourus quelques-unes de ces vieilles demeures, conçues jadis par la géométrie transcendantale, où les étages se confondait *(sic),* où le premier n'était pas nécessairement au-dessous du quatrième, ni le troisième au-dessus du rez-de-chaussée. »

C'est après la lecture[86] du *Voyage* de Pawlowski que Marcel Duchamp conçut le projet du *Grand Verre*, comme l'affirme sans équivoque un passage des entretiens accordés à Pierre Cabanne : « J'avais à ce moment-là, déclare

Duchamp, essayé de lire des choses de ce Povolowski* qui expliquait les mesures, les lignes droites, les courbes, etc. Cela travaillait dans ma tête quand je travaillais, bien que je n'aie presque pas mis de calculs dans *le Grand Verre. Simplement, j'ai pensé à l'idée d'une projection, d'une quatrième dimension invisible puisqu'on ne peut pas la voir avec les yeux.* Comme je trouvais qu'on pouvait faire l'ombre portée d'une chose à trois dimensions, un objet quelconque – comme la projection du soleil sur la terre fait deux dimensions –, par analogie simplement intellectuelle je considérai que la quatrième dimension pouvait projeter un objet à trois dimensions, *autrement dit que tout objet de trois dimensions, que nous voyons froidement, est une projection d'une chose à quatre dimensions que nous ne connaissons pas.* C'était un peu un sophisme, mais c'était une chose possible. C'est là-dessus que j'ai basé la *Mariée* dans *le Grand Verre,* comme étant une projection d'un objet à quatre dimensions[87]. »

On reconnaît sans peine ici – et presque mot pour mot – les thèses de Jouffret telles que pouvait les avoir vulgarisées Pawlowski; l'interprétation du *Grand Verre* pourrait se poursuivre à partir de ces considérations jusque dans le détail le plus insignifiant en apparence puisque, comme le disait déjà Duchamp dans une lettre de 1955 à André Breton : « La *Mariée* [...] est une projection [...] à quatre dimensions (et même dans le cas du verre plat à une re-projection de ces trois dimensions sur une surface à deux dimensions)**... » Si l'on ajoute enfin que le théoso-

---

* Duchamp confond ici Pawlowski avec un certain Povolowski qui tenait une galerie d'art de la rue Bonaparte dans les années vingt.

** Cf. les pages lumineuses que J. Clair consacre à cette lettre : « Toute la problématique du *Grand Verre* est, en effet, pourrait-on dire, un problème de point de vue, de perspective. Selon la position de l'observateur – position par rapport à un objet observé, mais aussi système de référence dont use cet observateur selon qu'il vit dans un monde à deux, ou à trois ou à *n* dimensions – la figure se transforme. Tout se ramène ainsi à un problème de projection : projection d'un objet tridimensionnel sur un plan, d'une entité quadridimensionnelle sur un volume, etc., ces projections étant phe Pierre Piotr Demianovich Ouspensky, dont le *Tertium Organum* publié en 1911, à Saint-Pétersbourg, devait passionner Malevitch, avait comme Jouffret puisé l'essentiel de ses réflexions sur la quatrième dimension dans les ouvrages de Hinton[90], on perçoit mieux l'importance de ce thème dans la naissance des avant-gardes au début de ce siècle.

La double dimension de la « quatrième dimension » : l'ultra-individualisme et l'hyperclassicisme

J'ai déjà dit combien, malgré certaines lacunes, l'interprétation des avant-gardes en termes d'individualisme devait être prise au sérieux. A bien des égards, la référence à la quatrième dimension pourrait s'inscrire dans les cadres d'une telle interprétation. Même chez le plus théoricien des peintres cubistes, Metzinger*, la découverte d'une *nouvelle*

elles-mêmes altérées selon l'angle sous lequel on les considère[88]. » Cette interprétation du *Grand Verre* n'a pas seulement le mérite de rendre intelligible une œuvre qui ne l'est guère au premier abord; elle est aussi, à ma connaissance, la seule qui soit conforme avec les déclarations de Duchamp lui-même et pleinement compatible avec les préoccupations qui furent celles de son temps, comme le confirment encore de nombreux passages, très explicites, de *A l'infinitif*[89].

* La façon dont Duchamp jugeait Metzinger est significative : « En 1911, deux groupes distincts de peintres donnaient forme à la nouvelle théorie du cubisme qui passait alors par une période d'incubation. Picasso et Braque d'un côté; Metzinger, Gleizes et Léger de l'autre. Metzinger était alors le théoricien le plus imaginatif du cubisme et doit être largement crédité de l'intérêt sans cesse croissant porté par le grand public à cette nouvelle forme d'expression. Par ses articles et par son livre, *Du cubisme*, rédigé en collaboration avec Gleizes, il parvint à donner un exposé substantiel des principales intentions des nouveaux peintres et aida à la clarification des résultats vraiment obscurs atteints jusque-là[91]. » Notons que cette opinion était déjà exprimée par A. Salmon dans un article du 30 sept. 1911 paru dans *Paris-Journal* : « Beaucoup plus intellectuel que Braque, Jean Metzinger rassemble les éléments confus, diffus, du cubisme. Il ébaucha, sinon une doctrine, du moins une théorie; de sorte que si,

dimension de l'espace devait être comprise comme une *rupture* émancipatrice à l'égard de *la tradition,* comme un progrès de l'expression personnelle de l'individu en révolte contre les normes admises par les « écoles ». Dans ses souvenirs, Metzinger raconte comment, très tôt, il devait « mesurer la différence qui séparait l'art antérieur à 1900 » et celui qu'il sentait naître : « Je savais que c'en était fini de tout enseignement. L'ère de l'expression personnelle s'ouvrait enfin. La valeur d'un artiste n'allait plus tenir au fini de son exécution, aux analogies que ses œuvres présentaient avec tels ou tels archétypes. Elle tiendrait – exclusivement – à ce qui distingue cet artiste de tous les autres. Le temps du maître enfin était révolu[92]... »

On ne saurait mieux dire combien les peintres nouveaux avaient le sentiment que l'essentiel résidait dans la capacité d'exprimer, hors de tout mot d'ordre, la fine pointe de l'individualité par laquelle il est possible de se *distinguer,* de parvenir à l'*originalité,* valeur entre toutes les valeurs dans une perspective individualiste. Que l'expression de l'originalité passât par une négation de la *tradition,* et singulièrement de la tradition « euclidienne », c'est ce que Metzinger ne manquait pas non plus de rappeler : « Que Juan Gris désarticulât les objets, que Picasso y substituât des formes de son invention, qu'un autre remplaçât la perspective conique par un système basé sur les rapports des perpendiculaires, cela prouve que le cubisme ne naissait pas d'un mot d'ordre et qu'il marquait seulement la volonté d'en finir avec un art qui n'aurait pas dû survivre à la condamnation prononcée par Pascal[93]. » L'allusion à Pascal dénonçant la vanité de la peinture « qui attire l'admiration par la ressemblance de choses dont on n'admire point les originaux », prend ici tout son sens : dans cette opinion critique, Pascal visait non la peinture en général, mais cette espèce particulière de peinture, le

vraiment, le cubisme vient de Picasso, Jean Metzinger, pourtant, est fondé à s'en dire le chef. »

trompe-l'œil[94], qui n'a d'autre objectif que l'imitation parfaite d'un objet quelconque. C'est donc très clairement dans l'art figuratif académique, disqualifié d'ailleurs par la photographie*, équivalent contemporain du trompe-l'œil, que Metzinger voit la tradition avec laquelle il s'agit de rompre. Dans un article intitulé de façon significative « Cubisme et tradition »[96], il va plus loin encore et perçoit que la tradition de l'histoire de l'art est déjà, avant même l'apparition du cubisme, « tradition du nouveau ». En véritable pionnier, il saisit l'essence de la logique individualiste à l'œuvre dans cette histoire. Parlant des peintres d'avant-garde, il écrit : « Parce qu'ils usent des formes les plus simples, les plus complètes, les plus logiques, on a fait d'eux les " cubistes ". Parce que de ces formes ils travaillent à dégager de nouveaux signes plastiques, on les accuse de faillir à la tradition. *Comment failliraient-ils à la tradition, suite ininterrompue d'innovations, ceux-là qui, en innovant, ne font que la continuer?* »

La peinture d'avant-garde a été souvent décrite, y compris par ses avocats les plus passionnés, comme « une vaste entreprise de démolition, qui commence par se débarrasser des cardinaux, des nénuphars et des dames nues de la peinture académique[97] », comme une « destruction d'un espace plastique »**, qui rompt avec une tradition, celle des traités de perspective, bien établie depuis l'école du *quattrocento*. Encore faut-il préciser que la perspective fut dénoncée comme « répressive » et que sa « démolition » fut celle d'une « prison » d'où l'individualité révoltée put enfin s'échapper : « On rencontre, écrit en ce sens Paulhan, à chaque page des traités de perspective, ces prisons modèles peuplées de cubes dont les uns se présentent de face, les autres de front, de trois quarts, de deux tiers et le reste. Cela fait les plus tristes ménageries

---

* « L'excuse d'être documentaire devenait ridicule chez les peintres : photographes et cinéastes les dépassaient de loin[95]. »
** Telle est au fond la thèse de Francastel[98].

qu'on puisse imaginer. [...] Ce petit travail s'appelle la mise au carreau. C'est un mot qui évoque des tortures, et l'on ne saurait mieux dire : il s'agit bien de martyriser les lignes, couleurs, surfaces planes jusqu'à ce qu'elles donnent l'illusion de la profondeur, on ne sait quel équivalent mesquin de l'infini[99]. »

Dans cette analyse où s'expriment les exigences et les aspirations de l'individualisme révolutionnaire, on comprend aisément ce que put signifier la référence aux géométries nouvelles : globalement, en tant que « *non euclidiennes* »*, elles symbolisaient la rupture avec un passé millénaire ; en second lieu, dans la mesure où l'espace euclidien, tridimensionnel, faisait dès lors figure de simple « convention »[100] – à tous les sens du terme : à la fois *postulat* mathématique, mais aussi *habitude* reçue et admise passivement –, l'art qui se proposait d'en finir avec la perspective traditionnelle pouvait se concevoir tout aussi bien comme un défi lancé aux certitudes que Pawlowski, nous l'avons vu, n'hésitait pas à qualifier de « bourgeoises ». Enfin, c'est aussi au relativisme et à l'historicisme – ces expressions achevées de l'individualisme culminant – que cette référence introduisait : les mathématiques nouvelles ne montraient-elles pas à l'évidence que ce qui avait pu être tenu pour la plus indubitable vérité pendant des millénaires (la tridimensionnalité), n'était en réalité qu'une illusion, voire une erreur liée à une phase « attardée » du développement scientifique et culturel de l'humanité ? Bref, comme le déclaraient posément Gleizes et Metzinger en conclusion du *Cubisme* : « En résumé, le cubisme que l'on accusa d'être un système condamne tous les systèmes. [...] Aux libertés partielles conquises par Courbet, Manet, Cézanne et les impressionnistes, le cubisme substitue une liberté infinie. Désormais, la connaissance objective tenue enfin pour chimérique, et prouvé que tout ce que la foule

---

* Ce qualificatif s'applique aussi, en un sens large, aux géométries à quatre dimensions.

entend par forme naturelle est convention [grâce aux
découvertes opérées par les nouvelles géométries, L.F.], le
peintre n'aura d'autres lois que celles qui régissent les
formes colorées. [...] Il n'est qu'une vérité, la *nôtre,* lorsque
nous l'imposons à tous[101]. »

Cette subjectivisation de la vérité, cette conception de
l'art comme expression d'une individualité distincte et
originale, devait produire aussi ses conséquences narcissiques. J'ai suggéré comment l'individualisme révolutionnaire renfermait le risque permanent de sa propre dérive
vers l'individualisme narcissique. Et l'on pourrait sans
grande difficulté composer un livre avec les seules citations
d'artistes exprimant à l'état brut, en toute impudeur, ce
que l'idéologie de la « tradition du nouveau » peut receler
d'égotisme forcené : la série est ininterrompue qui va de
Duchamp, commençant une conférence américaine modestement intitulée « A propos of Myself » par ce touchant
commentaire de diapositive : « Blainville est un village de
Normandie où je suis né et ce tableau a été exécuté
en 1902 alors que je n'avais que quinze ans[102] », à Boulez
qui ne redoute pas de publier, en guise d'avant-propos à
Penser la musique aujourd'hui, un « auto-entretien » non
moins modestement intitulé : « De Moi à Moi ».

Cette dimension « ultra-individualiste » ne saurait être
sous-estimée et je comprends qu'on ait pu penser qu'en elle
résidait le fond « moderniste » des avant-gardes. Pourtant,
si nous considérons dans toute sa portée la référence aux
géométries nouvelles, nous ne pouvons manquer d'être
frappés par une autre dimension : celle, « objectiviste »,
que j'ai désignée sous le terme de *classicisme.*

Dans son article de 1917 consacré à « La peinture
d'avant-garde[103] » – et dont l'essentiel réside dans une
explicitation détaillée du sens que revêt aux yeux des
peintres modernes la quatrième dimension –, Gino Severini, l'un des principaux maîtres à penser du futurisme
italien et grand ami des cubistes, avait déjà dénoncé les
dangers d'une dérive individualiste de la tradition du

nouveau : « On confond souvent aujourd'hui, écrivait-il, l'originalité avec la singularité et on a l'illusion qu'une originalité plus ou moins apparente puisse constituer à elle seule la valeur d'une œuvre d'art. J'entends faire une brève allusion à cette tendance *ultra-individualiste* qui, singulièrement en retard, surgit aujourd'hui sur les ruines de nos réactions violentes d'il y a sept ou huit ans. » Persuadé que les révoltes de l'individu contre les traditions ne doivent pas conduire au culte narcissique de l'originalité pour l'originalité, le véritable artiste d'avant-garde est celui qui sait aussi mobiliser les ressources de l'objectivité scientifique : « Si j'aime chercher souvent un appui sur les vérités des sciences, c'est que je vois là un excellent moyen de *contrôler,* et d'ailleurs aucun de nous ne saurait négliger les notions que la science met à notre portée pour intensifier notre sens du réel[104]. » De là une interprétation classiciste ou « réaliste » des avant-gardes qui se sont inspirées des géométries nouvelles.

Severini y insiste : la référence à la quatrième dimension n'a pas essentiellement une signification « individualiste ». Il ne s'agit pas, en suivant les découvertes scientifiques, de rechercher à tout prix une originalité en rupture avec la tradition euclidienne; s'il faut dépasser cet art des apparences qu'est la perspective, c'est surtout pour parvenir à un « *réalisme nouveau* », un réalisme que Severini nomme, par allusion à Platon, « idéiste », puisque, selon le célèbre mot de Picasso, il s'agit de peindre les objets *tels qu'on les pense, non tels qu'on les voit :* « Tous les efforts des peintres d'avant-garde tendent vers l'expression de ce réalisme nouveau. [...] La hantise de pénétrer, de conquérir avec tous les moyens le sens du réel, de s'identifier avec la vie, par toutes les fibres de notre corps, est à la base de nos recherches et de l'esthétique de tous les temps. Il faut voir en ces causes générales les origines de nos constructions géométriques exactes[105]... »

C'est en ce point de l'argumentation de Severini que la référence à Poincaré devient centrale : s'il faut dépasser

Euclide, ce n'est pas uniquement parce que la tridimensionnalité serait une convention bourgeoise bornant l'imagination (ce qu'elle est *aussi*), mais surtout parce que « les
formes qui constituent notre reconstruction de l'objet ne
prennent pas leur vie dans l'imagination ou dans la culture
mais dans l'objet lui-même[106] » et que les nouvelles
géométries permettent de le cerner plus exactement. *A vrai
dire, l'aspect révolutionnaire (« subjectif ») et l'aspect
« réaliste » (« objectif») de l'avant-garde se rejoignent dans
un même combat contre le naturalisme traditionnel dénoncé
tout à la fois comme oppressif (au regard d'une exigence
nouvelle de liberté) et illusoire (au regard d'une exigence
nouvelle de vérité et d'objectivité) :* « L'espace ordinaire de
celui-ci [du géomètre « euclidien » traditionnel] se base en
général sur la convention inamovible des trois dimensions;
les peintres dont l'inspiration est illimitée ont toujours
trouvé trop étroite cette convention. C'est-à-dire qu'aux
trois dimensions ordinaires ils tâchent d'ajouter une quatrième dimension. [...] On a essayé souvent de nuire au
cubisme en appliquant l'épithète de " mathématiciens " à
des peintres comme Braque, Picasso, Gris et Metzinger
dont les premières analyses plastiques, malgré tout, constituent un sérieux apport à l'art pictural. Le fait que ces
recherches ont une correspondance dans certaines vérités
géométriques et mathématiques comme je le ferai constater
tout à l'heure, ne constitue, aux yeux de toute personne
impartiale, qu'une raison d'intérêt et de confiance[107]. »

L'analogie entre le mouvement de l'histoire de l'art et
celui de l'histoire de la science n'est pas une simple
coïncidence, puisque, comme le confesse Severini, « les
premières recherches cubistes et futuristes relèvent, relativement bien entendu, et par intuition [n'oublions pas qu'il
faut réfuter toujours l'accusation de « géométrisme », L.F.]
des hypothèses exposées par Poincaré sur la quatrième
dimension et les géométries non euclidiennes[108] ». En
soulignant que l'abandon de la perspective ne vise pas
seulement à libérer l'expression pure d'une personnalité

que viendraient entraver les conventions, en déclarant que l'art d'avant-garde doit viser une figuration plus profonde que celle de la perspective traditionnelle, Severini rejoint l'enseignement qui fut celui de Princet : *il faut dépasser les apparences (la tridimensionnalité et cette perspective qui suppose un observateur fixe) pour atteindre la vraie réalité, celle qui, à l'instar de la quatrième dimension ou des idées platoniciennes, n'est pas visible mais seulement accessible à l'intelligence.* Comme le déclarait Princet à ses amis, en des termes qu'on retrouve dans les principaux écrits des peintres cubistes : « Vous représentez à l'aide d'un trapèze une table, telle que vous la voyez *déformée par la perspective.* Mais qu'arriverait-il s'il vous prenait la fantaisie d'exprimer la table *type*? Il vous faudrait la redresser sur le plan de la toile et, du trapèze, revenir au rectangle *véridique.* Si cette table est recouverte d'objets également *déformés* par la perspective, le même mouvement de redressement devra s'opérer pour chacun d'eux [109]. » Bref, c'est ici la perspective visible qui devient l'apparence « déformée » et la bidimensionnalité (dont on a dit comment elle était la conséquence plastique de la quatrième dimension), le réel, c'est-à-dire *l'intelligible.* Après Princet, écoutons Severini qui définit en toute précision ce nouveau « réalisme idéiste » : « Jusqu'ici la perspective italienne a été notre base, mais nous savons désormais qu'elle ne permet pas au peintre d'exprimer intégralement l'espace visuel. [...] Notre but enivrant de pénétrer et donner la réalité nous a appris à déplacer ce point de vue unique, parce que nous sommes au centre du réel, et non en face, à regarder avec nos deux yeux mobiles et à considérer parallèlement les déformations horizontales et verticales. Ces moyens nous permettent d'exprimer un *hyperespace,* c'est-à-dire un espace aussi complet que possible [110]. »

Étrange renversement, mais qui a caractérisé au plus haut point la révolution cubiste, et que l'on retrouve invariablement dans les écrits de cette période : contrairement à ce que pensait un naturalisme naïf, ce n'est pas la

perspective euclidienne qui est *vraie,* mais bien cette quatrième dimension et cet espace courbe, non euclidien, où
les figures se déforment en se déplaçant. A en croire
Gleizes, si « les géomètres du XIXᵉ siècle (Riemann et
Lobatchevski) ont eu raison de répudier le caractère
devenu intellectuellement absolu des postulats d'Euclide... », c'est parce que « Euclide est pratique, mais il
n'est pas « VRAI »; une science de la connaissance ne peut
pas être espérée sortie de lui *(sic)* [111] »; ou encore, comme
y insiste Metzinger contre ceux qui dénoncent le côté
apparemment non figuratif de la peinture nouvelle : depuis
l'école du *quattrocento,* depuis l'apparition des traités de
perspectives, ce sont les peintres académiques qui se trouvent dans *l'erreur :* « Exagérant les reliefs et les profondeurs, les peintres s'évertuaient à créer un espace théâtral,
absurde, où les bords du chemin se touchant en un point
empêchent de passer, où l'ouverture circulaire d'un vase
devient une simple droite, *où toutes les imperfections de
notre mécanique visuelle se trouvent consacrées,* et cela dans
le dessein puéril d'apporter une dimension supplémentaire
à ce qui, depuis le chaos, n'en compte que deux [112]. » Texte
remarquable où se rejoignent le souci d'un nouveau réalisme, plus profond que celui de toutes les formes passées
et dépassées de l'art figuratif*, et le retour à la bidimen-

---

* Sur la perspective comme « mensonge », comme art de la déformation et de l'apparence, cf. J. Paulhan : « On sait aussi que la vision brute
nous ferait voir (à la façon d'une photo) les objets proches bien plus gros,
mais les lointains bien plus petits que ne les montre une vision utilitaire, à
tout instant rectifiée par notre esprit. Bref, s'il est une vérité de la vue, la
perspective ne semble guère avoir d'autre propos, par ses conventions et ses
idées toutes faites, que de nous masquer cette vérité. J'ai dit – avec tous les
perspectivistes – qu'elle prenait contre les choses, le parti de leur apparence.
Mais c'est peu dire. Elle prend encore contre leur apparence immédiate et
sensible le parti de leur apparence abstraite et froide, et traite tous les objets
comme s'ils ne nous intéressaient pas [113]. » Conclusion : il faut donc, avec
les peintres cubistes, s'attaquer « au mensonge même du trompe-l'œil : à
l'espace convention dont il use, à la prison de verre en laquelle il tâche
astucieusement de nous enfermer – à ce qu'il y a en lui de faux par
essence [114] ».

sionnalité qu'implique l'interprétation plastique des nouvelles géométries.

On comprend maintenant en quoi ce nouveau classicisme vient contrebalancer, au moins dans les premières avant-gardes, celles du tout début de ce siècle, une indéniable tendance à l' « ultra-individualisme ». Car, selon ce réalisme des idées, la rupture avec la tradition ne vise pas seulement à libérer l'individu, à conquérir le nouveau pour le nouveau. Si le classicisme du XVIIᵉ siècle était lui aussi un « réalisme des idées », s'il prétendait également exprimer l'essence des choses, il s'agit pour les peintres contemporains d'en accomplir le projet en le conduisant pour ainsi dire au-delà de lui-même. Ce que démontrent à leurs yeux les géométries non euclidiennes (au sens large, incluant les géométries à quatre dimensions) c'est qu'au fond ce que les classiques ont tenu pour l'essence du réel et qu'ils ont tenté de rendre par la perspective n'est encore qu'une apparence. En d'autres termes : si l'on peut affirmer qu'à leurs yeux l'*espace* euclidien n'est qu'une illusion qui doit être dépassée au profit de la vérité d'un *hyperespace,* on pourra également dire, par analogie, que le *classicisme* doit être relayé à son tour par un *hyperclassicisme*.

Cette terminologie n'est pas forcée. Si l'on prolonge la pensée de Metzinger, elle aurait pu convenir aux plus éminents représentants du cubisme : « Le cubisme, dont l'influence s'étend jusqu'à ses pires adversaires, n'a pas cessé, depuis 1912, fidèle à soi, de se rapprocher du réel par de profonds chemins. Si le mot *surréalisme* n'avait pas été pris pour désigner un mouvement différent " je crois ", me disait récemment Picasso, "qu'il définirait ma peinture ". [...] Le cubisme, en effet, outrepasse la chose extérieure pour l'envelopper et la mieux saisir. Regarder le modèle ne suffit plus, il faut que le peintre pense. Il le transporte dans un espace à la fois spirituel et plastique à propos duquel ce n'est pas tout à fait une légèreté que de parler d'une quatrième dimension[115]... » Comme eût dit Boileau : « Le vrai seul est beau, le vrai seul est aimable, il

doit régner partout et même dans la fable », à ceci près que
le vrai, au début du xxᵉ siècle, a cessé de se confondre avec
cette *harmonie* en laquelle les classiques voyaient ou
croyaient voir l'essence, la « nature » du réel.

Tels les plus purs théoriciens du classicisme*, les peintres d'avant-garde qu'évoque Severini reprendront volontiers à leur compte l'idée que la capacité de l'œuvre à valoir
universellement, et non simplement pour tel ou tel individu
particulier, passe par son objectivité scientifique, par une
exclusion de l'imaginaire (du génie) au profit de l'intelligence : « L'œuvre d'art plastique ne sera autonome et
universelle qu'en gardant ses attaches profondes dans la
réalité; elle sera une réalité en elle-même, plus vivante, plus
intense et plus vraie que les objets réels [puisqu'elle en
exprime, comme chez les classiques encore, l'*essence,* L.F.]
qu'elle représente, qu'elle reconstruit, *pourvu que les éléments qui la composent n'appartiennent ni à l'arbitraire, ni
au caprice, ni à l'imagination, ni au bon goût décoratif* », car
« notre art, concluait-il, ne veut pas représenter une *fiction*
de la réalité, mais veut exprimer cette réalité telle qu'elle
est [116]. »

L'interprétation du modernisme proposée par Bell, malgré sa pertinence dans l'analyse de la *forme* avant-garde, se
trouve démunie pour rendre compte de ces nouvelles
contraintes et de ces nouvelles *règles* que les avant-gardes
s'imposent au niveau du contenu. On dira peut-être que
cette remarque vaut surtout du cubisme. Mais quand
même on admettrait cette limitation – qui reste à démontrer : la composante « scientifique » de l'art abstrait ou du
surréalisme, pour être plus souple, n'en est pas moins très
réelle – on ne saurait nier que le cubisme incarne à bien des
égards le type idéal du mouvement d'avant-garde. On
objectera encore, avec plus de pertinence cette fois, qu'il y
a quelque paradoxe à prétendre déceler une composante
« classique », voire « hyperclassique », dans des formes

* Cf. *supra,* chapitre II.

d'art que tout oppose, semble-t-il, au classicisme du xviie siècle : en ce dernier*, le but assigné à l'art était de représenter une essence de la nature qu'avec Descartes on tenait pour *rationnellement* et *harmonieusement* réglée. Aux yeux des classiques, « imiter la nature », c'était imiter ce qu'il pouvait y avoir en elle d'identique, d'éternel et de stable au-delà de la diversité apparente de ses manifestations sensibles : lorsque Molière prétend « peindre d'après nature » et faire de ses comédies des « miroirs publics », c'est parce qu'il entend dévoiler l'*essence* de l'homme à travers la mise en scène de caractères idéaux – l'avare, le misanthrope, etc. –, unifiant la diversité particulière des individus. D'où cette définition de la beauté qu'on retrouve dans les traités du Beau, de Leibniz à Crousaz : « L'unité dans la pluralité n'est rien d'autre que l'harmonie et c'est du fait que telle chose s'accorde avec telle chose plutôt qu'avec telle autre que découle la beauté qui éveille l'amour [117]. » Or, l'art d'avant-garde n'est-il pas tout le contraire de ce classicisme qui vise l'identité et l'harmonie? Ne cherche-t-il pas « la distorsion, l'écartèlement, la différence et l'extériorité à toute forme » plutôt que « la règle, la synthèse, la belle totalité, la chose perdue ou rendue, l'accomplissement d'éros unificateur [118] »?

Dans la première lettre qu'il adresse à celui qui allait devenir son ami mais qu'il nomme encore avec déférence le « Professeur Schönberg », Kandinsky y insiste avec la dernière énergie : « Je crois justement, dit-il, qu'on ne peut trouver notre harmonie aujourd'hui par des voies " géométriques ", mais au contraire par l'anti-géométrique, l'anti-logique le plus absolu. Cette voie est celle des " dissonances dans l'art " – en peinture comme en musique [119]. » Pour approximatif qu'il soit peut-être [120], le parallèle qu'établit Kandinsky entre « dissonances » picturale et musicale est si significatif qu'il sera repris par les théoriciens les plus

* Cf. le chapitre suivant.

autorisés[*] : « La peinture moderne, écrit en ce sens Adorno, s'est détournée du figuratif, ce qui en elle marque la même rupture que l'atonalité en musique. [...] Ce qui était valable avant la rupture, à savoir la *constitution d'une cohérence* musicale au moyen de la tonalité, est irrémédiablement perdu[122]. » Dissonance, atonalité, illogisme, rupture, différence : tels sont bien les maîtres mots qu'affectionnent dans leurs écrits théoriques les peintres et les musiciens des premières avant-gardes. Ce qui est nouveau dans la réalité qu'entend représenter le cubisme, c'est, dit encore Gleizes, ce qu'elle a de choquant aux regards d'une image traditionnelle, « logique, classique et euclidienne » du monde[123]. Et Metzinger d'ajouter que les peintres modernes « conscients du miracle qui s'accomplit quand la surface de la toile suscite l'espace, dès que la ligne menace de prendre une importance descriptive, décorative, ils la *brisent*[124] ». Si nous poursuivions ce parallèle entre peinture et musique nouvelles, nous verrions comment cette dernière vise à en finir avec tous les repères et tous les facteurs d'identité que constitue le système tonal pour ouvrir la voie à une musique de la *différence pure* qui exclut en son principe le plus radical tout « pôle d'attraction », suscitant ainsi chez l'auditeur le sentiment d'une musique « non identifiable », presque impossible à reproduire mentalement comme on chantonne les « mélodies » du répertoire « classique ». René Leibowitz qui, par son enseignement, devait introduire en France auprès d'un petit groupe de jeunes compositeurs – Boulez, Philippot, Martinet, Rigg... – les principes du dodécaphonisme schönberguien, le souligne avec une certaine véhémence dans son *Introduction à la musique de douze sons* : « Consciemment ou par mauvaise foi, la plupart des musiciens actuels restent les esclaves de ce que j'appellerais

---

[*] Par Boulez notamment dans un article intitulé de façon significative « Parallèles » : « L'émancipation de la tonalité, je la mettrais volontiers en parallèle avec l'émancipation de l'objet ou du sujet[121]... »

un certain *psychologisme musical. Sans parler de ceux qui se complaisent dans un hédonisme souvent odieux,* il est un fait que ce qui empêche certains compositeurs dits " avancés " d'accomplir le pas décisif vers le langage musical nouveau, c'est leur peur atavique, dirais-je, d'écrire " ce qui n'est pas beau " [125]. »

C'est donc avec toutes les représentations « classiques » de l'idée du beau, entendu comme *harmonieuse* synthèse d'une multiplicité de sons, qu'il s'agit de rompre. « A la limite, ajoute Leibowitz, il suffit d'entendre la musique ou de lire les travaux théoriques de Schönberg pour s'apercevoir que de telles considérations n'ont plus droit de cité dans l'art musical. Le *Traité d'harmonie* [l'ouvrage majeur de Schönberg] est farci de passages où l'auteur se révolte contre la tendance de qualifier telle agrégation de " belle ", telle autre de " laide ", appréciations qui ressortent [*sic*] d'un " psychologisme " faux et confus [126]. »

L'idée même de beauté est dépourvue de sens. Elle ne saurait donc fournir un quelconque principe d'orientation à l'artiste, pas plus d'ailleurs que celle, « odieuse », de plaisir esthétique. Ainsi la tonalité, avec la réconciliation, le dépassement (l'*Aufhebung*) des dissonances qu'elle permet toujours, *pense encore la différence sur fond d'identité,* et c'est avec une certaine perspicacité que Leibowitz note combien « l'attitude de Schönberg participe au mouvement radical de la pensée contemporaine et s'apparente à la phénoménologie husserlienne [127] ».

De leur côté, les phénoménologues ne s'y tromperont pas non plus et verront, eux aussi, dans l'« art moderne » une tentative de dépasser les visions classiques du beau, de l'harmonieuse synthèse, en vue de présenter négativement l'imprésentable, qu'on le désigne comme « Invisible » (Merleau-Ponty) ou comme « Différence » (Heidegger) : « J'appellerai moderne, écrit en ce sens J.-F. Lyotard, l'art qui consacre son petit technique, comme disait Diderot, à présenter qu'il y a de l'imprésentable. Faire voir qu'il y a quelque chose que l'on peut concevoir et que l'on ne peut pas voir ni faire voir : voilà l'enjeu de la peinture moderne[128]. » Les « avant-gardes picturales » visent ainsi « à faire allusion à l'imprésentable, par des présentations visibles[129] ». Encore une fois : l'avant-garde, n'est-elle pas dans cette mesure l'exact opposé du classicisme?

J'accepte l'objection tout entière et si, comme je l'ai dit, l'expression n'était aussi floue, je ferais volontiers mienne la définition que Lyotard donne ici de l'« art moderne » : la quatrième dimension n'est-elle pas d'ailleurs par excellence le symbole de cet invisible dont on tente, *négativement,* de présenter l'idée par des projections en deux dimensions? N'est-elle pas l'analogue de ces faces cachées du cube dont les phénoménologues font, eux aussi, la métaphore de l'Être ou de la Différence?

Et cependant, *comment ne pas voir que l'essentiel du classicisme demeure, que subsiste le projet de « rendre un réel », d'y donner accès, fût-ce par des voies indirectes?* Bien plus – et telle est la raison pour laquelle je parlais d'hyperclassicisme – les avant-gardes ne prétendent-elles pas, avec le nouveau réalisme qu'elles mobilisent, *être plus réalistes que ne le furent les classiques, donc, en un sens, plus classiques encore qu'ils ne le furent eux-mêmes?* Commentant le célèbre carré noir de Malevitch, Andrei Nakov note dans son introduction aux *Écrits* du peintre, que la « notion de plan libre constitue une des pierres angulaires de sa conception d'une nouvelle logique ». Or celle-ci, ajoute-t-il, est incompréhensible si l'on ne la rapporte à la quatrième dimension : « La relation purement conceptuelle de *notre* logique à une autre – supérieure – est illustrée symboliquement par le choix de projections bidimensionnelles d'une réalité dont nous ne percevons que partiellement l'existence. Ces *surfaces* représentent uniquement " la façade " d'un objet à quatre dimensions comme une figure bidimensionnelle représente la seule projection dans une autre dimension d'un corps géométrique tridimensionnel[130]. » N'est-ce pas là une façon concrète d'illustrer ce que je nomme ici un hyperclassicisme, c'est-à-dire un classicisme de la différence et non plus de l'identité, ou, pour parler avec Lyotard, un classicisme qui vise à « présenter qu'il y a de l'imprésentable »? Comme chez les classiques, l'art d'avant-garde ne reste-t-il pas porté par le projet d'imiter un réel qui, entretemps, a cessé de se définir comme *ordre*, mais qui pour autant continue d'être « l'objectif » de l'artiste?

N'oublions pas, en effet, que ce qui motive au premier chef l'abandon de l'espace euclidien au profit de celui que suggèrent les géométries nouvelles, réside dans l'idée que cet espace, selon la formule de Gleizes, « n'est pas vrai » mais seulement « confortable ». Comme le dit Paulhan : « J'en vois bien l'avantage [de cet espace traditionnel] : c'est qu'il nous fait vivre dans un monde simple, où les événements se passent en bon ordre. [...] Il n'y a qu'un malheur, c'est qu'il n'est pas *ressemblant*. C'est qu'il ne ressemble pas le moins du monde je ne dis même pas à mon espace nocturne, mais à notre espace de tous les jours, *avec toutes ses différences et son chaos*[131]. »

Il nous faut donc distinguer, au sein des premières avant-gardes, entre deux moments divergents, pour ne pas dire contradictoires : d'un côté la volonté – élitiste, historiciste, et « ultra-individualiste » – de rompre avec la tradition pour créer du nouveau radical; mais de l'autre, le projet non moins remarquable de mener l'esthétique classique à son terme, de la conduire à ses limites au nom d'un réalisme nouveau qui, pour être tourné vers l'expression de ce que le réel – intérieur ou extérieur peu importe au fond – peut avoir de chaotique et de « différent », n'en reste pas moins rivé à l'intelligence plus qu'à l'imaginaire et, dans cette mesure, accepte de nouvelles contraintes et de nouvelles règles.

C'est cette dualité qui m'a conduit à juger trop étroits les cadres de l'interprétation en termes d'individualisme. C'est elle pourtant qu'il s'agit de comprendre si nous voulons entrevoir la nature de ce phénomène spécifiquement contemporain que constituent les avant-gardes. Un texte d'Apollinaire suggère une hypothèse : « L'art grec, dit-il, avait de la beauté une conception purement humaine. Il prenait l'homme comme mesure de la perfection. L'art des peintres nouveaux prend l'univers infini comme idéal et c'est à cet idéal que l'on doit une nouvelle mesure de la perfection qui permet à l'artiste peintre de donner à l'objet les proportions conformes au degré de plasticité où il souhaite l'amener. Nietzsche avait deviné la possibilité d'un tel art [...] il fait, par la bouche de Dionysos, le procès de l'art grec[132]. » L'art grec que Nietzsche critique au nom du dionysiaque est l'art de la conscience, de l'identité, de l'ordre, du visible, et le dionysiaque symbolise le chaos, la brisure, la différence et l'ivresse. Rappelons-nous comment, dans l'un des plus célèbres paragraphes du *Gai Savoir,* Nietzsche définissait le « nouvel infini » auquel, peut-être, Apollinaire fait ici allusion : « L'esprit de l'homme [...] ne peut s'empêcher de se voir selon sa propre perspective et ne peut voir que selon elle. Nous ne pouvons voir qu'avec nos yeux. [...] J'espère cependant que nous sommes aujourd'hui loin de la ridicule prétention de décréter que notre petit coin est le seul d'où l'on ait le droit d'avoir une perspective. Tout au contraire le monde, pour nous, est redevenu infini en ce sens que nous ne pouvons pas lui refuser la possibilité *de prêter à une infinité d'interprétations.* Nous sommes repris du grand frisson[133]. »

Le sens de la découverte nietzschéenne est clair : il s'agit de libérer la pensée des illusions inhérentes au point de vue unique, à l'idée qu'il existerait une *vérité absolue.* Ce « moment » de la pensée nietzschéenne thématise la possibilité de ce que j'ai ici désigné comme l'« ultra-individualisme » des avant-gardes, c'est-à-dire leur liberté absolue à l'égard des normes, à l'égard des définitions habituelles, traditionnelles de la vérité. Telle est bien la signification du « nouvel infini » : le perspectivisme, la multiplicité infinie des points de vue ne sauraient, comme dans la définition leibnizienne de la beauté harmonieuse, être réduits à l'identité d'un point de vue unique.

Le perspectivisme marque donc la fin de la perspective classique. Mais pour autant, on ne saurait abandonner le projet d'atteindre le réel : que ce réel soit vie, multiplicité radicale des forces et des points de vue; qu'il soit en tant que tel irréductible à l'unité est une chose; qu'il faille renoncer à le saisir en est une autre et Nietzsche, en une formule qui annonce le cubisme, nous exhorte à voir le monde « avec le plus grand nombre d'yeux possible ».

Par le rapprochement qu'il opère entre les avant-gardes et la philosophie de Nietzsche, Apollinaire nous suggère que le projet des « peintres nouveaux » est indissociable d'une certaine conception de la subjectivité de l'homme. Ce que Nietzsche formule dans la philosophie et que les artistes inventent ou réinventent *de façon spontanée,* c'est l'idée que le sujet n'est plus réductible à la conscience, qu'il est un sujet brisé et que c'en est fini de l'ère des « *cogito* », des « je pense » clos sur eux-mêmes, sous le primat de la conscience. Schönberg l'écrira à Kandinsky : « Toute recherche tendant à produire un effet traditionnel est plus ou moins marquée par l'intervention de la conscience. Mais l'art appartient à l'inconscient [134]. » C'est cette pensée de l'inconscient que, le premier peut-être, Nietzsche formule dans sa critique des philosophies du *Cogito.* C'est elle qui introduit dans l'histoire de la subjectivité (ou de l'individualisme, si l'on veut conserver ce terme) une rupture comparable à celle que représentent l'atonalité ou le rejet de la perspective euclidienne. C'est elle encore qu'il fallait mettre en parallèle avec l'émergence, symbolisée par la quatrième dimension, d'une nouvelle représentation du réel comme réel lui aussi brisé et chaotique.

L'enjeu, aujourd'hui encore, est d'importance car chacun des deux versants fondamentaux de l'esthétique moderne comporte un danger évident : d'un côté, l'ultra-individualisme risque de sombrer dans une contradiction dialectique où il s'épuise dans la répétition vide du geste de la rupture et de la création du nouveau. Littéralement obnubilé par une conscience historiciste, par l'impératif de l'originalité au regard d'une histoire de l'art, l'artiste cesse d'être un « génie », un créateur inconscient et libre. Confronté à l'exigence d'originalité, il doit intégrer dans son œuvre une réflexion sur la tradition qui risque de le conduire à privilégier la conscience sur l'inconscient, la maîtrise sur la liberté géniale; son œuvre devient une méta-œuvre, sa réflexion esthétique une métaréflexion : puisque l'imitation ou la répétition tendent à devenir la faute de goût par excellence, la seule à vrai dire qui fasse l'unanimité, l'artiste, qui se croyait enfin libéré des contraintes et des règles, se voit soumis à la contrainte des contraintes, celle que lui impose sa propre conscience historique. Le postmodernisme tente timidement aujourd'hui d'abolir cette nouvelle prison – ce en quoi il n'est nullement un retour de l'historicité*, mais tout au contraire la tentative naïve de s'en affranchir en proclamant le droit à renouer avec le passé. Je doute fort qu'il soit une « solution » : tout au plus constitue-t-il un symptôme de l'impasse où conduit l'ultra-individualisme.

D'un autre côté, l'hyperclassicisme comporte en lui le risque de tout classicisme : en se dégradant, le réalisme, fût-il nouveau, fût-il un réalisme de la « Différence », devient lui aussi académique. L'art se voit assigner pour « mission » d'incarner une vision du monde, une conception du réel, et paradoxalement, ici encore, il retombe sous le primat de la conscience et de l'intelligence.

Cette opposition entre une tendance « subjectiviste » et une tendance « objectiviste »[135] n'est pas nouvelle. Elle est même à l'origine de l'esthétique comme discipline philosophique et l'on a pu en déceler les prémices dans le conflit qui opposa, à l'âge classique, l'esthétique rationaliste et l'esthétique du sentiment. C'est d'elle, justement, que le postmodernisme tente aujourd'hui de s'émanciper.

Nietzsche, qui fut peut-être le vrai prophète de la

---

* Contrairement à la thèse soutenue par Felix Torres dans le livre qu'il consacre au postmodernisme.

modernité, l'annonçait dans une des plus belles pages d'*Aurore* : désormais, la grandeur authentique ne se satisfera jamais du simple étalage de la puissance, de la manifestation *objective et visible* des pulsions. Pour ceux qui savent percevoir, elle réside dans l'*individu* plus que dans ses productions, « dans cette force qu'un génie applique, *non à des œuvres,* mais à *soi-même en tant qu'œuvre,* c'est-à-dire à se discipliner, à épurer son imagination, à mettre de l'ordre et du discernement dans ses projets et ses intuitions ». Le « grand style », Foucault l'avait si bien compris qu'il y consacra ses derniers ouvrages, n'est autre que le « souci de soi » : un souci qui ne se confond pas avec l' « égoïsme », qui n'est pas davantage lié (du moins pas *immédiatement*) au projet libertaire-anarchiste d'une émancipation à l'égard des formes institutionnalisées de la « répression », mais qui implique au contraire la *discipline* la plus rigoureuse dans l'*effort* en vue de *façonner* son existence comme un artiste le ferait d'une sculpture.

Dans l'univers contemporain, marqué par ce « retrait du monde » dont l'histoire se reflète dans celle de l'esthétique, la tension entre les moments subjectif et objectif de l'œuvre tend à s'évanouir au profit du premier d'entre eux. Après l'ère des avant-gardes est venu le temps de la « postmodernité ». Le terme, il est vrai, est loin de faire l'unanimité et ses acceptions sont si diverses qu'elles en viennent parfois à s'opposer de façon symétrique. Dans la mesure où cette question sémantique n'est pas sans importance, il convient au moins d'en préciser les données.

Les trois significations du « postmoderne »

Il semble que le terme apparaisse pour la première fois dans les années soixante sous la plume de certains critiques littéraires américains pour désigner des œuvres de fiction

qui entendent – le modèle est ici William Burroughs –
rompre avec le premier modernisme, en particulier avec
Joyce. C'est en ce sens qu'il est employé dans l'ouvrage
d'Ihab Hassan *le Démembrement d'Orphée : vers une
littérature postmoderne*. Encore faut-il percevoir que cette
nouvelle rupture se veut un approfondissement, non une
remise en cause de l'avant-gardisme : comme le signale le
critique britannique Charles Jencks – celui qui allait véritablement populariser la notion – le postmoderne désigne
encore chez ces théoriciens sophistiqués une recherche de
la nouveauté pour la nouveauté qui confine en vérité à
l'« ultramodernisme* ». Or c'est bien d'une telle préoccupation qu'il faut, selon Jencks, s'affranchir. Pour lui comme
pour les architectes qu'il regroupe sous la bannière du
postmoderne – Graves, Venturi, Rossi, Ungers, Bofill,
Hollein et quelques autres –, il s'agit d'en finir avec la
tyrannie de l'innovation à tout prix, de s'accorder enfin le
droit de renouer avec le passé. On le voit : le conflit des
interprétations est tel qu'il requiert une élucidation.

1. *Le postmoderne comme comble du modernisme*

Si l'on entend par « modernisme », selon l'usage anglo-
saxon, les avant-gardes du XXᵉ siècle ou encore ce qu'on
nomme ordinairement l'« art moderne », le postmoderne
apparaît, selon une première acception, comme une exacerbation du moderne. Pourquoi, dans ces conditions, parler
de « post- » plutôt que d'« ultra- » modernisme?

Il faut, pour le comprendre, rappeler que la modernité,
pour la plupart des philosophes contemporains, désigne ce
que Heidegger nommait « l'humanisme », c'est-à-dire,
pour l'essentiel, le rationalisme issu de Descartes, et
notamment, bien sûr, la philosophie des Lumières et ses

---

* C. Jencks : « J'utilisai le mot pour désigner le contraire de tout
ceci [136]. »

retombées techno-scientifiques. Or, entendue en ce sens, la modernité ne se confond pas avec le « modernisme » : car ce dernier entend à bien des égards rompre avec les illusions, en particulier celles du *cogito* clair et distinct et de l'ordre « euclidien », qui ont tant pesé sur la « métaphysique de la subjectivité » et, à travers elle, sur l'histoire de l'art. Dès lors, le postmoderne serait à comprendre comme l'indice d'une rupture avec les Lumières, avec l'idée de Progrès selon laquelle les découvertes scientifiques et, plus généralement, la rationalisation du monde représenteraient *ipso facto* une émancipation pour l'humanité. D'après cette première définition, Nietzsche, Heidegger ou Freud seraient – parce qu'ils remettent en cause les « philosophies de la conscience » – des postmodernes, au même titre que Malevitch, Picasso ou Kandinsky, Schönberg, Berg ou Stockhausen. En clair : lorsqu'il s'oppose au projet de la modernité au sens des Lumières, le postmoderne rejoint le « moderne » entendu comme « modernisme » des avant-gardes.

C'est cette signification que l'on trouve notamment – avec une référence explicite à l'« art moderne » et aux « avant-gardes » – dans les textes que J.-F. Lyotard a consacrés à l'analyse de ce concept. Comme pour Adorno, la déconstruction de l'univers philosophique propre à l'*Aufklärung* s'exprimerait dans les œuvres contemporaines les plus radicales, celles qui selon Lyotard méritent d'être nommées « postmodernes », par une volonté de rompre avec le primat de la rationalité et de la représentation (Heidegger eût dit : de la « présence »). Il s'agirait maintenant de « faire allusion à l'imprésentable par des présentations visibles », de « faire voir qu'il y a quelque chose que l'on peut concevoir et que l'on ne peut pas voir ni faire voir [137] ». Le postmoderne s'avère par suite être ici une partie du moderne au sens que le terme prend dans l'expression « art moderne » : il désigne ce refus *philosophique* de la représentation dont le rejet de la tonalité et du figuratif est censé fournir une traduction esthétique. Dans le vocabulaire qui est celui de Lyotard : « J'appellerai moderne l'art qui consacre son " petit technique ", comme disait Diderot, à présenter qu'il y a de l'imprésentable », ou, dans d'autres registres également aisés à identifier, à faire voir qu'il y a de l'invisible dans le visible, de l'absence dans la présence, de l'Être au-delà de l'étant, de la différence cachée par l'identité, etc. – ce pourquoi Lyotard peut conclure que le postmoderne « fait assurément partie du moderne » en ceci que « tout ce qui est perçu, serait-ce d'hier [...] doit être soupçonné ». Cette attitude du soupçon trouve à son tour une expression dans la succession indéfinie des ruptures et des innovations qui ont scandé l'histoire des avant-gardes : « A quel espace s'en prend Cézanne? Celui des impressionnistes. A quel objet Picasso et Braque? Celui de Cézanne. Avec quel présupposé Duchamp rompt-il en 1912? Celui qu'il faut faire un tableau, serait-il cubiste. Et Buren interroge cet autre présupposé qu'il estime sorti intact de l'œuvre de Duchamp : le lieu de la présentation de l'œuvre. Étonnante accélération, les générations se précipitent[138]. »

On a vu en quoi cette « accélération » qui fascine Lyotard n'était en vérité guère étonnante, inscrite qu'elle était dans la logique la mieux connue, la plus attestée, d'une dynamique de sociétés démocratiques qui tendent sans cesse à l'innovation et à l'érosion des traditions. Peu importe ici. Sur un simple plan sémantique – qui seul m'intéresse pour l'instant –, on remarquera que le moderne et le postmoderne sont clairement installés par Lyotard au sein d'un même genre qu'il nomme (par inadvertance?) l'« histoire avant-gardiste », supposée être le lieu incontestable (on verra que ce n'est pas si simple, tant s'en faut) d'une subversion de la modernité au sens de l'*Aufklärung*. La différence entre les deux moments constitutifs de cette histoire – le moderne et le postmoderne – est infinitésimale, sinon inessentielle : dans le projet de présenter qu'il y a de l'imprésentable, de faire voir qu'il y a de l'invisible, on peut en effet insister sur l'échec de la tentative (puisque, par définition, elle comporte un aspect paradoxal) ou au contraire sur la puissance novatrice des facultés qu'elle met en jeu (le modèle de cette analyse se situant dans la théorie kantienne du sublime). Le moderne recouvre alors plutôt la « mélancolie », et le postmoderne, la « *novatio* ».

Lyotard s'en explique « aux enfants » : « Tu comprendras ce que je veux dire par la distribution caricaturale de quelques noms sur l'échiquier de l'histoire avant-gardiste : du côté *mélancolie,* les expressionnistes allemands; du côté *novatio,* Braque et Picasso. Du premier côté Malevitch, et du second Lissitzky; de l'un Chirico; de l'autre Duchamp[139]. » – Par où l'on voit que modernes et postmodernes sont également « antimodernes » en ce qu'ils s'opposent tous deux à l'héritage « cartésien », illuministe et rationaliste : ils indiquent chacun une façon de traduire le désir ou la nécessité de ne pas naïvement s'installer dans la *représentation*. A la limite, le postmoderne est plus « moderniste », plus « déconstructif » encore que ne l'est l'« art moderne ». Il en est la quintessence, ce pourquoi le « post » n'a pas ici une signification chronologique : « Le postmoderne serait ce qui dans le moderne allègue l'imprésentable dans la présentation elle-même, ce qui se refuse à la consolation des bonnes formes[140]... » et assume ainsi résolument, « joyeusement » le souci de l'innovation dont les avant-gardes furent, dès l'origine, porteuses.

On commence sans doute à percevoir quelles ambiguïtés la notion de postmodernité est susceptible de nourrir :

– Sur un plan strictement terminologique, elle s'entendra en des sens antinomiques selon que le « moderne » auquel elle renvoie (car il faut bien qu'elle y renvoie pour en être le « post ») désigne le rationalisme des Lumières ou ses déconstructions avant-gardistes.

– Plus au fond, peut-être, une autre difficulté, étrangement ignorée par Lyotard, provient du fait que les Lumières et leur critique radicale dans l'avant-garde philosophique ou esthétique sont loin de s'opposer de façon symétrique. L'émergence du non-figuratif et de l'atonalité constitue sans nul doute des ruptures dans l'histoire de l'art qu'on peut bien désigner si l'on veut comme « postmodernes ». Une lecture continuiste de cette histoire est certes intenable. Il n'en reste pas moins qu'à bien des égards, nous l'avons vu, les avant-gardes perpétuent aussi le projet révolutionnaire de l'innovation (de la table rase), qu'elles s'alimentent volontiers à des théories scientifiques ou philosophiques et qu'à ce titre elles s'inscrivent encore de plain-pied dans la modernité illuministe et rationaliste avec laquelle elles prétendent rompre par ailleurs.

Il fallait avoir présente à l'esprit cette équivocité fondamentale pour comprendre la seconde signification du postmoderne, la seule, à vrai dire, qui ait dépassé le petit cercle des professionnels de la philosophie pour devenir une « unité culturelle de communication ».

2. *Le postmoderne comme « retour »* *à la tradition contre le modernisme*

La tyrannie de l'innovation a fait long feu et, dès le milieu des années soixante-dix, on assiste, en particulier dans le domaine de l'architecture, à un vaste mouvement de réaction contre l'ultramodernisme des années cinquante, lui-même héritier du modernisme des années vingt. Il s'agit, selon le titre d'un pamphlet de Tom Wolfe, de revenir *From Bauhaus to our House*. L'humour prend volontiers le pas sur le messianisme des avant-gardes, dont on sait en quels termes Jencks rédige le faire-part : « L'architecture moderne est morte à Saint Louis, Missouri, le 15 juillet 1972 à quinze heures trente-deux (ou à peu près), quand l'ensemble tant décrié de Pruitt-Igoe, ou plus exactement certains de ses blocs reçurent le *coup de grâce final à la dynamite...* Boum, Boum Boum [141]. » Est-il besoin de préciser que « Pruitt-Igoe », construit dans le style HLM-Bauhaus et primé en 1951 par le Congrès international d'architecture moderne, en constituait l'un des plus imposants symboles, « avec le mur de Berlin et la tour d'habitation de Ronan Point en Angleterre, qui s'est effondrée en 1968 [142] » ?

Au second sens du terme, le postmoderne désignerait ainsi le résultat de la contradiction dialectique qui affecte en son principe la volonté sans cesse réactivée de produire l'inédit pour l'inédit. Face au nouvel académisme engendré par une telle contrainte, les architectes auraient, selon Jencks, « recommencé à utiliser toute la gamme du répertoire pour essayer de communiquer avec le public : métaphore, ornement, polychromie, convention », mais aussi droit de renouer avec des traditions esthétiques éloignées du créateur, que cette distance se mesure en termes d'espace culturel ou de temporalité (retour du passé, par exemple de la Grèce antique, des villages du Moyen Age comme dans le « revivalisme », ou, au contraire, présence du moderne au sein d'un vieux quartier, comme à Beaubourg).

Ainsi entendue, la postmodernité s'est, il est vrai, rapidement étendue à tous les autres domaines de l'art : à bien des égards, la peinture contemporaine retrouve les plaisirs du figuratif, et la musique savante, si elle reste le plus souvent atonale, a rompu de façon explicite avec l'impérialisme sériel des années cinquante. C'est donc en un sens tout opposé au premier qu'il faut parler ici de la postmodernité d'une œuvre. Mais il faut aller plus loin : ce ne sont pas seulement des créations esthétiques isolées qui, à côté d'autres, classiques ou modernes, mériteraient d'être nommées postmodernes, mais bien l'époque tout entière. Car le trait le plus caractéristique de la culture dans laquelle nous baignons aujourd'hui est sans doute l'éclectisme : tout peut, en principe, y coexister, ou si l'on préfère cette autre formulation, dont l'esprit de tolérance est encore plus conforme à l'air du temps : rien n'y est a priori frappé d'illégitimité. Tous les styles, toutes les époques bénéficient du « droit à la différence » – *y compris, comme dans la transavant-garde italienne, les productions avant-gardistes elles-mêmes.* Rien n'est exclu, pas plus la collaboration de Pierre Boulez et de Frank Zappa que la cohabitation du jean et du smocking. Agrippine, l'héroïne de Bretecher, peut préparer son bac en feuilletant un album intitulé *Heidegger au Congo.*

3. *La postmodernité comme dépassement du modernisme*

Si la deuxième signification de la postmodernité apparaît comme une suite paradoxale, mais logique, de la première – l'autodestruction dialectique de l'avant-gardisme engendrant sa « négation déterminée » – il est permis d'envisager un dépassement du modernisme qui ne prenne pas la forme hégélienne d'une *Aufhebung.* C'est au fond ce à quoi invitent depuis quelques années les entreprises philosophiques qui, en Allemagne comme en France, tentent d'élaborer à nouveaux frais, après les déconstructions avantgardistes de la rationalité et de la subjectivité, une pensée nouvelle, plus différenciée et plus nuancée, de la raison et du sujet. En ce sens, j'ai l'impression de pouvoir souscrire au projet postmoderne tel que le décrit aujourd'hui Albrecht Wellmer, un proche de Habermas : « Contre le rationalisme dans son ensemble, nous devons objecter que nous n'avons à attendre ni légitimations dernières, ni solutions dernières. Mais cela ne signifie ni qu'il faille donner congé à l'universalisme démocratique, ni qu'il faille renoncer au projet marxien d'une société autonome, ni renoncer à la raison. Cela signifie plutôt que l'universalisme des Lumières, et les idées d'autodétermination individuelle et collective, et la raison et l'histoire doivent être repensés. Dans la tentative de faire *cela,* je verrais une authentique impulsion " postmoderne " vers un autodépassement de la raison[143]. » C'est, me semble-t-il, dans une optique analogue, que la présente contribution à l'histoire de la subjectivité moderne a été conçue – comme pendant positif nécessaire (on ne saurait se contenter indéfiniment du « ni-ni ») à la critique de l'avant-gardisme philosophique des années soixante telle qu'elle avait été menée dans *la Pensée 68*.

Dans ce qui suit, je laisserai de côté la première et la troisième signification de la postmodernité pour me concentrer sur la deuxième qui seule occupe en réalité une place visible dans la *culture* contemporaine – à proportion de l'importance du phénomène *social* auquel elle renvoie : il est clair que l'éclectisme décrit par Jencks soulève des questions décisives dans la perspective d'une histoire de l'esthétique entendue comme histoire de la culture moderne (*i.e.* « subjective » ou individualiste). Il nous contraint, en particulier, à aborder le redoutable problème non tant du déclin lui-même que de la signification que revêt aujourd'hui ce thème. On voit mal, en effet, comment notre conscience historique, qui n'a cessé durant les deux derniers siècles de croître au point d'irradier, sous les espèces de l'historicisme, *tous* les aspects de la culture contemporaine, s'accommoderait de l'idée selon laquelle on pourrait désormais faire l'économie du *nouveau*. Il est douteux dans ces conditions que nous puissions renoncer de façon explicite à l'innovation sans que la menace de la « décadence », réelle ou supposée, ne s'exprime de telle sorte qu'elle en vienne à délégitimer la *Stimmung* postmoderne, dès lors suspecte d'être, au mieux vide de sens et d'énergie créatrice, au pire réactionnaire. Après la fin des utopies et des grands récits, assisterions-nous à celle des grandes œuvres ? Telle est l'interrogation à laquelle nous ne pouvons aujourd'hui, qu'on le veuille ou non, nous dérober.

Le thème n'est pas nouveau : il est vieux comme la modernité. De façon périodique il resurgit selon une logique inhérente au fonctionnement même d'un univers démocratique qui ne cesse de sécréter ses propres antidotes. Ce qui change aujourd'hui, c'est que l'idée d'un déclin du monde libéral est toujours plus fortement revendiquée par des auteurs que tout oppose par ailleurs aux idées traditionnelles de la droite contre-révolutionnaire. C'est l'une de ces critiques « de gauche » du libéralisme – nommément : celle que Castoriadis a développée dans ses textes consacrés à l'esthétique et à l'état de la culture contemporaine – que je voudrais évoquer pour mieux cerner les attendus du diagnostic selon lequel nous assisterions en cette fin de XXe siècle à l'épuisement de la culture occidentale.

Fin de l'innovation : déclin de l'Occident?

La position de Castoriadis mérite, je crois, de retenir ici l'intérêt : parmi les contempteurs du monde moderne, il est sans doute l'un des plus radicaux; pour autant, son attachement aux valeurs qu'il nomme démocratiques ne fait aucun doute, de même que son rejet du pathos idéologique qui pèse sur l'œuvre d'un Spengler ou, fût-ce à un autre niveau, de Heidegger.

Que ces ouvrages témoignent d'une certaine véhémence contre la « platitude », l' « ineptie », la « futilité », la « malhonnêteté intellectuelle », etc., qui caractérisent l'époque contemporaine, c'est ce dont on peut se convaincre dès la lecture des premières pages de la préface des *Carrefours du labyrinthe II*. Voici comment Castoriadis la décrit : « Époque comique – excrémentielle? non, les excréments fument la terre, les produits de l'époque la polluent et la stérilisent, de prostitution? non, pourquoi injurier ces femmes, époque qui désarme l'épithète... » Dans le domaine de l'art, toute création digne de ce nom aurait disparu aux alentours de 1930, « soit de ce qui s'est fait il y a plus d'un demi-siècle » avec Schönberg, Webern et Berg, Kandinsky, Mondrian et Picasso, Proust, Kafka et Joyce, Reinhardt, Meyerhold ou Piscator. Depuis lors, « on prétend faire des révolutions, en copiant et en pastichant

mal – moyennant aussi l'ignorance d'un public hypercivi-
lisé et néo-analphabète – les derniers grands moments de la
culture occidentale ». Bref, la conclusion s'impose : « La
culture contemporaine est, en première approximation,
nulle [144]. »

Voilà au moins qui a le mérite d'être dit, et même écrit,
sans vain détour. Pour faire bonne mesure, Castoriadis
nous invite à pratiquer deux expériences mentales, au
terme desquelles cette nullité ne saurait plus faire le
moindre doute :

La première consisterait à poser « entre quatre yeux, aux
plus célèbres, aux plus célébrés des créateurs contemporains cette question : vous considérez-vous, sincèrement,
sur la même ligne de crête que Bach, Mozart, ou Wagner,
que Jan Van Eyck, Velasquez, Rembrandt ou Picasso, que
Brunelleschi, Michel-Ange ou Frank Lloyd Wright, que
Shakespeare, Rimbaud, Kafka ou Rilke? ». Pour combien
de contemporains une réponse positive ne ferait-elle pas
sourire [145]?

Seconde expérience : alors que les restes de l'Acropole,
détruit par les Perses, servirent tout bonnement à éga-
liser le sol pour élever les fondations du Parthénon et
des nouveaux temples, « si Notre-Dame était détruite par
un bombardement », imagine-t-on un « instant les Français faisant autre chose que ramasser pieusement les
débris, essayer une restauration ou laisser les ruines en
l'état [146] »?

Vraie question, en effet, qui en recouvre une autre : celle
du statut de la culture dans une société démocratique
(j'entends le terme, *ici,* en son sens tocquevillien et non au
sens « autogestionnaire » que lui donne Castoriadis).
Est-ce par une illusion d'optique, par manque de « recul
historique » que nous hésitons à placer les œuvres contemporaines au même niveau que celles des siècles précédents?
– phénomène d'autant plus étrange qu'il n'est pas nécessairement lié à ce plaisir purement subjectif qu'on nomme le
« goût » (il en va de la musique « pop » comme du jeu de

mots chez Freud : l'honnête homme doit finalement y
renoncer, fût-ce à regret). Ou bien y a-t-il, effectivement,
un authentique malaise dans la culture, une déperdition du
pouvoir créateur des individus au sein de l'univers libéral –
et, dans ces conditions, comment l'interpréter?

La réponse de Castoriadis, on l'a déjà compris, consiste
à choisir résolument le second terme de cette alternative.
Dans cette « société bureaucratique » qui se survit à
elle-même jusque dans les années trente pour devenir
ensuite ostensiblement absurde, c'est le statut du rapport
aux valeurs qui doit être mis en cause. Démasquées comme
elles le sont enfin aujourd'hui, les « valeurs » libérales (les
guillemets s'imposent, on verra pourquoi) sont, dans le
meilleur des cas, inexistantes : l'activité des individus y est
pour l'essentiel orientée « vers la maximisation antagoni-
que de la consommation, du pouvoir, du statut et du
prestige (seuls objets d'investissements socialement perti-
nents aujourd'hui) ». D'un côté, ils sont livrés (et, sur ce
point au moins, l'analyse de Castoriadis suit celle de
Heidegger) à un fonctionnement social qui est lui-même
« asservi à la signification imaginaire de l'expansion illimitée de la maîtrise " rationnelle " (technique, science, production, organisation comme fins en soi) ». D'un autre
côté, pour satisfaire aux exigences qui leur sont imposées
dans ce « monde de la technique », ils doivent se replier
sans cesse davantage sur l'étroitesse d'une sphère privée
dont c'est peu dire qu'elle est désenchantée : car, cette
pseudo-maîtrise technicienne « à la fois vaine, vide et
intrinsèquement contradictoire », les « humains ne sont
astreints à la servir que moyennant la mise en œuvre, la
cultivation et l'utilisation socialement efficace de mobiles
essentiellement " égoïstes ", dans un mode de socialisation
où coopération et communauté ne sont considérées et
n'existent que sous le point de vue instrumental et utilitaire[147] ».

Il est donc clair que les prétendues « valeurs libérales »
conduisent en réalité à l'effondrement de toute valeur et

que la société capitaliste est par excellence celle « qui ne croit en rien, qui ne valorise vraiment et inconditionnellement rien », puisque la maîtrise du monde ne renvoie à rien d'autre qu'elle-même (elle est « volonté de volonté », disait Heidegger). Dans ces conditions, comment pourrait-il y avoir une création réellement novatrice? En effet, l'œuvre – entendons : la grande œuvre – « entretient avec les valeurs de la société cette relation étrange qu'elle les révoque en doute et les met en question »; en termes plus triviaux : elle est subversive, « son intensité et sa grandeur sont indissociables d'un ébranlement, d'une vacillation qui ne peuvent être que si, et seulement si, ce sens est bien établi, si les valeurs sont fortement établies et sont vécues de même [148] ». Or c'est cette solidité que l'univers libéral ne cesse de ruiner au point de faire place à un relativisme cynique dont tout indique, selon Castoriadis, qu'il façonne la mentalité de ce qui s'autoprésente aujourd'hui comme l'élite culturelle. La mise en scène de l'absurdité et du tragique de l'existence dans *Hamlet* ou *Œdipe* roi pouvait et devait légitimement ébranler, voire élever leur public; comment cette même absurdité, si chère pourtant au théâtre contemporain, pourrait-elle encore secouer quoi que ce fût dès lors qu'il « n'y a aucun pôle de non-absurdité auquel elle pourrait, en s'opposant, se révéler fortement comme absurdité [149] »?

Dans ces conditions les formes caractéristiques du grand art – qu'il soit ou non populaire – disparaissent : c'est d'abord la relation essentielle de l'œuvre et du public qui s'estompe, en même temps qu'émerge, vers la fin du XIXe siècle, la distinction entre la vie de philistin et la vie d'artiste, avec son corrélat inévitable : le public d'« avant-garde ». Ce sont ensuite les genres qui s'épuisent de façon si manifeste qu'on peut légitimement se demander « si la forme roman, la forme tableau, la forme pièce de théâtre ne se survivent pas à elles-mêmes ». C'est enfin l'œuvre, entendue comme « objet durable, destiné par principe à une existence temporellement indéfinie, individualisable, assignée au moins en droit à un auteur, à un milieu, à une datation précis » qui disparaît à son tour au profit de « produits » qui partagent en commun avec les autres produits de l'époque d'être destinés à ne pas durer, à n'avoir plus d'auteur défini et à n'être plus « singularisables » (qu'on songe, par exemple, à la musique « aléatoire »).

Malgré l'apparence – le point doit être souligné – Castoriadis n'entend nullement reprendre le trop fameux thème du « déclin de l'Occident ». Non que ce slogan, dont on sait comment il a marqué, de Spengler à Heidegger, les déconstructions « antimodernes » du libéralisme, soit faux sur son versant critique; mais il tend, selon Castoriadis, à « masquer les potentialités d'un monde nouveau que la décomposition de " l'Occident " pose et libère ». En d'autres termes : l'effondrement de la culture libérale n'est pas le dernier mot d'une histoire qui n'aurait plus d'autre choix que de renouer avec une origine perdue dans le monde de la Tradition. Il annonce au contraire le possible renouveau d'une authentique culture démocratique : « Ce qui est en train de mourir aujourd'hui, en tout cas, ce qui est profondément mis en question, c'est la culture " occidentale " : culture capitaliste, culture de la société capitaliste. [...] ce qui est en train de naître, péniblement, fragmentairement et contradictoirement, depuis deux siècles et plus, c'est le projet d'une nouvelle société, le projet d'autonomie sociale et individuelle[150]. »

On peut se demander si cet encourageant pronostic ne relève pas davantage du *wishfull thinking* que d'un véritable constat. Au demeurant, Castoriadis est le premier à rappeler que nul ne saurait prédire l'avenir et déterminer *a priori* « ce que seront les valeurs d'une nouvelle société ou les créer à sa place » : il s'agit plutôt de parier sur le fait qu'une société autonome dans laquelle des individus autonomes (l'un ne va pas sans l'autre) établiraient en commun leurs propres modes de vie ouvrirait un espace possible au réinvestissement de valeurs collectives, donc au renouveau de la puissance créatrice des individus.

Pourquoi pas, en effet? On peut – et on doit – toujours accorder par principe le bénéfice du doute. Et pourtant, si l'on veut, comme nous y invite Castoriadis, « regarder " avec des sens sobres " ce qui est et pourchasser les illusions », il faut bien admettre *qu'à partir des prémisses mêmes de l'analyse qu'on vient brièvement de retracer,* une autre hypothèse, qu'on qualifiera, pour aller vite, de « pessimiste », semble s'imposer avec plus d'évidence : si la crise de la culture contemporaine tient pour l'essentiel au fait que, dans une société libérale, le socle des valeurs s'effrite au point que toute contestation (et l'œuvre est par excellence contestation) devient impossible faute de repoussoir, comment ne pas en conclure que c'est bien plutôt, s'il était possible, un retour de la Tradition qui pourrait nous sauver – *et non une démocratisation du monde dont on voit mal comment elle n'accentuerait pas le mouvement d'érosion déjà si bien amorcé par le capitalisme?* Enjeu crucial si l'on ajoute que c'est aussi sur ce point que l'analyse de Castoriadis se sépare des théories néotraditionalistes du « déclin de l'Occident ».

Tout le problème, pour peu qu'on y réfléchisse, revient à savoir si, *du point de vue de la Tradition,* libéralisme et démocratie ne sont pas, au fond, « la même chose » : la même revendication d'autonomie qu'à dire vrai la démocratie ne ferait qu'exacerber, rendant plus problématique encore l'idée d'un « socle ferme des valeurs ». Instituée *directement* par les hommes, ces dernières seraient peut-être (en admettant que ce projet ait un sens), *subjectivement* plus « fortes »; reste que, *objectivement,* elles deviendraient par définition (puisque soumises à la volonté *immédiate* des hommes) plus fluctuantes encore et moins assurées que dans un régime représentatif. Car l'érosion des traditions et des valeurs communes ne vient peut-être pas, comme le croit Castoriadis, d'une désaffection du politique liée au libéralisme, mais d'une revendication d'autonomie dont on voit mal, dès lors, comment elle pourrait être le remède à une crise de la culture qu'elle aurait si puissamment contribué à engendrer. Dans une telle optique (qu'on pourrait aussi bien argumenter à partir de Marx que de Tocqueville), ce qui caractériserait la culture contemporaine serait moins sa « nullité » que, précisément parce qu'elle tend à l'autonomie, son absence de référence à un *monde,* sa *Weltlosigkeit.*

VII

LA QUESTION DE L'ÉTHIQUE
À L'ÂGE DE L'ESTHÉTIQUE

Les idéologies du déclin traduisent mal une observation juste : nous n'habitons plus un monde *a priori* commun. Cela ne signifie pas, comme on le croit d'ordinaire, qu'il n'y ait plus de lien social, ou que l'atomisation et l'ère des masses soient l'avenir inéluctable des sociétés modernes. Simplement, la cohésion doit désormais résider dans l'interindividualité (pour ne pas dire l'intersubjectivité), non plus dans la transcendance d'une réalité cosmique qui échoirait en partage à l'humanité. On comprend peut-être mieux pourquoi, au terme de cette histoire de l'esthétique, la culture démocratique, de part en part orientée vers le retrait du monde, tend à se structurer selon trois moments : dans le domaine de l'art, l'œuvre ne peut plus être qu'un prolongement de l'artiste, et s'il est encore un monde, ce ne saurait être qu'un microcosme engendré par ce petit démiurge qu'est le génie. Dans le domaine de la science, certes, l'objectivité continue de régner. La contrainte qu'elle exerce sur les esprits en est l'indice le plus sûr. Encore faut-il préciser qu'elle ne se conçoit elle-même qu'en relation à des constructions théoriques produites par un *sujet*. Pas de subjectivité, pas non plus d'objectivité, selon une argumentation parfaitement développée par Heidegger, mais aussi, *mutatis mutandis,* par la plupart des épistémologues contemporains. « Rien n'est donné, tout est construit », disait Bachelard. Enfin, l'his-

toire achève de fournir à l'individu la connaissance sans
laquelle il ne pourrait parvenir à l'*autonomie,* prisonnier
qu'il resterait à jamais du passé. Pour que s'accomplisse le
lent travail d'émancipation à l'égard des traditions, il faut
que le passé devienne *notre* passé : c'est uniquement au
prix de cette appropriation qu'il peut cesser d'apparaître
comme une *détermination* par essence hostile à la revendication démocratique de la liberté.

Le monde ne nous échoit plus en *partage :* cet énoncé est
aussi l'indice, sans qu'on en mesure encore tout à fait la
portée, d'une liquidation des principes qui furent jadis
ceux de l'éthique. Les Anciens considéraient la justice
comme un art destiné à engendrer dans la cité ou dans
l'individu un *ordre* au sein duquel chaque élément trouverait la place et la proportion qui lui reviennent – vision du
monde dont le mot allemand *Ur-teil :* partage originaire,
conserve encore la trace dans le langage philosophique.
C'est dans cette perspective, par exemple, que le *Gorgias*
nous invite à méditer l'analogie qui relie entre elles les
différentes disciplines qui visent à l'établissement ou au
rétablissement de l'ordre. Ainsi, la gymnastique est-elle au
corps ce que l'art de légiférer est à l'âme : toutes deux
tendent à créer cette harmonie qui résulte d'une juste
proportion des parties, d'une heureuse hiérarchisation,
dans un cas, des organes ou des muscles, dans l'autre, des
trois instances, l'intelligence, le courage et l'appétit, qui
forment l'âme humaine (ou des trois classes : artisans,
guerriers et archontes qui leur correspondent dans la cité).
On peut de même comparer la médecine et la justice :
chacune a pour mission de restaurer dans sa sphère propre
l'ordre qui a été perturbé ou rompu. Dans tous les cas, il
s'agit d'attribuer à chaque élément la juste place qui lui
revient au sein du microcosme et du macrocosme. Comment un tel partage serait-il encore possible dès lors
qu'après le retrait du monde, il n'y aurait plus rien de
substantiel à partager? Telle est, me semble-t-il, la question
à laquelle nous confronte sur le plan éthique la prise en

compte du paradoxe selon lequel, en abandonnant la référence à un monde, la modernité conduit à associer l'effondrement des traditions à l'émergence sans cesse croissante de nouvelles questions existentielles.

C'est dire aussi que le statut de l'éthique et tout particulièrement des *limites* que l'on est en droit, voire en devoir, d'imposer à la liberté individuelle n'a peut-être jamais été aussi problématique qu'aujourd'hui : on voit mal, en effet, comment fixer les règles de ce jeu délicat en l'absence de toute référence objective et ce, au moment même où le progrès des sciences et des techniques – si l'on veut : les pouvoirs de l'homme sur l'homme – n'a jamais soulevé autant d'interrogations. Face au retrait du monde, la tentation est forte de restaurer les traditions perdues, et la nostalgie du passé qui accompagne le plus souvent les idéologies du déclin apparaît comme le corollaire obligé des angoisses suscitées par la disparition des repères établis. A cet égard, une *approche historique* de l'éthique s'impose comme préalable à toute réflexion qui voudrait saisir l'actualité : elle seule, en effet, peut permettre de comprendre ce que le projet d'une réactivation de la tradition perdue peut avoir de séduisant mais aussi d'absurde et de dangereux. Elle fera l'objet d'un prochain livre, mais il faut en percevoir au moins l'enjeu pour saisir en quel sens l'histoire de la subjectivité, retracée comme j'ai tenté de le faire ici à partir de l'esthétique, rejoint immédiatement des préoccupations pratiques.

Les trois âges de l'éthique : l'excellence, le mérite et l'authenticité

On a coutume de présenter l'opposition de l'ancien et du moderne comme si elle recoupait parfaitement celle de la hiérarchie et de l'égalité. De Tocqueville à Louis Dumont ou Leo Strauss, des analyses d'horizons pourtant tout différents convergent sur ce constat et, de fait, l'univers des

Grecs, clos, hiérarchisé et finalisé, semble en tout point contraire à celui qui s'impose à nous après les travaux de Galilée et de Newton, après, surtout, le bouleversement introduit par la Révolution française et l'apparition explicite d'une idéologie égalitariste. Nul doute qu'une telle présentation soit globalement exacte. Elle n'en laisse pas moins de prêter à confusion : on lui objecte volontiers, comme s'il s'agissait de contre-arguments sérieux, des exemples d'égalité dans le monde antique, et, plus évidents encore, d'inégalité dans le monde moderne. Il y a là un malentendu qui recouvre une difficulté réelle dont la levée est le préalable obligé à toute compréhension correcte de ce qui différencie au plus profond la vision morale des Anciens et celle des Modernes – disons, pour évoquer leurs thématisations philosophiques les plus grandioses : l'*Éthique à Nicomaque* et la *Critique de la raison pratique*.

Dans un premier temps, le malentendu peut être aisément dissipé : il suffit de comprendre la notion d'égalité formelle pour percevoir qu'elle ne prétend pas exclure les différences de talent ou de fortune, mais seulement les discriminations devant la loi *qui seraient inscrites dans la loi* (ce pour quoi elle trouve son symbole le plus marquant dans l'abolition des privilèges lors de la nuit du 4 août). Rien n'interdit en ce sens de penser que notre univers démocratique soit plus inégalitaire encore que celui des Anciens – que les différences de richesse, en particulier, y soient plus marquées que jamais auparavant dans l'histoire de l'humanité : il demeure que ces inégalités sont *en droit* mobiles, qu'elles ne sont pas affectées *par nature* à certains individus et que c'est à ce titre que le projet d'une lutte contre les inégalités « réelles » peut et doit s'inscrire sans difficulté dans les cadres idéologiques issus de la grande Révolution.

1. *L'excellence aristocratique*

La notion de hiérarchie *naturelle,* en revanche, demeure si étrangère aux conceptions modernes de la justice que sa signification exacte dans la vision morale des Grecs n'a plus pour nous l'immédiateté de l'évidence. Considérons un instant ce qui en constitue peut-être l'exemple le plus fameux : la justification aristotélicienne de l'esclavage *naturel* dans le premier livre de la *Politique.* Nombre de commentateurs, en particulier les aristotéliciens, affectent aujourd'hui de considérer ces textes comme secondaires : la position d'Aristote ne serait que le tribut payé par tout philosophe, fût-il le plus grand, aux idéologies et aux mœurs de son temps. Cette attitude est non seulement contraire aux règles élémentaires de la probité philologique mais, surtout, elle manque ou masque l'essentiel : le fait que, loin de constituer une concession à l'air du temps, la justification de l'esclavage naturel ne prend toute sa signification qu'au sein de la vision hiérarchisée de l'univers qui est celle des Anciens. Elle n'a rien d'accidentel et, dans la *Métaphysique,* Aristote n'hésite pas à lui donner une portée cosmologique lorsqu'il compare l'univers à une grande famille dans laquelle les astres correspondraient aux hommes libres dont les actions sont *ordonnées* de façon inflexible et les êtres sublunaires aux esclaves et aux animaux domestiques. Il est dès lors instructif d'observer comment les interprètes les plus éminents ont essayé de surmonter l'inévitable sentiment de gêne qui s'empare de nous, modernes, lorsqu'il nous faut concilier tout à la fois l'idée – incontestable – qu'Aristote est l'un des plus grands penseurs de l'histoire de l'humanité et qu'il s'efforce cependant d'élaborer une argumentation complexe pour défendre une institution qui nous paraît spontanément si injustifiable et si désuète qu'il serait même fastidieux de la discuter.

C'est là justement ce qu'a tenté Jacques Brunschwig

dans un article des *Cahiers philosophiques* (septembre 1979). Les textes de la *Politique* semblent d'une limpidité parfaite : après avoir rappelé que « tous les êtres, dès le premier instant de leur naissance, sont pour ainsi dire marqués par la nature, les uns pour commander, les autres pour obéir », Aristote en vient à définir ainsi les esclaves « naturels » (ceux qui ne sont pas réduits à cet état par les hasards de la guerre) : « Tous ceux qui diffèrent des autres, autant que le corps diffère de l'âme, et que l'animal diffère de l'homme, tous ceux-là sont des esclaves par nature et il est meilleur pour eux d'être soumis à ce genre d'autorité. » Dans la hiérarchie des êtres ils se situent donc à mi-chemin entre l'homme et l'animal : « Toute la différence entre eux et les bêtes est que les bêtes ne participent aucunement à la raison, n'en ont pas même le sentiment et n'obéissent qu'à leurs sensations. Pour le reste, l'usage des esclaves et des bêtes est à peu près le même et l'on en tire les mêmes services pour les besoins de la vie. » Le souci de Brunschwig est ici pédagogique : comment faire comprendre à des jeunes gens qui abordent l'étude de la philosophie qu'ils doivent réserver leur premier réflexe, celui du rejet, et suspendre leur jugement pour se donner le temps de la réflexion? Car ces textes, tel est le pari à tenir, sont plus complexes qu'il n'y paraît : ils ne se réduisent nullement à une justification « idéologique » de l'état de fait existant.

Voici le principal argument de Brunschwig, qui nous conduit au cœur de la conception grecque de la hiérarchie et, par là même, de l'excellence : c'est que « l'état de fait » (la réalité de l'esclavage empiriquement constatée) est trompeur. Aristote, en effet, y insiste : la nature peut « imprimer la liberté et la servitude jusque dans les habitudes corporelles » de sorte que, par exemple, nous voyons « des corps robustes tout taillés pour porter des fardeaux » tandis que d'autres, « plus fluets et mieux dressés paraissent bons uniquement pour la vie politique ». *Mais elle peut aussi nous tromper,* car « il arrive souvent tout le contraire : des brutes ont les formes extérieures de la liberté, et d'autres, sans en avoir les apparences, n'ont que l'âme de libre ». Il en va de même si l'on s'interroge sur l'hérédité de la vertu et de la noblesse : elle est loin d'être toujours garantie. Dans ces conditions – ainsi se poursuit le raisonnement de Brunschwig –, « il y a peut-être des esclaves par nature et des hommes libres, mais la belle affaire, si nous sommes incapables de savoir lesquels et si nous n'avons aucun droit de supposer que leur situation réelle correspond à leur situation naturelle ». On ne peut donc tenir l'aristotélisme pour une idéologie de légitimation de l'ordre établi, puisque, tout au contraire, en soulignant que les faits ne coïncident pas avec le droit (avec la nature), Aristote ne peut qu'instiller le doute auprès de ceux qui possèdent des esclaves.

Je n'entreprendrai pas de discuter ici la validité du propos de Brunschwig. On aurait même quelques raisons de craindre que sa plaidoirie ne se retourne contre elle-même en suggérant malgré elle la conclusion qu'il conviendrait enfin de mettre en harmonie le fait et le droit, de sorte que la hiérarchisation de l'ordre social ne souffrirait plus la moindre critique, chacun occupant *de facto* la place qui lui revient selon la nature. Il importe en revanche de remarquer qu'elle met parfaitement en lumière l'abîme qui sépare la conception grecque de la hiérarchie de celle qui a cours dans les sociétés modernes. Que le droit et le fait ne se rejoignent pas dans la réalité empirique de l'esclavage est une chose. Cela n'empêche pas qu'il y ait des esclaves et des hommes libres *par nature* et que l'idéal soit que les premiers obéissent et que les seconds commandent. En d'autres termes : les hiérarchies modernes sont des hiérar-chies *vides a priori;* en principe, sinon en fait, n'importe quel individu a le *droit* d'occuper n'importe quelle place dans la hiérarchie sociale et politique; nul n'est exclu ou élu en fonction d'une supposée nature. Au contraire, dans l'univers ancien, les hiérarchies sont en principe pleines et

c'est seulement *de fait* qu'elles peuvent être, si l'on peut
dire, « mal remplies ».

Le droit et le fait occupent ainsi des places inverses dans
les deux univers et c'est à partir de là qu'il convient de
penser les notions d'égalité et de différence : même si l'on
parvenait à montrer de façon convaincante que le monde
des Anciens était *de fait* plus égalitaire que celui des
Modernes (Arendt suggère quelque part que la situation de
l'esclave est à tout prendre meilleure que celle des apatri-
des d'aujourd'hui, et Michel Villey n'hésitait pas à reprendre le même argument à propos de la condition ouvrière),
il resterait que les inégalités qui y règnent sont *inscrites
dans la nature* des *individus,* et comme telles *insurmonta-
bles :* on ne s'élève jamais au-dessus d'une nature et la
définition de chacun constitue pour ainsi dire la prison
dont il ne saurait s'évader. Inversement, lorsqu'on reproche aux sociétés démocratiques le « formalisme » de
l'égalité qu'elles proclament et qu'on vise ainsi l'édification
d'une réelle égalité des chances, on ne fait en vérité que
poursuivre la logique de l'égalité moderne : c'est parce que
les hommes, en droit, sont égaux, que le fait doit bien un
jour finir par rejoindre ce qui, dès lors, apparaît comme un
idéal.

C'est parce qu'elle repose sur une certaine cosmologie
naturelle, sur la référence à un *ordre du monde,* un cosmos,
que la vision morale des Grecs culmine dans le concept
d'*excellence*. Pour aller à l'essentiel, on définira cette
dernière comme *perfection,* c'est-à-dire comme la réalisation, pour chaque être, de ce qui constitue sa nature et
indique par là sa *fonction*. Telle est la raison pour laquelle
l'*Éthique à Nicomaque* ne peut commencer que par une
réflexion sur la *finalité* qui est celle de l'homme parmi les
autres êtres : « De même, en effet, que dans le cas d'un
joueur de flûte, d'un statuaire ou d'un artiste quelconque,
et en général, pour tous ceux qui ont une fonction ou une
activité déterminée, c'est dans la fonction que réside, selon
l'opinion courante, le bien, le " réussi ", on peut penser

qu'il en est ainsi pour l'homme, s'il est vrai qu'il y a une certaine fonction spéciale à l'homme » – ce qui ne fait, à l'évidence, aucun doute, tant il serait absurde de penser « qu'un charpentier ou un cordonnier aient une fonction et une activité à exercer mais que l'homme n'en ait aucune et que la nature l'ait dispensé de toute œuvre à accomplir » (1197 b 25).

C'est donc ici *la nature qui fixe la fin de l'homme et qui assigne ainsi sa direction à l'éthique.* Cela ne signifie pas que dans l'accomplissement de sa tâche propre, l'homme ne rencontre pas de difficultés, qu'il n'ait pas besoin d'exercer sa volonté et ses facultés de discernement : mais il en va de l'éthique comme de toute autre activité, par exemple l'apprentissage d'un instrument de musique. Il faut de l'exercice pour devenir excellent, mais par-dessus tout du talent : même s'il n'exclut pas un certain usage de la volonté, seul un don *naturel* peut indiquer la voie à suivre et permettre de lever les difficultés dont elle est jonchée (c'est dans cette perspective qu'il faut lire les textes d'Aristote sur la « délibération », non comme la préfigura-tion d'une théorie moderne du « libre arbitre »).

Telle est aussi la raison pour laquelle la vertu, la « juste mesure » ou « médiété », coïncide encore avec l'excellence. S'il s'agit de réaliser *avec perfection* notre destination naturelle, il est clair qu'elle ne peut se situer que dans une position *moyenne;* le courage se tient à distance de la lâcheté comme de la témérité, de sorte qu'ici la juste mesure n'a rien à voir avec une position « centriste », platement modérée. D'un point de vue ontologique (« dans l'ordre de la substance », dit Aristote), elle est certes une médiété : l'être qui réalise parfaitement sa nature ou son essence s'éloigne également des extrêmes qui, pour être à la limite de leur définition, confinent à la monstruosité. Mais par là même, « dans l'ordre de l'excellence et du parfait la vertu est un sommet » (1107 a 5).

On mesurera peut-être ce qu'une telle éthique peut avoir d'étrange au regard des conceptions modernes si l'on

comprend qu'elle permet de parler d'un cheval ou d'un œil
« vertueux » » : « Nous devons alors remarquer que toute
vertu, pour la chose dont elle est vertu, a pour effet à la
fois de mettre cette chose en bon état et de lui permettre de
bien accomplir son œuvre propre : par exemple, la vertu de
l'œil rend l'œil et sa fonction également parfaits, car c'est
par la vertu de l'œil que la vision s'effectue en nous comme
il faut. De même, la vertu du cheval rend un cheval à la
fois parfait en lui-même et bon pour la course pour porter
son cavalier et faire face à l'ennemi » (1106 a 15). L'être
vertueux est celui qui fonctionne bien, et même excellemment, selon la nature et la fonction qui sont les siennes.
Dans une telle vision de l'éthique la question des limites
reçoit une solution « objective » : c'est dans l'ordre des
choses, dans la réalité du monde qu'il convient d'en
rechercher la trace, comme le physiologiste, en comprenant
la finalité des organes et des membres, aperçoit également
dans quelles limites ils doivent exercer leur activité. Toute
la difficulté, pour nous Modernes, vient de ce qu'une telle
lecture cosmique est devenu impossible, faute, tout simplement, de cosmos à scruter et de nature à déchiffrer.

2. *Le mérite démocratique*

Je ne reviendrai pas ici sur les causes de cette disparition
qui tiennent tout entières dans le passage « du monde clos
à l'univers infini » si bien décrit par Koyré. J'ai analysé
ailleurs ce qu'un tel bouleversement pouvait signifier dans
la sphère du droit[1]. Du point de vue d'une histoire de la
subjectivité, c'est l'émergence, avec Rousseau, d'une nouvelle représentation de l'homme qui a modifié de fond en
comble les données du problème éthique : dès lors que
l'humain se définit par la « perfectibilité », par la liberté
entendue comme capacité de s'arracher à toute détermination *naturelle ou historique*[2], c'en est fini du « fonctionnalisme » des Anciens. L'idée d'une téléologie naturelle perd

sa signification si l'homme est le seul être dépourvu par essence de toute fonction propre. S'il est « néant », comme l'écrit déjà Fichte à la suite de Rousseau, s'il ne possède aucune « nature » où quelque « mission » que ce fût pourrait se déchiffrer, l'activité vertueuse cesse de pouvoir se penser en termes de finalité et la question des limites redevient problématique : en l'absence de toute référence « objective » à un cosmos, à un ordre naturel transcendant et englobant les individus, on voit mal, en effet, ce qui permettrait de brider leur liberté infinie. Telle est du moins le défi que doit relever la morale des Modernes.

C'est dire qu'il lui faut, là comme ailleurs, « fonder la transcendance dans l'immanence », chercher dans le sujet lui-même, et non plus dans un ordre extérieur, les moyens – les « raisons » – d'une limitation qui doit maintenant se penser comme *autolimitation,* comme *autonomie.* La question du propre de l'homme – de la définition du sujet humain – s'avère être inséparable de celle des fins de l'homme et des limites à l'intérieur desquelles il doit contenir ses actions. On comprendra dans ces conditions que, là où l'éthique des Anciens partait d'une réflexion sur la *finalité* naturelle de l'homme, celle des Modernes commence par une théorie de la « bonne volonté », de la volonté libre et autonome.

Un tel point de départ conduit dans deux directions, l'une comme l'autre radicalement contraires à la morale antique : d'un point de vue *subjectif* il s'agit de savoir quelles dispositions d'esprit sont dignes d'être considérées comme vertueuses; on rencontre sur ce versant la problématique de l'action *désintéressée,* donc, en quelque façon, contraire à la *nature* sensible de l'homme; d'un point de vue *objectif,* il convient de déterminer quelles sont, parmi toutes les fins qu'une volonté libre peut se proposer de réaliser, celles qui sont proprement « morales »; c'est alors à la question de l'universalité, comme nouvelle forme du bien commun ou de l'« intérêt général », que nous sommes confrontés. Reprenons brièvement ces deux aspects pour

voir comment ils s'opposent de façon diamétrale à l'aristotélisme.

Subjectivement – au regard des *intentions* qui peuvent
animer une activité quelle qu'elle soit –, la « bonne
volonté » se définit comme volonté « désintéressée ». Pour
des raisons que Kant analyse méthodiquement dans les
Fondements de la métaphysique des mœurs, il y a chez les
Modernes un *consensus* pour considérer que seule l'action
désintéressée peut être déclarée véritablement morale. Telle
est la signification de la fameuse distinction que Kant
établit entre « légalité » et « moralité ». Je puis toujours me
conformer à une loi (l'interdiction du vol, dans l'exemple
des *Fondements*) par intérêt : en l'occurrence, par peur
d'être arrêté et emprisonné – mais on pourrait bien sûr
donner d'autres exemples où l'intérêt serait « positif » et
résiderait dans l'espoir d'une récompense et non dans la
crainte d'une punition. Du point de vue qui nous occupe
ici, il est clair en effet que les deux motivations sont
équivalentes puisque, toutes deux, « intéressées ». Dans ces
conditions, mon action est sans doute *légale (gesetzmäs-
sig :* c'est-à-dire, littéralement, « conforme à la loi »), mais
chacun admettra qu'elle n'a rien pour autant de vertueux.
Sans même y réfléchir, nous associons l'idée de vertu à
celle *d'effort,* et le *mérite,* pour nous, suppose en quelque
façon une lutte de la volonté contre ses intérêts propres,
contre l'*égoïsme.* L'action morale devra donc, quant à ses
motivations, être effectuée par pur respect pour la loi.

On comprend dès lors que seule la bonne volonté puisse
être nommée proprement morale : les talents, qui sont des
dons *naturels,* n'ont aucune valeur *éthique* en eux-mêmes.
L'intelligence, la force, la beauté et même le courage
peuvent être mis au service, non seulement de nos intérêts
égoïstes, mais du crime (de l'illégalité). On mesure ici
combien nous sommes aux antipodes de l'idée d'excellence : loin que la vertu réside dans le perfectionnement
de dons naturels, dans l'accomplissement d'une fonction
conforme à la nature spécifique de l'homme, elle devient

chez les Modernes lutte contre la naturalité en nous, capacité de *résister* aux inclinations qui sont celles de notre nature égoïste.

L'extraordinaire puissance de l'éthique kantienne lui vient du fait qu'aucun d'entre nous n'est tout à fait capable de penser en des termes différents. Je n'ai encore jamais pu rencontrer, parmi ceux qui se disent antikantiens (qu'ils soient spinozistes, matérialistes, phénoménologues ou partisans d'une éthique à l'ancienne), un Moderne qui fût susceptible de faire (autrement qu'en parole, et encore !) l'économie complète du concept de mérite. Chassé par la porte de la philosophie, il revient toujours par la fenêtre de la vie quotidienne et des jugements de valeur anodins qu'elle nous amène toujours à proférer hors le contrôle du concept. Et, qu'on le veuille ou non, la notion de mérite n'a de sens que dans une optique moderne. Si l'on y réfléchit suffisamment, on verra en effet qu'elle suppose toujours l'idée de liberté comme pouvoir de résister à la nature en nous, *donc comme faculté d'agir de façon désintéressée.* Il nous est devenu pratiquement impossible de considérer, par exemple, que le fait d'être grand, fort, beau, habile dans les activités du corps ou même de l'esprit soit à proprement parler une vertu – et ce quel que soit l'extraordinaire pouvoir de séduction que de telles qualités peuvent parfois exercer sur nous, voire le sentiment d'admiration réelle qu'elles éveillent. Car la séduction, pour nous, Modernes, ne relève plus de l'éthique mais de l'esthétique.

D'un point de vue subjectif, la morale du mérite est donc une morale du *devoir :* puisqu'il ne s'agit plus, comme chez les Anciens, d'accomplir sa nature, mais de s'opposer le plus souvent à elle, les règles s'imposent presque toujours sous la forme d'*impératifs.* L'exigence morale prend la forme d'un « tu dois! » ou d'un « il faut! ». Encore convient-il de préciser en quoi consistent *objectivement,* quant à leur contenu précis, les fins qui s'imposent à nous sur ce mode. Tel est le second versant de la réflexion moderne sur l'éthique. Il ne s'agit pas simplement d'être capable de désintéressement, d'arrachement à l'égard de sa nature égoïste : il faut aussi indiquer dans quelle direction doit s'effectuer cette séparation d'avec soi-même. Si l'action vertueuse est subjectivement désintéressée, quel est son *objectif*?

Le terme possède comme chacun sait une double signification – sur laquelle joue la notion contemporaine de « raison objective » dont l'origine remonte au kantisme. L'objectif est le *but*, mais il est également ce qui n'est pas subjectif, *ce qui ne vaut pas simplement pour moi mais aussi pour les autres*. Le bien *commun* est donc un objectif au double sens – ce qu'exprime à sa façon la doctrine kantienne des impératifs, avec ses trois niveaux : l'habileté, la prudence et la moralité. En passant d'un degré à un autre, on s'élève tout à la fois dans l'échelle des fins et dans celle de l'objectivité. Les impératifs de l'habileté, en effet, ne réfléchissent que sur les moyens. Ils sont encore purement techniques ou instrumentaux. Ils disent seulement : « Si tu veux une fin X, fais Y », sans se soucier en quoi que ce soit de savoir si cette fin *doit ou non* être poursuivie, si elle dépasse ou non la sphère de mes intérêts strictement égoïstes. L'habileté correspond pour Kant à la morale d'Épicure ou à l'utilitarisme : les « objectifs » qu'elle permet d'atteindre restent encore, si l'on ose dire, tout à fait *subjectifs et particuliers*.

Avec la prudence – qui traduit la *phronêsis* aristotélicienne –, nous nous élevons d'un cran dans l'objectivité : les fins que poursuit le prudent sont communes à l'humanité, et non spécifiques à tel ou tel individu isolé comme peuvent l'être celles de l'habileté. L'exemple type est ici la santé que chacun – hors l'exception du suicide – ne peut que désirer, *du moins en tant que l'homme est aussi un animal dont le corps doit être entretenu*. La prudence atteint la sphère du *général* ou, comme on dit si bien, du « sens commun ». Mais elle ne s'élève pas encore à l'universalité rigoureuse qui caractérise les fins de la moralité. La preuve en est que, si la morale l'exige, il faut savoir être « imprudent » : le sacrifice librement consenti ne saurait être exclu de l'éthique moderne.

C'est donc avec les fins de la moralité que nous entrons dans la sphère de l'objectivité véritable. Ici, les buts de nos actions s'imposent à nous sur le mode d'une loi universelle, valable absolument pour tous. Mais comme cette loi, en tant que loi de la raison, est *notre* loi, qu'il y a donc *autonomie* (ce qui ne serait pas le cas dans une vision religieuse de l'éthique), on peut dire que la transcendance est fondée ici dans l'immanence : c'est pour ainsi dire en nous que nous devons trouver les raisons – en fait : La Raison – d'oublier notre intérêt personnel. Le mérite est lié à cette tension interne entre le particulier des désirs égoïstes et l'universel de la loi dont la vertu consacre le triomphe.

Les deux moments de l'éthique moderne – l'intention désintéressée et l'universalité de la fin choisie – se concilient dans la définition de l'homme comme perfectibilité ou comme néant. C'est dans cette anthropologie philosophique qu'ils trouvent leur source ultime : la liberté est avant tout la capacité à agir hors la détermination des intérêts « naturels », c'est-à-dire particuliers; et en prenant ses distances à l'égard du particulier, c'est vers l'universel, donc vers la prise en compte de l'autre homme, qu'on s'élève.

Si l'excellence est par essence aristocratique, le mérite est en revanche d'inspiration démocratique : comme il se situe dans un registre autre que celui des talents innés, nul n'en est *a priori* dépourvu. Il requiert « seulement » la bonne volonté. Aux yeux des Modernes, l'esclave qu'Aristote eût déclaré « naturel » peut être vertueux, autant sinon plus que son maître. Et selon un exemple des plus célèbres de l'éthique kantienne, l'enfant lui-même possède assez de lumière pour savoir où est le mal – ce que, pour des raisons évidentes, la morale d'Aristote excluait en termes formels.

3. *L'authenticité contemporaine*

Effort, mérite, devoir, impératif, respect, loi, vertu, les termes dans lesquels s'est formulée l'éthique moderne sont éloquents : ils disent suffisamment combien la réalisation de l'idéal moral est chose difficile, voire *contraignante* pour le sujet qui entend s'y plier. Le cosmos hiérarchisé auquel référait la vertu antique a certes disparu et le monde substantiel s'est retiré. La réflexion des Modernes n'en est pas moins restée attachée à l'idée d'une transcendance de la loi par rapport aux désirs de l'individu, et la raison pratique, pour être en quelque façon « en nous-mêmes », demeure par son universalité et son statut transcendantal extérieure à l'homme empirique. L'idée d'auto-nomie suppose sans doute que la loi est *ma loi,* mais pour autant, elle n'annule pas la distance qui sépare l'*autos* et le *nomos,* le soi et la norme. L'éthique ne se confond pas avec une psychologie, pas davantage avec cette sociologie des mœurs qui conduira nombre de nos contemporains à considérer toute norme comme un produit historique relatif à l'état d'une société déterminée.

Tout indique que nous assistons, depuis une période récente, à une mutation liée à la formidable montée de l'individualisme démocratique. Aux États-Unis comme en France, d'excellentes études ont montré comment, en particulier depuis les années soixante, les idéologies hédonistes et narcissiques s'étaient emparées des questions morales traditionnelles. Si l'on voulait en dresser la fiche signalétique, le mot clef ne serait plus l'excellence, encore moins le mérite, mais sans nul doute l'*authenticité.* Sans reprendre ici ces analyses, on peut rappeler très brièvement la double tendance qui caractérise sur le plan éthique l'individualisme contemporain.

L'essentiel, tout d'abord, n'est plus de se confronter à des normes extérieures imposantes, mais de parvenir à l'expression de sa propre personnalité, à l'épanouissement de soi. Souvenons-nous de la formule de Bell dont la concision et la justesse forcent l'admiration : « Aujourd'hui, la psychologie a remplacé la morale et l'anxiété a pris la place de la culpabilité. » Lorsque la notion de transcendance s'évanouit, lorsque, par suite, on prétend rester seul face à soi-même, le déchirement et le mal-être existentiels ne peuvent plus, en effet, s'interpréter qu'en termes de « conflits psychiques » : la victoire du thérapeutique sur le religieux est enfin assurée.

D'un autre côté, l'éthique de l'authenticité compense le narcissisme du « *be yourself* » par un surcroît de *tolérance* et de respect de *l'Autre*. « L'« altérité » est de nos jours la valeur sûre entre toutes, le mot d'ordre incontournable et incontestable. Il est significatif à cet égard que le discours déclaratif des droits de l'homme qui, à l'origine, il ne faut pas l'oublier, était l'expression la plus achevée de l'universalisme « géométrique » des révolutionnaires, devienne aujourd'hui synonyme de « droit à la différence ». Certes, la Révolution a émancipé les Juifs et lutté contre l'esclavage. Encore faut-il rappeler qu'elle le fit au nom *des principes* et en vertu d'une idéologie *assimilationniste,* nullement par respect de cette *pluralité des cultures* dont l'idée n'a sans doute jamais effleuré une seule tête jacobine.

Je ne reviendrai pas ici sur les impasses auxquelles conduit souvent (pas toujours) l'éthique de l'authenticité – en particulier quand elle prend la forme du relativisme culturel ou de cet antiracisme « différentialiste » dont les pièges commencent à être visibles[3]. Je voudrais seulement, en guise de conclusion, attirer l'attention sur une difficulté majeure dans laquelle, qu'on le veuille ou non, cette éthique nous plonge tous.

A tort ou à raison (je crois : plutôt à raison...), ce que j'ai désigné ici comme l'éthique des Modernes n'avait pas abandonné le projet de répondre à la question des *limites :* pour ne plus être situées dans un cosmos transcendant, mais dans la raison du sujet, ces dernières n'en étaient pas moins contraignantes, tant sur le plan moral que juridique. Le principe d'*autolimitation* selon lequel ma liberté finit là où commence celle d'autrui, celui de l'universalité de la loi fournissent, quoi qu'en pensent les néotraditionalistes heideggériens ou thomistes (pour ne rien dire des intégristes), des indications générales qui peuvent – du moins est-ce là le pari des Modernes – se particulariser dans tous les cas concrets moyennant l'organisation des discussions publiques indispensables à la mise au jour des justes compromis. Toute la difficulté, avec l'éthique des contemporains et la sacralisation de l'authentique comme tel, c'est que la référence à *l'idée même de limite* semble s'estomper, délégitimée qu'elle est par l'exigence impérieuse de l'épanouissement individuel et du droit à la différence. S'il est « interdit d'interdire », le péché suprême devient le dogmatisme et ce dernier tend à se confondre avec ce que les Modernes tenaient justement pour la vérité de la *raison*. La haine du rationalisme fleurit sur l'éthique de l'authenticité, et sa critique, qui fut jusqu'à une date récente l'apanage de la philosophie contemporaine, trouve des échos jusque dans l'univers des scientifiques – comme en témoigne le succès des essais d'épistémologie voués à piétiner joyeusement la raison.

Telle est au fond la thèse que nous voulions défendre dans *la Pensée 68* lorsque, distinguant « autonomie » et « indépendance », nous écrivions que « le sujet se meurt dans l'avènement de l'individu ». Il s'agissait de souligner la corrélation étroite et paradoxale qui unit les déconstructions de la raison, donc de la subjectivité moderne, à l'univers libéral où le plein épanouissement de l'individualisme requiert la mise en place des idéologies relativistes selon lesquelles il n'y a pas de faits, mais seulement des interprétations.

On aurait tort, pourtant, de forcer le trait et de transformer en véritable antinomie l'opposition du sujet moderne et de l'individu contemporain, de faire comme si l'âge d'or des Lumières s'estompait derrière l'inexorable déclin

auquel serait voué l'Occident depuis que s'est ouverte
« l'ère du vide ». L'histoire de l'esthétique nous l'apprend,
et cet enseignement, je crois, vaut aussi pour l'éthique : le
retrait du monde n'est pas synonyme de décadence. Il
ouvre de nouveaux horizons qu'on aurait tout intérêt à
mieux cerner avant de céder à cette facilité qu'est devenu le
néoconservatisme. Rien ne garantit qu'ils soient idylliques,
mais rien ne prouve non plus qu'ils nous attirent de façon
inéluctable vers de nouvelles formes de totalitarisme. L'indignation, ici, n'est pas de mise : du moins, pas avant que
la compréhension de ce qui est ne vienne, le cas échéant, la
justifier. Or je ne vois pas que cette tâche soit aujourd'hui
accomplie par quiconque.

Que le progrès des sciences et des techniques, en particulier dans le domaine de la vie, soulève en termes inédits
et urgents la question des limites est indéniable. Que
l'idéologie individualiste nous prédispose peu à y apporter
des réponses tranchées et qu'une telle indécision laisse la
place à la dure loi du marché est plus que probable. Que
cela soit l'expression d'un mal radical dont la simple vision
devrait nous inciter à suspendre notre jugement critique, à
remettre en cause l'humanisme juridique au profit d'un
retour à des formes de pensée traditionnelles est en revanche plus que douteux, et ce pour deux raisons qu'il importe
de préciser.

D'abord, il n'est pas certain que la continuité entre
humanisme et individualisme soit parfaite et que, de ce
fait, il soit légitime de conclure d'une condamnation de
l'individualisme à celle de l'humanisme : tant sur le plan de
l'esthétique que sur celui de l'éthique, il est crucial de
distinguer aussi soigneusement que possible le moderne du
contemporain. Sauf à radicaliser une lecture heideggérienne de l'histoire, il faut bien admettre que, de Kant à
Nietzsche, les ruptures sont au moins aussi importantes
que les continuités.

Ensuite et surtout : il faut se garder d'investir immédiatement d'un jugement de valeur la distinction ainsi opérée

de l'autonomie du sujet et de l'indépendance de l'individu. Car ce dernier, lors même qu'il ne vise pas l'autonomie morale qu'on attribue au sujet, n'est pas pour autant réductible aux seules activités consuméristes. *Entre l'animalité du cycle de la vie et l'action vertueuse par laquelle nous prétendons à l'autonomie, il existe toute une sphère d'activités intermédiaires, dont l'esthétique fournit le modèle,* et qui permettent à l'individualité des formes d'expression d'une grande fécondité. A négliger cette observation, c'est tout simplement la sphère de la *culture* qu'on risquerait d'occulter, de sorte que nous ne sommes nullement tenus à un choix de vie binaire, avec ou contre la loi transcendante, avec ou contre l'immanence à la vie, etc. Ce qui est inédit dans l'ère contemporaine, c'est le fait que les trois âges de l'éthique, qui paraissaient pourtant antithétiques, ne s'annulent pas les uns les autres : l'exigence d'authenticité n'implique pas un retrait total et définitif des principes d'excellence ou de mérite. Au contraire, on assiste aujourd'hui, si je ne me trompe, à un retour du principe d'excellence au sein de l'univers démocratique, tandis que le principe méritocratique n'a, de son côté, jamais vraiment cessé d'agir. De plus en plus, en effet, l'authenticité tend à n'être valorisée que *lorsqu'elle s'accompagne soit du courage de la vertu, soit d'une puissance de séduction, donc, lorsqu'elle est l'authenticité dune richesse intérieure dont la manifestation suscite l'assentiment ou l'admiration d'autrui.* L'expressivité pour l'expressivité ne fait plus recette et le discours contre la société du spectacle devient l'idéologie dominante lors même qu'il affecte, suivant en cela les recettes les plus éculées de l'intelligentsia, d'être plus subversif que jamais.

Dire que l'individu n'est ni seulement autonomie (moralité moderne), ni seulement indépendance consommatrice (authenticité contemporaine) c'est évoquer l'une des significations les plus profondes de la notion d'individualité : ne l'oublions pas, l'individu est avant tout l'être insécable, l'atome qui, parce qu'il est unique, se distingue de tous les autres. Nul ne saurait se distinguer par la simple affirmation de son indépendance et de son ipséité. Selon une argumentation dont le modèle est fourni dans la *Phénoménologie de l'esprit,* par la dialectique de la certitude sensible, l'exacerbation du particulier nu se renverse en son contraire et sombre dans la banalité de l'universel abstrait. Nous sommes tous des individus, des « moi » ici et maintenant, et ce n'est pas cette « particularité » qui nous différencie les uns des autres. Pas davantage notre capacité à consommer les produits de la nature ou de la société. Dans l'espace de réflexion ouvert par la *Critique de la faculté de juger* et repris par le romantisme allemand, l'individualité véritable ne saurait résider que dans la synthèse d'une particularité concrète avec l'universel. Il faut, pour que l'individu apparaisse comme tel, qu'il soit tout à la fois riche d'un *contenu* singulier et pourtant *généralisable.* C'est à ce prix, et à ce prix seulement, que l'exigence d'authenticité peut être maintenue. L'individualité ressemble alors à cet *idéal* dans lequel l'esthétique hégélienne désignait le sommet de l'art. Entendue en ce sens, elle ne se réduit en rien au n'importe quoi du consumérisme, à cette liberté arbitraire qui consiste à faire « ce que l'on veut ».

Éclairée par l'histoire de l'esthétique, la réflexion éthique ne peut plus aujourd'hui faire l'économie de cette triple dimension de l'excellence, du mérite et de l'authenticité. Chaque exigence trace les contours d'une théorie générale des limites qu'il faudra bien se résoudre à penser hors des cadres d'une cosmologie si l'on veut se tenir au niveau du défi lancé par le retrait du monde et ne pas céder aux mirages de la Tradition perdue.

ANNEXE I

La phénoménologie
de Lambert

*Présentation et traduction
des premier et dernier
chapitres*

La *Phénoménologie* de Lambert, comme l'*Aesthetica* de Baumgarten, a pour objet un ordre de réalité qui se trouve à égale distance du vrai et du faux : « En effet, nous ne devons pas simplement opposer le vrai et le faux, mais il se trouve encore dans notre connaissance un milieu intermédiaire entre ces deux possbilités, milieu que nous nommons apparence » (§ 1). Il est clair cependant que de l'apparence à l'erreur, il n'y a qu'un pas bien vite franchi puisque dans le monde de l'apparence, comme l'écrit déjà Lambert dans un ouvrage de 1759 consacré à la perspective, « les choses visibles se présentent à l'œil tout autrement qu'elles ne sont en réalité » – thème que le § 1 de la *Phénoménologie* reprendra quelques années plus tard : l'apparence est « la raison pour laquelle nous nous représentons très souvent les choses autrement qu'elles ne sont et pour laquelle il devient facile de prendre ce qu'elles semblent être pour ce qu'elles sont réellement [...]. La théorie de l'apparence et son influence sur l'exactitude et l'inexactitude de la connaissance humaine constituent la partie de la science fondamentale que nous nommons phénoménologie » (§ 1).

Chez Lambert comme dans toute la tradition philosophique depuis Platon la notion d'apparence est équivoque : elle désigne aussi bien la simple *apparition* de la chose que sa *déformation,* la *manifestation* aussi bien que l'*illusion*. Dans le premier cas, l'apparence ne s'oppose pas à la

réalité; elle est même l'unique voie d'accès au réel. Dans le
second au contraire, elle nous en écarte : « L'apparence a
d'innombrables degrés [...]. A son premier degré, la chose
est perçue exactement telle qu'elle est : par conséquent
l'apparence et la vérité coïncident [...]. A partir de ce
premier degré, commencent ceux où la chose est différente
de l'apparence et où des représentations provenant d'autres sources que des simples sens et de leurs nerfs se mêlent
à la sensation et modifient l'image de la chose... » (§ 44).

   La tâche de la phénoménologie sera donc double :
lorsque l'apparence n'est qu'une simple manifestation non
déformée de la chose, il s'agira seulement de mettre au jour
les lois qui garantissent la constance de cette apparence,
son identité à travers ses différentes occurrences. Lorsqu'en revanche l'apparence sera déformation, la phénoménologie devra déterminer les *sources* de l'altération afin de
l'éliminer – ce pourquoi la classification des différentes
sources et des diverses espèces d'apparence s'avère décisive
et fait l'objet du premier chapitre de la *Phénoménologie*.

   Je me bornerai à indiquer les principes de cette classification pour autant qu'ils permettent de saisir dans quelle
mesure la *Phénoménologie,* en tant que théorie du sensible,
va elle aussi ouvrir une brèche dans le système leibnizo-
wolffien et manifester la nécessité d'une prise en compte de
la connaissance *finie* ou « *esthétique* ».

   En vertu du principe de raison, Lambert admet que
toute modification dans l'apparence des choses doit provenir d'une source particulière. Or il n'y a que trois sources
possibles d'apparence :

   – l'*apparence objective,* qui provient d'un changement
réel dans l'objet;

   – l'*apparence subjective,* qui provient d'un changement
dans les facultés réceptives du sujet (par exemple sous
l'influence des passions, de la maladie, etc.);

   – l'*apparence relative* qui présente elle-même une double
face : lorsque ni l'objet ni le sujet ne changent, les modifications de l'apparence ne peuvent provenir que de leur

relation. Telle est l'apparence relative proprement dite. Mais il se peut aussi que l'objet et les sens changent tous les deux, tandis que l'apparence reste stable.

Dans la réalité, les deux premières sources d'apparence ne sont jamais strictement séparables (§ 31). L'apparence subjective seule serait une image vide et l'apparence objective n'est qu'une abstraction : « Sans un être pensant, il lui manquerait toujours ce qui la constitue comme apparence. » Il faut encore ajouter que l'apparence peut être « pathologique » (Lambert dit également « organique ») ou « physique » (§ 20) : l'apparence pathologique (ou organique) est l'apparence qui n'est suscitée par aucun objet extérieur, comme dans les hallucinations. Elle constitue donc un cas extrême de l'apparence subjective. L'apparence physique a au contraire pour origine un objet extérieur : elle ne peut donc jamais être totalement subjective. Enfin, Lambert nomme « apparence idéaliste » l'apparence qui résulte de la négation, par la philosophie, de la distinction même entre l'apparence organique et l'apparence physique.

Ainsi définie, l'apparence se rencontre dans cinq domaines principaux qui font l'objet du chapitre I (dont on trouvera ici la traduction complète) : l'« *apparence herméneutique* » qui porte sur « l'interprétation des signes, des paroles et des écrits d'autrui » ainsi que l'« *apparence sémiotique* » qui concerne « l'emploi des signes en général » seront pour l'essentiel traitées dans la troisième partie du *Neues Organon* intitulée « Sémiotique ou théorie de la désignation des pensées et des choses ». (Lambert ne s'est pas contenté d'être l'auteur de la première « phénoménologie » : il fut aussi celui de la première « sémiotique ».) L'« *apparence sensible* », comme son nom l'indique, est l'apparence qui se manifeste dans l'ordre de la sensibilité. L'« *apparence psychologique* » concerne les facultés de l'esprit, excepté l'entendement et la raison qui, selon Lambert, fidèle en cela à la tradition leibnizienne, ne peuvent en tant que tels être à l'origine d'une appa-

rence (§ 19). Elle provient le plus souvent des lacunes de la
conscience et de l'influence de l'imagination sur la connaissance. L'« *apparence morale* », enfin, résulte pour l'essentiel de l'influence des passions sur la connaissance. Elle est
donc le plus souvent subjective.

Ces classifications paraîtront sans doute très formelles et
très scolastiques. Elles le sont effectivement pour une large
part et il serait vain de nier la faiblesse de certains passages
de la *Phénoménologie*. Son intérêt est ailleurs, dans le
projet général que Lambert esquisse aux §§ 4 et 266 (voir
infra) par référence à l'*optique* et à la *perspective* : la
Phénoménologie veut être en effet tout à la fois une optique
et une perspective « transcendantes ». La signification de
cette formule peut être simplement expliquée : grâce à la
découverte des lois de l'optique, les savants ont réussi à
dépasser le stade de l'apparence pour accéder à la vérité :
nous connaissons par exemple la loi de la réfraction d'un
rayon lumineux dans un liquide, et grâce à cette connaissance scientifique, nous pouvons corriger l'apparence sensible et parvenir à la vérité. La principale application de
l'optique est l'astronomie dont la tâche consiste à remonter
du mouvement apparent des planètes, le seul qui soit
visible, à leur mouvement réel. La phénoménologie, sur
son premier versant, devra s'inspirer de l'optique, la prendre pour modèle et, en la généralisant, « l'étendre au
domaine de la pensée », déplacement à vrai dire aisé
puisque « en ce qui concerne le domaine de la pensée, nous
sommes déjà depuis longtemps habitués à utiliser les
concepts de " point de vue " et de " côté ", de même que
nous attribuons pour ainsi dire des yeux à l'entendement et
que nous étendons le concept de vision aux choses abstraites » (§ 27).

La *Phénoménologie* sera donc une « optique transcendante », c'est-à-dire « métaphorique » et « générale » dans
la mesure où elle aura avec les facultés intellectuelles et
morales les mêmes liens que l'optique avec la vision : de
même que l'optique vise à « sauver les phénomènes », à

rendre compte des diverses apparences de la chose unique, la *Phénoménologie,* comme optique transcendante, tentera de rendre raison du lien qui unit « au fond » l'apparence introduite par des points de vue subjectifs et la réalité immuable. Elle s'occupera « d'une façon générale de déterminer ce qui est réel et vrai dans chaque genre d'apparence » et, à cette fin, elle dégagera « les causes et les circonstances particulières qui produisent et modifient une apparence afin que l'on puisse conclure de l'apparence au réel et au vrai » (§ 266).

Comme l'*Aesthetica* de Baumgarten, la *Phénoménologie* de Lambert suppose donc une analogie entre le monde sensible et le monde intelligible. Mais si, en tant qu'optique transcendante, elle épouse la tâche traditionnelle de la philosophie platonicienne et prétend aller de l'apparence au vrai, en tant que *perspective transcendante,* elle adopte une démarche inverse et devient *esthétique générale* : grâce à l'optique, le peintre (mais, par analogie, également le poète, le musicien, l'orateur, etc.) connaît les lois de l'apparence; il peut donc utiliser ces lois *en sens inverse* et, au lieu d'aller de l'apparence au vrai, comme le fait le savant, aller du vrai à l'apparence. La perspective n'est que l'optique renversée : elle permet d'élaborer un dessin qui possède l'apparence de la vérité. Et c'est cette conception de la perspective qu'il s'agit de rendre « transcendante », c'est-à-dire métaphorique et générale pour l'appliquer, par analogie, aux autres arts. Voici en quels termes Lambert explicite ce passage de l'optique à la perspective dans le dernier chapitre de la *Phénoménologie* qu'il consacre aux questions d'esthétique : « Nous avons déjà remarqué [...] que la phénoménologie, dans son sens le plus général, pouvait être nommée une optique transcendante dans la mesure où elle détermine l'apparence à partir du vrai et inversement, le vrai à partir de l'apparence. C'est là ce que fait l'optique en ce qui concerne l'œil. Mais elle va encore plus loin et elle donne, dans la perspective, des moyens de peindre l'apparence des choses visibles ou de dessiner leur

forme apparente de telle sorte que le dessin tombe dans
l'œil exactement comme les objets mêmes lorsqu'ils sont
tous deux regardés du point de vue convenable » (§ 266).
L'esthétique consistera à rendre générale l'idée de perspective. On dira par exemple que la règle des trois unités est
au théâtre ce que la perspective est à la peinture : elle
permet de donner à l'action l'apparence de la vérité,
apparence qui se dissiperait inévitablement si l'on représentait en un même lieu ce qui advient en plusieurs et en
un temps très bref une action qui s'étend sur plusieurs
années (§ 269). Comme la perspective, la règle des trois
unités a donc pour fonction principale de permettre la
réalisation du *vraisemblable*.

A certains égards, donc, la *Phénoménologie* peut sembler
être une théorie générale du classicisme : l'art y reste pensé
en termes de vérité ou, plus exactement, de présentation
vraisemblable de la vérité. Dans ses nombreux écrits
mathématiques et esthétiques sur la perspective, Lambert
dénonce les « paysages » qui ne sont que « des inventions
de dessinateurs [...] esquissées d'après le simple coup d'œil,
sans règle ni compas », qui ne « représentent à vrai dire
absolument rien », qui ne sont qu'un pur « rapiéçage »
(*Flickwerk*) et, pour cette raison, ne peuvent plaire qu'aux
« ignorants ». Lambert précise alors de façon toute
classique : « Il en va tout autrement lorsqu'un paysage est
dessiné selon les règles de la perspective. Étant donné que
dans de tels dessins on utilise la règle et le compas au lieu
du simple coup d'œil, le peintre est assuré de l'exactitude
absolue du dessin. Il soutiendra l'examen le plus rigoureux
des connaisseurs, et même ceux qui ne sont pas connaisseurs ressentiront avec plaisir [...] le naturel qui règne
nécessairement dans le dessin entier [...]. Il faudrait dire
aux peintres de ne pas faire de rapiéçages (*Flickwerke*)
lorsque, par exemple, ils dessinent des paysages, et de faire
en sorte que leurs paysages ne soient pas plusieurs paysages mais un paysage unique[1] », ce que seule la conformité
aux lois de la perspective peut garantir.

Pourtant, comme ce fut le cas pour l'*Aesthetica* de Baumgarten, il serait réducteur de ne voir dans la *Phéno-ménologie* qu'une théorie générale du classicisme. Par son titre même, elle témoigne d'un intérêt pour le monde sensible, spécifiquement humain, qu'on ne saurait expliquer dans les cadres du rationalisme classique : comme Baumgarten, Lambert part de la philosophie de Leibniz et de Wolff; mais comme lui également il conduit cette philosophie à sa limite en choisissant le point de vue de la connaissance finie, plutôt que celui de la théologie de l'harmonie préétablie.

Pour étayer cette thèse, il faut rappeler que d'emblée, malgré son attachement aux principes wolffiens, Lambert tient pour impossible une définition de l'objectivité qui ne ferait pas intervenir l'existence d'une chose en soi extérieure à la représentation. Dans un passage de l'*Architectonic,* son ouvrage majeur, il s'oppose à Wolff et critique comme « idéaliste » la théorie qui réduit la vérité métaphysique à une simple liaison des représentations. Voici la traduction intégrale de ce passage : « Dans la métaphysique, on a défini la vérité métaphysique par l'ordre qui est dans les choses et dans leurs parties. On voyait en effet que la vérité logique devait être distinguée de l'erreur et de la fausseté tandis que la vérité métaphysique devait être distinguée du rêve. Or on a fait résider la différence entre la vérité métaphysique et le rêve essentiellement dans le fait que le contenu du rêve ne possède, ni en lui-même, ni par rapport à ce que nous expérimentons à l'état de veille, cette cohérence qu'il aurait s'il était une partie du monde réel. C'est ainsi qu'on a cherché dans l'ordre parfait l'essence de la vérité métaphysique et qu'on l'a définie par l'ordre des choses. Mais ainsi, elle n'est pas encore distinguée de la vérité logique, parce que cette dernière, elle aussi, possède une complète harmonie, est entièrement pensable (*gedenkbar*) et parfaitement fondée et cohérente. Ce que, à l'état de veille, nous voyons, percevons, concevons et nous représentons pourrait être tenu pour pensable et pleinement cohérent quand bien même rien de tout cela n'existerait. On voit donc que cette cohérence ne démontre pas encore totalement qu'une chose puisse exister bien que, assurément, l'existence ou la possibilité d'exister ne soit pas possible sans cette cohérence. On voit aisément qu'il faut encore y ajouter le solide et les forces » (§ 304).

Ce que Lambert annonce ici, c'est la distinction, bientôt centrale chez Kant, entre possibilité logique et possibilité réelle : la non-contradiction et le principe de raison lui-même (la « cohérence ») ne suffisent pas à définir la possibilité réelle ou vérité métaphysique : ils n'en constituent qu'un critère négatif, une condition nécessaire mais non suffisante. Et le chapitre X de l'*Architectonic* ne cessera de le souligner : « On peut nommer tant qu'on voudra possible ce qui est pensable (*gedenkbar* = non contradictoire), il reste que, en soi, toutes les possibilités ne sont rien, ne sont qu'un pur rêve, si la possibilité d'exister n'y est pas contenue » (§ 297), ce qui suppose l'intervention, non seulement du principe de raison, mais surtout du solide et des forces, *c'est-à-dire d'un référent extérieur à la représentation*. La métaphysique wolfienne reste donc aux yeux de Lambert purement formelle – elle n'est, au sens que Kant donnera à cette expression, qu'une « métaphysique générale », une simple analyse *logique* des concepts –, elle ne parvient jamais à saisir la réalité et reste au niveau des pures *relations*. Et « comme on ne peut déterminer aucune chose à partir de pures relations, la difficulté subsistait toujours dans l'ontologie de savoir comment on pouvait parvenir de l'ordre supposé au réel » (§ 43).

A vrai dire, en dénonçant l'ontologie comme vision « égoïste » ou solipsiste du monde, Lambert ne s'inspire pas seulement de Locke, mais surtout du premier grand critique allemand du système wolffien : Christian August Crusius qui en 1754 avait fait paraître un livre intitulé *Entwurf der nothwendigen Vernunft-Wahrheiten* dans lequel on pouvait déjà trouver cette attaque contre l'idéalisme de Leibniz : « Si l'essence d'une monade consiste en ce qu'elle se représente les autres monades et si l'essence des autres consiste en ce qu'elles se représentent la première, un concept absolu n'est pas encore indiqué, ni pour l'essence de l'une ni pour celle des autres » (§ 423). Dépassant la boutade, Crusius indiquait déjà la nécessité d'ajouter à la non-contradiction (possibilité logique) la force, l'*espace* et le *temps* pour parvenir à la possibilité réelle (§ 59).

Peu importe ici que ce type d'objection ait pu sembler naïf aux yeux des lebniziens et qu'il soit possible, au sein du système de Leibniz, d'en trouver la parade, au moins à un premier niveau. Ce qu'il faut en revanche comprendre, ce sont les raisons pour lesquelles cette exigence de *réalisme* devait conduire à ouvrir une brèche dans l'idéalisme leibnizien, brèche qui devait elle-même constituer l'espace intellectuel dans lequel la phénoménologie, puis l'esthétique allaient s'engouffrer.

Nous avons vu en effet que l'objectivité se définit chez Lambert, à la suite de Crusius, selon deux critères : la non-contradiction et l'ordonnance des représentations d'un côté, mais de l'autre le solide et les forces : c'est dire qu'aux yeux de Lambert, comme plus tard à ceux de Kant, l'existence est quelque chose de *donné, de non déductible du sujet ni réductible à la simple représentation (Architectonic,* §§ 94 et 374). Comme le dit encore Lambert dans la première partie du *Neues Organon* (§ 660) : « Étant donné que l'expérience suscite en nous des concepts, il est clair que si nous en restons aux simples possibilités que représentent ces concepts, la détermination de l'existence qui est le propre de l'expérience fait défaut. » La vérité métaphysique doit donc posséder une double origine : le sujet pensant, bien sûr, mais aussi une base *réelle,* extérieure à la pensée (le solide et les forces dans l'espace et le temps) : « Le royaume de la vérité logique serait sans la vérité métaphysique un pur rêve et sans un *suppositum intelligens* existant il ne serait même pas un rêve, mais tout simplement rien. » La vérité métaphysique requiert donc « d'une part, un être pensant afin qu'elle soit effectivement pensée,

et ensuite la chose même qui est l'objet du pensable »
(*Architectonic*, § 299).

La définition lambertienne de la différence entre vérité
logique et vérité transcendantale annonce celle de Kant,
même si, à l'évidence, elle consiste davantage à juxtaposer
les thèses de Locke et de Leibniz qu'à les concilier
véritablement. En bonne logique, Lambert devait donc
rencontrer le problème crucial de la première *Critique* :
celui du rapport des représentations à l'objet extérieur à
elles – problème qui n'avait aucune raison de se poser dans
l'idéalisme wolffien, l'objectivité y étant réduite à *l'ordre*
des représentations.

Les meilleurs commentateurs de Lambert ont donc lu,
d'Edmund König à Ernst Cassirer et Otto Baensch, la
philosophie de Lambert comme une ébauche manquée du
criticisme, considérant que la question critique, la question
du rapport de la représentation à l'objet, ne recevait chez
Lambert aucune solution, bien qu'elle fût posée correctement, en des termes qui remettaient déjà sérieusement en
cause l'idéalisme wolffien : « Est-ce que cette liaison entre
l'expérience et le concept, écrit en ce sens Cassirer, qui est
exigée pour tous les jugements valides sur la réalité des
choses est simplement le fait d'un heureux hasard ou
possédons-nous pour elle une garantie objectivement
nécessaire? Finalement, la réponse que Lambert donne à
cette question retombe malgré tout dans l'ornière habituelle de l'ontologie[2] »; et Cassirer d'expliquer, citations à
l'appui, comment Lambert réhabilite en dernière instance
le concept leibnizien d'harmonie préétablie. De façon assez
semblable, König s'interroge sur le bien-fondé des positions de Lambert : une fois opposées la sphère du subjectif
(du seulement possible) et celle de l'objectif (le solide et les
forces), le sujet connaissant « doit bien se demander dans
quelle mesure ce qui lui est donné doit être rapporté au
solide et aux forces (car dans les illusions des sens un tel
rapport a lieu également), question pour la solution de

laquelle les concepts de Lambert ne donnent aucun point d'appui[3] ».

Disons-le nettement : il faut vraiment lire Lambert à travers Kant pour ne pas voir que la *Phénoménologie* est tout entière consacrée à la solution d'une telle question, qu'elle a pour but principal, sinon unique, d'opérer le passage de la logique au réel en dissipant tous les visages possibles de l'apparence, *nous autorisant dès lors à rapporter nos représentations à quelque chose d'extérieur à nous.* Très précisément, comme le remarque d'ailleurs König dans le passage qu'on vient de lire, c'est parce que dans l'illusion, dans le rêve ou dans les hallucinations par exemple, nous rapportons à tort une représentation à quelque chose d'extérieur à elle (alors que nous avons en réalité affaire à une apparence purement subjective) qu'il faut une *phénoménologie,* une doctrine de l'apparence qui permette de décider des cas où nous sommes fondés à rapporter un phénomène à une réalité extérieure ou à une causalité purement interne.

En d'autres termes : c'est parce que Lambert rompt avec la définition wolffienne de l'objectivité comme simple liaison ordonnée des représentations qu'il doit se heurter à la problématique de ceux qu'il nomme, selon le vocable de l'époque, les « égoïstes » : Berkeley et Malebranche, bien sûr, mais aussi Leibniz et Wolff puisqu'ils prétendent eux aussi résoudre le problème de l'objectivité sans recourir à l'hypothèse d'un référent extérieur aux représentations. C'est d'ailleurs en ce sens que l'*Architectonic,* reprenant les termes de la *Phénoménologie,* signale une difficulté touchant « la différence entre les choses elles-mêmes et l'apparence » : « On est allé très loin dans l'ontologie lorsque, sous le nom de *phénomène,* on a considéré l'espace, le temps, le mouvement, la force motrice et par suite le monde corporel tout entier comme n'étant rien d'autre qu'une apparence [...]. Certes, on peut prouver que le monde corporel ne se dévoile à nos yeux que sur le mode de l'apparence et qu'il y a bien peu de cas où les langages de l'apparence et ceux du vrai coïncident. C'est là ce que j'ai développé largement dans la *Phénoménologie,* mais il n'en résulte pourtant point que le monde corporel soit une pure apparence » (§ 43). Et Lambert ajoute pour préciser le rôle de cette *Phénoménologie :* « Même s'il en était ainsi [si le monde corporel était une pure apparence], il reste que les concepts tirés de l'apparence devraient toujours fournir la matière première à partir de laquelle on pourrait trouver de quoi déterminer le réel et le vrai. Cette méthode que les astronomes ont déjà utilisée depuis longtemps se trouve également indiquée dans la *Phénoménologie.* »

Il s'agit donc, selon la démarche de l'optique et de l'astronomie, d'aller de l'apparence au vrai, du possible au réel : cette fonction de la phénoménologie est explicitement exposée par Lambert dans un texte rédigé pour le concours de l'Académie de Berlin en 1763 dont le sujet portait sur la différence entre l'évidence des vérités métaphysiques et celle des vérités mathématiques. Dans cet essai intitulé *Über die Methode die Metaphysik, die Theologie und die Moral richtiger zu beweisen (Sur la méthode permettant de démontrer de façon plus exacte la métaphysique, la théologie et la morale),* Lambert s'attache à montrer comment les mathématiques étant certaines, il conviendrait d'en faire un modèle pour la métaphysique dans la mesure où cette dernière met en œuvre les mêmes concepts. Mais ici encore, Lambert se heurte à la question du passage des vérités idéales aux vérités « réelles » ou « métaphysiques » et voici la façon dont il se propose de la résoudre : « Ce que nous avons dit demeure incontestable aux yeux mêmes de l'adversaire le plus acharné de la métaphysique [le terme désignant ici, selon l'usage habituel à l'époque, le domaine des vérités « réelles » par opposition aux vérités seulement idéales de la logique et des mathématiques]. La géometrie et la logique sont des sciences idéales et l'égoïste n'admet rien dans la métaphysique dont il ne puisse avoir en lui-même une expérience. Tout ce qui est hors de lui est pour lui apparence. On doit donc le suivre sur son terrain et lui concéder l'apparence jusqu'à ce qu'on ait suffisamment de raisons de déduire le vrai de l'apparence qu'on a admise. C'est ainsi que font les astronomes qui, au début, n'ont devant eux que l'apparence des mouvements célestes mais qui, à partir de ce donné, parviennent jusqu'au vrai » (§ 33).

Or nous savons qu'en évoquant l'astronomie Lambert pense à la phénoménologie en tant qu'elle en est à ses yeux la généralisation dans la philosophie. Le projet de la *Phénoménologie* est donc, si l'on veut, *matérialiste* puisque, « face à l'égoïste, on doit conclure de l'apparence au vrai, ce dont l'astronomie donne des exemples » (§ 36). Par souci de méthode et de pédagogie, « on concédera à l'égoïste que le monde est une pure apparence jusqu'à ce que nous ayons suffisamment de raisons pour parvenir au vrai à partir de cette apparence admise hypothétiquement, ainsi que le font les astronomes [...]. Il semble que la métaphysique exige une optique transcendantale pour les égoïstes et les idéalistes » (§ 45), optique dont nous connaissons maintenant le nom nouveau – phénoménologie –, Lambert ayant délibérément créé ce néologisme pour marquer le caractère inédit de la discipline qu'il inaugurait.

On pourrait sans doute relativiser cette prétention à l'originalité et déceler chez Leibniz et Wolff[*] les prémices

---

* Dans son monumental commentaire des œuvres de Wolff, l'abbé Deschamps, le principal vulgarisateur de Wolff au XVIIIe siècle, esquisse, tout en restant dans la stricte orthodoxie wolffienne, le projet de la phénoménologie de Lambert : « Il arrive quelquefois que les mêmes règles d'où naît de la perfection dans le tout produisent de l'imperfection apparente dans une partie. On range au nombre des imperfections apparentes le défaut de nos yeux qui nous représentent quelques fois les choses autrement qu'elles ne sont, comme lorsque nous voyons une tour dans l'éloignement et qu'elle nous paraît ronde quoiqu'elle soit carrée. Cependant l'optique nous apprend que la même loi qui sert à expliquer pourquoi l'on voit une tour telle qu'elle est à une certaine distance sert également à expliquer pourquoi cette tour paraît ronde dans l'éloignement. Ainsi, c'est un avantage singulier de l'optique de nous donner l'idée exemplaire de

d'un tel projet. Dans les *Nouveaux Essais,* Théophile, le personnage qui dans le dialogue défend les thèses de Leibniz, se demande « si l'établissement de l'art d'*estimer les vérisimilitudes* ne serait pas plus utile qu'une bonne partie de nos sciences démonstratives[4] ». Mais, évoquant les illusions de l'imagination, Théophile se borne à réaffirmer la définition leibnizienne de l'objectivité comme liaison ordonnée des représentations de sorte que l'optique, comme théorie des apparences sensibles, trouve finalement son fondement suffisant dans la géométrie dont il faut par conséquent privilégier l'étude : « Je crois que le vrai *critérion* en matière des objets des sens est la liaison des phénomènes, c'est-à-dire la connexion de ce qui se passe en différents lieux et temps [...]. Et la liaison des phénomènes qui garantit les *vérités de fait* à l'égard des choses sensibles hors de nous se vérifie par le moyen des *vérités de raison,* comme les apparences de l'optique se vérifient par la géométrie[5]. »

La conclusion est claire : c'est vers les vérités de raison. le monde intelligible, que le philosophe doit orienter sa réflexion, non vers les apparences sensibles. Si le projet de la phénoménologie, avec son modèle, l'optique, est esquissé, il n'est donc point nécessaire de le mener à bien pour la simple *raison que l'harmonie va de soi,* qu'elle ne saurait, fondée qu'elle est sur le système de Leibniz, être remise en question. Car malgré une formulation qui pour sacrifier au langage ordinaire évoque « des choses sensibles hors de nous », la suite du texte le précise, l'objectivité ne saurait être recherchée ailleurs que dans l'ordre des représentations, donc au sein même de l'individu monade. « Au reste, ajoute donc Théophile, il est vrai aussi que pourvu que les phénomènes soient bien liés il n'importe qu'on les appelle songes ou non. »

Au contraire, pour Lambert qui admet l'existence d'une

l'origine de la perfection dans les cas ordinaires et de l'imperfection apparente dans les cas extra-ordinaires. »

chose en soi, il est de la plus haute importance de savoir distinguer au sein de nos représentations ce qui provient du sujet de ce qui provient des règles. Que cette problématique demeure encore « pré-critique », comme l'affirme Cassirer, ne fait effectivement aucun doute. Il n'empêche – et c'est là tout son intérêt – qu'elle témoigne d'un souci nouveau pour la connaissance humaine et qu'elle tend à détourner la philosophie de la théologie pour l'orienter résolument vers la prise en compte de ce monde des apparences qui est aussi et avant tout le monde sensible, le monde de l'esthétique.

I

DES ESPÈCES D'APPARENCE

§ 1   La connaissance humaine n'a pas seulement ceci de particulier que nous sommes pour ainsi dire obligés de lier nos concepts à des mots et à des signes dont la représentation nous rend de nouveau sensibles les concepts et les images des choses qu'ils indiquent de même qu'elle nous en permet la remémorisation; mais le mode selon lequel nous parvenons peu à peu aux concepts et aux représentations introduit encore une autre confusion qui, dans bien des cas et pour de multiples raisons, rend difficile d'affirmer avec certitude l'exactitude et l'adéquation des concepts avec les choses mêmes. En effet, nous ne devons pas opposer simplement le vrai et le faux, mais il se trouve encore dans notre connaissance un milieu intermédiaire entre ces deux possibilités, milieu que nous nommons apparence. C'est la raison pour laquelle nous nous représentons très souvent les choses autrement qu'elles ne sont et qu'il s'avère aisé de prendre ce qu'elles semblent être pour ce qu'elles sont réellement. Les moyens d'éviter cette illusion et de passer de l'apparence au vrai sont donc, pour une philosophie qui cherche à connaître le vrai en soi, d'autant plus indispensables que sont multiples les sources d'où proviennent les aveuglements de l'apparence. La théorie de l'apparence et de son influence sur l'exactitude et l'inexactitude de la connaissance humaine constitue donc la partie de la science fondamentale que nous nommons phénoménologie; nous expliciterons cette notion dans ce premier chapitre.

§ 2   Le concept d'apparence est, aussi bien d'après son nom que d'après sa première origine, issu des yeux ou de la vision et étendu ensuite graduellement aux autres sens et à l'imagination. Il est ainsi devenu plus général mais aussi plus équivoque. En revanche, la théorie de l'apparence, pour autant du moins qu'on exige quelque chose de complet, est jusqu'ici restée presque entièrement centrée sur la vision. De fait, l'œil offre une matière multiple à l'apparence, sa structure est plus simple, et les trajectoires de la lumière plus connues; c'est pourquoi la possibilité de donner à la théorie de la vision un fondement exact et fécond, et d'enrichir ainsi les sciences mathématiques, fut plus grande. En outre, l'optique, ou science de la vision, était beaucoup trop indispensable aux astronomes qui avaient à conclure de la structure apparente du ciel à la véritable organisation de l'édifice du monde pour qu'ils n'aient dû chercher et appliquer depuis longtemps déjà les difficiles théorèmes d'optique. Dans les temps modernes, les longues-vues et les microscopes ont fourni une nouvelle matière à l'élargissement des sciences optiques, et sans aucun doute, cette partie de la phénoménologie n'a manqué de rien en ce qui concerne les motivations, le zèle et les efforts. Mais les autres parties de la phénoménologie en sont restées d'autant plus en retard.

§ 3   Il est inutile ici de mentionner les nombreux cas où la différence entre l'apparence et le véritable caractère des choses visibles, en tant qu'elles sont un objet de la vue, est évidente. Effectivement, chacun sait que des choses semblables, quand elles sont plus éloignées, semblent plus petites, moins distinctes et décolorées; que, considérées d'un autre côté, elles paraissent autres; que leur couleur change avec une modification de l'angle de la lumière; que les rives semblent à ceux qui naviguent s'éloigner ou se rapprocher, et d'une façon générale se mouvoir : qu'un cercle considéré de côté peut sembler elliptique et qu'inversement une ellipse, considérée de certains côtés, peut sembler ronde. Grâce à de telles expériences, ainsi qu'à d'autres innombrables qui se produisent chaque jour, chacun sait que la forme apparente des choses, ou leur aspect, doit être distinguée de leur véritable forme, et qu'on ne peut conclure si facilement de celle-là à celle-ci parce qu'il y a des cas où des choses tout à fait différentes se montrent à nos yeux sous la même forme. Tout cela est maintenant élevé dans l'optique à la forme de principe et si développé qu'on peut y donner un concept détaillé de l'apparence des choses visibles. On sait, en effet, que tout ce que l'on voit est en quelque sorte calqué sur la rétine ; que ce petit tableau frappe les yeux de la même façon que les objets eux-mêmes, et que ce qui peut en être dit vaut également pour l'apparence des objets, qu'il s'agisse de la figure, de la grosseur, de l'éloignement, de la position, de la couleur, de la clarté, du repos ou du mouvement. On a donc adopté en optique ce principe selon lequel des choses semblent identiques dans la mesure où elles frappent l'œil de la même manière. Et ce principe, étendu à chaque sens, s'énoncera ainsi : la même sensation naît quand le sens subit la même impression.

§ 4   Les opticiens sont allés encore plus loin dans ce domaine, et ils ont indiqué, dans la perspective, des moyens de peindre l'apparence des choses visibles, ou du moins de dessiner leur figure apparente avec une précision géométrique, de telle sorte que le dessin considéré à partir des points visuels indiqués donne la même image sur la rétine et frappe l'œil de la même manière que les objets eux-mêmes. Et, puisque souvent l'apparence peut être très différente du vrai, voire tout à fait opposée, ils ont adopté, en particulier en astronomie, un langage propre pour l'apparence, et ils ont indiqué la traduction de celui-ci dans le langage du vrai et inversement, de celui-là dans celui-ci.

Cela constitue, en effet, la différence entre l'astronomie sphérique et l'astronomie théorique. Nous remarquons cela ici d'autant plus que, si nous considérons la phénoménologie comme une optique transcendante, nous pensons aussi à une perspective transcendante qui serait le langage de l'apparence; en conséquence, ces notions peuvent être élargies en même temps que le concept d'apparence, jusqu'à leur véritable universalité. Ainsi, dans la mesure où les poètes peignent, une partie de leur art poétique peut être comptée aussi dans cette perspective transcendante ou dans l'art pictural.

§ 5   Si nous étendons le concept optique d'apparence à chaque sens (§ 3), il consistera en général dans l'impression que les choses perçues font sur les sens. En ce qui concerne plus particulièrement la vision, cette impression est nommée l'image de la chose; la conscience que nous percevons cette image donne le clair concept de l'apparence de la chose vue. Pour les autres sens, nous ne disposons, autant que je sache, d'aucun mot dans le langage qui représenterait d'une façon générale ce que le mot image représente dans le cas de la vue, et peut-être serait-ce trop difficile si nous voulions désigner par ce mot l'impression ou le clair concept que produit en nous chaque sens par la sensation de son objet, et que nous voulions dire, par exemple : l'image du son, l'image du chaud, etc. Cependant, ce terme exprimerait ce que ces objets nous semblent être d'après la sensation.

§ 6   Dans le concept d'apparence que nous avons tout d'abord donné, nous présupposons que la sensation est occasionnée par une chose réelle, située hors de nous; dans tous les cas de ce type, le concept de ce que cette chose est en fait se tient avec celui que la chose produit en nous par la sensation dans une certaine relation. Cette relation est déterminée par la situation de la chose et du sens par lequel la chose est perçue, de telle sorte qu'on peut conclure de la sensation à la nature de la chose, et de celle-ci à celle-là. L'expérience et l'habitude nous aident dans bien des cas à obtenir une certaine pratique, bien que, jusqu'ici, l'exactitude mathématique n'ait pu être obtenue pour ainsi dire qu'en optique; nous y avons, en effet, des moyens de mesurer, sous divers aspects, aussi bien l'apparence que le vrai.

§ 7   Mais cette présupposition dont nous parlions plus haut n'est pas universelle parce que l'expérience nous donne des exemples contraires. En effet, les concepts auxquels nous parvenons à travers la sensation d'une chose réellement située hors de nous peuvent aussi être produits en nous sans que la chose soit présente ou agisse sur les sens. A titre d'exemple connu de tous, on peut citer le bourdonnement d'oreille; dans l'étourdissement, tout semble tourner autour de soi, et dans le rêve, nous nous représentons les choses de façon aussi vivante que si elles étaient réellement présentes. La chaleur intérieure du corps se mélange de diverses façons dans le jugement que nous portons, d'après la sensation, sur la chaleur extérieure, et les thermomètres nous ont appris qu'une même température de l'air peut nous sembler chaude ou froide. D'une façon générale, les mouvements des nerfs sensitifs qui proviennent de causes internes se mélangent avec ceux qui proviennent des objets extérieurs; les expériences citées plus haut montrent que les premiers agissent aussi seuls, sans les seconds, ou peuvent avoir un effet prédominant. Quant à ce qui se produit dans les fièvres brûlantes, les délires, etc., il est ici inutile d'en parler, car de telles éventualités ne se trouvent pas dans l'état d'exercice habituel des sens.

§ 8   Cependant, ces observations nous indiquent une espèce et une source de l'apparence qui peut survenir même sans être occasionnée par des objets extérieurs. Il peut donc y avoir des cas où on doit s'assurer par d'autres raisons, critères et examens qu'il s'agit bien d'une telle illusion ou que, au contraire, la chose existe réellement. Dans les cas qui semblent impossibles et imprévisibles, nous doutons de la réalité; inversement, après des rêves par trop vivants, nous hésitons à décider s'ils sont vrais ou non.

§ 9   Mais les idéalistes ont contesté jusqu'à cette différence dans la mesure où ils étendent tout simplement cette deuxième sorte d'apparence à tout ce que nous croyons d'ordinaire être réellement hors de nous. Ils ne font entre ce que nous voyons à l'état de veille et ce que nous voyons dans les rêves aucune autre différence que celle qui a lieu entre une image cohérente et une image incohérente; par conséquent, ils ne considèrent le monde corporel tout entier que comme une pure apparence. Nous remarquons au passage que cette apparence idéaliste devrait avoir quelque chose de tout à fait particulier; car, si on tient pour réel le monde corporel, il ne donne que des vérités cohérentes, parce que aucune expérience ne contredit ni ne peut contredire les autres. Au contraire, nous montrerons dans la suite plus en détail que toute autre apparence admise comme réelle ne s'accorde pas complètement avec elle-même et révèle par là qu'elle ne peut être tenue pour réelle, mais que le réel, ou ce que la chose est en soi, doit seulement en être déduit.

§ 10   Nous avons indiqué jusqu'ici les espèces d'apparence qui se produisent en ce qui concerne les sens. Mais l'apparence s'étend aussi jusqu'au royaume de la grâce, et en particulier la conscience, la mémoire et l'imagination nous offrent différentes sources d'apparence. De leur côté, les passions contribuent beaucoup à accroître la confusion parce qu'elles dirigent l'attention sur des aspects particuliers, parce qu'elles diminuent ou augmentent la conscience et parce qu'elles excitent l'imagination au détriment de la raison et de l'entendement plus qu'il ne le serait exigé pour un examen et une connaissance justes et exacts de la vérité.

§ **11**   La conscience est déjà présente dans les sensations des sens extérieurs. Or, il se trouve en toute sensation un divers extraordinairement riche, parce que chacune est individuelle et donc complètement déterminée. Seulement, nous ne sommes jamais entièrement conscients de ce divers, et il nous reste toujours, dans chaque sensation, des parties qui passent inaperçues. Il peut donc arriver que, lorsque la sensation se répète, d'autres parties nous apparaissent plus vivement, et ceci peut nous déterminer à considérer une même chose comme deux choses différentes, ou inversement, à tenir deux choses différentes pour une seule, ou à prendre l'une pour l'autre. Il va de soi que la mémoire contribue à cela, lorsque nous ne nous souvenons plus tout à fait de la sensation comme nous l'avions eue la première fois.

§ **12**   Il est donc possible qu'une sensation dont toutes les composantes ne nous étaient pas présentes à l'esprit revive plus tard en nous et nous rende également sensibles quelques-unes de ces parties dont nous n'étions pas conscients lors de la sensation même, ou inversement, que d'autres ne reparaissent pas dont nous étions bien conscients lors de la sensation. Le concept de la chose est alors évidemment défiguré, et les jugements que nous portions sur la chose lors de la sensation ne riment plus complètement avec le concept qui vient d'en être ravivé. En effet, ce concept, aussi bien que celui que nous avions eu lors de la sensation de la chose, la représente de différents côtés. Et même s'il ne manque rien de plus à ces côtés que le fait qu'ils ne représentent pas totalement la chose, ils peuvent sembler contradictoires sans l'être réellement.

§ **13**   Cette éventualité d'une conscience plus ou moins grande des composantes particulières d'une représentation ne vaut pas seulement pour les sensations des sens extérieurs, mais elle s'étend en général à tout le domaine de la pensée, et y introduit de semblables confusions. Mais ce sont surtout les suivantes qui se manifestent :

1. Dans l'évaluation du degré et de la valeur des choses, évaluation pour laquelle nous ne possédons encore aucun critère déterminé, comme par exemple, dans l'évaluation de la beauté et de la perfection d'une chose. En cette matière, nous avons facilement tendance à prendre les degrés les plus extérieurs que nous connaissons pour ceux qui sont en soi les plus extérieurs; lorsque la chose est par trop complexe, nous ne sommes conscients ni de toutes ses parties, ni de leur valeur, et leur somme nous paraît tantôt plus grande, tantôt plus petite, selon que notre conscience est plus ou moins complète, et selon le terme que nous prenons comme critère de l'évaluation.

2. Cette même instabilité se retrouve dans l'évaluation de la certitude morale ou de la preuve vraisemblable. Elles peuvent nous sembler tantôt plus fortes, tantôt plus faibles, selon que nous nous les représentons de façon plus ou moins vive et détaillée.

3. Il peut également y avoir un tel flottement dans les jugements portés sur les motifs qui nous poussent à vouloir quelque chose ou à ne pas le vouloir, particulièrement lorsque les suites de la décision ne sont encore que vraisemblables, que les avantages et les inconvénients, les conséquences de l'action et celles de l'abstention doivent être soupesées. Il est alors difficile d'être chaque fois conscient de toutes les conséquences, et celles dont on n'est pas conscient seront facilement considérées comme n'intervenant absolument pas; du moins ne pourra-t-on pas les faire entrer en ligne de compte.

§ **14** L'imagination nous fournit aussi des sources multiples et très importantes d'apparence. Elle se mêle à la plupart des sensations, de telle sorte que nous avons peine à maintenir pure l'image naissant de la sensation, c'est-à-dire à la conserver sans mélange de représentations ou de déductions antérieures. C'est pourquoi il arrive très souvent qu'on fasse passer pour une expérience ce qui n'est pas perçu immédiatement, mais est seulement déduit de la sensation ou mélangé avec des images tout à fait étrangères. Qu'on se reporte à ce que nous avons remarqué dans le chapitre VIII de la « Dianoïologie » à propos de ces défauts de captation.

§ **15**   L'imagination est donc la véritable source de toutes les divagations de l'esprit, des chimères, des rêves vides et des phantasmes. Elle ne distingue pas l'apparence qui provient des sens de l'apparence vraie, mais elle assemble les images, aussi incomplètes qu'elles puissent être, et les fait valoir pour exactes aussi longtemps qu'elle ne remarque aucune dissonance. A chaque fois, les images semblent complètes puisque les manques, en tant qu'ils sont justement quelque chose de vide, ne peuvent être perçus. C'est pourquoi les divagations, les illusions et les aveuglements de l'imagination ne sont pas rares; il faut beaucoup de raison pour déterminer dans quelle mesure on peut lui laisser le champ libre et où commence la limite où l'on doit de nouveau la guider si l'on veut rester dans le domaine de ce qui est vrai et admissible.

§ **16**   L'apparence dont il s'agit ici concerne l'exactitude et la complétude des concepts, la vérité des propositions et des jugements ainsi que l'admissibilité des demandes (cf. « Dia. » § 430). Ces exigences doivent être dans chaque cas démontrées. Mais si, à défaut d'une preuve complète, nous nous contentons de ce que nous connaissons une partie des raisonnements et de ce que nous ne voyons rien qui les contredise, nous sommes en présence de la pure apparence, et la question de savoir si celle-ci s'accorde avec la vérité n'est pas encore résolue. Nous avons toutefois montré dans l'*Alethiologie* (§ 179) comment notre assentiment dépend de cette apparence et nous

avons expliqué plus en détail dans la *Dianoïologie* (§ 620)
comment nous pouvions acquérir une capacité à distinguer
plus facilement l'apparence trompeuse de l'apparence vraie
en percevant les dissonances et les imperfections qui se
trouvent dans la première.

§ 17   Enfin, les passions sont les causes multiples du
fait que nous nous représentons les choses autrement
qu'elles ne sont et que, par conséquent, nous nous laissons
tromper par l'illusion et l'apparence. Tout d'abord,
l'agréable et le désagréable prennent part à toute sensation,
et ils dirigent l'attention et la conscience sur le côté
agréable ou désagréable de la chose de telle sorte que nous
faisons abstraction des autres, que nous ne les prenons pas
en considération et que nous les tenons pour totalement
absents. Cela ne se produit pas seulement pour les sensations, mais aussi pour toutes les images de l'imagination.
Plaisir et peine, amour et haine, désir et crainte, etc.,
déterminent, sans que nous le remarquions, le côté de la
chose que nous voulons voir, et ils nous le représentent
comme l'unique et le plus important, ceci le plus souvent
avec un grossissement remarquable des moindres détails.
On doit savoir apprécier exactement les avantages de la
vérité si le dessein de la trouver telle qu'elle est en soi doit
l'emporter sur les passions et leur aveuglement. Il y a
presque toujours un aspect dont nous souhaiterions qu'il
ne fût point, et nous devons l'accepter au même titre que le
plus agréable afin de savoir exactement la valeur ou la
non-valeur de la chose; sans quoi, on se trouverait finalement seulement trompé si une conséquence inattendue et
encore beaucoup plus désagréable nous ouvrait les yeux.

§ 18   Les concepts de facile et de pénible ont avec les
concepts d'agréable et de désagréable un tel lien que ces
derniers sont toujours plus ou moins présents dans les
premiers. Ils déterminent chez chaque homme, dès l'enfance, le penchant naturel pour certaines fonctions, certai-

nes occupations ou certains travaux. De même, en ce qui concerne la connaissance, ils déterminent le côté de la chose qu'on considère plus volontiers qu'un autre et qu'on essaie donc de mieux connaître. Le manque de motivation, la contrainte de l'éducation, et toutes les autres déterminations du mode de vie d'un homme peuvent avoir une grande influence. Cependant, il n'est pas rare non plus qu'on ne soit pas entraîné par le courant, c'est-à-dire qu'on ne suive pas sa vocation naturelle, mais qu'on utilise ses dons naturels contre leur destination. Les capacités qui auraient pu, grâce aux qualités naturelles, être développées jusqu'à un haut niveau, ne le sont pas par manque d'exercice, parce que ce dernier est appliqué dans d'autres directions. Quoi qu'il en soit, la conséquence est toujours la suivante : chaque homme parvient peu à peu par l'exercice et l'habitude à un certain point de vue duquel il privilégie, au détriment des autres, un certain côté des choses qui devient alors l'objet principal de son attention. Les manques qui demeurent par conséquent dans sa connaissance font ainsi apparaître des imperfections dans ses jugements sur les choses, particulièrement dans les trois perspectives que nous avons indiquées précédemment (§ 13) dans notre étude de la conscience.

§ **19**   Les plus hautes facultés de connaissance, l'entendement et la raison, ne doivent nous donner à proprement parler aucune source d'apparence, car d'une part, ce sont elles qui transpercent l'aveuglement que cause l'apparence, et d'autre part, nous n'avons d'entendement et de raison que pour autant que nous pensons et déduisons correctement. Mais, si l'on n'y parvient pas, et qu'on considère des concepts et des déductions inexacts comme exacts, la raison de ces erreurs est encore à trouver seulement dans l'imagination et la mémoire, parce que, jointes aux passions, elles nous conduisent à tenir des représentations et des déductions pour justes, alors qu'à les examiner plus exactement, elles ne le sont pas.

§ **20**   Nous confronterons donc entre elles les sources et les espèces d'apparences que nous avons indiquées jusqu'ici afin de déterminer leurs rapports et leurs différences en général, puis nous chercherons à distinguer chaque espèce des autres par un nom approprié, autant que le langage le permet. Les sens extérieurs nous donnent les deux espèces que nous avons étudiées plus haut (§ 5 à § 8). Toutes les deux ont ceci de commun que dans les nerfs sensitifs se produit un mouvement qui nous représente l'image d'une chose dans les pensées. Par contre, elles se distinguent par le fait que ce mouvement des nerfs sensitifs est occasionné, dans le premier cas, par une chose véritablement présente hors de nous, alors que dans le second, aucune chose n'agit sur les sens, mais les nerfs sensitifs y sont seulement éveillés par des flux, comme dans le bourdonnement d'oreille, ou par un mouvement plus fort des esprits vitaux, comme dans le délire, etc. Nous pouvons nommer à juste titre cette dernière espèce d'apparence l'apparence organique ou encore pathologique, parce qu'elle est, en effet, presque toujours précédée par un état malade des sens et des nerfs sensitifs. Par contre, la première espèce, dans laquelle la chose est effectivement présente et produit l'impression dans les sens, peut être parfaitement nommée l'apparence physique, parce que l'impression est effectivement physique, et que le concept auquel donne lieu la sensation représente la chose, non pas telle qu'elle est en soi, mais seulement comme nous la percevons. Il y a des cas où ces deux apparences coïncident. Ainsi, par exemple, lorsque les humeurs des yeux sont jaunes et troubles, on peut certes encore voir un peu les choses, mais avec d'autres couleurs et indistinctement. De même, les aigreurs provenant de la bile se mêlent dans la bouche au goût des plats que l'on déguste, et la chaleur intérieure du corps à la sensation de la chaleur extérieure. Il est également possible que lorsque les cloches sonnent pendant un rêve, ou que survient un autre bruit, la sensation de celui-ci se mélange au rêve.

§ 21   Nous avons déjà montré quelle est l'espèce particulière d'apparence que les idéalistes se représentent en ce qui concerne les sens et le monde corporel tout entier (§ 9), et nous avons nommé cette apparence, l'apparence idéaliste. Puisque celle-ci n'a aucun point commun avec les autres espèces d'apparence, mais qu'elle doit être considérée pour elle-même, nous nous tournerons vers le domaine de la pensée, et nous désignerons sous le nom d'apparence psychologique toutes les images de l'imagination, dans la mesure où elles ne sont ni examinées, ni épurées selon les exigences citées plus haut (§ 16). Mais elles sont désignées plus particulièrement par les noms de chimères ou de divagations lorsqu'elles n'ont pour fondement rien de vrai ni de réel; il y a donc dans l'apparence psychologique une distinction semblable à celle qui a lieu entre l'apparence physique et l'apparence psychologique en ce qui concerne les sens extérieurs, cela parce que les divagations sont presque toujours les effets d'une imagination malade, faible ou débridée.

§ 22   Nous pouvons nommer apparence morale l'apparence qui provient des passions, parce que la volonté et les passions sont l'objet de la morale, et que les concepts de bien ou de mal y sont toujours sous-jacents. Cette espèce d'apparence se mélange avec les autres espèces indiquées plus haut, de telle sorte que les passions déterminent le point de vue et les côtés de la chose que nous nous représentons plus volontiers, plus facilement, et d'une manière plus vivante que les autres, dont nous faisons alors plus ou moins abstraction.

§ 23   Les causes et les sources de l'apparence que nous avons indiquées jusqu'ici se trouvent toutes en nous-mêmes. Elles appartiennent donc, en tant que telles, à une classe principale et nous pouvons les nommer sources subjectives de l'apparence pour les distinguer des autres classes qui proviennent, pour une part des objets, pour une part de leurs relations avec les causes subjectives de l'apparence, et que nous pouvons donc nommer sources ou classes objectives et relatives de l'apparence. Nous devrons encore les indiquer pour compléter notre liste.

§ 24   Pour commencer à nouveau par les sens extérieurs, l'optique nous fournit, en ce qui concerne la vision, différents concepts opératoires que nous avons rendus plus généraux, que nous avons étendus à toutes les sensations, et qui nous seront ici utiles. On sait, en effet, que la forme apparente ou l'image des choses visibles dépend 1° de la position de la chose; 2° des milieux que la lumière traverse avant de se refléter sur les objets jusque dans notre œil; 3° de la position de l'œil lui-même. La qualité, l'espèce et l'intensité de la lumière de même que sa réflexion concourent également à ce que l'image reçoive une couleur et une clarté autres que celles de la chose, et à ce qu'elle ne soit vue à un autre endroit que celui où la chose elle-même se trouve. Pour toutes ces raisons, l'œil ne voit toujours qu'un côté de la chose avec une figure et une grandeur apparentes déterminées. Le lieu où se situe l'œil est nommé le point de vue; mais, en ce qui concerne la chose, on dit qu'on la considère de tel ou tel côté. Enfin, la netteté de l'image dépend de l'éloignement de la chose et des milieux que la lumière doit traverser pour se réfléchir sur cette chose jusqu'à notre œil.

§ 25   Nous pouvons remarquer que les conditions sont semblables pour les autres sens. Elles le sont au plus haut point dans le cas de l'ouïe parce que le son, comme la lumière, va droit, qu'il est refléchi et traverse des murs et des cloisons. La position de l'oreille a aussi une influence sur la sensation du son; on peut encore à peu près déterminer d'où il vient, et par quelle espèce particulière de corps il est provoqué : chaque lettre du langage et, en général, chaque voix humaine ont quelque chose de particulier, abstraction faite de la hauteur et de l'intensité du son.

§ **26**   Ce qui est changé dans la chose, et ceci vaut maintenant pour chacun des sens, et qui donc introduit presque toujours un changement sensible dans la perception que nous en avons, change l'apparence objective de la chose. Mais, si un changement survient dans l'apparence alors que la chose est inchangée et que les sources subjectives de l'apparence sont les mêmes, c'est qu'il provient du changement des relations, par exemple de la position de la chose et du sens, et on peut l'attribuer à ce changement, même si on ne le connaît pas d'avance. Nous ne mentionnons ce cas que pour déterminer plus exactement la différence que nous devons faire entre les sources objectives et les sources relatives de l'apparence.

§ **27**   Nous sommes habitués depuis longtemps à utiliser dans le domaine de la pensée les concepts de « côté » et de « point de vue », si bien que nous attribuons en quelque sorte des yeux à l'entendement et que nous étendons le concept de vision à des choses abstraites. Or, les côtés sont ici les relations dans lesquelles une chose donnée se tient avec d'autres. Par exemple, considérer une tâche ou un projet de tous ses côtés signifie : considérer les causes, les moyens, les obstacles, les conditions, les difficultés, les conséquences, etc., et examiner tout ce qui y est lié, tout ce qui en dépend, etc. Une chose a autant de points de vue que de façons possibles de la considérer; l'expression « considérer une chose de près » montre également qu'il y a entre le point de vue et la chose un intervalle qui est d'autant plus petit que la chose est considérée plus exactement et de façon plus détaillée dans toutes ses parties. Remarquer et indiquer des circonstances qui expliquent la chose et renferment sa cohérence signifie : étendre sur elle la lumière et l'ordre, ou : mettre la chose en lumière.

§ **28**　　Donc, comme les côtés de la chose sont les relations qu'elle entretient avec d'autres choses, il est clair que tout point de vue singulier ne la rend ni complètement, ni immédiatement connaissable comme elle est en soi, mais seulement par l'intermédiaire des relations qui lui appartiennent, et donc n'en montre que la forme apparente. Aussi dit-on par exemple : la chose, observée de ce côté, me paraît telle ou telle... car, sans aucun doute, sa forme change lorsqu'on la considère d'un autre côté ; et, vue d'un seul côté, on ne peut pas toujours la connaître complètement telle qu'elle est en soi.

§ **29**　　Les relations entre la chose représentée et celui qui se la représente ont également beaucoup d'influence sur l'image et le concept qu'il s'en fait. Savoir si une chose lui est nouvelle ou déjà connue, s'il y prend un intérêt ou si elle lui est indifférente, s'il s'est déjà exercé dans de telles choses ou s'il n'a aucune expérience, s'il la considère avec parti pris, ou d'un esprit serein, etc., tout cela ne change rien à la chose, parce qu'elle est ce qu'elle est. En revanche, cela a une influence remarquable sur le concept qu'il s'en fait, et c'est pourquoi le côté qu'il s'en représente reçoit de ce fait des déterminations très individuelles.

§ **30**　　Nous avons déjà remarqué plus haut (§ 16) que, dans le domaine de la pensée, l'apparence concerne la justesse des concepts, la vérité des jugements et l'admissibilité des demandes. On a déjà pris à part la deuxième de ces trois parties et opposé en quelque sorte le vraisemblable au vrai ; on s'est également rendu compte qu'il fallait consacrer au vraisemblable une théorie particulière de la raison. Comme le vraisemblable est une espèce d'apparence déterminée, et certes, une espèce très spéciale, cette théorie de la raison constitue une partie déterminée et très spéciale de la phénoménologie. Le vraisemblable consiste en un nombre insuffisant de relations d'une proposition avec d'autres qui sont vraies ou aussi seulement vraisemblables. L'ensemble de ces relations constitue le côté par lequel la proposition est à un certain degré vraisemblable (§ 27). Si, considérée d'un autre côté, elle semble être fausse, il faut alors comparer le degré de sa probabilité, c'est-à-dire les raisons qui sont en faveur de l'un ou de l'autre de ces deux côtés, afin de savoir si c'est le vraisemblable ou l'invraisemblable qui l'emporte. On peut déterminer de la même façon la justesse et la perfection apparente des concepts ainsi que l'admissibilité apparente des demandes, dans la mesure où la théorie appartient à cette partie spéciale de la phénoménologie. Le bien, tout autant que le vrai, peut être lié au concept d'apparence, parce qu'il y a la même différence entre sembler bon et être bon (§ 13), qu'entre sembler vrai et être vrai.

§ **31**   Quoique nous ayons considéré jusqu'ici les différentes espèces d'apparence chacune séparément, elles sont cependant presque toujours réunies en fait dans la réalité, pour autant qu'il y a du moins à leur base quelque chose de réel. L'apparence subjective isolée serait un rêve, une divagation, une image vide. L'apparence objective isolée est une simple possibilité, et sans un être pensant, il lui manquerait toujours ce qui la constitue comme apparence. Toutes les deux doivent être réunies avec l'apparence relative si quelque chose de réel les fonde. Mais, même les espèces particulières de l'apparence subjective sont le plus souvent réunies. C'est qu'en effet l'imagination se mêle aux sensations, et que les passions sont rarement totalement absentes. Il y a fort peu d'aspects de la connaissance humaine où nous restons parfaitement indifférents, où la représentation du vrai n'est pas troublée par les passions et où nous n'avons besoin ni de peine, ni de rigueur pour chercher le vrai et l'accepter tel que nous le trouvons. Par suite, les sensations sont à la base de tous les autres concepts, même les plus abstraits, et il se mêle en eux presque toujours quelque chose de l'apparence qu'elles occasionnent; la peine qu'on se donne à les épurer et à s'élever au-dessus des sens pour les en détacher entièrement est souvent lourde et infructueuse. De même que nous parvenons par degré à des concepts abstraits, c'est par degré que l'apparence doit être séparée du vrai afin que nous l'obtenions pur et puissions construire plus sûrement sur lui. Nous suivrons donc cet ordre, et nous nous occuperons de chaque source d'apparence en particulier afin de pouvoir ensuite voir plus clairement comment elles se mélangent dans les représentations plus complexes et leur donnent des formes déterminées.

§ **32**   Étant donné que nous lions nos sensations et nos concepts à des mots et à des signes, et que nous utilisons ces derniers au lieu des choses elles-mêmes, et souvent aussi au lieu des concepts, comme c'est le cas en algèbre, on peut aussi penser à une apparence herméneutique, et plus généralement encore sémiotique, la première dans l'interprétation des signes, des paroles et des écrits des autres, et la seconde dans l'emploi des signes en général. Les allégories, les métaphores, les méprises, les ambiguïtés, etc., sont les sources et les occasions d'une telle apparence, et elles se mêlent souvent dans les plus subtils sophismes; la signification étymologique des mots s'écarte souvent de celle qui est instaurée par l'usage. C'est pourquoi des adversaires semblent souvent être en désaccord sur un point, alors qu'à y regarder de plus près, c'est seulement dans les mots qu'ils divergent.

§ **33**   Pour éviter ici une semblable confusion, nous remarquerons encore que nous devons distinguer l'apparence considérée en général de ce que nous nommons la pure apparence. Cette dernière n'a rien de réel à sa base, ou du moins pas la réalité qui devrait s'y trouver. Ainsi, par exemple, un simple reflet peut sembler être une lumière, le faux peut avoir l'apparence du vrai, et le mal l'apparence du bien. Au contraire, dans l'apparence considérée en général, nous laissons ici en suspens la question de savoir si, oui ou non, elle est plus qu'une pure apparence, parce que cette question doit être discutée dans chaque cas à partir de données différentes.

VI

DU DESSIN DE L'APPARENCE

§ **266** La phénoménologie s'occupe d'une façon générale de déterminer ce qui est réel et vrai dans chaque
espèce d'apparence : à cette fin, elle dégage les causes et les
circonstances particulières qui produisent et modifient une
apparence, en que l'on puisse conclure de l'apparence au
réel et au vrai. Nous avons remarqué dans le premier
chapitre (§ 2 et suiv.) que les opticiens nous ont déjà fourni
depuis longtemps une théorie de l'apparence visuelle, et
que la phénoménologie, dans son acception la plus générale, peut être qualifiée une optique transcendante, en tant
qu'elle détermine l'apparence à partir du vrai, et inversement, le vrai à partir de l'apparence. Cela, l'optique le fait
en ce qui concerne la vision. Mais elle va encore plus loin
et elle donne, dans la perspective, des moyens de peindre
l'apparence des choses visibles, ou de dessiner leur forme
apparente de telle sorte que le dessin vient au regard
exactement de la même façon que les objets eux-mêmes,
lorsque les deux sont considérés à partir du point de vue
choisi à cette fin. Nous avons déjà pris plus généralement
le concept de perspective (§ 4) et étendu celui-ci à la
phénoménologie dans son ensemble. Nous déterminerons
maintenant plus en détail quelles sont les espèces et les
parties que comprend cette perspective transcendante
entendue dans cette acception très large. A cette fin, nous
élargirons peu à peu le concept de perspective optique.

§ **267** Nous remarquons donc que le dessin de l'apparence en perspective est chaque fois limité à un seul point
de vue. Or, à cet égard, l'art du sculpteur et du modeleur
est plus général, parce que la sculpture ou le modelage
doivent représenter la chose sculptée et modelée sous tous
les points de vue, exactement comme elle s'y montre
elle-même; de plus, ils doivent avoir la même apparence
pour l'œil que pour le toucher. Nous remarquons que dans
une telle imitation on ne s'intéresse à proprement parler
qu'à la forme corporelle en tant qu'elle peut être vue ou
touchée, et qu'en revanche cette forme peut être différente
de l'original quant à la grandeur, pourvu que chacune de
ses parties conserve la même position et la même proportion que dans l'original.

§ **268** Mais on va encore plus loin dans ces imitations
lorsqu'on cherche à imiter artificiellement jusqu'à la
matière d'un corps, comme c'est le cas par exemple des
imitations de perles, de pierres précieuses, de métaux, de
minéraux, de drogues, de plats, de boissons, etc.; nous
avons déjà remarqué (§ 76), à propos de cette espèce
d'apparence, qu'on doit souvent recourir à des épreuves
artificielles si l'on ne veut pas se laisser tromper par cette
illusion.

§ **269** Le théâtre constitue aussi une partie considérable de la perspective générale parce qu'il est à tous égards
beaucoup plus parfait lorsque chacune de ses parties
semble représenter plus exactement la chose même devant
les yeux. Étant donné que la limitation à un temps très
court et à un espace moyennement grand ne permet pas de
réaliser totalement cette imitation de ce qui se passe dans
le monde réel, la question de savoir ce que le spectateur
doit voir, ou seulement comprendre d'après des résumés,
n'est pas d'une mince importance en ce qui concerne les
spectacles, du moins si l'on veut éviter dans la représenta-

tion ce qui manifestement n'est pas naturel. En effet, en faisant dévier quelque peu l'apparence de ce qui est naturel, il est tout à fait possible de diriger l'attention du spectateur plus fortement sur la chose principale afin qu'il ne fasse pas attention au reste ou qu'il l'excuse. Les querelles qui ont eu lieu sur ce point à propos du *Cid* de Corneille sont bien connues et elles peuvent fournir à un critique d'art les éléments pour résoudre, en partant de ses véritables données, la question que nous avons posée : dans quelle mesure peut-on, dans les spectacles, représenter au spectateur plus qu'une simple conversation sans manquer par trop au naturel?

§ **270**   Nous pouvons encore considérer toute imitation des faits et gestes d'autrui, et *a fortiori* tout déguisement, comme une partie de la perspective transcendante, parce que dans les déguisements on voit l'apparence d'une tournure d'esprit, d'une intention, d'un projet, d'un caractère, etc., tout différents de ceux que possède réellement l'homme qui se déguise – cette apparence pouvant résider dans des gestes, des mots, des actes, ou tout en même temps. L'imitation habile et naturelle des gestes fait partie des perfections du spectacle et, en tant que moyen de rendre le récit vivant, elle est une qualité pour un orateur. En revanche, la question de savoir si le déguisement est admissible fait partie de la morale, et il n'y est pas admis, à juste titre, quand il est employé au détriment d'autrui.

§ **271**   Le domaine de la pensée fournit aussi matière à une partie considérable de la perspective transcendante. Il n'est pas rare que nous devions nous représenter les choses du point de vue des autres, soit que nous nous mettions en pensée à leur place, soit que nous devions tout au moins nous faire une idée de leur façon de voir. Ce dernier cas se produit lorsque nous constatons, ou du moins nous nous imaginons que nous n'avons pas la même opinion qu'eux, ou bien que leur comportement n'est pas en accord avec

notre façon de penser. Mais nous nous mettons en pensée
à la place des autres pour nous représenter plus complètement et de façon plus vivante les circonstances où ils se
trouvent et pour les comparer avec leur conduite et leurs
décisions, ou encore pour donner des conseils utiles. Les
expressions : « Je vois maintenant comment Caïus se
représente la chose »; « si j'étais à sa place, alors... »;
« celui qui connaît Titius ne s'étonnera pas de ce que... »,
etc., permettent de reconnaître les situations dans lesquelles on a effectivement affaire à la perspective dont nous
parlons; elles nous prouvent aussi que cette perspective
est d'une utilisation très fréquente, en particulier quand
on veut expliquer à quelqu'un son erreur et l'origine
de celle-ci, lui indiquer le droit chemin, lui donner des
conseils, ou encore juger son comportement d'après la
justice.

§ 272　　La méditation et la réflexion sur nos propres
pensées, tant présentes que passées, appartiennent à cette
même partie de la perspective transcendante et peuvent
nous servir aux mêmes fins, parce que l'on peut éviter
grâce à elles la légèreté d'esprit, l'étourderie, l'erreur et la
précipitation, et parce que, sans une telle réflexion, nous
nous laisserions entraîner par toute illusion de l'apparence.
Par la réflexion, nous nous plaçons consciemment au point
de vue dans lequel nous nous trouvons. Mais cette conscience nous permet d'être en état de distinguer dans nos
représentations ce qui est purement apparent de ce qui est
vrai, et de considérer le côté duquel nous nous représentons la chose, simplement comme un côté et non comme la
chose en sa totalité.

§ 273　　Mais le moyen le plus universel de désigner les
concepts et les choses, aussi bien que leur apparence, c'est
le langage qui nous le fournit lorsque nous décrivons avec
des mots ce que la chose considérée de tous les points de
vue semble être, et donc aussi ce qu'elle est en soi. Nous

avons déjà remarqué dans le chapitre II (§ 91) qu'il est nécessaire, dans les expériences, les observations et les examens, de décrire l'apparence physique afin que l'on puisse ensuite passer à la vérité par des déductions et distinguer ainsi exactement ce qui est déduit de ce qui est observé. Nous avons alors mentionné les différents cas qui peuvent se produire. Mais si les expériences nous sont racontées par un autre et qu'il mélange l'apparence avec le vrai, ou avec ce qui lui semble être le vrai, la question se repose de savoir dans quelle mesure nous pouvons déduire du récit l'apparence telle qu'elle était dans l'expérience. Si nous y parvenons, nous sommes alors mieux en état de juger si le vrai a été convenablement déduit. Qu'on se reporte à ce que nous avons remarqué à ce sujet dans le chapitre précédent à propos de l'examen et de la comparaison des dires et des témoignages.

§ **274** La poésie s'occupe surtout de nous dépeindre les choses d'après leur apparence et de faire ressortir complètement, par leur représentation, les impressions que la sensation de la chose elle-même ferait en nous si nous la voyions du point de vue duquel le poète se la représente et dans lequel il nous transporte en quelque sorte en pensée. La perfection de cette impression fait que le poète ne peut se contenter tout simplement du nom propre des choses, mais qu'il doit donner à leur description un élan plus vivant afin que le côté duquel il représente la chose nous soit tout à fait dévoilé. Des tableaux de cette nature se distinguent sensiblement des descriptions qu'un orateur ferait de la même chose, descriptions qui doivent déjà contenir plus qu'un simple récit historique ou qu'une simple analyse scientifique de la chose. En effet, la description scientifique recherche le vrai et utilise les noms propres et les termes techniques pour dénommer tout avec exactitude, indiquer le vrai comme vrai et l'apparence comme apparence. Le récit historique, dans la mesure où nous l'opposons au récit scientifique, ne sépare pas le vrai de l'apparence et il les décrit sans utiliser beaucoup de termes techniques, et sans partialité. En revanche, un orateur règle sa description sur le but de son discours afin qu'elle serve à éblouir, à persuader et à éveiller les passions, parce qu'il doit être soucieux de l'impression qu'est censé faire sur l'auditoire chaque élément de son discours. Le souci d'éviter l'outrance limite l'orateur de telle sorte que, dans son discours, tout se suit spontanément, avec naturel; la passion qui est censée gagner les auditeurs doit, même pour l'orateur, naître seulement du discours, du moins lorsque son thème n'est pas déjà si connu de l'auditoire que c'est conformément à son attente que la passion le gagne. Mais le poète ne se comporte pas de façon si mesurée, parce que le poème est un fruit de son enthousiasme. Il peint le côté de la chose qu'il se représente déjà complètement de son point de vue, avec toutes les impressions qu'il produit sur ses facultés de connaître et de désirer, et qu'il doit produire sur le lecteur.

§ **275**　Il est évident que dans leur comportement, le poète et l'orateur font, d'une certaine façon, le contraire de ce que la philosophie se propose et de ce que la connaissance scientifique recherche. Ils n'étendent pas leur domaine au-dessus de la connaissance commune, ni même au-dessus de la forme de celle-ci. L'orateur n'expose pas des démonstrations formelles, mais des arguments, et il les accumule sans s'inquiéter de savoir si leur somme constitue un tout. Il transforme même des démonstrations en arguments pour leur ôter leur forme scientifique; par conséquent, la certitude qu'il recherche est celle que nous avons nommée « tumultueuse » dans le chapitre précédent (§ 264). Le poète formule ses arguments de'façon encore beaucoup plus brève. En effet, qui ne le croirait pas alors que la simple représentation de la chose l'enflamme déjà complètement et le jette dans la passion? L'apparence morale, dont nous avons montré dans le chapitre IV qu'elle est complètement subjective et doit être évitée dans la recherche de la vérité, est en quelque sorte l'œuvre capitale du poète, et son enthousiasme est totalement opposé à la tranquillité d'esprit que nous avons recommandée (§ 145). Comme le poète et l'orateur, dans la mesure où ils sont tels que nous les décrivons, n'évaluent donc exactement ni le vrai, ni le véritable bien, ils doivent emprunter à la philosophie la matière de leur exposé afin de le revêtir de telle sorte qu'il soit également compréhensible pour ceux qui n'ont ni le loisir, ni la capacité de suivre la philosophie dans ses recherches plus exactes et plus profondes, et qui se laissent mener par les passions lorsque leur volonté, à laquelle manque la clarté nécessaire des représentations, ne suffit plus. Une représentation poétique ou oratoire peut bien sembler aussi séduisante que possible, elle s'écarte quand même de la qualité essentielle lorsqu'elle est fondée sur l'erreur. Elle reste inutilisable, ou bien, si on l'utilise, elle est préjudiciable. Le côté de la chose que représente le poète doit effectivement appartenir à la chose, ou du moins pouvoir lui appartenir, et les images qu'il utilise pour la rendre plus vivante doivent réellement être appropriées si toutefois la volonté et l'entendement du lecteur doivent être améliorés.

§ 276   Nous avons remarqué (§ 141) que les vérités morales se limitent entre elles; le poète et l'orateur ne tiennent aucun compte de cette remarque et de ses conséquences dans la mesure où ils insistent habituellement sur une de ces vérités au détriment de celles qui devraient la limiter. Il peut donc arriver que celui qui se laisse facilement séduire par la passion qui domine les discours ou les poèmes moraux soit peu à peu entraîné par des passions totalement opposées, sans qu'il puisse en déterminer l'harmonie et se régler sur elle. Mais on peut d'autant moins en tenir rigueur au poète et à l'orateur que la détermination exacte des limites de l'importance de chaque vérité morale n'est pas leur fait, et que l'agathologie qui devrait être

scientifique et philosophique n'a pas encore atteint, loin de
là, la perfection qui serait nécessaire (§ 131).

§ 277   Il nous faut encore bien distinguer, à propos des
remarques du § 275, si le poète parle lui-même, ou s'il fait
parler quelqu'un d'autre. Dans le premier cas, toute
impression que produit le poème est au compte du poète,
pour autant du moins que le lecteur, sans que la faute en
revienne au poète, ne mêle rien qui lui soit propre. Dans le
deuxième cas, le poète est libre de représenter tous les
caractères possibles, comme cela arrive souvent dans les
pièces dramatiques ou les épopées. Toutefois, la morale le
limite de telle sorte qu'il doit éviter, quand il représente des
caractères méchants, qu'ils donnent un mauvais exemple,
et faire au contraire en sorte qu'ils éveillent chez le lecteur
la répulsion et l'aversion; il doit donc éviter d'éveiller le
doute à l'égard de la vérité et de traiter de scandales
violents ou d'actualité.

§ 278   Comme le poète, quand il parle lui-même, peint
le côté de la chose qu'il se représente de son point de vue,
avec toutes les impressions qu'il fait dans ses facultés de
connaître et de désirer, la partie subjective de l'apparence
tient une place considérable dans ses tableaux et l'individualité de la pensée et de la sensibilité du poète s'y mêle
totalement. On peut donc facilement en déduire que le
caractère sublime des pensées, la finesse des images de
l'imagination et la noblesse des passions doivent se trouver
chez le poète lui-même si elles fournissent une matière
naturelle et spontanée à ses tableaux et vont jusqu'à
déterminer la chose, et ses côtés, que le poète juge dignes
de son enthousiasme ou qui l'éveillent en lui. Cela fait que,
quand bien même le poète laisse le soin au philosophe de
déterminer ce que sont la noblesse, le sublime et la finesse
véritables, il doit cependant avoir naturellement une aptitude à s'enthousiasmer pour leur représentation, aptitude
sans laquelle son poème ne serait pas très différent d'un

simple récit historique. La vraie grandeur d'un poète est donc déterminée, non seulement par l'élan de la pensée, mais surtout par la pensée elle-même.

§ **279**   Mais si le poète représente d'autres caractères, soit qu'il les décrive seulement, ou qu'il les fasse parler, ou les deux, il doit aussi les représenter avec l'impression qu'ils font sur son esprit, si toutefois la représentation doit être réellement poétique et non pas seulement historique. Or, si les limites qu'impose la morale (§ 277) ne doivent pas entraver son enthousiasme, il va de soi que la tournure d'esprit du poète doit être par nature encline à laisser apparaître, dans la peinture de chaque caractère, ce qui y est digne d'amour ou de répulsion. C'est pourquoi le poète, quand il fait parler les autres, possède un point de vue double, voire multiple, dans son tableau. D'abord, celui duquel la personne qu'il fait parler considère les choses; ensuite, les points de vue de ses interlocuteurs; et enfin, le point de vue duquel le poète considère la scène entière et qui doit être aussi le point de vue de ses lecteurs. Ce dernier point de vue distingue l'œuvre du poète, dans la mesure où il est poète, du récit historique en tant que ce dernier doit décrire la chose telle qu'elle est en soi, en dehors de tout point de vue particulier, et doit donc éliminer totalement les parties subjectives de l'apparence (§§ 274 et 278).

§ **280**   Les tableaux du poète peuvent être déjà, par eux-mêmes, suffisamment élevés pour occuper l'attention du lecteur. Mais il y a, en particulier dans les pièces dramatiques et les épopées, des scènes où le lecteur attend certains tableaux. Le poète doit même provoquer ces scènes pour s'assurer d'autant mieux d'une attention élevée et soutenue de la part du lecteur. De tels tableaux sont, par rapport au lecteur, de deux sortes : en effet, soit il en prévoit à peu près le contenu et il veut alors seulement le connaître tel qu'il est peint par le poète; cela exige beaucoup d'enthousiasme, comme par exemple lorsqu'il faut peindre des contrastes ou des excès de passion; soit le lecteur ne prévoit pas le contenu, comme par exemple quand des événements nouveaux ont changé le point de vue des personnages : dans ce cas, le lecteur veut connaître les impressions que ces changements de circonstance font sur chacun, quelle influence ils ont sur le dénouement encore incertain, ou dans quelle mesure ils le rendent encore plus incertain. Les côtés de la chose que les personnages considèrent sont *objectivement* différents lorsque quelques-unes des parties des relations de la chose sont connues d'un personnage et non des autres; mais elles ne sont que *subjectivement* différentes lorsque chaque personnage mêle à la représentation de ces parties et de ces relations de la chose sa façon individuelle de penser et de sentir. Ces deux différences, qui peuvent changer à l'occasion de nouveaux événements, transforment aux yeux du lecteur la chose en intrigue complexe qui occupe totalement son attention.

§ **281**   Le poète ne peut se conformer exactement à la façon de penser du lecteur sans affaiblir son enthousiasme et rendre sa poésie plus fade, à moins que ce ne soit là précisément la cause de son enthousiasme. Son action consiste à entraîner l'esprit du lecteur comme un fleuve. Au contraire, l'orateur est beaucoup plus tenu de fonder son propos sur la manière de penser de ses auditeurs et de ne changer celle-ci que s'il ne peut y fonder son propos. C'est d'ailleurs pourquoi il doit se représenter le point de vue duquel ils considéreraient son exposé s'il ne faisait que le dire afin de parvenir à leur dévoiler les côtés et les relations de la chose qu'ils ne connaissent pas encore, et à les exposer de telle sorte qu'ils produisent l'impression voulue dans l'esprit des auditeurs.

§ **282**   Or, c'est là quelque chose qui arrive même dans la vie courante où nous devons prendre les hommes tels

qu'ils sont, tant dans leurs discours que dans leurs décisions et leurs actions. Mieux on connaît le point de vue
duquel les autres se représentent les choses, plus il est facile
aussi de prévoir leurs pensées, leurs décisions et actions, et
de savoir dans quelle mesure ils seront pour ou contre nos
intentions lorsqu'on les leur découvrira ou qu'on leur en
laissera voir une partie. Nous avons déjà indiqué (§ 271)
comment on peut utiliser cette connaissance du point de
vue des autres, et inversement comment on peut aussi leur
être utile grâce à elle; nous ne le rappelons ici que parce
que les deux choses doivent être liées l'une à l'autre.

§ **283**   La prévision du futur constitue aussi une partie
de la perspective transcendante; elle est d'autant plus
importante que les mobiles de la volonté, si l'on fait
abstraction des purs et nobles instincts de gratitude, sont
tous tirés du futur. Nous avons déjà indiqué dans le
chapitre précédent (§ 164) ce qui est requis pour déterminer
et prévoir les circonstances et les changements futurs.
L'ébauche en perspective du futur suppose que nous
soyons certains de celui-ci. Habituellement, on l'utilise
quand on veut se convaincre soi-même ou convaincre les
autres de prendre une décision dont l'actualisation entraîne
une série de conséquences qui ont en soi quelque chose
d'agréable, de séduisant, d'avantageux, etc. Mais ce qui est
ici universel, ce qui ne dépend pas de circonstances particulières et concerne la vie en général, réside dans tous les
mobiles et dans toutes les représentations qui assurent
notre tranquillité d'esprit (§ 146) et montrent que la
satisfaction, ainsi que le calme et le bonheur qui en
résultent, n'ont pas leur siège dans les circonstances extérieures, mais dans l'âme. C'est là un sujet qui a souvent
préoccupé le poète et peut encore le préoccuper davantage,
surtout si cette satisfaction ne doit pas être confondue avec
une insensibilité et une indifférence stoïques (§ 141 et 278).
Du reste, cette perspective sur le futur, mélangée d'espérance et de soucis, fournit au poète, dans les pièces

dramatiques, des scènes émouvantes, soit que le lecteur connaisse d'avance le dénouement et que, par conséquent, le tableau ne lui plaise qu'à cause de sa beauté, soit parce qu'il est encore dans l'incertitude du dénouement et que, s'intéressant à la personne qui parle, il partage en quelque sorte avec elle le réconfort et les soucis.

§ **284**   Dans la mesure où la musique peut servir à éveiller des passions, à les exprimer, ou même à rendre la poésie plus vivante, on doit la prendre en compte ici, bien qu'il soit difficile de déterminer dans quelle mesure elle désigne des pensées, des sensations et peut être utilisée à la place du langage. L'art oratoire, et plus encore la poésie, ont dans le mouvement des périodes et la variété des syllabes quelque chose de musical, c'est-à-dire une harmonie qui plaît à l'oreille et rend l'exposé plus séduisant. Pour la même raison, le chant peut beaucoup contribuer à rendre plus vivante l'intonation des mots, lorsque la passion indique la mélodie. L'expérience nous enseigne que même la musique purement instrumentale peut éveiller des passions et des mouvements du corps. Les accents de la musique militaire doivent être évidemment différents de l'agrément que procure une sérénade; cette dernière doit l'être à son tour de la tonalité stimulante de la musique de danse. La détermination des fines différences entre chaque instrument, chaque mélodie, chaque son, et chacun de leurs effets sur l'esprit, peut donc beaucoup contribuer, dans la musique vocale, à relever l'intonation des paroles par un choix approprié du son et de la mélodie; c'est particulièrement vrai lorsqu'on tient compte des modifications de la voix, qui peut être plus dure, plus douce, plus rythmée, plus cinglante, plus douloureuse, etc.; un orateur, même sans connaître la musique, doit savoir la moduler et l'utiliser conformément au contenu de son discours. Il est clair, d'après ce que nous avons dit plus haut (§ 269 et suiv.) que tout cela appartient aussi, en grande partie, aux perfections du théâtre.

§ **285**   Nous avons indiqué jusqu'à présent les différentes parties de la perspective transcendante. On s'aperçoit en les comparant qu'elles sont très différentes les unes des autres et que chacune couvre un domaine très étendu. Elles se différencient surtout par ce qui est choisi pour représenter la chose : il peut s'agir de tableaux, de modelages, de sculptures, d'imitations, d'actions, de gestes, de pensées, de mots, de sons, etc. Ces moyens de représentation peuvent donc être de même nature que la chose représentée, ou d'une nature différente. Mais ce que nous présupposons en tous, c'est qu'ils ne représentent que l'apparence de la chose, car c'est à cette seule condition qu'ils entrent dans le domaine de la perspective transcendante. Dans cette présupposition, nous ne faisons cependant aucune différence entre l'apparence vide et l'apparence réelle, parce qu'elles peuvent être dessinées toutes les deux; d'ailleurs, la perspective optique et la peinture ne s'intéressent pas non plus à cette différence et un peintre représente, si son projet l'exige et s'ils sont représentables, tous les jeux de l'imagination, les visions, les images rêvées, etc., de même qu'un poète en fera aussi le sujet de ses tableaux, lorsqu'il peut les utiliser.

§ **286**   En outre, comme nous ne considérons ici que ce qui est général dans l'apparence, nous ne pouvons pas nous arrêter aux théories particulières à chacune de ces parties de la perspective transcendante. En effet, elles offriraient à chaque fois matière à un grand nombre d'arts ou de sciences particuliers dont certains existent d'ailleurs déjà en réalité. Nous avons indiqué plus en détail dans les chapitres précédents ce que l'on doit remarquer de chaque espèce d'apparence et dans quelle mesure elles se séparent du vrai. Comme la perspective générale dessine et représente l'apparence à partir du vrai, ses éléments se trouvent déjà dans les chapitres précédents. Nous développerons donc quelques points, seulement à titre d'exemples.

§ **287**   L'apparence psychologique vide a lieu lorsque
le côté qu'on se représente être dans la chose n'y est pas;
l'apparence réelle, au contraire, lorsque le côté qu'on se
représente, ou dont on se représente au moins l'image, est
dans la chose. Mais comme ces deux espèces d'apparence
peuvent faire une impression sur l'esprit et la volonté, les
deux cas que nous avons considérés plus haut (§ 271 et
§ 282) sont d'importance, parce qu'on doit se régler dans
ses relations avec les autres hommes sur ce que les choses
leur semblent être.

§ **288**   Le vide dans l'apparence réside essentiellement
dans sa partie subjective que l'imagination, les préjugés et
les passions mêlent à la partie objective, et qui doit donc
être déduite de la façon de penser et de sentir particulière
d'un homme. Mais si on sait ce que la chose est au fond, et
en même temps comment quelqu'un se la représente, on
peut alors déduire de cette différence la plus grande partie
des sources subjectives de l'apparence; grâce à un grand
nombre d'expériences semblables, on parvient à ce qui est
universel dans ces sources qui, à cause de l'isochronisme
qui a lieu, s'étendent à beaucoup de choses; on peut ainsi
déterminer plus exactement le point de vue et les côtés de
la chose que quelqu'un se représente (§ 19, § 136, § 137).

ANNEXE II

Traduction des premiers paragraphes de l'*Aesthetica* ainsi que du chapitre sur la vérité esthétique*

* La traduction qu'on va lire ne vise pas l'élégance, mais la précision, indispensable à une interprétation correcte de ce texte difficile. Je remercie mon ami Sylvain Bonnet qui a apporté l'aide précieuse de sa compétence à l'élaboration de cette traduction.

§ 1   L'esthétique (théorie des arts libéraux, doctrine de la connaissance inférieure, art de la belle pensée, art de l'analogue de la raison) est la science de la connaissance sensible.

§ 2   Le degré naturel auquel parviennent les facultés de connaître inférieures par le seul usage, sans être méthodiquement cultivées, peut être appelé l'ESTHÉTIQUE NATURELLE. Elle peut être divisée, comme il en est d'ordinaire avec la logique naturelle, en esthétique innée – le bel esprit inné – et en esthétique acquise, celle-ci se divisant à son tour en une esthétique doctrinale et une esthétique appliquée.

§ 3   L'utilité principale de l'esthétique artificielle qui vient s'ajouter à l'esthétique naturelle est, entre autres choses, 1° de fournir une matière appropriée aux sciences qui doivent avant tout être acquises par l'entendement, 2° d'adapter ce qui est connu scientifiquement aux capacités de tout un chacun, 3° de rectifier la connaissance au-delà même des limites de ce que nous pouvons distinctement connaître, 4° de fournir des principes corrects à toutes les activités contemplatives et aux arts libéraux, 5° de faire que dans la vie commune on l'emporte sur tous dans ce qu'on a à faire, toutes choses étant égales par ailleurs.

§ **4**   De là ses usages spéciaux 1° philologique, 2° herméneutique, 3° exégétique, 4° rhétorique, 5° homilétique, 6° poétique, 7° musical, etc.

§ **5**   On pourrait objecter à notre science 1° que son domaine est trop vaste pour qu'elle puisse être présentée de façon exhaustive en un seul traité, en un seul exposé. Ma réponse est que je l'accorde, mais quelque chose est mieux que rien; 2° qu'elle se confond avec la rhétorique et la poétique. Ma réponse est *a)* que son domaine est plus étendu; *b)* qu'elle embrasse des objets que ces disciplines ont en commun avec d'autres arts ainsi qu'entre elles; et quand ils auront été examinés ici au lieu qui convient, chaque art devra cultiver son terrain propre de façon plus féconde sans prêter inutilement à double emploi; 3° qu'elle ne fait qu'un avec la critique. Ma réponse est *a)* qu'il y a aussi une critique logique; *b)* qu'une certaine espèce de critique est une partie de l'esthétique; *c)* que pour celle-ci une connaissance préalable du reste de l'esthétique est presque nécessaire si l'on ne veut pas, lorsqu'il s'agit de juger de belles pensées, de belles paroles ou de beaux écrits, discuter de purs et simples goûts.

§ **6**   On pourrait objecter à notre science 4° que les impressions des sens, les produits de l'imagination, les fables, les troubles des passions, etc., sont indignes des philosophes et se situent en deçà de leur horizon. Ma réponse est *a)* que le philosophe est un homme parmi les hommes et qu'il n'est pas bon qu'il pense qu'une si grande partie de la connaissance humaine lui est étrangère; *b)* que c'est confondre la théorie générale des belles pensées avec la pratique et l'exécution particulière.

§ **7**   On objectera 5° que la confusion est mère de l'erreur. Ma réponse est *a)* qu'elle est la condition *sine qua non* de la découverte de la vérité, puisque la nature ne fait pas de saut de l'obscurité à la clarté. C'est par l'aurore que l'on va de la nuit au midi; *b)* qu'il faut s'occuper de la confusion précisément pour que n'en naissent pas les erreurs si nombreuses et si importantes qu'on observe chez ceux qui ne le font pas; *c)* que l'on ne recommande pas la confusion, mais qu'on rectifie la connaissance, dans la mesure où s'y mêle nécessairement quelque confusion.

§ **8**   On objectera 6° que la connaissance distincte a plus de valeur. Ma réponse est *a)* que, concernant un esprit fini, cela ne vaut que pour les choses d'une importance supérieure; *b)* que l'une n'exclut pas l'autre; *c)* que c'est la raison pour laquelle, conformément aux règles connues de façon distincte, nous commençons par mettre en ordre les choses qui doivent être connues selon la beauté de telle sorte qu'en surgisse par la suite une distinction d'autant plus grande.

§ **9**   On objectera 7° qu'il est à craindre qu'à cultiver l'analogue de la raison, le territoire de la raison et de la rigueur ne subisse des dommages. Ma réponse est *a)* que cet argument est de ceux qui vont plutôt dans notre sens, parce que c'est le même danger qui, chaque fois qu'on recherche une perfection composée, incite à la prudence sans suggérer qu'on néglige la vraie perfection; *b)* que l'analogue de la raison, s'il n'est pas cultivé et qu'il est davantage corrompu, n'est pas moins dommageable à la raison ainsi qu'à une rigueur plus stricte.

§ **10**   On objectera 8° que l'esthétique est un art, non une science. Ma réponse est *a)* que ce ne sont pas là capacités opposées. Combien d'arts, qui jadis n'étaient qu'arts, sont désormais aussi des sciences? *b)* que notre art peut être démontré, c'est ce que prouvera l'expérience. C'est ce qui apparaît aussi *a priori* du fait que la psychologie et d'autres disciplines voisines fournissent nombre de principes certains; qu'il mérite enfin d'être porté au niveau d'une science, c'est ce qu'enseignent les usages évoqués entre autres aux § 3 et 4.

§ **11**   On objectera 9° qu'on naît esthéticien comme on naît poète et qu'on ne le devient pas. Ma réponse (cf. Horace, *Art poétique,* 408; Cicéron, *De Oratore,* 2, 60; Bilfinger, *Dilucidationes,* § 268; Breitinger, *Von den Gleichnissen**, p. 6) est qu'une théorie plus complète, qui se recommande davantage de l'autorité de la raison, plus exacte, moins confuse, plus certaine, moins précaire (§ 3) est utile à l'esthéticien né.

§ **12**   On objectera 10° que les facultés inférieures – la chair – doivent être soumises plutôt qu'excitées et renforcées. Ma réponse est *a)* que c'est l'empire sur les facultés inférieures, non la tyrannie, qui est requis; *b)* Vers cette fin, dans la mesure où cela peut être obtenu naturellement, l'esthétique nous mène en quelque sorte par la main; *c)* qu'il ne s'agit pas pour les esthéticiens d'exciter et de renforcer les facultés inférieures, dans la mesure où elles sont corrompues, mais de les diriger afin qu'elles ne soient pas davantage corrompues par de fâcheux exercices ou que, sous le paresseux prétexte d'éviter l'abus, on ne fasse pas disparaître l'usage d'un talent que Dieu nous a accordé.

§ **13**   Notre esthétique, comme la logique, sa sœur aînée, se divise en
I. – THÉORIQUE. Elle est alors doctrinale, générale (1re partie), elle donne des principes 1° au sujet des choses et de ce qui doit être pensé : c'est l'HEURISTIQUE (chap. I), 2° au sujet de l'ordre éclairant : c'est la MÉTHODOLOGIE (chap. II), 3° au sujet des signes, exprimant ce qui est pensé et ordonné de belle façon : c'est la SÉMIOTIQUE (chap. III).
II. – PRATIQUE. Elle est alors appliquée et spéciale (2^e

---

* *Des comparaisons* (NdT).

partie). Dans les deux cas, « A celui qui aura choisi son sujet selon ses moyens, ni l'abondance, ni l'ordre éclairant ne feront défaut[1] ». Que le sujet vienne en premier, puis l'ordre éclairant, et qu'en dernier lieu vienne le troisième souci, celui des signes.

Première partie : ESTHÉTIQUE THÉORIQUE
Chap. I : HEURISTIQUE
SECTION I : LA BEAUTÉ DE LA CONNAISSANCE

§ 14 Le but de l'esthétique est d'atteindre la perfection de la connaissance sensible en tant que telle – celle-ci étant la beauté – et d'éviter l'imperfection de la connaissance sensible en tant que telle – celle-ci étant la laideur.

§ 15 L'esthéticien ne s'occupe pas en tant que tel des perfections de la connaissance sensible qui sont à ce point cachées qu'elles nous demeurent tout à fait obscures, ou ne peuvent être considérées que par l'entendement.

§ 16 L'esthéticien ne s'occupe pas en tant que tel des imperfections de la connaissance sensible qui sont à ce point cachées qu'elles nous demeurent tout à fait obscures, ou ne peuvent être découvertes que par un jugement de l'entendement.

*

SECTION 27 : LA VÉRITÉ ESTHÉTIQUE

§ 423 La troisième préoccupation*, dans les choses qu'il faut penser de façon élégante, doit être la VÉRITÉ, mais c'est ici de la vérité ESTHÉTIQUE qu'il s'agit, c'est-à-dire de la

---

1. Horace, *Épître*, II, III, vers 40 sqq.
* Les deux premières sont la « richesse esthétique » (§ 115) et la « grandeur esthétique » (§ 177). On a parfois supprimé les références internes au reste de l'*Aesthetica* (NdT).

vérité dans la mesure où elle doit être connue de façon sensible. Nous savons que la vérité métaphysique des objets est leur convenance avec les principes les plus universels et, à partir de là, nous comprenons Leibniz qui dit dans la *Théodicée :* « On peut dire d'un certain point de vue que le principe de contradiction et le principe de raison suffisante sont renfermés dans la définition du vrai et du faux. » Car la représentation du vrai métaphysique en quelque objet, dans la mesure où elle a lieu dans l'âme d'un sujet déterminé, est cette convenance des représentations avec les objets que la plupart appellent vérité logique et d'autres spirituelle, vérité de l'affection, de la correspondance et de la conformité, tandis qu'ils appellent la vérité métaphysique vérité matérielle.

§ **424**　La vérité métaphysique pourrait être dite objective, la représentation dans une âme donnée de ce qui est objectivement vrai pourrait être dite VÉRITÉ SUBJECTIVE. Pour employer un vocabulaire plus accessible mais plus large, nous la dirons logique, avec la plupart des philosophes, afin que nous nous accordions sur la chose pour laquelle avant tout, tout cela est repris plus précisément. Il me semble en effet évident que la vérité métaphysique ou objective, si l'on veut l'appeler ainsi, représentée dans une âme donnée de telle façon qu'elle se transforme en vérité logique au sens large – ou vérité spirituelle et subjective –, tantôt se montre à l'entendement pour l'essentiel comme contenue dans l'esprit quand elle se trouve dans ce qui est distinctement perçu par lui – elle est alors vérité LOGIQUE au sens STRICT –; tantôt elle se montre à l'analogue de la raison et aux facultés de connaître inférieures, ou bien exclusivement, ou bien pour l'essentiel – elle est alors vérité esthétique.

§ **425**   Lisez, je vous prie, le conseil que Chrémès, dans l'*Héautontimorouménos* de Térence, donne à Ménédème et vous verrez que dans sa réponse il parle en quelque façon de la vérité esthétique : « Tu me sembles dire vrai et dire la chose comme elle est[1]. » Pensez aux satires qui n'hésitent pas à exposer une « vérité qui (souvent) enfante la haine[2] », ni à « blesser par le mordant de la vérité les oreilles délicates[3] ». Elles sont comme protégées par leur privilège : « Qui m'interdit de dire le vrai en plaisantant[4] ? » Comparez-les avec les conseils pratiques, en apparence de la même teneur, d'un moraliste faisant son exposé de façon plus élaborée et plus scientifique; vous verrez alors, par l'exemple, la différence qu'il y a entre la vérité esthétique et la vérité logique au sens strict.

§ **426**   Est commune aux méditations logiques et esthétiques la vertu que Cicéron décrit d'une manière presque universellement valable et qui réside « dans la perception de ce qui dans chaque chose est vrai et pur, de ce avec quoi elle est en conformité (c'est l'accord avec le principe de contradiction), de ce qui en résulte (c'est l'accord avec le principe du fondé), de ce dont naissent toutes les choses, qui est cause de toute chose (c'est l'accord avec les principes de raison et de raison suffisante) ». Mais quand ces méditations logiques s'efforcent d'atteindre une perception distincte et intellectuelle de ces choses, les méditations esthétiques ont assez à faire, restant à l'intérieur de leur horizon propre, à les percevoir de façon subtile avec les sens et avec l'analogue de la raison.

---

1. Térence, *Héautontimorouménos*, 490.
2. *Ibid., Andria*, 68.
3. Perse, *Satires*, I, 107.
4. Horace, *Satires*, I, I, 124.

§ **427**   Si nous appelons ESTHÉTICOLOGIQUE la vérité
spirituelle et subjective, c'est-à-dire cette vérité des représentations qui n'a été nommée jusqu'ici que logique, cette
proposition n'établit pas une distinction selon laquelle
certaines vérités esthétiques, et même beaucoup, ne seraient pas en même temps logiquement vraies, – ce que
nous concédons volontiers. Lorsque Lucrèce imagine la
prosopopée de la nature adressée à celui qui refuse de
mourir, et qu'il y ajoute non sans vérité : « Que répon-
drons-nous sinon que la nature intente un juste procès et
qu'elle expose dans ses paroles une cause vraie[1]? »,
presque tout est en même temps logiquement vrai.

§ **428**   Nous ne nions ni n'ignorons 2° que la vérité
esthétique dans les parties qui doivent être dépeintes avec
beauté donne souvent la vérité logique du tout et qu'il peut
difficilement en être autrement lorsque le dénombrement
des parties est achevé et poussé à son terme. Nous faisons
seulement observer que la vérité, dans la mesure où elle est
intellectuelle, n'est jamais directement visée par l'esthéticien; si de façon indirecte une telle vérité advient, issue de
plusieurs vérités esthétiques, ou si elle coïncide avec le vrai
esthétique, l'esthéticien qui pense de façon rationnelle s'en
félicite, mais ce n'est pas ce qui était recherché au premier
chef.

§ **429**   Soit une vérité logique – au sens strict bien sûr –
qui ne puisse être pensée que par l'entendement, que ce
soit de la part du sujet qui est supposé produire de belles
pensées ou de la part des personnes auxquelles avant tout
ses pensées s'adressent, et supposons que pour l'un comme
pour les autres cette impossibilité ait lieu constamment ou
seulement dans certaines circonstances : cette vérité est
alors placée au-delà de l'horizon esthétique et elle est à bon

1. Lucrèce, II, 950 sqq.

droit négligée, du moins pour le moment présent. Pensez à l'éclipse de l'année passée en astronome (ou avec des astronomes), non seulement physicien mais aussi mathématicien, et pensez-y ensuite en berger s'adressant à ses camarades ou à sa bien-aimée. Combien de vérités qui, dans le premier cas, étaient l'objet de nos pensées, devrons-nous totalement négliger dans le second!

§ 430   Il y a des vérités si insignifiantes que leur recherche ou leur évocation est en deçà de l'horizon esthétique, du moins en deçà de la belle grandeur, que ce soit de la grandeur absolue ou de la grandeur tout au moins relative. L'esthéticien ne s'occupe point de ces vérités infiniment petites. Et il ne pense même pas qu'elle ait été écrite pour l'historien, cette loi sévère, sans exceptions, qui prescrit de ne rien taire de vrai; lisant pour sa part :

« Une troupe ardente de jeunes hommes s'élance sur le rivage hespérien.

« Mais le pieux Énée gagne le sommet de la montagne où veille la haute statue d'Apollon et, à quelque distance, la retraite solitaire de l'effrayante Sibylle, cet antre énorme[1]... », il n'a ni égard ni pensée pour la question de savoir de quel pied Énée a touché pour la première fois l'Italie; et pourtant, rien de plus vrai : il l'a touchée du pied gauche ou du pied droit, à moins que ce ne soit des deux pieds en même temps, ce qui est moins séant.

§ 431   La vérité esthétique exige – I – la possibilité 1° absolue des objets de la pensée élégante dans la mesure où elle doit être connue sensiblement, c'est-à-dire une possibilité de nature telle que dans un objet qu'on a décidé de contempler en lui-même, il ne soit plus observé par les sens et par l'analogue de la raison de traits caractéristiques qui se contrediraient mutuellement. Une certaine inégalité

1. Virgile, *Énéide*, VI, 5 sqq.

entre les défauts renferme cette possibilité et par suite elle
est aussi esthétiquement vraie.

Au contraire, « ceux qui jugent tous les défauts égaux ne
sont pas à leur aise quand ils en viennent à la réalité; ils
ont contre eux le sens commun, la morale et l'utilité
elle-même qui est comme la mère du juste et de l'équita-
ble[1] ».

§ **432**   La vérité esthétique réclame la possibilité 2°
hypothétique de ses objets, et celle-ci à son tour est A)
naturelle dans la mesure où elle n'est pas liée davantage à
une liberté déterminée et qu'elle peut être jugée par
l'analogue de la raison. Je la trouve dans l'*Énéide :*

« Alors, le Père tout-puissant, qui possède sur toutes
choses le suprême pouvoir, commence à parler. Tandis
qu'il discourt, la haute demeure des dieux se fait silen-
cieuse. En bas la terre tremble; en haut l'éther se fait
silencieux[2]. »

§ **433**   La vérité esthétique requiert une possibilité B)
morale dans ses objets *a)* au sens large de telle sorte que
les choses qui ne peuvent être dérivées que de la liberté
soient également d'une telle nature et d'une telle dimension
que celles qui semblent à l'analogue de la raison venir
d'une liberté donnée, d'une personnalité donnée et du
caractère moral d'un homme déterminé. Tel est l'impératif
qui veut qu'on « se rapproche de la vérité de la vie[3] »,
impératif en vertu duquel il est loin d'être indifférent que
celui qui parle soit « un vieillard rassis ou un jeune homme
bouillant d'ardeur, une dame importante ou une nourrice
empressée, un marchand en voyage ou un paysan qui
cultive son lopin verdoyant, un habitant de Colchide ou

1. Horace, *Satires,* I, III, 96 sqq.
2. Virgile, *Énéide,* X, 100 sqq.
3. Cicéron, *De Oratore,* I, 220.

d'Assyrie, un indigène de Thèbes ou d'Argos[1] », ou que
l'objet soit une chose dont on s'occupe ou une personne.

§ **434** « Écoute ce que je désire, et le public avec moi,
toi qui recherches un admirateur qui reste et restera assis
jusqu'à ce que le rideau tombe et que le chanteur dise :
" Vous, applaudissez! " Il te faut dépeindre exactement les
traits propres à chaque âge et donner aux caractères et aux
âges changeants les couleurs qui leur conviennent (...).
Nous nous arrêterons toujours aux traits qui se lient et
s'attachent à un âge déterminé[2] » C'est pourquoi Horace
recommandait aussi une philosophie pratique, pour ainsi
dire appliquée, car celui qui s'y tient rigoureusement « sait
assurément rendre à chaque personnage les traits qui lui
conviennent[3] », et percevant déjà en son temps l'utilité de
cet art ou de cette connaissance que les caractères de
Théophraste inaugurèrent et que le Théophraste français[4]
enrichit par la suite, « il ordonnait d'examiner en savant
imitateur l'exemple de la vie et des mœurs et d'en tirer des
paroles qui fussent vivantes[5] ».

§ **435** La vérité esthétique requiert la possibilité
morale *b)* au sens strict, non seulement en celui-là même
qui pense, mais aussi dans les objets qu'il doit, de façon
explicite ou implicite, rendre un bref instant crédibles dans
ses belles pensées, par exemple si elles décrivent l'Achéron;
mais il s'agit seulement de cette possibilité morale qui
tombe dans les sens et sous la juridiction de l'analogue de
la raison. Elle est cette vérité morale selon laquelle, dit
Horace, « le vrai consiste à se mesurer à son aune propre
et prendre chaussure à son pied[6] ». De la même façon que

---

1. Horace, *Épîtres*, II, III, 115 sqq.
2. *Ibid.*, 153 sqq et 178.
3. *Ibid.*, 315 sqq.
4. Il s'agit, bien entendu, de La Bruyère (NdT).
5. Horace, *Épîtres*, II, III, 317 sqq.
6. *Ibid.*, I, VII, 98.

j'appellerai la vérité postulée dans les § 433, 434 VÉRITÉ MORALE AU SENS LARGE, je nommerai plutôt celle-ci vérité morale AU SENS STRICT, et vérité morale AU SENS LE PLUS STRICT l'adéquation des signes à notre état d'esprit : si ce dernier est vertueux, la vérité morale au sens le plus strict se verra décerner le titre de sincérité; s'il est au contraire vicieux, elle renfermera l'ignominie de l'impudeur indiscrète.

§ 436   Cicéron montre avec élégance dans le *Pro Murena* les limites esthétiques de cette vérité morale et néanmoins esthétique, de cette dignité dans une pensée dotée de quelque agrément, quand il dit : « Mais Caton en use avec moi d'une façon sévère et à la manière d'un stoïcien, il nie qu'il soit juste de gagner la bienveillance d'autrui en offrant des repas »; et, prenant la défense de la vérité esthétique de ces mœurs auxquelles Caton s'était attaqué comme si elles n'étaient que brigue, il répond : « Horrible discours, mais que l'usage, la vie, les mœurs, la cité elle-même rejettent (...). C'est pourquoi, Caton ne critique pas par un discours trop sévère ce qu'ont institué nos ancêtres et que la réalité elle-même et la durée de l'empire confirment (...). Ce que tu dis – que l'esprit des hommes ne doit être poussé à briguer des magistratures par aucune autre considération que la dignité (dans la mesure où elle est conçue de façon purement intellectuelle par les philosophes) – toi-même, chez qui se rencontre la dignité suprême, tu ne l'observes pas. Pourquoi en effet demandes-tu quelqu'un pour qu'il te conseille, pour qu'il t'aide? (...) Que dire du fait que tu as un nomenclateur[1] ? »

§ 437   La vérité esthétique requiert pour les objets d'une belle pensée – II. qu'ils soient reliés avec leur cause et leurs effets pour autant que cette liaison doit être connue de façon sensible par l'intermédiaire de l'analogue

1. Cicéron, *Pro Murena*, 74 sqq.

de la raison. Prenons l'exemple du Coriolan de Tite-Live :
il est rendu compte de son nom même et de son autorité
première; de là son excès d'orgueil face à la puissance
tribunitienne; d'où la colère de la plèbe; il en résulte l'exil
de Coriolan et l'hostilité de son cœur qui l'entraîne chez les
Volsques, non sans que la raison, d'après ce qui précède,
en soit évidente; par suite il fait part à son hôte Tullus de
ses intentions belliqueuses à l'égard des Romains et, en
conséquence de cela, il y a l'artifice plein de ruse de Tullus
et le renouveau d'indignation de la plèbe volsque contre les
Romains[1].

§ **438**   Par suite, la guerre est décidée et les chefs sont
Tullus et Marcius, notre Coriolan, exilé romain. En raison
de son courage, les débuts sont favorables aux Volsques, la
plèbe romaine tremble; d'où une première ambassade des
Romains et la réponse atroce qu'elle rapporte; retournant
vers l'ennemi, elle n'est pas reçue. Les prêtres viennent
donc supplier Coriolan. Comme eux aussi ont échoué, une
peur quasi féminine envahit Rome. Enfin, la mère de
Coriolan, son épouse et la foule des femmes émeuvent son
cœur endurci, et pour que cela ne semble pas arriver sans
raison, l'historien imagine un discours de la mère vraiment
pathétique. Le camp ennemi est levé, mais Coriolan ne
disparaît cependant pas sans qu'il soit fait mention du
reste de sa destinée. Et à Rome on érige un monument à la
Fortune Féminine[2]. Quelle harmonie dans ce récit, enri-
chissant et récréatif pour les lecteurs ou du moins pour
l'analogue de la raison!

§ **439**   La vérité esthétique requiert la possibilité absolue et la possibilité hypothétique de ses objets, dans la
mesure où elles sont perçues de façon sensible; toute
possibilité exige l'unité, absolue pour la possibilité absolue,

1. Tite-Live, II, 33 sqq.
2. *Ibid.,* II, 39 sqq.

hypothétique pour la possibilité hypothétique. Par suite, la vérité esthétique requiert aussi l'une et l'autre unité dans ce qu'elle doit penser, dans la mesure où elles peuvent être saisies de façon sensible, l'inséparabilité des déterminations dans ce qu'elle doit penser, sans que cela nuise à la beauté de la perception totale. Cette UNITÉ des objets, qui est ESTHÉTIQUE dans la mesure où elle devient phénomène, sera unité des déterminations internes, et par suite unité d'action, si l'objet de la belle méditation est une action, ou unité des déterminations externes et des relations, des circonstances, et par là unité de LIEU ET DE TEMPS : « Choisis le sujet que tu veux, mais qu'il y ait au moins simplicité et unité[1] », et tu obtiendras tout à la fois cette brièveté équilibrée qui séduit ainsi qu'une belle cohérence. C'est pourquoi l'unité plaisait tant à saint Augustin qui disait qu'elle est la « forme de toute beauté[2] ».

§ 440   La VÉRITÉ ESTHÉTICOLOGIQUE est ou bien vérité esthéticologique des concepts universels, des notions et des jugements généraux, ou bien vérité esthéticologique des concepts singuliers et des représentations particulières. L'une sera dite GÉNÉRALE, l'autre SINGULIÈRE. Dans l'objet de la vérité générale, il n'est jamais dévoilé autant de vérité métaphysique, surtout de façon sensible, que dans l'objet de la vérité singulière. Et plus la vérité esthéticologique est générale, moins il est présenté de vérité métaphysique dans son objet – cela vaut en général, mais tout particulièrement pour l'analogue de la raison. Il y a à cela une raison : l'esthéticien, attaché qu'il est à observer la plus grande vérité possible, préfère, dans la mesure où il le peut, aux vérités plus générales, très abstraites et universelles, les vérités plus déterminées, moins générales, moins abstraites, et il préfère à toutes les vérités générales les vérités singulières. L'impératif de la richesse de pensée fait aller

1. Horace, *Épîtres*, II, III, 23.
2. Saint Augustin, *Epistulae*, XVIII, 2.

dans le même sens car plus on a un objet déterminé, plus on a en même temps de différences, et plus nombreuses sont les belles pensées qu'il est possible d'avoir à son propos. L'impératif de grandeur, y compris naturelle, et celui de dignité esthétique vont dans la même direction, pourvu qu'on prenne aussi en compte dans toute grandeur d'un universel le poids, la gravité et la fécondité qui s'ajoutent au niveau de ses différenciations inférieures.

§ **441**   La vérité esthéticologique du genre est la perception d'une grande vérité métaphysique, la vérité esthéticologique de l'espèce est la perception d'une vérité métaphysique plus grande, la vérité esthéticologique de l'individuel ou du singulier est la perception de la vérité métaphysique la plus grande possible. La première est la perception de ce qui est vrai, la seconde celle de ce qui est plus vrai, la troisième est la perception de ce qui est le plus vrai. La vérité du singulier est ou bien la vérité des éléments internes de l'étant le meilleur et le plus grand, ou bien la vérité des éléments absolument contingents. Les éléments contingents ne sont représentés en tant qu'éléments singuliers que comme des possibles de quelque univers pris en totalité. Par suite, la vérité singulière quant aux éléments contingents les pose soit comme des possibles et comme les parties de notre univers – et cette vérité, avec la vérité de ce qui est absolument nécessaire, est dite la plus grande AU SENS LE PLUS STRICT, ou tout simplement VÉRITÉ dans la langue commune –, soit comme les possibles d'un autre univers et comme ses parties, faisant l'objet de la connaissance humaine intermédiaire et elle est dite alors VÉRITÉ HÉTÉROCOSMIQUE.

§ **442**   La vérité au sens le plus strict est, ainsi que la décrit Cicéron[1], celle « par laquelle les choses qui sont, ont été ou seront dites (sont perçues) inchangées (non

---

1. Cicéron, *De inventione*, II, 162.

changées) » et qu'il semble comparer à des vérités moindres quand il dit : « Ce cortège de vertus [la constance, la
gravité, le courage, la sagesse, etc.] soumis à la torture
[« elles charment » par une vérité ou bien générale et
abstraite, « comme cette vérité des stoïciens qu'on goûte
plus qu'on ne s'en repaît », ou bien hétérocosmique] offre
à nos yeux des images d'une telle dignité qu'il semble [à la
connaissance intermédiaire] qu'une vie heureuse doive les
rechercher en hâte et ne pas supporter de les abandonner.
Mais quand on fait passer son esprit de cette peinture et de
ces images des vertus [images générales et abstraites ou
bien hétérocosmiques] à la réalité et à la vérité [au sens le
plus strict], il ne reste que cette question nue [dépouillée
des objets hétérocosmiques de la connaissance intermédiaire et séparée de tous ces objets] : quelqu'un peut-il
[dans notre univers de façon singulière et concrète] être
heureux pendant qu'il subit la torture[1] ? »

§ **443**   Parmi les vérités esthéticologiques générales,
seules sont esthétiques celles qui, tout en continuant à
charmer, peuvent être représentées de façon sensible – et
seulement dans la mesure où elles le peuvent – par
l'analogue de la raison, soit de façon manifeste et explicite,
soit de façon cachée comme lorsqu'on omet certains
énoncés dans les enthymèmes[2], soit par des exemples dans
lesquels ces choses abstraites sont saisies comme dans du
concret. De cette façon, le principe d'identité lui-même se
trouve chez Plaute – qui l'eût cru ? – dans le prologue des
Captifs : « Ces deux captifs que vous voyez ici debout,
ceux-là qui sont là, ils sont debout tous deux, ils ne sont
pas assis. Vous, vous êtes témoins de ce que moi, je dis
vrai[3]. »

---

1. Cicéron, *Tusculanes,* V, 13 sqq.
2. Syllogisme dans lequel une des prémisses est sous-entendue (NdT).
3. Plaute, *Captivi,* 1 sqq.

§ **444** La vérité des choses vraies au sens le plus strict est esthétique dans la mesure où ces choses sont perçues comme vraies de façon sensible par des sensations, des images ou même des anticipations qui sont liées à des présages, et là s'arrête son domaine; et, en raison de cette même hypothèse, les vérités hétérocosmiques sont des vérités esthétiques ni plus ni moins nombreuses que les vérités qui peuvent être perçues par l'analogue de la raison. On pense que cette distinction est de Leibniz, mais elle est déjà chez Tibulle qui avait fait un long récit des errances d'Ulysse se terminant ainsi : « Et cela, ou bien on l'a vu sur notre terre [c'est le vrai au sens le plus strict], ou bien la légende a donné à ces errances un nouvel univers[1] » (c'est le vrai d'un point de vue hétérocosmique).

1. Tibulle, IV, I, 79 sqq.

La représentation visuelle
des géométries non euclidiennes

La modestie la plus élémentaire m'impose un avertissement préalable : je ne suis nullement mathématicien, pas même épistémologue, et les pages qui suivent ont pour seule ambition de faire comprendre aux profanes comment certains théorèmes étranges appartenant aux géométries de Lobatchevski et de Riemann ont pu trouver une transposition dans l'espace plastique des artistes. Étudiant, j'ai souvent lu sous la plume d'auteurs considérés comme sérieux que l'existence de ces géométries remettait en cause l'*Esthétique transcendantale* de Kant. Je ne parvenais à y croire tout à fait, mais pour être simple, l'argumentation paraissait convaincante : selon Kant, en effet, l'espace euclidien à trois dimensions est une « intuition pure », une donnée incontournable de la représentation humaine. Or les théorèmes de Lobatchevski et de Riemann étant tout à la fois incontestables et pourtant irreprésentables, il fallait – ainsi se poursuivait le raisonnement – abandonner les thèses kantiennes au profit d'un retour au logicisme leibnizien.

Je n'aurai pas la prétention de trancher ici le conflit du logicisme et de l'intuitionnisme. Une chose, cependant, est certaine, c'est qu'en examinant un tant soit peu la question on s'aperçoit que les fameux théorèmes de Lobatchevski et de Riemann sur les parallèles ou les triangles sont, quoi qu'on en ait dit sottement ici ou là, parfaitement *représen-*

tables. Le fait est sans doute évident pour tout mathématicien qui a pris la peine d'y réfléchir. Pour les cubistes du début de ce siècle, cette possibilité ne devait pas non plus faire le moindre doute *bien qu'ils crussent à tort qu'une telle représentation obligeait à sortir des cadres de la tridimensionnalité.* A tort puisque, en vérité, ces fameux paradoxes trouvent une expression visible très simple dans les trois dimensions habituelles dès lors qu'on passe de la géométrie plane à la géométrie sphérique. Comme j'ai longtemps cherché pour moi-même, sans le trouver (je reste persuadé qu'il existe), un livre qui fournirait une telle représentation *intuitive,* j'ai dû me résoudre à l'improviser par mes propres moyens. J'ai pensé qu'elle pourrait intéresser le lecteur soucieux de comprendre une des références centrales de certaines avant-gardes. Que les cubistes (et nombre de philosophes) se soient trompés sur la nature de la révolution introduite par les géométries non euclidiennes ne change rien au fait qu'elles eurent, comme on le comprendra mieux par ce qui suit, une grande influence auprès d'eux : en toute hypothèse, elles servaient à légitimer *scientifiquement* l'idéologie de la table rase qui soustendait les avant-gardes en même temps qu'elles suggéraient (surtout celle de Riemann) l'idée d'un espace réduit à la bidimensionnalité.

Représentation visuelle
de quelques théorèmes de Lobatchevski

Les paradoxes qui président au commencement d'un système mathématique sont sans doute connus depuis que les mathématiques existent : il est clair, en particulier, qu'on ne saurait aborder une démonstration sans admettre à titre de point de départ un certain nombre de termes non définis, de propositions non démontrées et d'opérations logiques fondamentales en l'absence desquelles le raisonnement ne pourrait se développer. Toute théorie mathématique est, en ce sens, « hypothético-déductive ». La rigueur exige, non pas que tout soit démontré, ce qui est impossible par définition pour les *prémisses* qui ne peuvent qu'être *postulées*, mais que tout ce qui est indémontrable soit posé *ab initio*. Les *Éléments* d'Euclide commencent donc par exposer des définitions, des postulats, et des axiomes. Mais, après avoir entamé la chaîne de ses déductions, il arrive à deux reprises qu'Euclide invoque, dans le cours même d'une démonstration et pour le besoin de celle-ci, une proposition particulière qu'il ne justifie que par sa prétendue « évidence ». C'est ainsi que pour démontrer la 29ᵉ proposition, il nous demande d'admettre comme allant de soi le fait que *par un point extérieur à une droite ne passe qu'une parallèle à cette droite*. C'est là le fameux « postulat d'Euclide ». Mais comme il n'est pas posé comme tel dès le commencement de la démonstration, un doute peut planer sur la question de savoir si l'affirmation relève bien d'un postulat ou si elle n'est pas en vérité – ce qui serait indû – un théorème, c'est-à-dire une proposition qui devrait être démontrée mais dont l'absence de démonstration serait pudiquement dissimulée sous un recours à la notion douteuse d'évidence. D'où le projet de tenter une démonstration de la célèbre proposition afin de voir si d'aventure elle ne pourrait pas passer du statut de postulat à celui de théorème.

Il est impossible de faire le décompte exact des tentatives ainsi suscitées. Une chose est cependant certaine : elles se soldèrent toutes par un échec. De sorte que, les démonstrations directes ayant échoué, on eut l'idée de procéder *a contrario,* par l'absurde, en partant d'une négation du « postulat d'Euclide ». Le raisonnement qui sous-tend une telle entreprise est limpide : si le prétendu postulat était démontrable – donc s'il s'agissait en vérité d'un théorème qu'on pût déduire des autres propositions premières –, il arriverait évidemment qu'en partant de sa négation, on devrait parvenir à des conséquences contradictoires. On

aurait ainsi prouvé de façon indirecte (par l'absurde) le
« postulat ».

Telle est la démarche adoptée par Lobatchevski. Il
admet par hypothèse que l'on « *peut par un point extérieur
à une droite tracer plusieurs parallèles à cette droite* ». Il
conserve par ailleurs tous les autres axiomes et postulats
d'Euclide. Or contre toute attente, les propositions qu'il
démontre à partir de ces étranges prémisses s'enchaînent
de façon cohérente et ne se contredisent pas. Conclusion :
le postulat d'Euclide en était bien un puisqu'il s'avère
indémontrable au point de pouvoir être nié sans contradiction. Selon un mot de Poincaré, l'Académie des sciences ne
reçoit plus depuis lors qu'une ou deux « démonstrations
nouvelles » du postulat chaque année... Bien entendu, les
théorèmes de la géométrie de Lobatchevski sont tout
différents de ceux d'Euclide. A première vue, ils semblent
non seulement irreprésentables mais inconcevables. J'en
donnerai seulement trois exemples parmi les plus
connus :

1. Chez Euclide, la somme des angles d'un triangle est
égale à 180°; elle est chez Lobatchevski *inférieure* à 180°.

2. Par un point extérieur à une droite, on peut faire
passer *deux* parallèles à cette droite (c'est-à-dire deux
droites qui n'ont qu'un point commun à l'infini avec la
droite dont elles sont les parallèles). Ajoutons que ces deux
parallèles à une même droite se croisent et ne sont pas
parallèles entre elles.

3. Enfin, il faut distinguer parallèles et non-sécantes : si
par un point extérieur à une droite on ne peut faire passer
que deux parallèles à cette droite, il existe en revanche une
infinité de non-sécantes.

Le moins que l'on puisse dire est que ces propositions ne
sont pas évidentes. L'urgence de leur démonstration n'en
apparut que plus grande, étant entendu que le recours à
l'intuition et aux figures, outre qu'il est en soi peu rigoureux, semblait en l'occurrence impossible. Et pourtant,
l'une des voies empruntées pour prouver la validité de cette

nouvelle géométrie fut paradoxalement d'en construire un « modèle » – si l'on veut : une traduction ou une transposition – dans ce système éprouvé qu'est la géométrie euclidienne. C'est ce modèle qu'il importe ici de comprendre.

Transposée en géométrie plane (Figure 1), la proposition selon laquelle il y aurait deux parallèles par rapport à une même droite semble irreprésentable : on comprend bien que, pour éviter que les droites (a) et (b) ne viennent « croiser » la droite A-B, il faut que l'angle (d) varie quand le point (C) se déplace; on perçoit aussi comment, dès lors qu'on décrète que (a) et (b) sont des parallèles, (d) est une non-sécante; mais précisément, ce qui échappe, c'est la représentation de la chose même qu'on voudrait saisir. Pour y parvenir, il faut passer en géométrie sphérique. Il suffit pour cela d'adopter le dictionnaire suivant (fourni par Poincaré dans *la Science et l'hypothèse*).

En partant d'un plan fondamental, on nommera
– « espace » : la portion d'espace située au-dessus du plan fondamental;
– « plan » : une sphère coupant orthogonalement le plan fondamental;
– « droite » : un cercle coupant orthogonalement le plan fondamental;
– « parallèle » : des droites qui n'ont qu'un point commun à l'infini.

En revanche, la sphère, le cercle et l'angle conservent la définition qu'ils possèdent en géométrie classique. On désignera par convention comme « ligne des points situés à l'infini » le cercle tracé par l'intersection orthogonale d'une sphère et du plan fondamental.

Muni de ce dictionnaire, on peut, *sans rien modifier* par ailleurs, transcrire notre premier schéma en géométrie sphérique (figure 2). Il suffit de l'observer avec un peu d'attention pour percevoir *visuellement* sans la moindre difficulté la cohérence des théorèmes qui semblaient absurdes au regard de la géométrie traditionnelle :

– On verra immédiatement que les droites (a) et (b), tracées à partir de la perpendiculaire (C-D) et toutes deux parallèles à (A-B) – elles n'ont avec (A-B) qu'un point commun « à l'infini » puisqu'elles sont tangentes – se coupent en (C).

– On perçoit plus facilement encore que la somme des angles d'un triangle sphérique dont les courbures sont négatives est forcément inférieure à 180° : par exemple, le triangle ABC possède deux angles – bêta et gamma – qui sont égaux à zéro puisqu'ils sont formés par deux tangentes.

– Enfin la non-sécante (d) est clairement séparée des deux parallèles.

La géométrie de Lobatchevski n'est donc en aucun cas non euclidienne au sens où elle ne pourrait être représentée en trois dimensions. La modélisation étant peu connue, c'est pourtant ce qu'ont cru la plupart des peintres (et bien des philosophes, aujourd'hui encore...) qui prétendaient légitimer scientifiquement la « déconstruction » de la tridimensionnalité euclidienne. Et au fond, c'est cela seul qui compte pour notre propos; l'essentiel est en effet de comprendre comment l'idée de parallèles qui se « croisent » suffisait à suggérer des espaces insolites encore inexplorés. L'espace riemannien devait faire plus grande impression encore.

Représentation visuelle
de quelques théorèmes de Riemann

Comme Lobatchevski, Riemann conserve tous les axiomes et postulats d'Euclide, sauf celui des parallèles. Mais contrairement à lui, il admet à titre de nouvelle hypothèse qu'on ne peut par un point extérieur à une droite mener aucune parallèle à cette droite. Et là encore, il obtient un ensemble de propositions cohérent, mais en contradiction complète avec la géométrie euclidienne. Je me bornerai à trois exemples :

1. Par deux points, on peut faire passer une infinité de droites différentes.

2. Deux perpendiculaires à une même droite ne sont pas parallèles entre elles.

3. La somme des angles d'un triangle est supérieure à 180°.

Pour nous aider à visualiser ces propositions, Poincaré, dans *la Science et l'hypothèse,* nous invite à nous représenter des êtres imaginaires « infiniment plats », les « sphériens », qui vivraient tous dans un même plan et ne pourraient en sortir. On les supposera par ailleurs intelligents et capables de faire de la géométrie. Le plan sur lequel ils évolueront est en fait un « plan sphérique », comparable si l'on veut à la surface de la terre, dont ils épousent parfaitement la forme puisqu'ils n'ont pas d'épaisseur (on mesure peut-être mieux ici combien les nouvelles mathématiques pouvaient sembler proches de la science-fiction...).

Munis de cette représentation imagée mais correcte, nous pouvons aisément traduire les théorèmes riemanniens dans un fragment de la géométrie euclidienne : la géométrie de la gerbe.

Considérons dans l'espace euclidien une sphère de centre O (cette sphère est le plan riemannien, elle n'est pas un plan « plan » euclidien, mais un plan sphérique dont la surface est de courbure positive et constante). A partir de ce centre O, on fait partir une gerbe de plans, au sens habituel, et de droites et *l'on considère seulement leurs intersections avec la surface de la sphère.*

– *Une droite* passant par O dessinera sur la sphère deux points (là où elle « crève » en quelque sorte la surface). On a ici affaire à une projection de figures appartenant à l'espace à trois dimensions et passant toutes par un même point sur un plan qui dans ce cas particulier est un plan sphérique (le centre de cette sphère étant le point où toutes les figures se coupent – cf. Figure 1).

– *Un plan* passant par O donnera par son intersection avec la sphère un cercle (cf. Figure 2) qui, aux yeux de nos « sphériens » apparaîtra comme une droite puisqu'ils n'ont pas l'idée d'épaisseur et que leur espace ne compte que deux dimensions. Ainsi, lorsqu'ils pensent se déplacer en ligne droite, nous qui possédons les trois dimensions, nous savons qu'ils parcourent en vérité un cercle : *c'est ici qu'on voit le lien qui relie les géométries non euclidiennes (du moins celle de Riemann) aux géométries à quatre dimensions. Il suffit en effet pour passer de l'une à l'autre, d'imaginer que nous pouvons être par rapport à des êtres en*

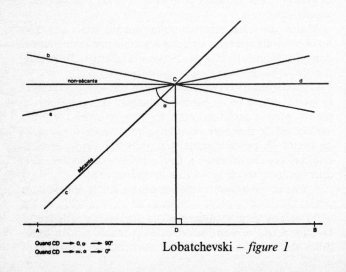

Lobatchevski – *figure 1*

quatre dimensions dans un rapport analogue à celui que les sphériens auraient avec nous.

– *Un angle* de deux droites se coupant en O est représenté dans le plan sphérique par deux points (Figure 1).

– *Un angle dièdre* formé par deux plans se coupant en O est représenté dans le plan sphérique par l'angle de deux droites sphériennes (c'est-à-dire deux cercles – cf. Figure 2).

– Enfin, le *trièdre* d'intersection O est représenté par un triangle curviligne dans le plan sphérique (Figure 3), c'est-à-dire par un triangle dont les côtés sont des portions de cercle (mais qui apparaîtra aux sphériens comme un triangle tout à fait ordinaire).

L'univers riemannien est identique à celui des sphériens. Son espace à deux dimensions est sans limites, mais fini, comme l'est celui de la surface d'une sphère. On comprend dès lors comment les théorèmes en apparence absurdes se laissent en vérité représenter sans la moindre difficulté. Par exemple, en langage sphérien, on dira que par deux points distincts, il passe généralement une droite et une seule, mais que cependant, il existe des couples de points par lesquels il passe une infinie de « droites sphériques » – ces points étant ceux qui sont (comme les pôles de notre planète) diamétralement opposés sur la sphère. Il ne saurait dans ces conditions y avoir deux droites distinctes parallèles étant donné que deux droites, sur la sphère, se coupent toujours en deux points diamétralement opposés. On pourrait encore comparer les droites sphériennes à nos méridiens. On comprend que par un point extérieur à une droite, on ne puisse mener aucune parallèle à cette droite et que les perpendiculaires à une même droite (les méridiens perpendiculaires à l'équateur) se coupent aux deux pôles. Enfin (cf. figure 3) on voit clairement que la somme des angles d'un triangle est supérieure à 180°. En effet, si l'on considère les triangles formés par l'équateur et deux méridiens, les angles formés par l'équateur et chaque méridien seront égaux chacun à un droit, de sorte que la somme des angles du triangle sera égale à deux droites + la valeur de l'angle formé par l'intersection au pôle des deux méridiens.

Mon but n'était pas ici d'analyser la portée épistémologique de cette modélisation. Dans une très large mesure, c'est elle qui a permis de montrer que les nouvelles géométries n'étaient pas une fantaisie... mais aussi qu'elles étaient peut-être moins nouvelles qu'on aurait pu l'espérer (ou le craindre). Il faudrait bien sûr souligner que les deux exemples évoqués ne sont pas les seuls, qu'il y a même une infinité de géométries non euclidiennes si l'on considère les mouvements de figures déformables. Tout cela échappe au présent propos. Il s'agissait seulement de mettre en évidence un paradoxe : par leurs théorèmes provocants, ces géométries pouvaient exciter l'imagination des artistes, susciter l'idée de nouveaux espaces plastiques et surtout légitimer la nécessité d'une rupture avec l'espace à trois dimensions. Et pourtant, la vérité est tout autre car, on vient de le voir, il n'est rien ici qui ne puisse être parfaitement compatible avec l'antique tridimensionnalité. Mais depuis Baudelaire au moins, nul n'ignore que « le monde roule sur des malentendus ».

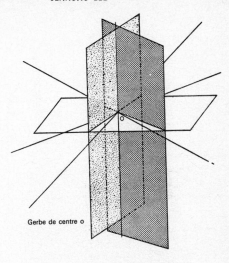

Gerbe de centre o

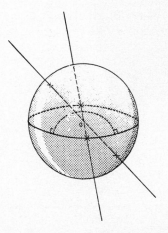

Riemann – *figure 1*

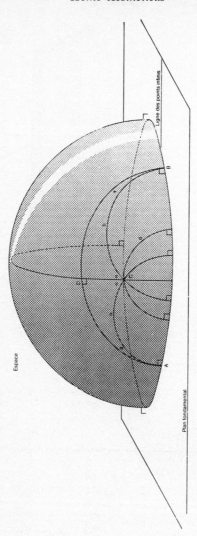

Lobatchevski – *figure 2*

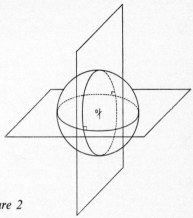

Riemann – *figure 2*

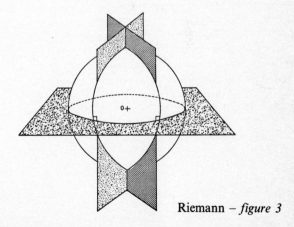

Riemann – *figure 3*

Notes

I. LA RÉVOLUTION DU GOÛT

1. K. Borinski, *Balthasar Gracian und die Hofliteratur in Deutschland*, Berlin, 1984.
2. Cf. A. Bäumler, *Das Irrationalitätsproblem in der Ästhetik und Logik des 18 Jahrhunderts bis zur Kritik der Urteilskraft*, Halle, 1923, p. 19, n° 3.
3. A. de Tocqueville, *La Démocratie en Amérique*, II, chap. I.
4. Cf. notamment, *Idea*, chap. III.

II. ENTRE LE CŒUR ET LA RAISON

1. K. H. von Stein, *Die Entstehung der neueren Ästhetik*, Stuttgart, 1886.
2. D. Bouhours, *op. cit.*, p. 2.
3. *Ibid.*
4. *Ibid.*, p. 4.
5. B. de Spinoza, *Traité de la réforme de l'entendement*, 45.
6. C. Batteux, *Les Beaux-Arts réduits à un même principe*, 1746, p. 13.
7. *Ibid.*, p. 24.
8. *Ibid.*, p. 25.
9. N. Boileau, *Art poétique*, chant I.
10. *Ibid.*
11. N. Boileau, *Satire douzième* sur l'équivoque.
12. *Id.*, *Art poétique*, chant I.

13. D. Bouhours, *op. cit.*, p. 432 (je cite d'après l'édition de 1743).

14. *Ibid.*, p. 194.

15. *Ibid.*, p. 195. Cf. aussi pp. 435-436.

16. *Ibid.*, p. 81.

17. *Ibid.*, p. 20.

18. *Ibid.*, p. 20 sq.

19. *Ibid.*, pp. 225-226.

20. *Ibid.*

21. E. Cassirer, *La Philosophie des Lumières*, pp. 293-294.

22. C. Batteux, *op. cit.*, p. 2.

23. *Ibid.*

24. *Ibid.*, p. 11.

25. Cf. *Ibid.*, p. 89.

26. J.-B. Dubos, *Réflexions critiques sur la poésie et la peinture*, 1re partie, section 4.

27. *Ibid.*, p. 361 (Tous ces textes sont cités d'après l'édition de 1770.)

28. *Ibid.*, p. 367.

29. C. Batteux, *op. cit.*, p. 102.

30. J.-B. Dubos, *op. cit.*, p. 341.

31. *Ibid.*, p. 369.

32. Cf. Bäumler, *op. cit.*, pp. 25-26.

33. *Ibid.*, p. 53 sq., où ce point est correctement analysé.

34. E. Kant, *Critique de la faculté de juger*, trad. A. Philonenko, Vrin, p. 163.

35. *Ibid.*, p. 164.

36. *Ibid.*, p. 163.

37. *Ibid.*

38. *Ibid.*, p. 165.

39. A. Philonenko, *l'Œuvre de Kant*, II, 1972, p. 204.

40. E. Kant, *op. cit.*, p. 169.

41. *Ibid.*

42. Cf. en particulier D. Hume, « Sur la norme du goût » (1757), in *Essais esthétiques*, II, trad. R. Bouveresse, Vrin, 1974.

43. *Ibid.*, p. 25, note 4.

44. *Ibid.*, p. 79.

45. E. Cassirer, *op. cit.*, p. 300.

46. *Id.*, *Essais esthétiques*, I, pp. 27-28.

47. Ibid., p. 82.

48. *Ibid.*, p. 97.

49. J.-B. Dubos, *op. cit.*, II, section 34.

50. D. Hume, *op. cit.*, pp. 82-83.

51. *Ibid.*, p. 83.

52. *Ibid.*, p. 96.

53. *Ibid.*, p. 83.

54. *Ibid.*, p. 86.

55. *Ibid.*

56. J.-B. Dubos, *op. cit.*, pp. 369-370.

57. D. Hume, *op. cit.*, p. 85.

58. *Ibid.*, p. 86.

59. *Ibid.*, pp. 87-88.

60. *Ibid.*, p. 90.

61. *Ibid.*, p. 95.

62. *Ibid.*, p. 93.

63. *Ibid.*, p. 95.

64. *Ibid.*, p. 94.

65. *Ibid.*, p. 101.

66. *Ibid.*, p. 103.

67. *Ibid.*, p. 52.

68. G. W. Leibniz, *Nouveaux Essais sur l'entendement humain*, livre IV, chap. II, § 14.

69. Cf. par exemple C. Wolff, *Psychologia empirica*, § 545. Sur la notion de perfection, cf. *Id., Ontologia*, § 503.

70. G.W. Leibniz, *Von der Weisheit, deutsche Schrifte*, Guhrauer, I, 420.

71. M. Mendelssohn, *Gesammelte Schriften*, I, 114.

72. Sur ces modifications, cf. A. Bäumler, *op. cit.*, p. 192 sq.

73. *Ibid.*, p. 229.

74. *Ibid.*, p. 231.

75. A. G. Baumgarten, *Meditationes philosophicae de nonnullis ad poema pertinentibus*, § 15 sq.

76. *Ibid.*, § 9. Cf. aussi § 5.

77. Sur ce même thème, cf. aussi les §§ 555-560-563 de l'*Ästhetica*.

78. Cf. les §§ 14-15-561-562.

79. Cf. aussi § 565.

III. LE MOMENT KANTIEN : LE SUJET DE LA RÉFLEXION

1. E. Kant, *Critique de la raison pure*, G-F, p. 477.

2. *Ibid.*, p. 478.

3. *Ibid.*, pp. 522, 528, 529.

4. *Ibid.*, pp. 504-505.

5. *Ibid.*, pp. 84-85.

6. *Ibid.*, p. 85.

7. M. Heidegger, *Qu'est-ce que la métaphysique?* p. 55.

8. *Ibid.*

9. *Ibid.*, p. 58.

10. E. Kant, *op. cit.*, p. 558.

11. Sur le lien entre l'idée de réflexion et la critique de la métaphysique qu'elle suppose, cf. L. Ferry, *Philosophie politique, II*, p. 113 sq.

12. E. Kant, *Critique de la faculté de juger*, Introduction, IV.

13. Je reprends ici une analyse déjà esquissée in *Philosophie politique, II*.

14. Cf. C. Wolff, *Psychologia empirica*, §§ 257-258.

15. Cf. A. Baümler, *op. cit.*, p. 203 sq.

16. E. Kant, *Critique de la faculté de juger*, § 40.

17. *Ibid.* Cf. aussi la *Réflexion*, n° 626.

18. *Réflexion*, n° 782.

19. Jean-François Lyotard et Jacob Rogozinski, *l'Autre Journal*, décembre 1985, p. 34.

20. *Ibid.*

21. E. Kant, *Critique de la faculté de juger*, p. 82.

22. *L'Autre Journal*, *op. cit.*

23. *Ibid.*

24. M. Heidegger, *Kant et le problème de la métaphysique*, trad. Gallimard, p. 215.

25. *Ibid.*, p. 216.

26. *Ibid.*, p. 225.

27. *Ibid.*, p. 226.

28. *Ibid.*

29. *Ibid.*, p. 224.

30. Trad. Pierre Quillet, p. 72.

31. Ce fut tout le projet de *Philosophie politique, II*, Cf. aussi, « La dimension éthique chez Heidegger », in *Nachdenken über*

Heidegger, Gerstenberg Verlag, 1980, et *la Pensée 68, essai sur l'anti-humanisme contemporain*, dernier chapitre.

IV. LE MOMENT HÉGÉLIEN :
LE SUJET ABSOLU OU LA MORT DE L'ART

1. G. W. F. Hegel, *Leçons sur l'histoire de la philosophie*, trad. Gibelin, Aubier, p. 115.
2. *Ibid.*, pp. 115-116.
3. *Ibid., Vorlesungen über die Ästhetik*, Theorie Werkausgabe, Suhrkamp Verlag, 1970, vol. I, p. 21.

V. LE MOMENT NIETZSCHÉEN :
LE SUJET BRISÉ ET L'AVÈNEMENT
DE L'ESTHÉTIQUE CONTEMPORAINE

1. G. Deleuze, *Nietzsche et la philosophie*, PUF, 1962.
2. F. Nietzsche, *la Naissance de la tragédie*, § 17, K. Schlechta éd., I, p. 95.
3. *Id., la Volonté de puissance*, III, p. 447.
4. *Id., Considérations inactuelles II*, § 8, K. Schlechta éd., I, p. 263.
5. *Ibid.*
6. *Ibid.*, p. 169.
7. *La Volonté de puissance*, III, p. 677.
8. *Considérations inactuelles*, II, § 8, I, p. 263.
9. M. Heidegger, *Nietzsche*, I, p. 72.
10. *Ibid.*, p. 73.
11. *Id., Essais et Conférences*, Gallimard, p. 95.
12. *Ibid.*, p. 88.
13. *Nietzsche*, I, p. 428.
14. *Ibid.*, p. 192.
15. F. Nietzsche, *Par-delà le bien et le mal*, § 268.
16. *La Volonté de puissance*, III, pp. 612-613.
17. *Ibid.*, p. 525.
18. *Ibid.*, p. 542.
19. *Id., Crépuscule des idoles*, III, p. 1008.
20. *La Volonté de puissance*, III, p. 558.

21. *Ibid.*, p. 545.

22. *Ibid.*, pp. 612-615.

23. *Ibid.*, p. 689.

24. *Ibid.*, pp. 704-705.

25. *Ibid.*, p. 604.

26. *Ibid.*, p. 907.

27. *Ibid.*, p. 822.

28. *Ibid.*, p. 821.

29. *Ibid.*, p. 374.

30. *Ibid.*

31. Cf. F. Nietzsche, *Œuvres posthumes*, Kroener éd., X, p. 277.

32. *La Volonté de puissance*, K. Schlechta éd., III, p. 604.

33. *Ibid.*

34. *Ibid.*

35. *Ibid.*, p. 585.

36. *Ibid.*, p. 423.

37. *Œuvres posthumes*, Kroener éd., XI, 2ᵉ, § 504.

38. *Ibid.*, § 196.

39. *La Volonté de puissance*, K. Schlechta éd., III, p. 627.

40. *Ibid.*, p. 577.

41. *Ibid.*, p. 627.

42. *Œuvres posthumes*, Kroener éd., XIV, 2ᵉ partie, § 63.

43. *La Volonté de puissance*, K. Schlechta éd., III, p. 487.

44. *Ibid.*

45. *Ibid.*, p. 441.

46. *Ibid.*, p. 503.

47. *Ibid.*

48. L. Strauss, *Les Trois vagues de la modernité*, New York, 1975.

49. *Ibid.*, p. 96.

50. Cf. L. Ferry et A. Renaut, *68-86. Itinéraires de l'individu*, Gallimard, 1987, chap. III.

51. M. Foucault, *Nietzsche, la généalogie, l'histoire*.

52. F. Nietzsche, *Par-delà le bien et le mal*, § 289.

53. *La Volonté de puissance*, K. Schlechta éd., III, p. 576.

54. Voir, par exemple, M. Heidegger, *Nietzsche*, I, p. 119.

55. *La Volonté de puissance*, III, p. 753.

56. *Ibid.*, p. 716.

57. *Ibid.*, p. 829.

58. *Ibid.*

59. *Ibid.,* p. 756.
60. *Ibid.*
61. *Ibid.,* p. 576.
62. *Ibid.*
63. *Par-delà le bien et le mal,* § 21.
64. *Ibid.*
65. *Ibid.,* § 17.
66. *Ibid.*
67. *Ibid.*
68. Sur cette difficulté, cf. L. Ferry et A. Renaut, *68-86. Itinéraires de l'individu.*
69. M. Heidegger, *op. cit.,* I, p. 89.
70. *Ibid.,* p. 90.
71. Cf. *Ibid.,* pp. 425, 482.
72. G. Deleuze, *op. cit.,* p. 117.
73. *Ibid.,* p. 35.
74. *Ibid.*
75. *La Volonté de puissance,* K. Schlechta éd., III, p. 782.
76. *Ibid.,* p. 755.
77. *Ibid.*
78. *Ibid.,* p. 533.
79. *Ibid.,* p. 516.
80. *Ibid.,* p. 646.
81. *Ibid.,* p. 617.
82. *Ibid.,* p. 646.
83. *Œuvres posthumes,* Kroener éd., XIV, 1re partie, § 370.
84. M. Heidegger, *l'Origine de l'œuvre d'art,* trad. Gallimard, p. 1.
85. J. Lacoste, *la Philosophie de l'art,* PUF, 1985.

VI. LE DÉCLIN DES AVANT-GARDES : LA POSTMODERNITÉ

1. *Contrechamps,* n° 3 : « Avant-garde et tradition ».
2. IRCAM, Programme 1987, éditorial.
3. J. Clair, *Considérations sur l'état des beaux-arts, critique de la modernité,* Gallimard, 1983, pp. 115-116.
4. *Libération,* novembre 1983.
5. *Le Point,* 21 avril 1986.

6. P. M. Menger, « L'élitisme musical », *Esprit,* mars 1985, p. 5 sq.

7. *Restons simples,* n° 2, janvier 1986.

8. J.-C. Risset, « le compositeur et ses machines », *Esprit*, mars 1985, p. 71.

9. *Ibid.*

10. O. Paz, *Point de convergence. Du romantisme à l'avant-garde,* Gallimard, 1974, p. 190.

11. Cf. Donald D. Egbert, « The Idea of " avant-garde " in Art and Politics », *The American Historical Review,* déc. 1967, p. 343. Sur l'historique du concept, les livres de Renato Poggioli, *The Theory of the Avant-Garde,* Harvard University Press, 1968 (original italien, II Mulino, 1962) et de Peter Burger, *Théorie des avant-gardes,* Suhrkamp, 1974, n'apportent aucun élément remarquable.

12. C. H. de Saint-Simon, *Opinions littéraires, philosophiques et industrielles,* Paris, 1825, p. 331, (ce texte est en fait rédigé par Olinde Rodrigues et cosigné par Saint-Simon et Léon Halévy).

13. *Lettres de H. de Saint-Simon à messieurs les jurés,* Coméard, Paris, 1820, A. VI, 422.

14. *Opinions littéraires..., op. cit.,* p. 137.

15. R. Poggioli, *op. cit.,* pp. 12-13.

16. Sur cet étrange mouvement, plus amusant que réellement novateur, cf. l'*Encyclopédie des farces et attrapes et mystifications,* J.-J. Pauvert, Paris, 1964, ainsi que l'article de Daniel Grojnowski paru dans *Actes de la recherche en sciences sociales* auxquels j'emprunte quelques-unes des remarques qui suivent.

17. W. Kandinsky, *Du spirituel dans l'art et dans la peinture en particulier,* traduction Denoël, 1969, p. 43.

18. *Ibid.,* p. 53.

19. *Ibid.,* p. 58.

20. *Ibid.,* p. 46.

21. « Correspondance Kandinsky-Schönberg », *Contrechamps,* n° 2, avril 1984.

22. Lettre à Schönberg du 18 janvier 1911.

23. *Du spirituel dans l'art..., op. cit.* p. 31.

24. *Ibid.,* p. 67.

25. *Ibid.*

26. Pour une analyse plus développée de ce concept, cf. L. Ferry et A. Renaut, *68-86. Itinéraires de l'individu,* Gallimard, 1987.

27. D. Bell, *les Contradictions culturelles du capitalisme*, PUF, 1979, p. 27.

28. *Ibid.*, p. 26.

29. J.-J. Rousseau, *Du contrat social*, livre II, chap. I.

30. Ce texte est commenté par D. Bell, *op. cit.*, p. 28, note 17.

31. *Ibid.*, p. 28.

32. *Ibid.*, p. 22.

33. *Ibid.*

34. *Ibid.*, p. 8.

35. *Ibid.*, p. 21, note 10; cf. aussi pp. 46-47.

36. *Ibid.*, p. 72.

37. *Ibid.*, p. 75.

38. *Ibid.*, p. 79.

39. *Ibid.*, p. 83.

40. *Ibid.*, p. 142.

41. *Ibid.*, p. 81.

42. Cf. L. Ferry et A. Renaut, *la Pensée 68, essai sur l'antihumanisme contemporain*, Gallimard, 1985.

43. Cf. G. Lipovetsky, *l'Ère du vide*, Gallimard, 1983, qui introduit une perspective tocquevillienne dans l'analyse du modernisme.

44. *Le Débat*, n° 21, 1982, p. 48.

45. Cf. P. Francastel, *Études de sociologie de l'art*, Denoël, 1970, pp. 156, 178, 183, etc.

46. K. S. Malevitch, *Écrits*, éditions Gérard Lebovici, 1986, pp. 185-186.

47. Cf. G. Apollinaire, *les Peintres cubistes*, Hermann, 1965, pp. 25 sq.

48. J. Metzinger (avec A. Gleizes), *Du cubisme*, éditions Présence, 1980 (Postface de 1946), p. 79.

49. Cf. l'excellent livre de J. Lacoste, *l'Idée du beau*, Bordas, 1986, p. 146 sq.

50. P. Francastel, *op. cit.*, p. 55.

51. G. Severini, *la Peinture d'avant-garde*, Mercure de France, 1917, I, VI.

52. A. Gleizes, *Art et Science*, éd. Présence, 1970. p. 55.

53. P. Francastel, *op. cit.*, p. 247.

54. *Ibid.*, p. 250.

55. J. Paulhan, *Sur le cubisme*, Denoël, 1970, p. 103.

56. G. Apollinaire, *op. cit.*

57. E. Jouffret, *Traité élémentaire de géométrie à quatre dimensions,* p. IX.

58. J. Metzinger et A. Gleizes, *op. cit.,* p. 49.

59. *Ibid.*

60. Princeton University Press, 1975.

61. *La Revue d'art,* nº 39 (juin 1978).

62. Galilée, 1975.

63. Cf. notamment C. H. Hinton, *A New Era of Thought,* Londres, 1888.

64. E. Jouffret, *op. cit.,* p. V.

65. *Ibid.,* p. VIII.

66. Cf. *Revue générale des sciences,* 1891, p. 774; cf. aussi « L'espace et la géométrie », *Revue de métaphysique et de morale,* 1895, p. 631 sq.

67. C. H. Hinton, *op. cit.,* (cité en anglais par Jouffret, *op. cit.,* Avant-Propos).

68. E. Jouffret, *op. cit.,* p. XVII.

69. *Ibid.,* p. XIII.

70. *Ibid.,* p. IX.

71. Cf. J. Clair, « L'échiquier, les modernes et la quatrième dimension », *op. cit.*

72. E. Abott, *Flatland, a Romance of Many Dimensions by a Square.*

73. E. Jouffret, *op. cit.,* p. XIV.

74. J. Metzinger, *Le cubisme était né,* éditions Présence, 1972, p. 23.

75. *Ibid.,* p. 20.

76. Dans un article paru le 29 décembre 1918 dans *le Carnet de la semaine.* Cf. sur ce point, L. Dalrymple-Henderson, *op. cit.,* p. 72.

77. J. Metzinger, *Le cubisme était né,* pp. 43-44.

78. *Ibid.,* pp. 62-63.

79. H. Poincaré, *la Science et l'hypothèse,* p. 65.

80. Level, « L'esprit et l'espace : la quatrième dimension », *le Théosophe,* 16 mars 1911.

81. Noircame, *Quatrième dimension,* Éditions théosophiques, Paris, 1912.

82. Cf. J. Clair, *Marcel Duchamp ou le Grand Fictif, op. cit.,* chap. II, ainsi que la thèse de L. Dalrymple-Henderson, *Passim.*

83. Sur Pawlowski, cf. L. Dalrymple-Henderson, *op. cit.,* p. 51 sq.

84. Cf. la Préface à l'édition de 1923 du *Voyage*.

85. Cf. G. de Pawlowski, *le Voyage au pays de la quatrième dimension*, p. 30.

86. Cf. J. Clair, *Marcel Duchamp ou le Grand Fictif*.

87. M. Duchamp, *Ingénieur du temps perdu*, entretiens avec Pierre Cabanne, Belfond, 1967, pp. 66-67.

88. J. Clair, *op. cit.*, p. 47 (cf. p. 43 sq.).

89. Cf. M. Duchamp, *Duchamp du signe, écrits*, Flammarion, 1975, p. 105 sq.

90. Cf. Dalrymple-Henderson, *op. cit.*, chapitre V : « Transcending the present : the fourth dimension in the philosophy of Ouspensky and in Russian Futurism and Suprematism. »

91. *Duchamp du signe*, p. 208.

92. J. Metzinger, *Le cubisme était né, souvenirs*, p. 60.

93. *Ibid.*, p. 62.

94. Cf. J. Paulhan, *la Peinture cubiste*, pp. 83-84.

95. J. Metzinger, *Le cubisme était né*, p. 58.

96. *Paris-Journal*, 16 août 1911.

97. J. Paulhan, *op. cit.*, p. 53.

98. P. Francastel, *Études de sociologie de l'art, op. cit.*, chap. III.

99. J. Paulhan, *op. cit.*, p. 93.

100. Cf. H. Poincaré, *la Science et l'hypothèse*, p. 66.

101. J. Metzinger et A. Gleizes, *Du cubisme*, pp. 74-75.

102. Cf. *Duchamp du signe*, p. 217.

103. *Mercure de France*, I, VI, 1917.

104. *Loc. cit.*, p. 460.

105. *Ibid.*, p. 452.

106. *Ibid.*, p. 451.

107. *Ibid.*, p. 459.

108. *Ibid.*, p. 461.

109. Cité par J. Clair, « L'échiquier, la quatrième dimension et les modernes », note 3.

110. G. Severini, *art. cit.*, p. 463.

111. A Gleizes, *Art et religion, art et science, art et production*, Présence, 1970.

112. J. Metzinger, *Le cubisme était né*, p. 62.

113. J. Paulhan, *Sur le cubisme*, p. 96.

114. *Ibid.*, p. 100 (Cf. aussi pp. 88, 104, 150, etc.).

115. J. Metzinger, *Du cubisme*, Postface de 1946, pp. 80-82.

116. G. Severini, *art. cit.*, pp. 454, 465.

117. G. W. Leibniz, *Deutsche Schriften*, Guhrauer éd., I, p. 442. *(Von der Weisheit.)*

118. J.-F. Lyotard, *Des dispositifs pulsionnels*, 1973, pp. 8-9.

119. « Correspondance Kandinsky-Schönberg », *Contrechamps*, n° 2, p. 11.

120. C. Dahlhoun, « La construction du disharmonique », *Contrechamps*, n° 2, p. 137 sq.

121. P. Boulez, « Parallèles », *Contrechamps*, n° 2, p. 154.

122. T. Adorno, *Philosophie de la nouvelle musique*, Gallimard, 1972, pp. 15-16.

123. A. Gleizes, *Art et religion*, op. cit., p. 105.

124. J. Metzinger, « Cubisme et tradition », *Paris-Journal*, 16 août 1911.

125. R. Leibowitz, *Introduction à la musique de douze sons*, L'Arche, 1949, pp. 13-14.

126. *Ibid.*

127. *Ibid.*

128. J.-F. Lyotard, *le Postmoderne expliqué aux enfants*, Galilée, 1986, p. 27.

129. *Ibid.*, p. 28.

130. K. S. Malevitch, *op. cit.*, Introduction d'A. Nakov, p. 87.

131. J. Paulhan, *op. cit.*, p. 104.

132. G. Apollinaire, *les Peintres cubistes*, p. 52.

133. F. Nietzsche, *le Gai Savoir*, § 374, « Notre nouvel infini ».

134. « Correspondance Kandinsky-Schönberg », lettre de Schönberg du 24 janvier 1911, *Contrechamps*, n° 2, p. 13.

135. Cf. J. Lacoste, *l'Idée du beau*, p. 5.

136. C. Jencks, *le Langage de l'architecture postmoderne*, Denoël, 1979 (1977 pour l'édition anglaise), p. 6.

137. J.-F. Lyotard, *le Postmoderne expliqué aux enfants*, pp. 27-28. Sur Adorno, cf. le bel article d'A. Wellmer, « Dialectique de la modernité et de la postmodernité », *Cahiers de philosophie,»* n° 5, printemps 1988.

138. J.-F. Lyotard, *op. cit.*, pp. 29-30.

139. *Ibid.*

140. *Ibid.*

141. C. Jencks, *op. cit.*, p. 9.

142. *Ibid.*

143. A. Wellmer, *art. cit.*, p. 159.

144. C. Castoriadis, *Transformation sociale et création culturelle*, p. 37.

145. *Ibid.*

146. *Ibid.*, p. 45.

147. *Ibid.*, p. 36.

148. *Ibid.*

149. *Ibid.*

150. *Ibid.*, p. 34.

VII. LA QUESTION DE L'ÉTHIQUE À L'ÂGE DE L'ESTHÉTIQUE

1. L. Ferry, *Philosophie politique, I : la Nouvelle Querelle des Anciens et des Modernes*.

2. Cf. L. Ferry et A. Renaut, *Heidegger et les Modernes*, dernier chapitre.

3. Il faut toujours se reporter au beau livre de Pierre-André Taguieff, *la Force du préjugé. Essai sur le racisme et ses doubles*, La Découverte.

ANNEXE I

La « *phénoménologie* » de Lambert

1. Cf. J.-H. Lambert, *Anlage zur Perspektive*, p. 82 sq.

2. E. Cassirer, *Das Erkenntnisproblem in der Philosophie und Wissenschaft der neueren Zeit*, II, p. 545.

3. E. König, « Uber den Begriff der Objektivität bei Wolff und Lambert mit Beziehung auf Kant », *Zeitschrift für Philos.*, tome LXXXV, p. 292 sq.

4. G. W. Leibniz, *Nouveaux essais sur l'entendement humain*, Livre IV, chap. II, § 14.

5. *Ibid.*

Table

I

LA RÉVOLUTION DU GOÛT, 17

Ancien moderne, contemporain : le retrait du monde, 18 – La naissance du goût, 27 – Les trois problèmes fondamentaux de l'esthétique, 34 : 1. L'irrationalité du beau : l'autonomie du sensible comme coupure entre l'homme et Dieu, 35; 2. La naissance de la critique : l'histoire contre la tradition, 38; 3. Sens commun et communication : peut-on discuter du beau?, 40 – L'histoire de l'esthétique comme histoire de la subjectivité, 42 : 1 Entre le cœur et la raison : la préhistoire de l'esthétique ou la querelle des « cogito », 44; 2. Le moment kantien, réflexion et intersubjectivité, 45; 3. Le moment hégélien : le sujet absolu ou la mort de l'art, 47; 4. Le moment nietzschéen : le sujet brisé et l'esthétisation de la culture, 48; 5. La mort des avant-gardes et l'avènement de la postmodernité, 50.

Table 469

DU MÊME AUTEUR

PHILOSOPHIE POLITIQUE I :
Le droit. La nouvelle querelle des anciens
et des modernes, *P.U.F., 1984.*

PHILOSOPHIE POLITIQUE II :
Le système des philosophies de l'histoire,
P.U.F., 1984.

PHILOSOPHIE POLITIQUE III :
Des droits de l'homme à l'idée républicaine,
P.U.F., 1985 (en collaboration avec Alain Renaut).

SYSTÈME ET CRITIQUES
Essai sur les critiques de la raison
dans la pensée contemporaine,
Ousia, 1985 (en collaboration avec Alain Renaut).

LA PENSÉE 68
Essai sur l'antihumanisme contemporain,
Gallimard, 1985
(en collaboration avec Alain Renaut).

68-86. ITINÉRAIRES DE L'INDIVIDU,
Gallimard, 1987
(en collaboration avec Alain Renaut).

HEIDEGGER ET LES MODERNES,
Grasset, 1988 (en collaboration avec Alain Renaut).

Le Livre de POCHE

Histoire des idées

Armand Abécassis. *La pensée juive*
1. *Du désert au désir.*   Inédit. 4050.
2. *De l'État politique à l'éclat prophétique.*   Inédit. 4051.
3. *Espaces de l'oubli et mémoires du temps.*   Inédit. 4052.

Première présentation aussi minutieuse et aussi complète de *la pensée juive.* Armand Abécassis détaille la lettre des transformations subies au fil du temps et analyse le noyau conceptuel, formé par la trilogie Peuple-Texte-Terre.
Du milieu du IVe millénaire au Xe siècle avant J.-C. Trois valeurs fondatrices radiographiées. La Terre, montrée comme l'espace de l'Enracinement et le lieu de la Promesse. La Famille ensuite, structure originaire à partir de laquelle s'inventera l'architecture du collectif. Le Peuple enfin, désigné comme la valeur étalon, le creuset où se forgent les différences et la notion de responsabilité.
Du Xe siècle à l'an 587 avant J.-C. (déportation en Babylonie). Une investigation approfondie qui révèle le rôle des prophètes face aux politiques et aux religieux, et montre comment se profilent les notions de justice, d'amour, de paix et d'alliance.

Pierre Ansart. *Proudhon.*
Textes et débats   Inédit. 5009.
« La propriété c'est le vol », « Dieu c'est le mal »... Formules désormais célèbres d'un penseur dont le travail aura largement contribué à bouleverser les idéologies du XIXe siècle. Les grands axes d'une réflexion, les grands débats qu'elle a suscités : Pierre Ansart nous offre un exposé concis et clair.

Jacques Attali. *Histoires du temps.*   4011.
Une généalogie de nos appareils à mesurer le temps : de la clepsydre à l'horloge astronomique. Où l'on apprend que les transformations des moyens de comptage de la durée révèlent les grandes fractures sociales et caractérisent « la trajectoire de chaque civilisation ».

Jacques Attali. *Les Trois Mondes.*   4012.
L'économie contemporaine et la crise. Après avoir vécu dans le monde de la *régulation*, puis dans celui de la *production*, nous sommes entrés dans celui de l'*organisation*.

Jacques Attali. *Bruits.* 4040.

« Le monde ne se lit pas, il s'écoute. » Jacques Attali se livre à un étonnant exercice : percer à jour les mystères de l'histoire des sociétés grâce à la compréhension de l'histoire de leur musique. Comment la maîtrise des sons explique la structure du pouvoir.

Jean Baudrillard. *Amérique.* 4080.

Les dessous d'un continent fabuleux. Un autre univers, un autre temps, un autre horizon. Une utopie étrange qui, sans cesse, oscille entre rêve et réalité. Avec Baudrillard comme guide.

Georges Benrekassa. *Montesquieu, la liberté et l'histoire.* *Inédit.* 4067.

Montesquieu notre contemporain. Pour découvrir un philosophe de la liberté adonné à l'intelligence de l'histoire et comprendre à quelles conditions les vérités du libéralisme sont acceptables.

Cornélius Castoriadis. *Devant la guerre.*
Nouvelle édition revue et corrigée 4006.

Cornélius Castoriadis examine l'état des forces des deux grandes puissances qui dominent la planète : U.S.A. et U.R.S.S. Pour l'heure, l'avantage est en faveur de l'Union soviétique. Devenue « statocratie », la nation laisse le militaire l'emporter sur le politique.

Guido Ceronetti. *Le Silence du corps.* 4089.

Le corps dans tous ses états. Corps biologique, corps social, corps nature... Peu de penseurs ont parlé avec tant d'intelligence de nos douleurs, de nos maladies, de nos sensations, de nos plaisirs comme de nos fantasmes.

Régis Debray. *Le Scribe.* 4003.

La figure de l'intellectuel sous la loupe de l'historien des idées. Des origines à nos jours, les mille et une métamorphoses du scribe. Une vaste fresque qui traverse siècles et civilisations.

Laurent Dispot. *La Machine à terreur.* 4016.

On ne peut comprendre les phénomènes de la violence politique contemporaine si l'on ignore ce qui s'est joué avec la Révolution française. La logique des hommes et les systèmes de la violence.

Umberto Eco. *La Guerre du faux.* 4064.

Une chronique raisonnée de nos nouvelles mythologies. Blue-jean, football, télévision, terrorisme, hyperréalité, phénomènes de mode... L'univers quotidien de notre siècle finissant méthodiquement déchiffré.

René Girard. *La Route antique*
des hommes pervers. 4048.
A travers un commentaire stimulant du texte le plus étrange que
contient la Bible, *Le Livre de Job,* René Girard nous convie à une
formidable méditation sur le fonctionnement social. La Violence,
l'Innocence, le Religieux, le Totalitarisme, Le Sacrifice...

André Glucksmann. *La Force du vertige.* 4024.
Le pacifisme revu et corrigé. André Glucksmann continue son dépous-
siérage des idées reçues et en appelle à une véritable révolution des
consciences. Vouloir la paix au siècle de la bombe atomique cela signifie
d'abord que l'on dispose d'un armement au moins équivalent à celui de
son adversaire potentiel.

Yves Lacoste. *Questions de géopolitique*
L'Islam, la mer, l'Afrique. Inédit. 4087.
A travers une série d'analyses percutantes, Yves Lacoste nous montre la
nouvelle physionomie de la planète et nous aide à débrouiller des
questions aussi complexes que celles de l'Islam, des mers et de l'Afrique.

Claude Lefort. *L'Invention démocratique.* 4002.
Non, le totalitarisme n'est pas une fatalité. Et à qui sait entendre, des
voix jaillies des profondeurs de l'oppression racontent le roman de sa
disparition. Une très grande leçon de philosophie politique.

Bernard-Henri Lévy. *Les Indes rouges*
précédé d'une Préface inédite 4031.
Le livre s'ouvre sur la décennie 70. En Afrique du Sud, en Asie, les pays
qui subissaient la tutelle colonialiste de l'Occident secouent leur joug.
Les Indes rouges est le récit de l'une de ces guerres de libération : l'histoire
du Bangla Desh.

Bernard-Henri Lévy.
Questions de principe deux. Inédit. 4052.
Questions de principe trois. Inédit. 4123.
Une réflexion à l'œuvre, un engagement qui s'affirme. *Questions de
principe deux* et *trois* sont un prisme où miroitent les enjeux de notre siècle
finissant.

Jean-Jacques Marie. *Trotsky.*
Textes et débats Inédit. 5004.
Le stratège, l'économiste, le philosophe, l'idéologue, le politique : toutes
les figures de l'intellectuel sont soigneusement présentées.

Philosophie

Jean Baudrillard. *Les Stratégies fatales.*   4039.
Un livre à lire comme un recueil d'histoires. Il y est question d'amour, de séduction, de plaisir, des formes inouïes de l'obscénité moderne... Jean Baudrillard brise des clichés. *Les Stratégies fatales* est la chronique désabusée d'un philosophe à la recherche de la nouvelle cohérence qui régit son époque.

Jean-Claude Bonnet. *Diderot.*
Textes et débats   5001.
Diderot dans tous ses états : polémiste, humaniste, encyclopédiste, philosophe, politologue, moraliste. Une œuvre à découvrir et à redécouvrir, une réflexion libre et stimulante.

Cahier de l'Herne. *Mircea Eliade.*   4033.
Appréhender l'homme à travers ses manifestations les plus singulières. Saisir les mystères de l'esprit, les raisons de ses fascinations pour le merveilleux ou l'inexplicable. Définir des réalités aussi étranges, aussi impénétrables que la conscience ou l'imaginaire. Telles sont les voies sur lesquelles s'est engagé Mircea Eliade.

Cahier de l'Herne. *Martin Heidegger.*   4048.
L'œuvre philosophique la plus considérable de ce siècle est indéniablement celle de Martin Heidegger. La métaphysique, la pensée de l'Être, la technique, la théologie, l'engagement politique : rien ne manque au tableau de ce Cahier de l'Herne exceptionnel. Des intervenants prestigieux, des commentaires judicieux.

E.M. Cioran. *Des larmes et des saints.*   4090.
« Il y a dans l'obsession de l'absolu un goût d'autodestruction. D'où la hantise du couvent et du bordel. " Cellules " et femmes de part et d'autre. Le dégoût de vivre croît aussi bien à l'ombre des saintes que des putains. »

E.M. Cioran. *Sur les cimes du désespoir.*   4139.
Sur le désastre d'être en vie. La pensée philosophique faite « traînée de sang et de fumée », équivalent symbolique du drame et de la mort.

Jeannette Colombel. *Jean-Paul Sartre, 1 et 2.*
Un homme en situations.   *Inédit.* 5008, 5013.

Dans ce premier volume, Jeannette Colombel met l'accent sur le Sartre théoricien du « sujet », le penseur de *L'Être et le Néant*.
Une œuvre aux mille têtes.   *Inédit.* 5013.
Le philosophe de la liberté. Sa vision de l'Histoire, ses conceptions de la morale, sa passion de l'écriture, son sens de l'injustice, son refus des oppressions. Tout Sartre, de *La Nausée* à *L'Idiot de la famille*.

Armand Cuvillier. *Cours de philosophie, 1 et 2.* 4053, 4054.

1. Les questions fondamentales de la philosophie sont abordées dans des exposés rigoureux et précis. Toutes les notions, tous les concepts. Une superbe introduction à l'univers philosophique.
Problèmes de la conscience et de l'inconscient, de l'espace, du réel, de la mémoire, du temps, de l'intelligence, du langage, de la raison, de la connaissance, de l'esprit scientifique, de la biologie, de l'histoire, de la métaphysique, etc.
2. Thèmes psychologiques, moraux et politiques. Le désir, le plaisir, les passions, le moi, la personnalité et le caractère, autrui, l'art, le Beau, la création, l'expérience morale, le devoir, le Bien, les grandes conceptions de la vie morale, la liberté, les théories politiques, etc.

Jean-Toussaint Desanti. *Un destin philosophique.* 4022.

Un philosophe, parmi les plus importants du moment, revient sur lui-même. Les questions cruciales de notre siècle y sont débattues sans artifices. Marxisme, stalinisme, violence, morale et engagement de l'intellectuel. Pour apprendre ce que penser veut dire.

Jacques D'Hondt. *Hegel.*
Textes et débats *Inédit* 5006.

« Ici et là, on veut encore brûler Hegel, cent cinquante ans après sa mort! Les passions éveillées par la publication de ses idées et par leur succès équivoque ne s'apaisent pas. Cette longévité qualifie les grands penseurs. »

Élisabeth de Fontenay. *Diderot*
ou le matérialisme enchanté. 4017.

Élisabeth de Fontenay rompt le fil de l'exégèse traditionnelle pour faire apparaître un Diderot excentrique, rebelle, chantre de « la matière, de la nature et de la vie », qui, mieux que nul autre, aura « musiqué » la philosophie.

André Glucksmann. *Le Discours de la guerre,*
suivi de Europe 2004. 4030.

La guerre dans les têtes. Aujourd'hui, comme hier, présente au quotidien. Un horizon indépassable. Comment la penser à l'âge nucléaire? Quels sont ses enjeux? Quelle fin peut-on lui assigner?

Michel Henry. *La Barbarie.* 4085.

Premier diagnostic du nouveau malaise dans la civilisation : la révélation du fossé qui se creuse entre savoir et culture. Michel Henry énonce avec force les vraies questions de la modernité.

Angèle Kremer-Marietti. *Michel Foucault,*
Archéologie et généalogie. 4036.
Lectures de Michel Foucault. Un parcours qui, de *La Naissance de la*
clinique et *L'Histoire de la folie* aux derniers volumes de *L'Histoire de la*
sexualité, explore méticuleusement le système Foucault. On visite l'inconscient politique occidental, on descend aux racines des valeurs, on
entend la vérité des institutions sociales...

Emmanuel Lévinas. *Éthique et Infini.* 4018.
Emmanuel Lévinas dialogue avec Philippe Némo et passe au crible les
thèmes forts de sa philosophie. La responsabilité, la relation avec
l'Autre, le Mal, l'Amour, la Liberté : autant de problèmes essentiels
dont l'élucidation aide à vivre aujourd'hui.

Emmanuel Lévinas. *Difficile liberté.* 4019.
Un texte qui appréhende la tradition hébraïque sur fond d'extermina-
tions nazies et montre qu'elle porte en elle les paroles d'une sagesse
éternelle. Sobrement, Emmanuel Lévinas nous raconte le grand roman
de l'Homme. Décisif.

Emmanuel Lévinas. *Humanisme*
de l'autre homme. 4058.
L'humanisme est toujours actuel, dit en substance Lévinas, et c'est
grâce à lui que l'on peut apprendre à considérer l'« autre » dans ce
qu'il a d'unique, et donc d'inestimable.

Emmanuel Lévinas. *Noms propres.* 4059.
Lire ses contemporains. Débusquer dans l'entrelacs des mots le travail
de la pensée. Ou encore : le philosophe et ses « affinités électives ». *Noms*
propres est un livre unique dans l'œuvre d'Emmanuel Lévinas. Le seul
où le penseur désigne aussi clairement la teneur exacte de son environnement intellectuel.

IMPRIMÉ EN FRANCE PAR BRODARD ET TAUPIN
Usine de La Flèche (Sarthe).
LIBRAIRIE GÉNÉRALE FRANÇAISE - 43, quai de Grenelle - 75015 Paris.
ISBN : 2 - 253 - 04410 - 5